C000179749

HARDPRESS.NET
HOME OF HARD-TO-FIND BOOKS

Das Gesammtgebiet Des Steindrucks, Oder,
Vollständige Theoretisch-Praktische Anweisung
Zu Ausübung Der Lithographie : in Ihrem
Ganzen Umfange und Auf Ihrem Jetzigen
Standpunkte : Nebst Einem Anhange Von Der
Zinkographie, Dem Anastatischen Drucke und
Der Photolithographie
by Heinrich Weishaupt

Copyright © 2019 by HardPress

Address:
HardPress
8345 NW 66TH ST #2561
MIAMI FL 33166-2626
USA
Email: info@hardpress.net

A 449160

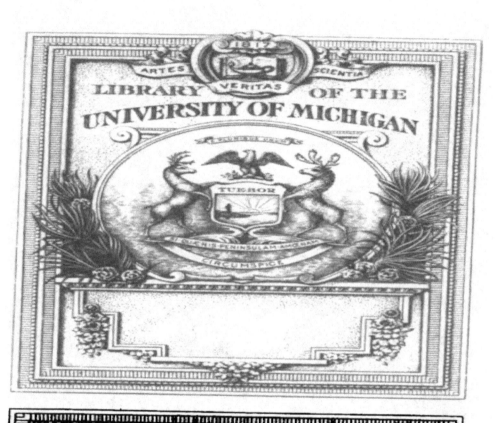

LIBRARY OF THE
UNIVERSITY OF MICHIGAN

ARTES · VERITAS · SCIENTIA
1817
TUEBOR
SI QUÆRIS PENINSULAM AMŒNAM CIRCUMSPICE

THE GIFT OF
Mr. David Molitor

NE
242
.W4
187

Neuer Schauplatz

der

Künste und Handwerke.

Mit

Berücksichtigung der neuesten Erfindungen.

Herausgegeben

von

einer Gesellschaft von Künstlern, technischen Schrift-
stellern und Fachgenossen.

Mit vielen Abbildungen.

1812

Dreiundvierzigster Band.

H. Weishaupt, Gesammtgebiet des Steindrucks.

Fünfte Auflage.

Weimar, 1875.

Bernhard Friedrich Voigt.

Das Gesammtgebiet

des

Steindrucks

oder

vollständige theoretisch-praktische Anweisung zur Ausübung

der Lithographie

in ihrem ganzen Umfange und auf ihrem jetzigen
Standpunkte.

———

Nebst einem Anhange
von der Zinkographie, dem anastatischen Drucke
und der Photolithographie.

Bearbeitet
von

Heinrich Weishaupt,

königl. Professor und technischem Vorstande der gewerbl. Fort-
bildungsschulen und Leiter des Zeichenunterrichts an sämmtlichen
städtischen Volksschulen zc. Münchens.

Fünfte verbesserte und vermehrte Auflage.

Nebst einem Atlas
von 12 Tafeln, enthaltend 140 Abbildungen.

———

Weimar, 1875.
Bernhard Friedrich Voigt.

Seiner Hochwohlgeboren

dem königl. sächs. Hofrathe

Herrn Franz Hanfstängl

in München

hochachtungsvoll gewidmet

von

Heinrich Weishaupt.

NE
2 4 2 5
N 4 3
1 8 7 5

Vorwort
zur fünften Auflage.

‑ ‑ ‑ ‑

Die freundliche Aufnahme und sehr günstige Beurtheilung, welcher der vierten vollständig umgearbeiteten Auflage des vorliegenden Werkes zu Theil geworden ist, ermuthigte mich, trotz meiner vielen Berufsgeschäfte auch die Bearbeitung dieser fünften Auflage zu übernehmen.

Da bei dem Erscheinen der vierten Auflage die Lithographie bereits schon zur vollständigen Entwickelung gediehen war, so konnten wohl mit Sicherheit die wesentlichsten Grundsätzen derselben in diesem Lehrbuche festgestellt werden, welche daher auch gegenwärtig noch dieselbe Geltung haben.

Unverkennbar wurde aber die Lithographie noch mehr gehoben durch die fortschreitenden Verbesserungen und Erfindungen der Neuzeit, und es gehören in die Kategorie der allgemeinen Bestrebungen zunächst die Vervollkommung des Pressenbaues, besonders die der lithographischen Schnellpresse; desgleichen die technische Vervollkommung der autographischen Kreidezeichnung und der Chromolithographie, der sich die Kultur der heliographischen Druckmethoden, somit auch die der Photolithographie anreihet.

Diese Fortschritte auf dem Gebiete der Lithographie und der damit verwandten graphischen Künste, durch viele.

intelligente ſtrebſame Fachmänner errungen, ſind mit allerdings ſchon in verſchiedenen techniſchen Zeitſchriften und
Werken niedergelegt und verbreitet.

Jedoch bei dem Vielerlei, welches derartige Zeitſchriften zu berückſichtigen haben, um den verſchiedenartigen
Bedürfniſſen des Technikers allſeitige Rechnung zu tragen,
bleibt zuweilen das oft zerſtent liegende praktiſch Vortheilhafte unbeachtet und ſelbſt dem Fachmanne unbekannt,
und gelangt deshalb nicht immer zur wünſchenswerthen gemeinnützigen Verbreitung, wodurch es in der allgemeinen
Praxis verwerthet werden könnte.

Um ſo weniger dürfen nun aber die als zweckmäßig
erprobten neueren Geſtaltungen dieſer Technik, welche lebensfähig und der Praxis nutzbringend ſind, in einem ſpeziellen
Lehrbuche der Lithographie vermißt werden, weshalb der
fünften Auflage, nebſt den allgemeinen Grundſätzen und den
geſchichtlich intereſſanten älteren Verfahrungsweiſen — wie
ſelbe zum Theil ſchon in Peſchel's älterem Werke „das
Ganze des Steindrucks ꝛc." enthalten — zugleich auch
das Bewährteſte der neueren Manipulationen beigefügt und
aus den beſten Quellen entnommen wurde.

Hierbei unterſtützten mich die Mittheilungen der bekannten Lithographen Obpacher in München und Hofmann in Würzburg, auch ſind theilweiſe hierzu benutzt
worden: F. Neubürger's Chromolithographie, ſowie
die Abhandlungen von G. F. Krauß, Guſtav Seitz,
L. Pfau, Karl Reich u. a., des Leipziger Polygraphiſchen
Centralblattes, der Hamburger Lithographia und der Stuttgarter Gewerbehalle.

Durch dieſe Beiträge dürfte wohl dieſes bereits allgemein als vorzüglich brauchbar anerkannte Werk ſeine
weitere inſtruktive Vervollſtändigung erhalten haben und
ſomit auch dem praktiſchen Studium des Technikers geeignetſt entſprechen.

München, Anfangs 1875.

Heinrich Weishaupt.

Inhaltsverzeichniß.

Viertes Kapitel.

Von den beim Steinzeichnen üblichen Manieren. — A. Die erhabenen Manieren.
a) Auf glatten Steinen. Die Federzeichnung (Ueber-
tragen der Zeichnung, Pinselzeichnung). Die Holz-
schnittmanier. b) Manieren auf gekörnten Steinen.
Die Kreide- oder Krayonmanier. Die Tamponnirmanier (Knecht's Verfahren). Die Tuschmanier.
B. Die vertieften Manieren. 1) Die Gravirung.
(Weiße Zeichnung auf schwarzem Grunde). 2) Das
Radiren. Radirverfahren von Hofmann. — Die
Authographie oder der Ueberdruck. a) Das
autographische Papier. b) Die autographische Tinte.
Autographische Tusche auf Papier ohne Anstrich. Vom
Schreiben und Zeichnen mit autographischer Tinte.
Verfahren beim Ueberdrucke. Ueberdruckverfahren beim
gewöhnlichen Papiere ohne Anstrich. Umdruckverfahren von Bleibimhaus. Autographie der Kreidezeichnung von Maclure und Macdonald. 1) Anwendung des Umdrucks auf Kupferdruck und Buchdruck.
2) Verbindung des Buchdrucks mit dem Steindrucke
(Typolithographie). 3) Anti - Typolithographie.
4) Umdruckverfahren für lithographische Gravir- und
Federarbeiten. 5) Das Kautschukverfahren bei lithographischer Autographie. 6) Negativer lithographischer Ueberdruck von Weingärtner. Das Umkehren

Berichtigungen.

Seite 164, Zeile 4 v. u., muß es heißen: Einige Zeichner reiben, statt treiben.

Seite 393, Zeile 19 v. o., muß es heißen: die geringere Sorte giebt, statt gilt.

Seite 419, Zeile 17 v. o., muß es heißen: haftenden Ueberdruckfarbe, statt haftenbe.

Seite 513, Zeile 15 v. o., muß es heißen: während sich dieselbe, statt dieselben.

Einleitung.

Die Lithographie oder der Steindruck ist eine rein chemische Kunst, und beruht darauf, mit eigens dazu bereiteten fetten Tinten oder Zeichenstiften auf gewisse mehr oder weniger polirte Steine zu schreiben oder zu zeichnen, oder auch Schrift und Zeichnung mit der Nadel auf den Stein zu graviren, und diese gezeichneten oder gravirten Stellen des Steines durch eine eigene Präparatur für die Annahme der fetten Druckfarbe empfänglich und ebenso die leeren Stellen des Steines für diese Druckfarbe abstoßend zu machen, wodurch es ermöglicht ist, dieselben mit einer fetten Farbe nach Art der Buch- oder Kupferdrucker einzuschwärzen und wiederum mit eigenthümlichen Pressen abzudrucken.

Ihr Erfinder ist Aloys Senefelder, der in seiner Jugend, wegen unglücklicher Familienverhältnisse, sein bereits begonnenes Studium der Rechte nicht vollenden konnte. Er ward Schauspieler, was sein Vater gewesen und wozu er längst große Neigung hatte, lieferte selbst einige dramatische Werkchen, die gut aufgenommen wurden, und hoffte, da ihm nach kurzer Zeit das Schauspielerleben zuwider ward, sich ferner durch literarische Arbeiten seinen Unterhalt verschaffen zu können.

Weishaupt, Steindruck.   1

Ein zufälliger Umstand, durch welchen der Druck eines seiner Werke sehr verzögert ward und ihm selbst beträchtlicher Schaden erwuchs, ließ ihn mit dem Wesen und der Technik des Buchdruckes genau bekannt werden und erweckte in ihm den Wunsch, sich in diesem Fache einzuarbeiten, dann eine eigene Druckerei anzulegen und so seine Werke, unbeengt von Aeußerlichkeiten, selbst zu drucken, sich dabei aber zugleich eine angenehme Abwechselung von körperlichen und Geistesarbeiten zu verschaffen. Allein der Mangel an Geld hinderte dies, und sein Geist strebte nun darnach, ein Mittel zu finden, auf irgend eine andere Weise seine Schriften wohlfeil und schnell vervielfältigen zu können.

Dieses führte ihn auf verschiedene Ideen, er versuchte unter andern Buchdruckerschriften in Kupfer zu radiren, um auf der Kupferdruckerpresse seine Geisteserzeugnisse zu vervielfältigen.

Da ihm jedoch das wiederholte Abschleifen und Poliren seiner Kupferplatte zu viel Zeit raubte, so verwendete er zu seinen Radirübungen zuerst eine Zinn-, dann eine Kellheimer (Solenhofer-) Platte.

Um Fehlstriche zu decken, hatte er bei seinen Versuchen auf Kupfer einen in Wasser löslichen Deckgrund aus Wachs, Seife und Ruß bereitet, welchen er auf dem Steine statt des warmen Deckgrundes, dessen man sich auf Kupfer bedient, anwendete.

Als er nun einst aus augenblicklichem Mangel an Schreibmaterialien eine Notiz über abgegebene Wäsche auf ein frisch geschliffenes Solenhoferplättchen mit dem selbst bereiteten Deckgrund aufschrieb, so gerieth er auf den Gedanken, diese Notiz mit Scheidewasser zu begießen.

Dieselbe fand sich nach der Aetzung merklich über die übrige Fläche erhaben, und es gelang ihm mittelst eines Ballens und später mittelst eines flachen mit Tuch überzogenen Brettchens die Schrift einzuschwärzen und abzudrucken.

Die ersten gelungenen Leistungen dieser neuen Kunst (des Hochdrucks auf Stein) waren Musikalien, welche

Senefelder im Jahre 1796 der Welt übergab. Aber erst nach vielen schweren Kämpfen mit Mangel, Unfällen und Verdrießlichkeiten aller Art und durch unendliche Beharrlichkeit brachte er diese neue Kunst zu einer solchen Selbständigkeit, daß er endlich 1799 auf dieselbe ein ausschließendes Privilegium für Bayern, in welchem Lande er damals lebte und wirkte, erhielt.

Des nöthigen Broderwerbes wegen, ward indessen vorerst diese Kunst, außer einigen Versuchen in andern Manieren, fast nur in der Federmanier zum Notendrucke benutzt, zu welchem Behufe auch André in Offenbach, der im letztgenannten Jahre zufällig nach München kam, das Geheimniß dieser Kunst und deren Anwendung im Auslande käuflich an sich brachte und in Offenbach eine solche Druckerei anlegte.

Durch André und seine Brüder, und zum Theil durch Senefelders eigenes Wirken ward diese Kunst dann nach London, Paris und Wien verbreitet.

Jetzt, in bessern Verhältnissen, war es Senefelders unausgesetztes Streben, seine Kunst mehr und mehr zu veredeln, und er benutzte sie mit großem Glücke zu mehreren artistischen Arbeiten, durch welche dann nach und nach die verschiedenen Manieren des Steindrucks entstanden.

So verbreitete sich die neue Kunst nun in mehrere Hauptstädte, theils durch Senefelder, theils durch André und seine Brüder, theils endlich auch durch solche, die das Geheimniß von ihnen erkauften, bis auch andere denkende Männer, den großen Nutzen dieser Kunst erkennend, derselben nachstrebten, durch Forschungen und Nachdenken, sowie durch Geldaufwand Vieles selbst schufen, Manches durch untreue Schüler Senefelders erfuhren, und dies, vereinigt mit ihren eigenen Erfahrungen, dem Publikum bekannt machten. In Norddeutschland war ein treuer Schüler Senefelders, der mit ihm die ersten Versuche und die ganze Schule der neuen Kunst durchgemacht hatte, der nun längst verstorbene Elias Pocnicke, der erste Verbreiter der Lithographie, indem er sich in Leipzig niederließ und mit Senefelders Billigung mit Baumgärtner und

1*

Fr. Hofmeister eine Steindruckerei anlegte. Bilder zur
Modezeitung waren die ersten hier gemachten Lithographien,
zu denen sich dann vielfache musikalische Arbeiten für
Breitkopf und Härtel gesellten. Poenicke richtete
dann noch in mehreren Städten solche Anstalten ein. Bald
erschienen auch unterrichtende Werke über die neue Kunst.

Das erste dieser Art, was schon ziemlich klare Ideen
über die Lithographie gab, war ein Aufsatz im Morgen-
blatte Nr. 247, Jahrg. 1807. Mehrere Geheimnisse
entdeckte dann ein anderer Aufsatz im Bulletin des
Neuesten und Wissenswürdigsten, Jahrg. 1809, mit
verbessernden Zusätzen, 1810. Aber den bergenden Schleier
des ganzen Geheimnisses lüftete ein in der Cotta'schen
Buchhandlung in Tübingen 1810 in 4to erschienenes
Werkchen: Das Geheimniß des Steindrucks in
seinem ganzen Umfange u. s. w., von Rapp, dem
bald ein Aufsatz im Magazin aller neuen Erfindungen, Nr. 51, bei Baumgärtner in Leipzig,
folgte, in welchem die im vorigen Werk aufgestellten
Grundsätze ebenfalls aufgestellt und mit vielen eigenen
Erfahrungen des Herrn Baumgärtner bereichert erschienen.
Diesem folgten mehrere, mehr oder weniger gehaltvolle
Aufsätze und besondere Werkchen über diese Kunst, welche
alle aber endlich Aloys Senefelders eigenes Werk in
4to: Vollständiges Lehrbuch der Steindruckerei
in allen ihren Zweigen und Manieren, nebst
vorausgehender Geschichte dieser Kunst und ihrer Erfindung
(München, 1818), völlig unbrauchbar machte, da in ihm
Alles enthalten war, was in den früher erschienenen
Werkchen nur theilweise und unvollkommen dargestellt
wurde.

Seit dem Erscheinen dieses Werkes aber sind noch
verschiedene andere, sehr gehaltvolle Aufsätze und Schriften
über das Wesen und den Nutzen der Lithographie, oder
ihrer einzelnen Manieren, sowie über die etwaigen Verbesserungen hie und da, besonders aber auch in Frankreich,
erschienen, unter denen wir von den deutschen nur die zahl-
reichen Aufsätze in Dingler's polytechn. Journal un

von den französischen, Engelmanns Werke über diesen Gegenstand nennen.

Eins derselben, Engelmanns Traité théorique et pratique de Lithographie, das auch in einer deutschen Uebersetzung von Kretschmar und Pabst in Deutschland verbreitet ist, enthält eine sehr vollständige Geschichte der Lithographie, auf welche wir unsere Leser verweisen, da uns dieselbe in unserem Werke, das wir rein für die Praxis berechnet haben, zu weit vom vorgesteckten Ziele entfernt haben würde.

Besonders wurde auch der Aufschwung dieser Technik sehr wesentlich gefördert durch das gemeinnützige Streben jener Zeitschriften, welche als Organ für Lithographie und der damit verwandten Fächer zur Verbreitung der neueren Fortschritte auf diesem Gebiete beigetragen.

Vorzugsweise gebührt deshalb der im Jahre 1861 durch Gustav W. Seitz gegründeten „Lithographia" und dem seit 1866 bestehenden „Polygraphischen Centralblatte" die volle Anerkennung; erstere herausgegeben von A. Isermann in Hamburg, letzteres redigirt und verlegt von Rudolph Hartmann in Leipzig.

Vergleichen wir die drei Hauptmethoden der Graphik — Kupferstich, Holzschnitt und Lithographie miteinander, so entfaltet jede ihrer künstlerischen Natur und technischen Eigenthümlichkeit nach, eine besondere charakteristische Schönheit und eine individuelle Wirksamkeit. Jede unverkennbar hierdurch unterschieden und für gewisse Zwecke vorzugsweise brauchbar, nimmt daher in der praktischen Anwendung eine gebührende Stellung ein, bei welcher keine die andere beeinträchtigt.

Friedsam wandelten deshalb die Kupferstech- und Holzschneidekunst manches Jahrhundert hindurch nebeneinander, ohne daß eine die andere verdrängt hätte, — die Lithographie und Stahlstechkunst sproßten zu herrlichen Bäumen empor, aber dennoch wurden durch das Ausbreiten ihrer Zweige die beiden erstgenannten Künste nicht verdunkelt, vielmehr gaben diese neuen Erfindungen wieder neue Aussichten, neues Wachsthum. —

Selbst im Zeitlaufe, wo diese Künste in manchem Lande minder blühten, theilsweise in Verfall geriethen oder durch die glänzenden Fortschritte neuer Erfindungen benachtheiligt schienen, erhielten sie durch hervorragende Talente wieder neue Pflege, neuen Aufschwung, wodurch diese Künste immer mehr kultivirt und zu einer Ausbildung gediehen, welche gegenwärtig wohl ihren Gipfelpunkt erreicht haben dürfte.

Bei dem gehobenen Kulturzustande dieser technischen Reproduktions=Methoden möchte daher ihre praktische Verwerthung sich in folgender Weise gestalten.

A. Kupfer= und Stahlstechkunst und Zinkographie.

Die Kupferstechkunst (Chalcographie)*) im engeren Sinne des Wortes, das Kupferstechen mit dem Grabstichel, war nicht allein die anfängliche Behandlungsweise dieser Technik, sie blieb auch die vorzüglichste und schwerste unter allen der später entstandenen Kupferstichmanieren.**)

---

*) Gravirte Arbeiten in Metall finden sich schon in den Zeiten des grauen Alterthums (besonders bei den Etruskern) und im Mittelalter. Unter diesen sind besonders interessant die Niellen, Gravirungen deren vertiefte Risse mit einer dunklen Schmelzmasse ausgefüllt wurden. Diese Kunst, deren Erfindung man den Orientalen zuschreibt, wurde im 14. und 15 Jahrhundert durch italienische Goldschmiede zu einem hohen Grade der Vollendung gebracht und der Florentiner Goldschmied Maso Finiguerra soll im Jahre 1452 den ersten Versuch gemacht, eine derartige Gravirung vor dem Einbrennen jener Schmelzmasse, zum Abdrucken zu benutzen. —

In Deutschland findet sich jedoch die größere Mehrzahl älterer Kupferstiche, die zum Theil noch vor der Zeit des Jahres 1450 hinaufzureichen scheinen; auch zeigt sich die äußere Technik hier früher durchgebildet, während sie in Italien bis in den Anfang des 16. Jahrhunderts hinein noch durchweg auf einer untergeordneten Stufe blieb.

**) Zu diesen gehören: 1) die Aetz= oder Radirmanier, eine Erfindung Albrecht Dürer's. Sie gestattet eine freiere Behandlung und ist für den Künstler die bequemste, jedoch in Rücksicht ihrer Wirkung weniger effektvoll als andere Manieren.

Derselben wurde schon durch Meister der Zeichnung und des Grabstichels ein Standpunkt errungen, der Art, wie sich die jüngeren Schwesterkünste nicht erfreuen. —

Die Kupferstecherkunst blieb keine blos übersetzende Kunst, sie diente auch zum direkten Austausch künstlerischer Erfindung. Sie wird daher in ihrem eigenthümlichen Wirkungskreise zunächst und vorzugsweise der höheren Kunst dienen und deshalb mit ihrer Eleganz und Würde nur Kunstblätter liefern, oder höchstens Schriften, die eine besondere Schönheit und Zartheit erheischen.

In Folge dessen wird sie auch von weniger Kunstgenossen gepflegt und nur solche Talente, die im Zeichnen und im Stiche gleich hohen Beruf haben, werden mit lohnendem Erfolge sich derselben widmen.

Die Stahlstechkunst (Siderographie)*) hat zwar im Allgemeinen nicht die Gediegenheit der Kupferstecher-

---

2) Die Punktirmanier mit dem Spitzhammer oder Punzen und mit der Roulette ist wie der Grabstichel mühsam und langwierig, giebt weniger Bestimmtheit als dieser, aber mehr Sanftheit und besteht aus der Zusammensetzung von Punkten und Schraffirungen, wobei erstere vorherrschen. Sie erhielt durch Bartollozi in England ihre vorzüglichste Pflege und diente auch als Nachahmung der sogenannten Crayon- (Freihandzeichen-) Manier.

3) Die schwarze Kunst (Schabmanier) von den Engländern Mezzotinto genannt, wurde im Jahre 1642 von Ludwig v. Siegen erfunden und erlangte ihre wahre Vollkommenheit in England. Diese Manier gestattet eine sehr freie und geschwinde Behandlung und wird hierbei aus dem Dunkeln ins Helle gearbeitet. Bei dem dominirenden Schwarz dieser Manier charakterisirt sich dieselbe durch Weichheit und eigenthümlichen Lichteffekt; weniger ist jedoch die Schönheit und Bestimmtheit des Umrisses und die Klarheit der Farbengebung hierdurch erreichbar.

4) Die Tuschmanier (Aquatinta) ahmt getuschte Zeichnungen in Kupfer nach und eignet sich besonders da, wo der Effekt eigentlich durch Hauptmassen und folglich mit wenigen Tönen hervorgebracht werden soll. — Diese Manier scheint in der zweiten Hälfte des 18. Jahrhunderts von Verschiedenen zugleich auf verschiedene Art erfunden worden zu sein.

*) Die Stahlstechkunst ward im Jahre 1820 von den Engländern erfunden. Wesentliche Verdienste dabei gebühren dem Kupferstecher Charles Heath.

kunst erlangt, sie besticht jedoch das Auge durch die feine
Ausführung des Stahlstichs und ist vermöge der vielen
Abzüge, die man von einer Stahlplatte machen kann, für
den Buchhandel sehr geeignet, weshalb sie häufig bei
illustrirten Werken, die eine starke Auflage haben, in Anwendung kommt und vorzugsweise für die elegante Literatur
benutzt wird.

Die Zinkographie, Zinkstecherei oder vielmehr Zink-
ätzerei fand bisher bei Musikalien vielfache Anwendung. Die
erste Veranlassung zum Gebrauche der Zinkplatten mochte
wohl in der Wohlfeilheit der Platten liegen, welche besonders bei großem Formate und größeren Werken bedeutenden Vortheil bietet, indem die Kosten einer Zinkplatte fast nur den vierten Theil einer gleich großen
Steinplatte betragen. Zudem ist ihre Aufbewahrung sehr
bequem, da zehn solcher Platten kaum den Raum einer
Steinplatte einnehmen, auch ist hierbei das Springen nicht
zu fürchten und sind zugleich von diesen Platten, wenn sie
aus den Händen eines tüchtigen Künstlers kommen, sehr
schöne Abdrücke zu erlangen. Diese Zinkplatten eignen
sich daher auch für den Druck großer Karten und werden
mit großem Vortheile statt der Steinplatten zum Abzuge
von Autographien benutzt. Desgleichen wird auch die
Aetzmanier in Zink zu künstlerischen Illustrationen angewendet.

B. Holzschneidekunst.

Die Holzschneidekunst (Xylographie) *) unterscheidet sich wesentlich vor den übrigen graphischen Künsten
durch den Erhabendruck. Beim Holzschnitte bleibt

*) Schon vor einem Jahrtausend bedienten sich die Chinesen
der Holzschneidekunst zum Buchdruck; auch hatten die Indier schon
fast 150 Jahre v. Chr. eine Art von Holzschnitten; in Europa
aber finden sich deren Spuren erst im 14. Jahrhundert. Ein
Paar Jahrzehnte vor Erfindung der Buchdruckerkunst findet
man Kartenmacher in Ulm im Jahre 1402, woraus sich indeß
noch nicht folgern läßt, daß diese zu ihrem Gewerbe des Druckes

nämlich die eigentliche Zeichnung erhaben stehen, und das, was im Drucke nicht erscheinen soll, wird mittelst der Stichel weggenommen; während beim Kupfer-, Stahl- und Zinkstich die Zeichnung, welche beim Abdrucken schwarz als Abbild erscheinen soll, in die Tiefe gravirt oder geätzt wird, und nur in einzelnen Fällen hat man Kupferplatten erhaben geätzt, um selbe gleich dem Holzschnitte in der Buchdruckerpresse abdrucken zu können. —

Ein wesentlicher Vorzug des Holzschnittes ist daher, daß dieser bequem in den Text eingesetzt und mit dem-selben in der Buchdruckerpresse abgedruckt werden kann und

---

sich bedienten. Sie fertigten dergleichen mit Hülfe von Schab-lonen an. — Im Jahre 1428 erscheinen Briefdrucker in Nördlingen. Sie legten den ersten Grund zur Buchdruckerkunst, dadurch, daß sie zuerst mit dem Druck von Heiligenbildern, welche mit dem Schrifttexte in Holz geschnitten waren, begonnen, dann auf mehrere Blätter und zuletzt auf ganze Bücher über-gingen. — Druck der Donate und Schulbücher. Die Biblia pauperum, bei der jedoch kein Datum angegeben, besteht aus 40 Folioblättern, nur auf einer Seite bedruckt, die Farbe blaß, graubraun, mit dem Reiber abgezogen. Um ein Bla.. ......, welches auf zwei Seiten bedruckt war, wurden zwei Blätter .... einander geklebt. —

Johannes Gutenberg errichtete im J. 1436 die erste eigene Presse zum Holztafeldrucke. Später, als derselbe sich in Mainz mit Johannes Fust verbunden hatte, zerschnitt er die Holztafeln, zerlegte sie in einzelne Buchstaben und machte so diese Holzbuchstaben durch verschiedenartiges Aneinandersetzen zum Drucke ganzer Werke brauchbar. —

Die Holzschneidekunst diente somit der Buchdruckerkunst als Basis, und im 16. Jahrhundert nahte sich erstere einem hohen Grade ihrer Vollkommenheit.

Als ältester Holztafeldruck mit Jahreszahl galt lange der hl. Christophorus von 1423, aufgefunden von Heinecken zu Buchsheim bei Memmingen, beigegeben der Falkenstein'schen Geschichte der Buchdruckerkunst.

Die Holzschneidekunst erhielt ihre Vervollkommnung in Nürnberg und thatsächlich blieb auch Deutschland der Hauptsitz derselben, bis sie am Schlusse des 17. Jahrhunderts nach und nach in Verfall gerieth. Fast am Ende des vorigen Jahrhunderts, hauptsächlich aber im Anfang des gegenwärtigen wurde dieselbe in Deutschland und in England wieder erweckt, so daß sie jetzt auf einer sehr hohen Stufe der Vollendung steht.

eine faſt unbegrenzte Menge von Abdrücken liefert. Hierzu
kommt noch, daß derſelbe mittelſt der Stereotypie und
Polytypie ſich ins Unendliche neu erzeugen läßt und hierdurch
billiger wird.

Die Holzſchneidekunſt wird deshalb für Illu-
ſtrationen populärer Journale und Volksbücher ſtets die
praktiſche Kunſt bleiben und wird dem Buchdrucke in immer
ſteigenden Grade dienen.

Obgleich die Holzſchneidekunſt nicht die hohe
Vollendung der Harmonie des Stahlſtiches erreichte und
auch nicht zu derſelben Vollkommenheit der Linien gelangen
kann, ſowie an Feinheit den andern graphiſchen Künſten
nachſteht, ſo gewährt ſie dagegen andere Vortheile, die
nicht minder hervorſtechend ſind.

Unverkennbar werden durch ſie grellere Kontraſte gebildet und mittelſt mehr markirter Kontraſte auch ſchärfere
Effekte hervorgebracht, wodurch der Holzſchnitt mehr Leben
erhält und ſich durch eine gewiſſe Kraft charakteriſirt, die
keiner andern graphiſchen Kunſt eigen iſt.

Den höchſten Grad ihrer techniſchen Vollkommenheit
erreichte ſie in neuerer Zeit, welche ſelbſt zur Nachahmung
der lithographiſchen (gekörnten) Krayon-Manier und zur
bekannten engliſchen Stahlſtech-Manier des Holzſchnittes
führte, welche ſurrogative Manieren jedoch minder werthvoll und keineswegs dem Charakter des Holzſchnittes an-
gemeſſen ſind.

C. Lithographie.

Wenn auch bei der Erfindung der Lithographie
zunächſt deren Erfinder erhaben geätzte Platten anwandte
und alſo der Erhabendruck zu dieſer Erfindung die leitende
Grundidee gab, ſo kommt doch heut zu Tage der Erhabendruck nicht mehr in Anwendung. In neueſter Zeit gab
es nur Einige, welche durch Erhabenätzen den Lithographie-
ſtein dem Buchdrucke dienſtbar machen wollten.

Der eigentliche lithographiſche Druck beruht
ſeiner Natur nach hauptſächlich auf chemiſcher Baſis, welche
bei ſämmtlichen Manieren der Lithographie gleichen Ein-

fluß hat und unter welchen wir als Haupt-Manieren, die erhabene und vertiefte unterscheiden. Zur ersteren gehören:

Die Feder-, und die Kreide- oder Krayon-Zeichnung; zur zweiten:

Die Gravüre.

Die wesentlichsten Erzeugnisse dieser bereits gang-barsten Manieren der Lithographie werden mehr dem Kommerziellen und theilweise dem Kunsthandel, weniger aber dem Buchhandel dienen, auch werden dieselben nicht wohl eine größere Ausdehnung erlangen, als sie bis jetzt gefunden haben.

Federzeichnung.

Die Federzeichenmanier ist die früheste des Steindruckes, welche zunächst für Musikalien zur praktischen Verwerthung kam und übrigens bei Schriften und tabel-larischen Arbeiten ihre meiste Verwendung findet.

Diese sehr nützliche Manier, deren Ausbildung sich rasch entwickelte, ist besonders da sehr applikativ, wo schnelle und billige Erzeugung des Steindrucks bedungen ist. Eine wesentliche Förderung dieser Bedingung wird zum Theil auch durch die gegenwärtige Schnellpresse erreicht.

Aber auch zu künstlerischen Arbeiten benutzte man diese Manier früher und gegenwärtig noch und gebraucht hierzu meistens statt der Feder, den Pinsel, wobei diese Arbeiten an Feinheit der Steingravirung ziemlich nahe kommen. Freihand- und technische Zeichnungen*), sowie

---

*) Zu den vorzüglichsten der früheren Kunsterzeugnisse dieser Manier gehören die von Strixner, z. B. sein Prachtwerk: Albrecht Dürer's Gebetbuch, welches 1808 erschien. — An-wendungen dieser Manier zu technischen Zeichnungen machte Prof. Mitterer bei seinen Werken über Baukunst, Mechanik 2c. In Mitterer's Geometrie, welche 1808 erschien, findet sich die erste Verbindung der Lithographie mit der Typographie; hierbei sind nämlich statt der Holzschnitte gegen 400 Figuren in dem Kontexte lithographisch eingedruckt, welcher Doppeldruck aber bei der jetzigen Vollkommenheit des Holzschnittes keinen Vortheil bieten kann.

Nachahmungen von Radirungen und Holzschnitten wurden hierdurch schon anfänglich mit großer Vollkommenheit hervorgebracht und selbst mit der lithographischen Krayonzeichnung kam diese Manier in geeignete Verbindung.

Für Zeichnungen, deren Hauptcharakteristik eine freie, kühne und markige Behandlung erheischt, wird jedenfalls die Federmanier der Gravirung vorzuziehen sein.

Krayon-Manier.

Unter allen Manieren der Lithographie hat vorzugsweise die Reproduktion der gekörnten Kreidezeichnung einen eigenthümlichen Charakter und künstlerischen Werth, während die übrigen Manieren nur surrogative oder industriell-praktische Bedeutung haben.

Ein Hauptvorzug derselben ist: daß hierdurch eine Freihand-Krayonzeichnung in ihrem vollständigen Charakter treu gegeben werden kann, so daß die Züge einer geistreichen Skizze mit ebensoviel Freiheit und Keckheit behandelt, als auch die vollendete Krayonzeichnung im Total-Eindrucke dem malerischen Effekte des Kupferstichs sich nähert und zugleich an freier Behandlung die sogenannte Kupferstich-Krayonmanier übertrifft.

Wenn auch der Kupferstich durch Zartheit, Kraft und Bestimmtheit, sowie durch Klarheit des Schattens als harmonisches Ganze seine höchste Vollendung erreichte und deshalb der Oelmalerei am nächsten steht, so bietet dagegen die lithographische Krayonmanier eine gewisse Weichheit und Bestimmtheit und ihre malerischen Kontraste durch geeignete Abwechselung und Verschiedenheit des Krayonkornes mittelst des Krayon-Stiftes und der Nadel hervorgebracht, ermöglichen nebst der vollendesten Nüancirung eine kräftige und brillante Haltung der Zeichnung, wobei auch ihre freiere Technik z. B. dem Landschaftbilde, besonders aber den Zeichenstudien weit mehr entspricht, als die geregeltere Schraffirung des Grabstichels.

Zudem kann auch der Künstler ohne Schwierigkeit seine Zeichnung auf den Stein selbst ausführen, somit ohne

Hülfe eines zweiten Künstlers und zwar mit einer Freiheit und Leichtigkeit, wie sie eben keine der übrigen graphischen Künste gestattet.

Diese dem Zeichner geläufige Behandlung mußte daher unter tüchtiger Künstlerhand auf eine bessere Geschmacks= richtung den vortheilhaftesten Einfluß üben und dieser ein= fachen jedem Künstler zugänglichen Technik eine bedeutende Popularität verschaffen, welche aber anderseits wieder durch die vielen mittelmäßigen lithographischen Erzeugnisse den künstlerischen Werth der Lithographie etwas herabdrückte.

Immer werden jedoch die hervorragenden Leistungen derselben ihre volle Anerkennung finden und das haupt= sächlichste Verdienst der Lithographie darin bestehen, daß sie die Originale ganz im Geiste und nach der Behand= lungsweise des Meisters vervielfältigt und deshalb nicht sowohl zur Vermehrung der Kopien, als vielmehr zur ge= treuen Reproduktion der Originale selbst anzuwenden ist.

Blicken wir auf ihre geschichtliche Entwickelung, so erregen schon die allerersten Versuche Senefelders mit der Kreide auf Stein, vom Jahre 1799, die Aufmerk= samkeit aller Künstler und Kunstfreunde und unter diesen war besonders Prof. Mitterer, der schon aus den ersten Versuchen die ungeheure Tragweite dieser neuen Erfindung durchschaute. —

Durch Mitterer erhielt auch die lithographische Krayonmanier ihre erste Pflege und Kultur. Derselbe gründete schon im Jahre 1804 eine lithographische Kunst= anstalt an der Münchener Feiertagsschule, die bis zum Jahre 1872 noch bestand. — Mitterer beschleunigte die weiteren Fortschritte der Lithographie durch zahlreiche Ver= besserungen und Veränderungen. Ihm gehört die Erfindung der sogenannten Roll= oder Hebelpresse, welche er im Jahre 1805 statt der Senefelder'schen Stangen= presse in Anwendung brachte und deren Konstruktion den jetzigen Sternpressen zur Grundlage diente. Schon in den ersten Jahren gingen aus dieser Mitterer'schen Kunstanstalt eine große Anzahl Zeichenstudien und andere Kunstwerke hervor, welche den hohen Ruf einer Kunst begründeten, deren Dasein nur erst wenige Jahre zählte.

Diese neue Kunst, schon seit dem Jahre 1800 von Verschiedenen nach Frankreich verpflanzt, fing jedoch erst später gegen das Jahr 1815 an, auf diesem Boden Wurzel zu fassen. — Einer der ersten, welcher die Lithographie in Frankreich zur Vollkommenheit und zur ausgedehnteren Einführung brachte, war Engelmann, der auch unter andern im Jahre 1819 die Tamponir= oder Tusch= manier*) erfand, wodurch die Arbeiten des Krayons verbessert, indem sie die Mittel liefert, die zartesten Theile, den duftigen Hauch, wie z. B. die Luft bei Landschaften, durch die Lithographie mit aller wünschenswerther Reinheit und Zartheit wiedergeben zu können.

Genie und Geschicklichkeit der französischen Künstler entwickelte nun diese Kunst zu raschem Aufschwunge und förderte zugleich den Fortschritt derselben in andern Län= dern. — So wurde besonders die Lithographie in England durch den Londoner Künstler Hullmandel, der im Jahre 1821 die neuen Verbesserungen derselben in Paris kennen lernte, einem hohen Grade der Vollendung zu= geführt.

Die reißenden Fortschritte der Lithographie in Frank= reich und England, welche seit dem Jahre 1830 in diesen beiden Ländern so ziemlich ihr Apogäum erreicht hatte, so daß selbe kaum eine bedeutende Veränderung mehr zu= zulassen schien, veranlaßte selbst viele der vorzüglichsten deutschen Künstler sich in Paris mit der bewundernswerthen Behandlung der Franzosen vertraut zu machen. —

Die Resultate dieses Studiums hatten die erfreulichsten Folgen für den neuen Aufschwung der Lithographie in Deutschland und die meisterhafte Durchführung der allbe= kannten Lithographien eines Bodmer, Hanfstängl und vieler anderer Künstler zeigen die gediegendste künstlerische

---

*) Bei dem hohen Grade der Ausbildung gegenwärtiger lithographischer Technik ist jedoch diese Tamponirmanier ziemlich entbehrlich geworden.

Vollendung, bei welcher nicht etwa effektvolle Behandlung oder überhaupt Virtuosität der Technik allein sich geltend macht, sondern vielmehr diese dem künstlerischen Zwecke untergeordnet in geistreicher Weise dem Charakter des Kunstgebildes sich anschmiegt.

Die Krayonzeichnung mit Tondruck.

Der schon sehr frühe mit der lithographischen Krayon-manier in Verbindung gebrachte Tonplattendruck *) diente anfänglich als Ergänzungsmittel der mangelhaften Haltung dieser Krayonzeichnung. — Die allerersten Versuche, um den mangelhaften Kreideabdrücken mehr Haltung zu geben, bestand darin, daß man die höchsten Lichter der Zeichnung mit weißer Kreide belegte, wo dann der in Rauch gehängte Abdruck einen gelblichen Ton annahm, während die mit Kreide bedeckten Stellen weiß blieben.

Nun suchte man diesen Effekt durch das Eindrucken einer Tonplatte zu erzielen und wendete dann später, um diesen Effekt zu steigern, oft zwei bis fünf Tonplatten, hierzu an. Eine bedeutende Vervollkommnung dieses ersten Ton-plattendruckes zeigte sich schon bei dem großen Werke: „les Oeuvres lithographieques par Strixner, Piloti et Compagnie" (Aloys Senefelder und Frhr. v. Aretin)**)

*) Aehnlich wurden zu Anfang des 16. Jahrhunderts zuerst in Deutschland beim Holzschnitte Abdrücke von mehreren Holzplatten als Tonplatten in Anwendung gebracht, um gleichsam durch das hellste Licht den Mittelton und einen tieferen Schattenton, die Haltung einfarbiger Malereien, getuschte Zeichnungen nachzu-ahmen. Diese Gattung nennt man Helldunkel-Holzschnitt, Clairobscure, Chiaroscuro; hierbei darf jedoch nicht verwechselt werden der Begriff von Helldunkel in der Malerei. Später wendete man auch beim Kupferstich derartige Tonplatten an und benutzte hierzu auch statt der Holzplatten, geätzte Aquatinta-platten. — Eine große Vervollkommnung erhielt der Clairobscur-Stich durch G. Baxter in London 1837.

**) Oberhofbibliothekar Frhr. v. Aretin errichtete in Ver-bindung mit dem Erfinder Senefelder im Jahre 1806 eine große lithographische Kunstdruckerei in München und verwendete dreißigtausend Gulden auf dieses Unternehmen, welches jedoch

welches 1810 erschien, bei welchem die angewendeten Ton=
platten mit sogenanntem aufgesetztem Lichte, mit großer
technischen und künstlerischen Geschicklichkeit behandelt sind. —

Dieses Werk, aus 432 Blättern bestehend, erschien in
72 monatlichen Lieferungen und kostete im Ladenpreise
560 fl., es enthält die treuesten Nachbildungen von Hand=
zeichnungen berühmter Meister*), welche sich in dem königl.
Handzeichnungskabinet zu München befinden.

Zugleich enthält dieses höchst seltene Werk die Ent=
wickelung aller lithographischen Kunstmanieren. — Göthe
nennt dieses großartige Werk „das für sich selbst be=
stehende, reichhaltigste Incunabeln=Werk des
Steindrucks in der Welt". —

Dasselbe lockte die ersten Kunstkenner aus Italien,
Spanien, Frankreich, Holland 2c. nach München, um diese
neue Kunst näher kennen zu lernen und sie in ihrem
Vaterlande einzuführen.

Obgleich nun durch die allmähliche Vervollkommnung
der Krayon=Manier, wobei man anfing auf chinesischem
Papier zu drucken, die Anwendung mehrerer Tonplatten
überflüssig geworden, so wurde dennoch die einzelne Ton=
platte vollständiger entwickelt und in neuerer Zeit zur
Nachahmung der Krayonzeichnung auf Tonpapier
mit schwarzer und weißer Kreide (en deux Crayons)
benutzt und diese Tondruck=Manier besonders durch die
Franzosen zum höchsten Grade der Vollkommenheit gebracht.
Jullien, Carot und viele andere französische Künstler

---

nach vier Jahren sich wieder auflöste. — Aus dieser Druckanstalt
und der bereits erwähnten Mitterer'schen Druckerei gingen
zunächst die vorzüglichsten und werthvollsten der früheren litho=
graphischen Kunsterzeugnisse hervor.

*) Derartige Facsimile vorzüglicher Meister lieferte in der
neuesten Zeit die Lithographie in unübertrefflicher Weise.
Ebenso erreichten die Nachbildungen von Handzeichnungen
den höchsten Grad der Vollkommenheit durch die großartigen
Fortschritte und Erfindungen im Gebiete der Photographie, so
daß diese Reproduktionen die Original-Zeichnung in einer Treue
geben, wobei selbst die Farbe des Stiftes (Krayons) ihre ge=
naueste Wiedergabe findet.

haben dieselbe vorzugsweise zu Zeichenstudien bei Figuren, Köpfen, Landschaften und Ornamenten angewendet, wobei die schwarze Krayonzeichnung, sowie die Tonplatte mit gehobenem Lichte in vollständig richtiger Haltung zu einander sich zu einem effektvollen harmonischen Ganzen gestalten, dessen malerische Wirkung eben nur durch die Lithographie in solch freier ungezwungener Weise erreicht werden konnte, weshalb auch diese Manier, ihrer charakteristischen Eigenthümlichkeit wegen, für den Künstler stets werthvoll bleiben wird.

Gravir-Manier.

Die Technik der Steingravirung hat Aehnlichkeit mit der des Kupferstechens, daher auch die Uebung in der Führung des Grabstichels dem Steingraveure sehr gut zu Statten kommt.

Ebenso ist auch die Steinradirung ziemlich analog mit dem Radiren auf Kupfer, findet aber in der Praxis selten Anwendung, während die Steingravirung einer der gangbarsten und nützlichsten Manieren ist und ihre Erzeugnisse dem Kupferstiche an Reinheit und Zartheit, sowie an Kraft und Schärfe ziemlich nahe kommen.

Dieselbe eignet sich daher für Schriftarbeiten und Zeichnungen, die eine besondere Eleganz bedingen und findet ihre meiste Anwendung bei topographischen Karten, architektonischen und anderen technischen Zeichnungen, Diplomen, Visitenkarten, Wechselformularen u. dgl.

Ihre früheste großartigste Verwendung erhielt sie bei der in München errichteten Plandruckerei der kgl. Steuer-Kataster-Kommission, welche durch den Hofkupferstecher Mich. Mettenleitner und durch meinen Vater Franz Weishaupt*) im Jahre 1808 gegründet wurde.

---

*) F. Weishaupt (gest. 1860), dessen schon Senefelder in seinem 1818 erschienenen Lehrbuche in ehrenvoller Weise erwähnte, leitete diese Druckerei 40 Jahre lang und trug sowohl zur Vervollkommnung, sowie zur Verbreitung der Lithographie wesentlich bei. Ueber hundert seiner Schüler errichteten im In-

Die vollendete technische Ausbildung erhielt die Steingravirung zunächst durch B. Dondorf in Frankfurt am
Main, dem auch das Verdienst gebührt zuerst Diamanten
zum Graviren angewendet zu haben, wodurch es ermöglicht wurde, ähnlich wie beim Kupfer- und Stahlstich, die
Maschine zum Ziehen von allen Arten von Linien und
Tönen anzuwenden. — Zu den besten lithographischen
Gravirarbeiten der Neuzeit gehören sowohl im Schriftfache,
als auch im Fache architektonischer und anderer Zeichnungen
z. B. die Leistungen von Rheingruber in München,
Klimsch in Frankfurt am Main und vieler anderer Künstler,
welche jedenfalls in Bezug der künstlerischen Durchführung
das Vollendetste bieten, was durch Steingravirung erreicht
werden kann.

Der lithographischen Feder-, Kreide- und Gravir-
manier reihet sich noch an und bietet ein nicht minderes
Interesse:

Die Autographie oder der Ueberdruck.

Ein Hauptvorzug der Autographie besteht darin,
daß sie die Schrift und Zeichnung als getreue Facsimile
wiedergiebt und diese in einfacher und schnellster Weise
erzeugt und vervielfältigt werden können.

Auch bedarf es hierbei nicht erst der technischen Fertigkeit des Schreibens und Zeichnens auf Stein, sondern
das auf Papier mit autographischer Tinte Geschriebene
oder Gezeichnete bleibt der sorgfältigen Operation des
Druckers überlassen. — Zudem kommen die Abzüge dieser
Autographien an Reinheit und Schärfe dem Abdrucke
einer Federzeichnung sehr nahe, und Unterbrechungen der
feinen Linien oder Ausbreitungen (Quetschungen) der starken

und Auslande die vorzüglichsten lithographischen Anstalten, und
die Ehre der Miterfindung des chemischen Metalldruckes theilte er
mit Senefelder. (Das Kunst- und Gewerbeblatt des poly-
technischen Vereins für Bayern 1843, III. Hft. 216, dann
Dr. Nagler's Künstlerlexikon Bd. XVI, 258—263, enthalten
Mehreres über F. Weishaupt.)

Striche solcher Abzüge sind nur Folgen einer nachlässigen und ungeschickten Behandlung.

Die schnelle Ausführung der Autographie ist daher auch für amtliche und geschäftliche Zwecke von großer Wichtigkeit, weshalb dieselbe überall vielseitige Verbreitung fand und selbst von Seite der Regierungen derartige Druckereien für verschiedene Geschäfts=Branchen errichtet wurden.

Dieses Ueberdruckverfahren auf Stein hat aber durch die Benutzung des Metalls zu gleichem Zwecke eine wesentliche Konkurrenz erhalten, indem das Ueberdrucken auf Metall z. B. auf Staniol, Messing, Zink 2c. ebenso schnell ausführbar und auch diese Erzeugnisse dem Steindrucke nicht nachstehen.

Eine weitere Ausdehnung erhielt der lithographische Umdruck auch noch auf Kupferdruck, Buchdruck und für lithographische Gravir= und Federarbeiten.

Ebenso entwickelte sich hieraus der sogenannte anastatische Druck, Umdruck von älteren Druckwerken, wozu jedoch meistens Zinkplatten benutzt werden.

Obgleich nun der anastatische Druck ein großes Interesse gewährt, so findet doch vorzugsweise der Umdruck lithographischer Gravir= und Federarbeiten in der Praxis die meiste Anwendung.

Durch denselben lassen sich nämlich in kürzester Zeit eine Unzahl von Abdrücken liefern, welches durch das Abdrucken von der Originalplatte allein, nicht ermöglicht gewesen wäre und wobei die Originalplatte lediglich für die Abzüge zum Ueberdrucken benutzt, nie einen Nachtheil erleidet. — Auch brauchen kleinere Gegenstände z. B. Etiquette u. dgl. nur einmal auf den Stein ausgeführt und auf einen größeren Stein in entsprechender Anzahl umgedruckt zu werden, wodurch dann durch einen einzigen Abzug 10—50 Exemplare zugleich zu erlangen sind.

Zugleich haben diese Abzüge, besonders die der Umdrucke von Gravirarbeiten, bei richtiger Behandlung eine vorzügliche Reinheit und Schärfe und selbst ein geübter Kennerblick vermag deren mindere Schärfe nur durch

2*

Vergleichung mit dem Abzuge der Originalplatte zu erkennen.

In neuerer Zeit werden selbst von dem Abzuge der lithographischen Kreideplatte Umdrücke gemacht und vorzugsweise auch durch eine Ueberdruckmethode für alle Arten von Zeichnungen in Kreidemanier ganz überraschende Resultate erzielt.

Der Hauptvortheil dieser Methode besteht darin, daß der Künstler seine eigene Original-Zeichnung bis ins kleinste Detail genau durch lithographischen Druck vervielfältigen lassen kann, ohne daß dieselbe erst vom Lithographen auf den Stein kopirt werden muß.

Dieses autographische Verfahren, erfunden von Maclure und Macdonald, wurde besonders von den Franzosen J. Ducollet, Jackson, Jullien und Bléry zu Studien der Köpfe und Figuren, sowie zu Pflanzen und Ornamenten benutzt und selbst bei derartigen Zweikreide-Studien in Anwendung gebracht, wobei dieselben auf graues, sogenanntes Künstlerpapier gedruckt werden.

Eine besondere hervorragende Stellung auf dem Gebiete des Steindrucks erhielt aber

Die Chromolithographie.

Die Chromolithographie auch Lithochromie genannt, bildet gleichsam einen eigenen Zweig der Lithographie und gründet sich auf die Technik des lithographischen Schwarzdruckes, dessen Manieren sie als Aggregat benutzt.

Dieselbe bedingt zugleich als weitere Grundlage die Kenntnisse der Malerei und setzt bei dem Drucker nebst der technischen Gewandtheit auch Farbensinn und künstlerisches Gefühl voraus.

Die durch Künstlerhand hervorgegangenen Leistungen des lithographischen Farbendruckes stehen bereits auf einer hohen Stufe der Vollkommenheit, wobei diese Kunsttechnik eine Selbstständigkeit errungen, welche um so bedeutender hervortritt, weil die malerische Behandlung derselben durch keine der übrigen Reproduktions-Methoden*) erreichbar ist.

Durch diesen Farbendruck ist somit nicht allein der Kunst ein neuer Wirkungskreis eröffnet, als auch vorzugsweise der Industrie ein neuer Betriebszweig zugeführt.

Die geschichtliche Entwickelung desselben nahm in dem ersten Decennium der Erfindung des Steindrucks ihren Anfang mit dem sogenannten Tonplattendrucke. — Zudem wurden auch anfänglich schon die Zeichnungen statt schwarz mit andern Farben gedruckt, wie z. B. die 1808 von Strixner lithographirten Randzeichnungen eines Gebetbuches von Albrecht Dürer, während die einzelnen Farbendruck-Versuche im eigentlichen Sinne des Wortes nur geringe Beachtung fanden und mehr zu den Spielereien der Lithographie gehörten, und die allerersten Anwendungen

---

*) Der Buntdruck durch die Buchdruckerpresse ist so alt, als die Buchdruckerkunst selbst. Schon Gutenberg lieferte bunte Initialen, die er anfangs nach vollendetem Schwarzdrucke mit der Hand colorirte, dann aber mittelst des bis jetzt noch gebräuchlichen Doppeldruckes auf der Presse selbst herstellte. — In neuerer Zeit erfand der Engländer William Congreve ein Verfahren, die verschiedenartigsten Farben auf der Buchdruckerpresse mit einmaligem Drucke auf das Vollkommenste herzustellen. — In neuester Zeit erhielt der Buntdruck wesentliche Verbesserung und wird selbst auf der Schnellpresse ausgeführt. — Aufschlüsse hierüber ertheilt das Werk „die bunten Farben in der Buchdruckerei" von Bernhard A. Ihm. Biel. Verlag von K. F. Steinheil. 1865. Bunte Abdrücke durch Kupferdruck mit mehr als einer Platte herzustellen, wurde schon im vorigen Jahrhundert von Le Blond in Frankfurt versucht, wobei diese Platten in Aquatinta-Manier bearbeitet wurden. — Besonders hat man sich auch in England mit bunten Abdrücken beschäftigt, unter denen die mit einer einzigen in punktirter Manier gravirten Kupferplatte, wobei die verschiedenen Farben nach einer sehr langwierigen Methode aufgetragen, noch die besten, aber auch die theuersten sind. — Diesen Abdrücken mangelt jedoch die fein verschmolzene Färbung und man bediente sich ihrer gewöhnlich nur zu botanischen Werken oder zu andern einfachen Bildern. — Beide Verfahrungsweisen dieses mehrfarbigen Kupferdruckes sind keiner weitern Ausbildung fähig und haben weder praktischen noch künstlerischen Werth.

hiervon sich größtentheils nur auf eintönige Farbeplatten beschränkten, die ähnlich wie beim Tondrucke behandelt wurden.

Erst nachdem der Schwarzdruck seit dem Jahre 1830 seine höchste Vervollkommnung erreicht hatte, war man allgemeiner bemüht die Grenzgebiete der Lithographie zu erweitern, und, sich nicht mehr mit Schwarz und Weiß begnügend, Versuche zu machen, kolorirte Abdrücke herzustellen.

Schon Senefelder gab die erste Idee zum Farbendruck und obgleich der Gedanke nahe lag, daß, wie bei dem Kreidendruck sich die schwarze Farbe in allen Abstufungen vom dunkelnsten bis zum hellsten Tone geben läßt, dies ebenso mit andern Farben der gleiche Fall sein werde und durch ein Ueberdrucken dieser verschiedenen Farben das mannigfaltigste Kolorit sich erzeugen lasse, so bot doch die Ausführung manche Schwierigkeiten, und der lithographische Farbendruck beschränkte sich lange Zeit auf Herstellung von einfachen Farb- oder Tonplatten, wo eben so viele Platten nöthig waren als Farben und Töne auf einer kolorirten Zeichnung vorkamen. —

Bei diesem Verfahren war man trotzdem, daß es sehr kostspielig und umständlich war, nur auf ein enges Feld im Kolorit angewiesen.

Die erste großartige Anwendung dieses beschränkten Farbendruck-Verfahrens machte mein Vater Franz Weishaupt im Jahre 1822 bei dem Werke über Brasilien von Martius und Spix, welches gegen 60 Platten Abbildungen von Vögeln, Schildkröten, Schlangen, Affen, &c. enthält. —

Außer diesem was F. Weishaupt im lithographischen Farbendrucke leistete, welchen er auch damals schon auf historische Bilder auszudehnen suchte, ist von jener Zeit nichts bekannt. Derselbe hatte somit zur weiteren Vervollkommnung der Farbenlithographie den ersten Impuls gegeben und dürfte wohl deshalb nach Senefelder als der Begründer derselben zu betrachten sein.

Erst im Jahre 1828 erschienen dann die ersten Lieferungen des Zahn'schen Prachtwerkes „Herkulanum und Pompeji", welche vollständig kolorirte Bilder enthalten, die allerdings den bedeutenden Fortschritt dieser Farbentechnik ersichtlich machen.

Zunächst erhielt der Farbendruck gegen das Jahr 1832 seine vorzüglichste Pflege und Ausbildung durch Hildebrandt in Berlin. Ebenso wurde auch durch andere Männer von Bildung und Geschmack dem Farbendrucke eine größere Aufmerksamkeit zugewendet, wodurch wahrhaft bewunderungswürdige Arbeiten aus den Ateliers derselben hervorgingen. —

Die Leistungen von Hildebrandt, Asmus und Storch und Kramer in Berlin, von Förster und Leykum in Wien, sowie von vielen andern, zeigen eine große Vervollkommnung dieses Farbendruckes, der sich gleichsam zu einer eigenen Kunst gestaltete und dessen Erzeugnisse hinsichtlich der vollendeten künstlerischen Durchführung vollständig befriedigen.

Um diese Durchführung aber zu erreichen, nämlich um diese wirksame Farbenharmonie des Bildes und dessen Mitteltöne durch Ueberdruck und Verschmelzung der Grundfarben hervorzubringen, sind wenigstens 10 bis 15 Platten erforderlich, wodurch dieser Farbendruck etwas kostspielig und deshalb dem industriellen Zwecke minder günstig wird.

Es mußte daher ein Druckverfahren nicht unwillkommen sein, durch welches eine Minderung der Platten ermöglicht, ohne daß hierdurch der malerische Effekt des Bildes benachtheiligt würde. —

Dieser Gedanke veranlaßte meine ersten Versuche mittelst der drei Grundfarben allein Farbendrücke zu erzeugen, deren anfängliche Resultate schon im Jahre 1835 der beifälligsten Aufnahme von Seite der Kunstkenner sich zu erfreuen hatten.

Dieses Prinzip wurde auch von Engelmann in Paris beibehalten und entwickelt, und die vorzüglichen Farbendrücke desselben, welche im Jahre 1837 erschienen

und kolorirten Bildern vollständig gleichkommen, haben wohl
zur Genüge die Lebensfähigkeit dieses Prinzipes dargelegt.

Vielseitig hat auch diese Farbendruckmethode*) Ein=
gang gefunden und ist besonders da mit Vortheil zu ge=
brauchen, wo es sich um die Nachahmung einfacher Aqua=
rellbilder handelt.

Unverkennbar näherte sich allerdings erst in neuerer
Zeit der Farbendruck dem höchsten Grade der Vervoll=
kommnung, woraus gleichsam als Höhenpunkt der Chromo=
lithographie sich

der neuere lithographische Oelfarbendruck

entwickelte; und wir entnehmen der „Illustr. Ztg." aus
Gustav Seitz interessanter Abhandlung Folgendes hierüber.

„Das Drucken mit fetten Farben und Farbentönen
ist eine längst geübte und von der merkantilen Industrie
geforderte Technik, die vom farbigen Riesenplakat bis zur
feinsten Etiquette uns täglich vor Augen tritt. Die Archi=
tektur stellte schon höhere Anforderungen, da nicht allein
die natürlichen Farben der In= und Extérieurs zu veran=

---

*) Im Jahre 1837 erhielt ich für mein Farbendruck=Ver=
fahren ein fünfzehnjähriges Privilegium für Bayern. — Engel=
mann, der gleichfalls ein zehnjähriges Patent auf diese Er=
findung nahm, erhielt 1838 von der Société d'encouragement
in Paris den Preis von 2000 Franken, der schon seit 1828 für
den kolorirten Steindruck ausgesetzt war. —
Jn seinem bekannten Werke über die Lithographie sind wohl
mit ächt französischer Großthuerei die Belobungsdekrete mitge=
theilt, welche ihm für sein lithochromisches Verfahren zu Theil
wurden, dagegen finden sich darin keine wesentlichen Mittheilungen
über den Farbendruck selbst.
Die erste Abhandlung, welche über den Farbendruck ver=
öffentlicht wurde, und bei Basse in Leipzig im Jahre 1848 er=
schien, war meine „Theoretisch=praktische Anleitung
zur Chromo=Lithographie". —
Desgleichen erschien 1867 ein schätzbares Werk: „der Far=
bendruck auf der Steindruckpresse" von Ferd. Neu=
bürger in Berlin, welches um so empfehlenswerther, da in sehr
praktischer Weise die Behandlung der einzelnen Farbeplatten durch
Farbendruck=Beilagen erläutert, wodurch das Ganze um so in=
struktiver und werthvoller ist

schaulichen waren, sondern auch der landschaftliche Theil farbig behandelt werden sollte. Nach dieser Richtung sind wahre Prachtwerke geschaffen, und es ist für die Architektur der Farbendruck geradezu unentbehrlich geworden, da Handmalerei Riesensummen erfordern würde.

Aus jenen Anfängen entwickelte sich nun die heutige Leistung des Farbendrucks in der Wiedergabe von Oelbildern und Aquarellen. Durch diesen Oelfarbendruck hat sich die Chromolithographie in ihrem neuen Stadium gleichsam auf höherem Kunstgebiete zur Selbstständigkeit erschwungen, und hat in den letzten zwanzig Jahren in der Nachahmung von Oelbildern und Aquarellen ausgezeichnete Erfolge errungen.

Eine eigentliche Geschichte dieser jungen Kunst ist aber ohne den Verdiensten Einzelner zu nahe zu treten, nicht wohl zu geben, da in allen Kulturländern Europas und auch seit etwa sechs Jahren durch eine Firma in Amerika (L. Prang u. Co. in Boston, der Chef dieses Hauses ist ein Deutscher) Bedeutendes geleistet wurde, und die Erfolge durch gleichzeitiges rastloses Streben Vieler errungen sind. Bemerkenswerth war der Nacheifer strebsamer Ausübender, so daß gute Leistungen stets nur kurze Zeit Privilegium Einzelner blieben. Das Höchste wird auch hier, wie in jedem Fach, nie allgemein geleistet werden.

Die anfangs unvollkommene Technik und Unzulänglichkeit der Mittel, die für künstlerisches Verständniß nicht herangebildeten Lithographen und Drucker, — hauptsächlich aber auf Geldgewinn gerichtete Spekulation ließen die höchste Aufgabe außer Acht und lieferten Produkte, bei denen die Bezeichnung: „Nachbildung" ꝛc. wie Hohn klang, Produkte, die mit Recht die Entrüstung der Künstler hervorriefen.

Die Massenproduktion bringt zwar auch heute noch von diesen untergeordneten Leistungen ein gut Theil unter die Augen des Publikums, so daß eine Versöhnung mit dem beleidigten Kunstgefühl nur allmählich Platz greifen kann.

Heute aber kann auch mit Sicherheit der rechte Gebrauch dem Mißbrauch dieses Darstellungsmittels gegen-

über gestellt werden, und es war deutschem Geschick und
Talent vorbehalten zu den besten Leistungen auf diesem
Gebiet, die Wiedergabe von Professor Eduard Hilde=
brandt's Aquarellen, beizusteuern, in deren Anerkennung
sich alle Stimmen vereinigt haben.

Kann so bestimmt auf wirklich bedeutende Leistungen
hingewiesen werden, so ist das Vorurtheil, das gegen den
Farbendruck herrscht, auch nicht mehr haltbar; wir glauben
vielmehr, daß künftighin das Produkt des Pinsels gerade
durch den Farbendruck in einer bisher ungeahnten Weise
Gemeingut werden wird.

Im Uebrigen ist nicht zu leugnen, daß innerhalb der
gesammten Produktion des Farbendrucks die bessern
Leistungen sich noch sehr in der Minderheit befinden, da
es hauptsächlich an durchgebildeten Kräften fehlt. —

Dem gedeihlichen Aufblühen dieses Kunstzweiges wäre
es daher sehr förderlich, wenn Künstler vom Fach dem=
selben ihre Theilnahme in größerem Maße zuwenden
würden, um hier belebend und veredelnd einzuwirken."

Thatsächlich nimmt aber das Gesammtgebiet der
Lithographie einen großartig industriellen Standpunkt
ein, wobei der lithographische Schwarzdruck mit den übrigen
Schwesterkünsten in Konkurrenz tretend, dem Buchdruck,
Kupfer= und Stahlstich in Bezug auf künstlerisch schöne
Ausführung der sogenannten Accidenz=Arbeiten, keines=
wegs nachsteht und der Stahlstich und die Photographie
bezüglich der massenhaften Reproduktion von Portraits,
Landschaft= und Genrebildern u. s. w., nur in einzelnen
Ausnahmen der Lithographie überlegen sind, während diese
dagegen alleinige Herrscherin auf dem Gebiete des Farben=
drucks bleibt.

Hier gelingt es dem Buchdrucke nur selten in Bezug
auf Billigkeit, Schnelligkeit und Schönheit des Schaffens,
Konkurrenz zu machen; abgesehen davon, daß die Chromo=
lithographie an und für sich schon einen künstlerischen Werth
voraus hat, der durch keine der übrigen Reproduktions=
weisen ersetzbar ist.

Der lithographische Schwarz- und Farbendruck die vielseitigste Verwendung findend, nimmt deshalb unter den graphischen Künsten eine der ersten Stellen ein, und das Feld des Wirkungskreises der Lithographie bleibt selbst da noch ein großartig ausgedehntes, wo dieselbe durch die Vervollkommnung der Typographie, sowie durch die ungeheuren Fortschritte der Photographie einigermaßen beeinträchtigt wurde.

Die Lithographie in der ganzen civilisirten Welt verbreitet, beschäftigt viele tausend Menschen, und während früher jeder Druckereibesitzer genöthigt war, seinen Bedarf an Druckfirniß, lithographische Kreide und Tusche u. s. w. selbst bereiten zu müssen, existiren gegenwärtig fast in jeder größeren Stadt Geschäfte, welche nebst diesem auch noch lithographische Pressen, Steine und Utensilien auf Lager haben, wodurch Alles, was zur Ausübung der Lithographie und des Steindrucks gehört, bezogen werden kann; aus dem allein geht schon zur Genüge hervor, welch ein bedeutender Industriezweig heutzutage die Lithographie geworden ist.

Erstes Kapitel.

Von dem Lokale und den nöthigen Einrichtungen und Bedürfnissen eines vollständigen lithographischen Institutes.

———

Das Lokal für ein vollständig eingerichtetes lithographisches Institut bedarf drei verschiedene Räume, Zimmer, Säle oder dergleichen, nämlich

einen Raum für die graphischen Arbeiten, d. h. die Arbeiten der Schriftlithographen und der lithographischen Zeichner und Graveurs,

einen Raum für die Druckerei und

einen Raum für die Steinschleiferei.

Eine kleine Küche oder sonst ein feuerfester Raum zur Anfertigung der Chemikalien, z. B. chemischer Tinte, Kreide &c. ist ebenfalls nöthig.

Die bereits bearbeiteten, d. h. mit Schrift oder Zeichnung versehenen und zum Drucke fertigen und die einstweilen im Drucke ausgesetzten Steine, müssen in einem besondern Lokale aufbewahrt werden, wo dieselben nicht allein vor Staub, sondern auch vor Feuchtigkeit gesichert stehen. Man hat sie hauptsächlich gegen Feuchtigkeit zu sichern, da diese den Gummiüberzug auflöst und zur sauern

Gährung bringt, wodurch die Zeichnung, Schrift oder dergleichen auf dem Steine nothwendig zum spätern Abdruck untauglich gemacht werden muß.

Die ganz aus dem Drucke gesetzten Steine müssen sogleich in die Steinschleiferei gebracht werden, um sie abzuschleifen und wieder zu poliren, da, auch wenn ein Stein für eine Kreidezeichnung zugerichtet werden soll, derselbe zuvor eine vollkommen spiegelglatte Oberfläche erhalten muß.

Alle die oben genannten Räume, deren Lage am geeignetsten an der Nordseite wäre, müssen volles Licht haben.

Auch bedingen vorzugsweise die Druckerei und die Räume zur Aufbewahrung der Steine, sowie die Steinschleiferei Parterrelokale, wobei das Lokal der Druckerei stets in der Nähe des Lithographie-Ateliers sein soll.

Zu letztgenanntem Zwecke sind geräumige Arbeitszimmer mit gehöriger Ventilation nöthig, welche im Winter entsprechend erwärmt, niemals aber überheizt werden dürfen; wobei auch die Oefen derartig eingerichtet sein müssen, daß die in lithographischer Arbeit befindlichen Steine nöthigenfalls dagegengestellt und gleichmäßig erwärmt werden können, indem sonst auf dem erkalteten Steine die lithographische Tusche ausfließen oder durch den Athem des Lithographen der Stein schwitzen würde, was für die darauf befindliche Tusch- oder Kreidezeichnung, sowie für die gravirte Platte nachtheilig wäre.

Die Fenster müssen, wenn man den Zeichensaal nicht an die Nordseite des Gebäudes legen kann, mit Blendrahmen versehen sein, die mit feinem Seidenpapier bespannt sind, damit man, ohne zu große Beeinträchtigung das Sonnenlicht dämpfen kann, indem das letztere nicht allein den Augen schädlich ist, als auch durch seine direkte Einwirkung auf den Stein, diesen erwärmt, was namentlich bei Kreidezeichnung nachtheilig werden kann, indem sich die Kreide erweicht und in die Pores des Steines dringt.

In der Steinschreiberei sind gehörig vorgerichtete Tische zum Schreiben das erste Bedürfniß. Im Grunde genommen und im Nothfall ist dazu jeder Tisch tauglich, wenn er nur feſt genug iſt eine Steinplatte von ¹/₂ bis ³/₄ Centner, und oft noch mehr Schwere, zu tragen und durch das Hin- und Herſchieben derſelben nicht wackelig zu werden. Man legt, ſobald man ſich nothgedrungen eines ganz gewöhnlichen ſtarken Tiſches bei Anfertigung lithographiſcher Arbeiten bedienen muß, an die rechte und linke Seite der Steinplatte ein Holz, das etwa ¹/₂ Centim. höher ſein muß, als die zu bearbeitende Platte und auf dieſe beiden Unterlagen dann das ſogenannte Lineal oder die Vorlage zur Stütze der Arme und Hände, und kann dann die Arbeit beginnen. In jeder gut und zweckmäßig eingerichteten lithographiſchen Anſtalt hat man aber in dem Zeichenſaale eigens zu dieſer Arbeit vorgerichtete Tiſche, an denen nämlich an beiden Seiten Leiſten von ungefähr 10 Centim. Breite und 2¹/₂ bis 3¹/₂ Centim. Stärke ſo angebracht ſind, daß ſie auf der ſchmalen Seite ſtehen und durch Schrauben oder auf irgend eine andere Weiſe höher und ſeichter, jenachdem es die Dicke des Steins erfordert, geſtellt werden können, (gewöhnlich ſind auch dieſe Leiſten von verſchiedener Stärke und mit korreſpondirenden Zapfen und Löchern verſehen, wodurch ſie aufeinander gelegt einen feſten Halt gewinnen), auf welchen dann das Lineal ruht und vor- und rückwärts geſchoben werden kann. Dieſes Lineal iſt ein etwa 1 Centim. ſtarkes, 15 bis 17 Centim. breites, glattes Brett, deſſen Länge ſo groß iſt, daß es auch ſchräg gelegt noch auf den Randleiſten des Tiſches aufliegt. An der anderen, oder Arbeitsſeite aber iſt dieſes Brett an ſeiner ganzen Länge auf 7 bis 10 Centim. Breite zugeſchärft, wie ein Lineal und daſelbſt mit Meſſing oder Blech belegt, oder ein Streif Birnbaumholz angeleimt. Auf dieſem Lineale ruhen die Arme und Hände des Lithographen während des Zeichnens, wie ſie beim Schreiben auf dem Papier ruhen. Man erreicht auf dieſe Weiſe bei einiger Uebung dieſelbe Sicherheit, als wenn man auf den Stein ſelbſt ſich auflegte, während jetzt die Hände gar nicht mit dem Steine in Berührung kommen, was durchaus nothwendig iſt, da dieſelben ſtets etwas fettig, oft wohl gar auch ſchweißig ſind. Fett- und Schweißflecke aber erschweren späterhin nicht allein die Arbeit des Zeichners und des Druckers, sondern sie machen oft wohl gar den Stein zum Drucke völlig unbrauchbar, wovon wir noch später zu reden Gelegenheit haben werden.

Das Tischblatt eines guten Zeichentisches sollte zugleich so eingerichtet sein, daß man es nicht allein höher oder niedriger stellen könnte, je nach der Größe des Lithographen oder der Dicke des zu bearbeitenden Steines, sondern es sollte auch zugleich eine Hebung an einer Seite erlauben, um dadurch dem Ganzen eine pultähnliche Einrichtung zu geben, welche oft für den Zeichner von großer Bequemlichkeit ist, namentlich bei großen Steinen.

In einigen Ateliers ist in der Mitte des Tisches eine um 1 Centim. höher stehende Scheibe angebracht, welche auf einer eisernen Achse ruht und durch vier inwendig angebrachte Rollen unterstützt wird, wodurch nach Bedarf die schwersten Steine mit Leichtigkeit gedreht werden können, und auch bei Platten, wo das Wenden nicht nöthig ist, diese Scheibe weggenommen werden kann. Diese Einrichtung ist indessen nicht ganz zweckmäßig, indem dadurch der Arbeiter genöthigt ist, den Schwerpunkt des Steines stets über dem Mittelpunkte der Scheibe zu lassen, was oft die Freiheit, mindestens die Bequemlichkeit der Arbeit beeinträchtigt. Es ist daher besser, hölzerne Scheiben von verschiedenem Durchmesser zu haben, die an der untern Seite flach gerundet, die Gestalt eines Kugelsegments haben. Solche Scheiben legt man, mit der flachen Seite nach oben, mitten unter den Stein, den man dann leicht während der Arbeit drehen kann, sobald es nöthig ist. Diese Scheiben gewähren den Vortheil, daß man sie auf jeder beliebigen Stelle des Tisches anwenden kann, und daß, im Stande der Ruhe, der Stein stets etwas schräg liegt. Unten am Tische sind mehrere Kästen, in welchen die nöthigen Federn, Tusche, Messer, Nadeln, Pinsel, Aetzapparate u. s. w. aufbewahrt werden. Auch sind zuweilen an dergleichen Tischen noch Pulte oder Halter angebracht, an welchen man die Vorschrift, das Original u. s. w. befestigen kann, sowie auch ein stellbarer Spiegelhalter vor-

handen sein sollte, da namentlich minder geübte Litho=
graphen nach dem im Spiegel sich verkehrt darstellenden
Originale zeichnen müssen.

Auf **Taf.** I in **Fig.** 1 haben wir die Seitenansicht
des obern Theiles eines solchen Tisches dargestellt. A ist
das eigentliche Gestell, in dessen Kopfstücke sich die Stützen
B, B' auf= und abschieben und in C, C' feststellen lassen
um den Rahmen D eine feste, beliebig hohe Stellung
zu geben. Das eigentliche Tischblatt E ist um das
Scharnier F beweglich und kann mittelst des Bogensektors G
und des Bolzens H hinten nach Belieben schräg gestellt
werden. Die Seitenbretter J sind im Tischblatte bei k
höher und tiefer zu stellen. Das Tischblatt selbst ist an
der vordern Seite bis auf 20 bis 30 Centim. hinein mit
mehreren in geraden, mit der Vorderkante parallelen Linien
gestellten Löchern versehen, in welche nach Bedarf kleine
Pflöcke gesteckt werden, welche verhüten, daß der Stein
bei einer schrägen Stellung des Blattes nicht nach vorne
rutsche.

In Steindruckereien, wo viel tabellarische Schriftarbeiten
oder geometrische und architektonische Zeichnungen gemacht
werden, und wo es auf eine genau rechtwinkelige Anlage
der Reißschiene ankommt, die bei der oberflächlichen Be=
handlung der Platten im Steinbruch nicht zu erzielen ist,
muß man sich der Zeichenrahmen bedienen, deren immer
mehrere von verschiedenen Größen im Vorrath sein müssen,
und deren einer auf **Taf.** I, **Fig.** 2, dargestellt ist. Zwei
etwa 15 bis 17 Centim. hohe und 3½ Centim. dicke
Brettstücke A und A' sind unter rechtem Winkel zusammen=
gezinkt und durch die 5 bis 7 Centim. hohen Seitenstücke C
zu einem Vierecke verbunden, auch wohl durch eine unten
eingelassene Diagonalleiste C' vor jeder Verschiebung ge=
sichert. Die obere Kante der Stücke A und A' ist mit der
genau rechtwinklig bearbeiteten Schiene B von Eisen oder
Messing versehen, welche darauf mit versenkten Schrauben
befestigt ist und an beiden äußern Seiten etwas übersteht.
In den Seitenstücken A und A' und auf dem Rahmen=
stücke C liegen die Riegel D, D', durch welche die hölzernen,

2½ Centim. im Durchmeſſer ſtarken Schrauben E, E'
gehen, auf welchen der Stein ſein Auflager erhält und
mittelſt deren jedem Wanken deſſelben vorgebeugt wird, er
auch mit der Oberkante der Schiene B genau bündig
gelegt werden kann. An die Schiene B, welche allemal
genau einen rechten Winkel giebt, kann man nun die
Reißſchiene anlegen und mittelſt dieſer und des Dreiecks
oder Winkels Senkrechte und Parallelen in jeder Richtung ziehen.

Winkel von ſtarkem Eiſenbleche ſind hierbei den hölzernen vorzuziehen, auch läßt man am beſten das Lineal
der Reißſchiene von demſelben Materiale etwa 1 Millim.
dick machen, und die Bahn am Kopfe der Reißſchiene mit
Meſſing beſchlagen, um ſo dem Werfen und der ſchnellen
Abnutzung dieſer Gegenſtände vorzubeugen und immer von
ihrer Richtigkeit überzeugt ſein zu können.

Damit der eiſerne Winkel bei dem Hin- und Herſchieben auf dem Steine deſſen zugerichtete Oberfläche nicht
verletze, thut man gut, die untere Fläche des Winkels mit
ſtarkem Papiere zu überziehen, doch ſo, daß letzteres mit
ſeinen Kanten an allen drei Seiten um 6 bis 12 Millim.
zurücktritt. Leder iſt zu dieſem Ueberzuge nicht paſſend,
obſchon es weicher iſt, denn es iſt viel zu dick und nimmt
leicht Schmutz und Fettigkeit an. Die Größe der Zeichenrahmen iſt am beſten die für Großmedian oder Royal-
format, welches wohl die größten bei ſolchen Arbeiten vorkommenden Formate ſein möchten, während auch jeder
kleinere Stein in den Rahmen gelegt werden kann.

Ferner gehören in einen ſolchen Zeichenſaal Stühle,
die man höher oder niedriger ſchrauben kann, wie es die
Stärke der Platten fordert. Desgleichen gehören hierher
Apparate zur Bereitung der Federn, auch Aetz- und Präparirmittel in ihren Behältern und was dabei nöthig iſt.
Ebenſo finden auch hier ein oder mehrere Aetztiſche ihren
Platz. Doch von allen dieſen Apparaten, Werkzeugen, und
dergl., ſowie von der Art, ſie anzuwenden und zu benutzen,
wird ſpäter in beſondern Kapiteln gehandelt werden.

Die Druckerei erfordert ein hohes und geräumiges Lokal, damit die Arbeitenden nicht gehemmt sind; auch muß das Lokal vor allem mit genügender Ventilation und zureichendem Lichte versehen sein.

Am zweckmäßigsten wäre für jede Presse ein eigenes großes Fenster, wobei die Presse so gestellt, daß der Drucker das Fenster zu seiner Rechten findet, und der volle Licht-schein auf die Platte und auf den Druck fallen kann.

Auch wären hierfür am geeignetsten die Fenster nach Norden, wo dieses nicht zu ermöglichen, muß dafür gesorgt sein, daß das grelle Sonnenlicht abgedämpft werden kann, welches sonst im Sommer den Stein erwärmen und den Druck behindern würde.

Zur Erwärmung des Zimmers sind die sogenannten Kachelöfen mit hermetisch verschließbaren Thüren, den eisernen Oefen vorzuziehen; weil sie langsamer erwärmen und die Wärme länger an sich behalten, als die letzteren.

Stets müssen jedoch die Oefen in möglichster Ent-fernung von der Presse sein, indem sie sonst die Erwärmung des Steins und das Austrocknen des Papiers herbeiführen würden.

In der Nähe der Presse muß zur linken Seite des Druckers der Farbtisch stehen, so daß derselbe durch eine halbe Linksschwenkung von der Presse aus dazu gelangen kann; während der neben dem Farbentische befindliche Auslegetisch für das unbedruckte Papier und die ge-druckten Exemplare bestimmt ist.

Auch wäre im Drucklokale eine Wasseranlage sehr erwünscht und wo dieses nicht der Fall, muß in der Nähe desselben ein Wasser-Reservoir oder eine Pumpe vorhanden sein, weil Wasser fortwährend gebraucht wird.

In lithographischen Anstalten, wo in den Winterabenden die Lichtarbeit eingeführt ist, wäre die Gaseinrichtung auch für die Druckereibeleuchtung am zweckmäßigsten und zwar in der Weise, daß man durch die ineinander zu legenden Armen, die Flamme beliebig von einem Orte zum andern richten und ebenso die Flamme hoch hinauf und hinunter ziehen kann.

Uebrigens empfiehlt sich auch statt der Gaseinrichtung der Verbrauch des Solaröls oder des Petroleums mittelst Hängelampen mit Rundbrennern, wobei die Lampe durch eine starke Schnur, die über eine am Plafond befestigte Rolle läuft, festgehalten und je nach Bedarf hoch und nieder gelassen werden kann.

Der Stand derselben ist in der Mitte des Auslege= tisches, da wo die Presse aufhört, so daß sie ihren Schein gleichmäßig auf die Platte und auf den Farbe= und Aus= legetisch wirft.

Nebst den lithographischen Pressen und den beiden ge= nannten Tischen, Farbeplatten und Walzen gehören ferner noch in das Lokal der Druckerei: Papierpressen, Repositoria zum Auslegen der Abdrücke und des zu bedruckenden Papiers, Schnüre zum Aufhängen der fertigen Abdrücke, wenn man nicht besondere Trockenböden oder Zimmer hat, Feuchtbretter, Wasserbehältnisse und Tafeln zum Legen, Schneiden und Umschlagen des Papieres. Ferner Tische zum Farbenreiben mit den nöthigen Platten, Läufern und Spateln; dann Schwämme, leinene Lappen, Bimsstein, Aetz= und Präparirmittel in ihren Behältern und ebenso Farben und Firniß, zu welchen ein verschließbarer Schrank vorhanden sein muß.

Die zur Bereitung des Firnisses gehörigen Kessel und Blasen, Dreifüße und alles dahin Einschlagende, sowie auch die Geräthe zum Anfertigen der chemischen Tinte und Kreide gehören in ein besonderes, feuerfestes Gemach, welches zugleich einen Feuerherd und einen Tisch enthält, auf welchem die letztgenannten Gegenstände verfertigt werden. Der Firniß aber wird, gesetzlichen Vorschriften zufolge, immer im Freien gekocht, weshalb man auf ein Lokal dazu keine Rücksicht zu nehmen hat.

Die meisten der in dem Vorhergehenden genannten Gegenstände werden noch in dem Folgenden, zum Theil in eigenen Kapiteln beschrieben, daher hier nur noch einige erklärende Zusätze zu den Dingen folgen, die ferner nicht weiter beschrieben, sondern nur hie und da erwähnt werden sollen.

Die lithographischen Pressen werden in einem be=
sondern Kapitel beschrieben werden; neben jede Presse aber
gehört:

Der Einschwärztisch. Dazu ist eigentlich jeder feste
Tisch passend; da der Drucker jedoch eine Menge kleiner
Utensilien hat, deren er bei seiner Arbeit jeden Augenblick
bedarf, so ist es zweckmäßig, diesen Tisch von ca. 75 Centim.
Höhe, 60 Centim. Breite und 45 Centim. Tiefe, unterhalb
mit einem kleinen Schranke zu versehen, in welchem der
Drucker dann, außer den Walzen, von denen wir sogleich
sprechen werden, seine Schwämme, Lappen, Druckfarbe,
Aetzwasser, Gummiauflösung u. dergl. unter Verschluß und
vor Staub gesichert aufbewahren kann. Wir haben einen
solchen Drucktisch auf Taf. I in Fig. 3 dargestellt, und man
sieht, daß der untere Theil desselben zwei Thüren hat,
indem der Theil für die Walzen durchaus selbstständig sein
muß, um diese höchst wichtigen Gegenstände vor jeder Be=
einträchtigung zu sichern. Der obere Theil des Tisches
zerfällt in zwei ungleiche Hälften von denen die rechte, der
Presse zunächst liegende für die Schwärzplatte (s. unten)
bestimmt ist, während die linke, bedeutend tiefer liegend,
eine Art von offnem Kasten bildet, in welchem ein Blech=
einsatz befindlich ist, der ein Gefäß mit Wasser, ein Gefäß
mit Gummiauflösung, und die nöthigen Schwämme und
Wischlappen während der Arbeit enthält, welche aber nach
geschlossener Arbeit unten in dem rechten Theile des
Schrankes stehen. Dahin gehören auch die Spateln zum
Zusammentreiben der Farbe, Firniß, Ruß und andere
Farben, Leinöl, Unschlitt zum Einreiben der Preßleder,
Bimsstein u. dergl., zu welchem Zwecke der Schrank in
mehrere Fächer getheilt wird, auch wohl einen Schiebe=
kasten erhält.

In vielen Druckereien findet sich der Einschwärz= oder
Farbtisch wie auf Taf. I, Fig. 4, konstruirt; wobei das
Tischblatt mit einem Rande umgeben ist, um den Farbstein
zu halten, und derselbe durch einen Rahmen eingeschlossen
oder auch mit Leisten befestigt wird.

Vermittelst eines Hackens ist gewöhnlich an diesem Tische ein kleines blechernes Gefäß angebracht, welches zwei Abtheilungen für starken und mittleren Firniß hat, um selben bequem während des Druckens nach Bedarf mit dem Firnißspatel nehmen zu können, ohne Gefahr zu laufen das Gefäß umzuwerfen.

Die **Schwärzplatte** dient dazu, um die Druckfarbe auf derselben in einer dünnen und gleichförmigen Schicht auszubreiten, und auf diese Weise gleichförmig auf die Walzen 2c. zu vertheilen, von wo aus sie auf die Steine aufgetragen wird. Zu den Schwärzplatten nimmt man Marmor= oder Granitsteine, am häufigsten aber die gewöhnlichen Lithographiesteine, welche Fehler haben, die jedoch hierzu vollkommen glatt geschliffen sein müssen und um die Druckfarbe von der Schwärzplatte wegzuschaffen bedient man sich gewöhnlich einer biegsamen eisernen Spatel wie auf **Taf. I, Fig. 5**.

Als Schwärzplatte ist auch Zink= oder Kupferblech sehr zweckdienlich, welches auf ein Brett von 5 bis 6 Centim. Dicke in der Art befestigt wird, daß auf die obere Fläche keine Nagelköpfe kommen, wodurch das Reinigen erschwert, und die Walzen 2c. sehr bald ruinirt werden würden.

Die Vortheile, welche aus der Anwendung des Bleches, statt der Steinplatten, hervorgehen, sind kürzlich folgende:

a) Der Stein entzieht allemal der Druckfarbe einen Theil der Fettigkeit, und um so mehr, je neuer er ist. Die Blechplatte thut dies nicht, sondern hindert eher ein Eintrocknen der Farbe.

b) Der Stein läßt leicht beim Reinigen von der Druckfarbe, welches ohnfehlbar jeden Abend nach dem Arbeitsschlusse geschehen muß, Sand, oder vielmehr etwas von seiner Textur fahren, was sich leicht auf dem Steine festhält und am andern Tage Ursache zur Beschädigung der Walze, ja vielleicht gar der Zeichnung auf dem Steine selbst werden kann. Die Metallplatte gewährt eine leichte und vollkommene Reinigung, namentlich, wenn man sich dazu eines in Seifensiederlauge getauchten Lappens bedient.

c) Der Stein ist kostbarer und zerbrechlicher, auch schwerer zu transportiren, als die Metallplatte.

Zum Auftragen der Farbe auf den Stein, den man abdrucken will, bedient man sich, je nach der Art, wie der Stein bearbeitet ist, entweder der **Druckwalzen** oder der **Schwärzbretter.** Ballen nach Art der gewöhnlichen Buchdruckerballen, die man früher hierzu verwendete, sind durchaus unzweckmäßig, da dieselben nie einen gleichmäßigen Auftrag gestatten, sondern die Farbe dabei allemal mondförmige, nach außen hin dunkle Ringe bildet.

1) Die Schwärzwalzen. Die Walzen Taf. I, **Fig. 6,** sind ein Gegenstand von solcher Wichtigkeit in der Lithographie, daß sie von jeher das Objekt großer Untersuchungen zu ihrer Verbesserung waren und sogar von der Société d'encouragement ein nicht unbedeutender Preis auf die vollkommenste Walze für den Steindruck ausgesetzt wurde. Wir wollen dieser Wichtigkeit wegen uns etwas länger bei diesem Gegenstande aufhalten. —

Seit der Erfindung der Lithographie und seit der ersten Anwendung der Schwarzwalzen haben diese, im Ganzen genommen, wenige Veränderungen erfahren. Es sind noch immer, wie früher, Cylinder von 21 bis 42 Centim. Länge auf 9 bis 11 Centim. Dicke, die an den beiden Grundflächen in der Richtung der Achse Handhaben erhalten, welche bisweilen von etwas härterem Holze sind. Diese Griffe sind meistens 11 bis 12 Centim. lang und 2½ Centim. dick, je nach der Größe der Walzen, müssen sehr stark sein, und jeder derselben erhält eine Kapsel von dickem Leder, die übrigens nur eben weit genug ist, um den Griffen der Walze bei deren Umdrehung zur Bewegung Spielraum zu lassen. Diese Kapseln oder Hülsen der Handgriffe, gewöhnlich aus weichem Leder (Wildleder) gefertigt, — schützen die Hand des Arbeiters vor der Erhitzung und der Reibung des Holzes und dienen auch dazu, die Bewegung der Walze selbst zu modificiren. — Man hat auch Walzen mit durchgehender Achse, nach Art der sogenannten Nudelauftreibehölzer, angewendet, welche den Vortheil gewähren, daß die Griffe festgehalten werden

können und nur die Walze sich dreht, weshalb man keine
Kapseln braucht; indessen sind dieselben durchaus unzweckmäßig da sie einerseits nie einen gleichmäßigen Druck auf der
ganzen Länge der Walze gestatten, andererseits aber derjenige Griff, in welchem die Schraube zur Verbindung
beider Theile der Achse sich befindet, sehr bald wandelbar
wird und abbricht, da man mit der Walze bisweilen fest
aufdrücken muß, namentlich, wenn man mit harter Farbe
druckt. Uebrigens sind solche Walzen auch theurer.

Der Körper der Walze (der Holzcylinder) wird mit
wollenem Zeuge, Flanell oder Molton gewöhnlich zweimal
fest umwunden und dieser so angenäht, daß die Naht keine
Erhabenheit bildet, worauf die Walze dann mit Kalbleder
überzogen, dessen Fleischseite nach außen hin kommt. Dieser
Lederüberzug muß durchaus straff angespannt sein und
wird auf der innern Seite genäht (ähnlich, wie die Stiefel-
schäfte), jedoch darf die Naht durchaus nicht auftragen,
indem sonst beim Einschwärzen an der Stelle, wo die Nath
den Stein berührt, eine dunkle Linie auf demselben erscheint, welche jedenfalls den Abdruck, oft sogar den Stein
verdirbt. An den beiden Grundflächen steht das Leder
über und wird dort entweder mit einer Schnur zusammengehalten oder festgenagelt; doch ist das Erste besser, da
das Leder sich durch die Feuchtigkeit des Steines gern
ausdehnt und dann vermittelst der Schnur leicht zusammengezogen und so den sonst entstehenden Falten u. s. w. vorgebeugt werden kann. Man muß zu diesen Walzen das
beste Leder nehmen, und selten wird man aus einer Haut
mehr als fünf Walzen überziehen können, und schon die
fünfte wird minder gut sein, da sie aus der Halsgegend
derselben geschnitten werden muß, die immer faltig bleibt.
Das Leder vom Bauche ist immer dünn, weich und sehr
faserig, nur das Rückenstück ist ohne Tadel und vereinigt
alle Bedingnisse eines guten Walzenüberzuges, d. h., gleichmäßigen Kern und eine feine und feste Textur. Man hat
versucht, Ueberzüge ohne Naht zu machen, und sich dazu
der Beinhaut rc. bedient; da dieselbe aber nach einer Seite

hin enger wird, so muß man sie dort stark dehnen, wodurch das Leder ungleich dick wird.

Bei Walzen, welche viel gebraucht werden, wird der Lederüberzug bisweilen zu weit und bildet alsdann Falten, welche auf die Gleichmäßigkeit des Einschwärzens nachtheiligen Einfluß haben. Diese Erscheinung kann einen doppelten Grund haben. Einmal windet sich, wenn die Walze lange in derselben Richtung gerollt wird, der Flanellüberzug fester und das Leder wird lose; hier kann man abhelfen, indem man den rechten Griff zum linken macht, also die Walze eine Zeitlang umgekehrt rollt, wodurch sich der Flanell wieder lose windet. Ist aber andererseits der Ueberzug dadurch lose geworden, daß das Leder zuviel Feuchtigkeit eingesogen und sich gedehnt hat, so muß man die Walze trocknen lassen, und wenn dies nicht helfen sollte, den Ueberzug enger machen, indem man die Naht abschneidet und neu macht.

Uebrigens glaube man ja nicht, daß das Gewicht der Walze einen Einfluß auf ihre Güte habe; denn sehr schwere Walzen, deren man sich eine Zeitlang in Frankreich bediente, haben sehr bald durch ihre Unzweckmäßigkeit ihre Beseitigung herbeigeführt. —

Ebenso unzweckmäßig haben sich auch die früher in Anwendung gebrachten starken und langen Walzen erwiesen, indem solche Cylinder unbequem zu handhaben sind.

So hat auch die Erfahrung gezeigt, daß die zu weichen Walzen, bei welchen man den Holzcylinder mit 5 bis 6 Lagen Flanell umwickelte, nur eintönige Abdrücke geben, indem selbe nicht gehörig die überflüssige Schwärze wegnehmen, während man bei den jetzt allgemein angewendeten harten Walzen die feinsten und brillantesten Abdrücke erhält.

Im Jahre 1826 wurde in Frankreich ein Preis von 200 Fr. auf die Konstruktion einer Walze gesetzt, welche den in Gebrauch befindlichen vorzuziehen wäre; im Jahre 1828 wurde dieser Preis auf 500 Fr. erhöht und 1831 von Tudot gewonnen; er hatte eine Walze ohne Nath vorgelegt (**Taf. 1, Fig. 7**).

Tudot bediente sich zuerst Scheiben von Leder, welche auf die mit den Handgriffen versehene Achse geschoben, und dieser Ledercylinder dann an beiden Enden durch eiserne Preßscheiben mittelst Schrauben zusammengepreßt und auf der Drehbank vollkommen abgerundet wurde.

Der bedeutende Lederverlust bei dem Schneiden der Scheiben brachte ihn auf die Idee, ein Kalbfell von der Mitte aus spiralförmig in einen Riemen von 6 bis 8 Millim. Breite zu zerschneiden und denselben um einen hölzernen Cylinder in der Weise aufzurollen, daß die Schnittseite auf den Cylinder kam; zu beiden Seiten der Walze wurde ein hölzerner Ring auf den Holzcylinder gestreift, die Riemen zusammengepreßt, die hölzernen Ringe mit Dübeln befestigt und die Walze abgedreht.

Diese Walzen sind jedoch nie in Gebrauch gekommen, weil sie zu hart sind und auch wie ihr Erfinder selbst gesteht, zu theuer kamen. Ebenso wenig haben die in Vorschlag gebrachten Walzen, welche statt des Leders aus zusammengepreßten Scheiben von Papier oder von baumwollenem Zeuge bestanden, dem Zwecke entsprochen.

Die besten Walzen sind die von Chs. Schmautz ainé, rue du chenche midi in Paris, gefertigten; sie sind 27 bis 33 Centim. lang, 9 Centim. im Durchmesser, haben einen Umgang Molton und sind mit Schmalleder überzogen.

Vermöge der größeren Dicke des Schmalleders läßt sich die Naht leichter verstecken, und fester nähen, da die Stiche, welche in einem Winkel von 45 Grad durch die beiden Schnittseiten des Leders geführt werden müssen, im Kalbleder weniger Halt haben, weil es eben dünner ist; daher auch diese Pariser Walzen viel dauerhafter sind, als wie die mit Kalbleder überzogenen.

Bei der Herstellung einer guten Walze ist immer zu beachten, daß ihr Cylinder gleiche Dicke hat, und daher immer auf den Support abgedreht werden muß, zudem ist auch das Falzen des Leders von der größten Wichtigkeit.

Das Leder, welches wir für Walzen und Rahmen aus Frankreich beziehen und welches sich besonders durch feine gleichmäßige Dicke auszeichnet, wird nicht mit dem gewöhnlichen Falzmesser, sondern mittelst der sogenannten Spaltmaschine zugerichtet.

Schon vom Anfühlen mit den Fingern läßt sich die Falzarbeit am Leder beurtheilen, noch besser aber, wenn man die neue Walze, ehe sie Farbe hat, über einen eben geschliffenen Stein führt, ohne im Geringsten aufzudrücken, und zwischen Walze und Stein sieht.

Eine Pariser Walze wird keine Durchsicht zeigen, während bei Walzen mit gewöhnlich gefalztem Leder dies an vielen Stellen der Fall sein wird.

Derartige Pariser Walzen sind auch von Frankfurt zu beziehen, welche in Offenbach gefertigt und den ersteren an Güte vollkommen gleich stehen.

Von ebenso vorzüglicher Qualität sind auch z. B. die Walzen (eigenes Fabrikat) von Eduard Emil Baumann in Berlin.

In der Praxis giebt es glatte und rauhe Walzen, hauptsächlich werden erstere da gebraucht, wo es gilt glatte Flächen zu bedrucken, während die rauhen Walzen vorzugsweise zum Schwarzdruck verwendet werden.

Je nach Bedarf derselben muß eben dann die Fleischseite des Leders, welche stets zum Drucken benutzt wird, entweder rauh oder glatt sein.

Hierbei wird der Lederüberzug in folgender Weise gefertigt: das ausgewählte Lederstück muß zu beiden Seiten der Walze 3 Centimeter überstehen. Die beiden Enden des Leders, die man vereinigen will, werden recht scharf und gerade abgeschnitten und dann dasselbe umgewendet, indem man die Fleischseite, welche nach außen kommen soll, nach innen dreht. Beim Nähen setzt man die Nadel, welche mit einem seidenen Schnürchen versehen ist, so ein, daß sie nur eine Kante des Leders durchsticht und nicht bis auf die Oberfläche durchdringt.

Nachdem die Naht auf diese Weise durch Vor- und Zurücknähen beendet, wendet man das Leder um und benetzt dasselbe mittelst eines Schwammes gleichmäßig mit

Waſſer und zieht dieſe lederne Umhüllung über den mit
Flanell umwickelten Holzcylinder.

Die an beiden Seiten überhängenden Lederenden,
werden dann ¹/₂ Centimeter vom Rande entfernt, durch=
locht, um ſo mittelſt eines kräftigen Handbindfadens oder
einer ſeidenen Schnur, das Leder der Länge nach gehörig
anzuſpannen.

Die Walzen haben verſchiedene Gebrauchsperioden,
wenn man ſo ſagen ſoll, und die Behandlung, welche man
denſelben zu Theil werden läßt, beſtimmt meiſtens ihre
gute oder ſchlechte Beſchaffenheit. Ehe man eine Walze
vollkommen in Gebrauch nehmen kann, muß ſie zugerichtet
werden. Zu dieſem Zwecke wird die Naht derſelben mit
feinem Bimsſtein geglättet oder auch nach Bedarf das
Leder mit Bimsſtein abgerieben, damit die Faſern auf der
Fleiſchſeite des Ueberzuges mehr Gleichförmigkeit erhalten.
Dann wird die Walze gehörig mit Fett getränkt, was am
geeignetſten dadurch bewerkſtelligt wird, daß man dieſelbe
8 Tage lang jeden Morgen und jeden Abend in dünnen Firniß
rollt, damit die Poren des Leders denſelben in ſich auf=
nehmen und das Leder von den Fetttheilen des Firniſſes
gleichmäßig durchdrungen wird, wodurch die Walze ihre
übermäßige Rauhheit verliert und ſpäter der Feuchtigkeit
des Steins erfolgreich widerſtehen kann. Dann bringt
man die geölte Walze auf einen mit recht harter Drucker=
ſchwärze verſehenen Farbeſtein oder eine andere Schwärz=
platte, und rollt ſie darauf in allen Richtungen hin und
her, während man von Zeit zu Zeit die Farbe mit einem
ſtumpfen Meſſer wieder abkratzt und auch die auf den
Stein getragene wieder durch andere erſetzt. Dieſes Rollen
muß mehre Stunden fortgeſetzt werden und dient dazu,
die kleinen, loſen Faſern von der Oberfläche des Leders
abzureißen, weshalb aber auch die Farbe ſo oft gewechſelt
werden muß, als ſie mit ſolchen Faſern geſättigt iſt. Be=
merkt man dann, daß die Walze ihre Rauhigkeit verliert,
ſo ſetzt man der Farbe mehr Firniß zu und fährt mit der
Bearbeitung fort, indem man dieſelbe noch in Zwiſchen=
räumen von mehren Tagen wiederholt.

In diesem Zustande ist die Walze jedoch höchstens zum Einschwärzen ganz ordinärer Schriftsteine, und selbst da nur, wenn man noch eine gute Walze daneben hat, mit der man die Arbeit gleichsam polirt, zu verwenden. Erst nach längerem Gebrauche bei Federarbeiten kann man die Walze auch für Kreidesteine verwenden und selbst dann noch giebt es Walzen, welche wegen schlechter Qualität des Leders nie beim Kreidedrucke verwendet werden können. Verliert die Walze beim Kreidedrucke nach und nach ihr sogenanntes Korn, was man daran sieht, daß sie die Farbe auf der Schwärzeplatte nicht mehr zieht (rupft), so muß man ihr einen zweiten Flanellüberzug geben; doch bleibt sie dann dennoch immer nur für Schrift anwendbar, indem sie eine Kreidezeichnung verschmutzen würde. — Bei jeder Presse müssen eigentlich beständig mindestens zwei ganz gute Walzen sein, damit man dieselben wechselsweise brauchen kann, wobei dann die gebrauchte 24 Stunden stehen bleibt, damit sie die Feuchtigkeit verliere, welche sie, selbst wenn sie noch so gut eingefettet wurde, dennoch von den beständig genetzten lithographischen Steinen anzieht.

Jeden Abend, oder auch, wenn man die Walzen wechselt, muß man die Farbe gänzlich von der auszusetzenden entfernen. Hierzu bedient man sich eines Messers, das, ohne gerade scharf zu sein, doch immer noch eine gewisse Schneide hat. Man kratzt hiermit von unten nach oben hinauf, während man die Walze bei einem Handgriffe mit der linken Hand festhält und den andern Handgriff auf die Schwärztafel stützt. Man muß hierbei die Klinge des Messers äußerst flach halten und sich dabei zugleich sehr wohl vorsehen, nicht in das Leder zu schneiden. — Ohne diese täglich vorgenommene Reinigung würde die Farbe auf der Walze leicht eintrocknen, eine harte Kruste bilden und die Walze gänzlich unbrauchbar machen, während zugleich die aufgenommene Feuchtigkeit nicht gehörig verdunsten könnte. Noch viel unerläßlicher ist diese Vorsichts-maßregel bei den Walzen zum Farbendrucke, da die meisten Farbenstoffe von austrocknender Art sind und die Walzen um so schneller verderben würden. Aus diesem Grunde muß man solche Walzen, wenn man sie für einige Tage aussetzt, nicht allein mit Terpentinöl abwaschen, sondern ihnen auch, indem man sie über einen mit Talg beschmierten Stein rollt, einen dünnen Talgüberzug geben, welchen man jedoch, ehe man die Walzen wieder zur Arbeit nimmt, durch Abschaben sorgfältig entfernen muß.

Dieses Abwaschen geschieht, indem man Terpentinöl darauf spritzt und mit einem rauhen aber von Steintheilen freien Lappen energisch abreibt. In ähnlicher Weise muß auch die vollständige Reinigung des Farbesteins vorgenommen werden, nachdem zuvor die Farbeschichte mit dem Spatel beseitigt ist.

Statt der Lederwalze suchte man auch nahtlose Walzen zu erzeugen, welche, wie die bei den Buchdruckern gebräuchlichen, aus Syrup-Leim-Masse gegossen; die aber für den lithographischen Gebrauch viel zu weich, auch nicht die erforderliche Oberfläche des Leders bieten und zudem schon durch das nothwendige Befeuchten des Steins, sich als gänzlich untauglich erwiesen.

Ebenso versuchte man statt des Leders den Walzenüberzug aus Kautschuck, der anfänglich gleichfalls keine günstigen Resultate lieferte, jedoch in neuester Zeit durch vielfältige Versuche zur brauchbaren Anwendung gelangte. Der Firma Reinshagen u. Krieg in Leipzig ist es gelungen, anstatt der Lederwalzen einen Walzenüberzug aus Gummi herzustellen, der allen Anforderungen vollkommen entspricht.

Derartige Gummiwalzen, d. h. nur Gummiüberzug statt des Leders, wurden zunächst bei dem lithographischen Schnellpressendruck angewendet und so den bekannten Uebelständen der Lederwalze, nämlich dem Lockerwerden oder dem Aufreißen derselben u. dergl. abgeholfen.

Die Gummiwalze, welche sich weder auflöst noch sonst den geringsten Nachtheil hat, besteht aus vulkanisirtem (geschwefelten) Para-Gummi, welcher nach Erkaltung abgedreht und dadurch eine Gleichmäßigkeit erzielt wird, wie es bei Lederwalzen beinahe nicht möglich ist. Die guten Resultate, welche damit auf der Schnellpresse geliefert wurden, veranlaßten die Herstellung derartiger Gummiwalzen zum Handdruck, welche ebenso vollständig gelungen sind*).

Zur Aufbewahrung der Walzen gehört auch das gemeinsame Walzenregal; dasselbe ist gewöhnlich an der Wand angebracht und besteht aus einem einfachen aus vier Brettern zusammengefügten Gerüste, welches, je nach der Anzahl der Walzen, höher oder niedriger ist. Die Breite desselben richtet sich nach der Walzenlänge, welche

---

*) Hierüber enthält die „Lithographia" in Hamburg 1870, folgendes Gutachten der beiden Fachmänner C. Brunow, Obermaschinenmeister der Officin von C. G. Röder, und Julius Süß, Oberdrucker bei F. A. Brockhaus, Leipzig.

Betreff dieser Handwalzen sind die damit angestellten Versuche in den verschiedenartigsten Manieren sehr befriedigend ausgefallen. Die Oberfläche der Walze hat ein fein sammtiges Korn, deckt sehr gut und hält Farbe wie Stein äußerst sauber. Hierbei ist der Gummiüberzug ½ Centim. stark, jedoch ist derselbe in beliebiger Stärke wie Länge zu bekommen und wird das ½ Kilogrm dieses Walzenüberzuges mit 3 Mark berechnet.

Ein entschiedener Vortheil derartiger Walzen besteht darin, daß sie sich viel leichter mit Terpentinöl reinigen lassen als Lederwalzen, und es ist vollständig möglich, solch' eine mit Gummi überzogene Walze für Schwarz, ebenso zu jeder bunten Farbe zu benutzen, da die Farbe nur auf der Oberfläche des Gummi haftet und diese leicht und sauber entfernt werden kann.

Nach Abwaschung der Walze mit Terpentinöl, muß dieselbe mit Talkstein abgerieben werden, von welchem der Terpentin aufgesaugt wird. Desgleichen kann auch das Reinigen der Walze mit Lauge oder starkem Sprit (Alkohol) geschehen.

Die Gummiwalzen der lithographischen Schnellpressen werden gewöhnlich zuerst mit Terpentinöl und dann mit Seifenwasser gereinigt.

Ebenso günstig spricht sich L. Menton in Mannheim 1872, hierfür aus. Derselbe sagt: „Ein weiterer Vorzug der Gummiwalze ist der bedeutend schärfere Zug, auch setzt sie, bei Verwendung selbst der leichtesten und dünnsten Farbe, keinen Schmutz auf den Stein ab, weshalb sie jedenfalls der Lederwalze vorzuziehen ist. Was aber die Gummiwalze ganz unentbehrlich macht, ist ihr Gebrauch bei der Photolithographie, da eben hierzu ihres weit schärferen Zuges wegen, die Lederwalze gar nicht zu gebrauchen ist.

Obgleich die Gummiwalzen etwas theurer wie Lederwalzen sind, so steht doch der Preisunterschied in keinem Verhältniß zu den Vortheilen, die sie dem Druckereibesitzer thatsächlich bieten".

durchschnittlich 35 Centim. beträgt, daher die Breite des Regals ca. 42 Centim. betragen muß, damit die Walzen bequem eingeschoben werden können. Die Seitenwände des Regals sind mit von oben nach unten gehenden, ca. 9 Centim. tiefen und 14 Centim. von einander entfernten Einschnitten versehen, die an beiden Seiten genau mit einander korrespondiren.

Hier hinein werden die Walzen so gehängt, daß die Zapfen derselben in die Einschnitte hineinpassen.

Die bis hierher beschriebenen Walzen sind dazu bestimmt, die Farbe auf diejenigen Steine aufzutragen, auf denen sich eine Zeichnung in irgend einer erhabenen Manier, also z. B. mit der Feder oder Kreide gemacht, oder durch Ueberdruck entstanden, befindet; sobald aber der Stein in vertiefter Manier gearbeitet, also gravirt ist, werden die Walzen unzureichend, indem die Druckfarbe in die Vertiefungen des Steins eingerieben werden muß. Zu diesem Zwecke dienen:

2) Die Schwärzbretter oder Tampons. Früher bediente man sich zum Einreiben der Farbe eines kleinen Ballens von Leinwand, später der Bürste und gegenwärtig in den besseren Druckereien fast ausschließlich der eben erwähnten Bretter oder Tampons, wie selbe auf **Taf. I** in **Fig.** 8 a—d dargestellt sind.

Bei **Fig.** 8 hat der untere Theil a 7 bis 10 Centim. im Durchmesser 2½ bis 3½ Centim. Dicke, an der Seite eine Hohlkehle b, und die Handhabe c 10 Centim. Höhe.

Die untere Fläche muß vollkommen eben sein, indem hohle Tampons magere Abdrücke geben und den Stein schwächen; erhabene (konvexe) aber den Stich überfüllen würden.

Dieser untere Theil wird mit Tuch überzogen, wozu sich am besten Rohtuch, das keinen Strich hat, eignet; wobei das Tuch mit Bindfaden, den man durch eine Sattlernadel zieht, rings herum durchzogen, dann bei den beiden Enden des Bindfadens angezogen und in die Hohlkehle fest geknüpft wird.

Das Farbebrett **Fig.** 8 a, für größere Steinformate geeignet, ist nebst seinem Handgriffe von weichem Holz und mit einer Lage Flanell überzogen, über welche mittel= feines Tuch, mittelst Nägel straff angespannt wird. Noch besser hierzu ist feiner dicker Filz, der ebenso auf dem Farbebrette festgemacht, keines Tuchüberzuges bedarf (**Fig.** 8 b).

Mit diesem Brette, welches genau wie das Reibebrett der Maurer beschaffen ist, wird die Farbe von der Schwärz= platte abgenommen und auf den genetzten Stein durch leichtes Einreiben aufgetragen, wie wir das später näher beschreiben werden. Es versteht sich übrigens von selbst, daß der Drucker mehrere solcher Schwärzbretter und deren von verschiedener Größe haben muß, einmal, um die feuchten austrocknen zu lassen, und dann, um sich mit der Größe des Brettes nach dem zu druckenden Steine zu richten. Nach dem Einreiben wird der Stein leicht mit einer, zur Federmanier passenden Walze überrollt, um den Auftrag ganz gleichartig zu machen; bei ordinärer Arbeit ist dies jedoch kaum nothwendig, sondern es reicht hin, den Stein mit einem reinen feuchten Lappen leicht zu über= wischen und abzuputzen.

Statt dieser Tampons mit Handgriffen ist auch ein viereckiges Brettchen von ca. 15 Centim. im Quadrat und $2^{1}/_{2}$ Centim. stark zu benutzen, woran ein lederner Riemen in der Weise mit Nägeln befestigt, daß man die Hand dazwischen schieben kann (**Taf. I, Fig.** 8 c), wobei die untere Fläche der Holzplatte zuerst mit starkem Flanell und dann mit dickem Doublestoff straff überzogen wird.

Für kleinere Druckplatten eignet sich das einfache Tuch= tampon (**Taf. I, Fig.** 8 d), wozu man einen ziemlich langen Tuchstreifen von ca. 15 Centim. Breite an einem Ende desselben kurz und scharf einknickt und das Uebrige fest um sich selber rollt. Reicht ein Streifen nicht aus, so unwickelt man das Festgerollte mit dünnem Bindfaden, dessen Enden man vernäht, und rollt einen zweiten Tuch= streifen um die bereits erhaltene Tuchwalze, bis dieselbe ungefähr 10 Centim. im Durchmesser stark geworden ist;

worauf dann diese Walze mit dünnen dauerhaften Bindfaden fest umschnürt und vernäht, und dann mit scharfem Messer die eine Basis der Tuchwalze glatt und eben geschnitten wird.

Ein Vorzug dieses Tuchtampons besteht in seiner großen Dauerhaftigkeit; wogegen der Ueberzug des Holztampons sich durch den Gebrauch abnutzt und zeitweise erneuert werden muß.

Der **Aetztisch**, siehe **Taf. I, Fig. 9,** ist ein Tischgestelle, mit einem oben auf demselben befindlichen Kasten, dessen Konstruktion viel Aehnlichkeit mit einer sogenannten Käsebank hat, wie man sie im nördlichen Deutschland fast in allen Landwirthschaften findet. Der Boden ist etwas nach der Mitte oder einer Seite geneigt und hat dort eine Oeffnung, wodurch das über den Stein gegossene Scheidewasser, sowie das zum Aussüßen der Platte folgende reine Wasser abfließt und wieder aufgefangen wird.

In der Nähe dieses Tisches müssen sich Behälter für Aetzwasser, reine Salzsäure und Gummiauflösung vorfinden.

Repositoria werden an passenden, sich dazu darbietenden Stellen, am besten an den Wänden, wo keine Fenster sind, also auch keine Pressen stehen werden, angebracht, damit die Abdrücke leicht aus den Händen gelegt werden können und das nöthige Papier immer zur Hand sei.

Schnüre werden theils in der Druckerei, theils in dem Bodenraume der Anstalt angebracht, um die Abdrücke gehörig aufhängen und abtrocknen zu können.

Feuchtbretter sind glatte Bretter mit eingeschobenen Querleisten, damit sie sich nicht werfen. Sie werden zum Feuchten des Papieres gebraucht und von verschiedener Größe angewendet, müssen jedoch immer ringsum mindestens 2 bis 3 Centim. größer sein, als das zu feuchtende Papier, indem letzteres sonst ungleich genetzt wird, was beim Drucken nachtheilige Folgen hat.

Der Auslegetisch von ca. 60 Centim. Tiefe und 120 bis 150 Centim. Länge, in gleicher Höhe mit dem

Weishaupt, Steindruck. 4

Farbetisch, dient zur Ablagerung des Papiers und der Abdrücke. Ebenso sind Tafeln oder große Tische zum Sortiren, Schneiden, Feuchten und Umlegen des Papiers nöthig.

Wasserbehälter mit reinem Wasser werden, größere zum Aetzen und Papierfeuchten, kleinere zum Anfeuchten der Steinplatte während des Druckens gebraucht.

Platten und Läufer zum Farbenreiben, was ebenfalls auf besondern Tischen geschehen muß, müssen nach Verhältniß eine oder mehrere da sein, letzteres besonders, wenn man verschiedene Farben zu drucken hat. Es sind gewöhnliche lithographische Platten dazu völlig tauglich; die Läufer aber können von Glas oder Serpentinstein, sowie von Granit, Marmor und Lithographiestein sein. Zu diesem Apparate gehören noch hölzerne Spateln zum Zusammenstreichen oder Verbreiten der Farbe und zu ähnlichem Gebrauche.

Diese Spatel können auch von Horn oder Stahl gemacht werden; doch mögen die von hartem Holze dieselben Dienste thun, nur schwerer zu reinigen sein. Die Spateln sind nach Verhältniß ihrer Größe unten breit, schräg abgeschnitten und messerförmig zugeschärft; sie müssen stark genug sein, aber dennoch eine gewisse Elasticität nie verlieren, vermöge deren sie auf dem Farbenstein oder der Fläche des Läufers überall angedrückt werden können. Eiserne Spatel rosten leicht und verderben manche Farben.

In der Nähe des Tisches, welcher zum Reiben der verschiedenen Farben bestimmt ist, müssen die Behältnisse mit dem Oelfirnisse sich befinden, welche am besten von sehr starkem Glase wie die Flaschen, in welchen man die Schwefelsäure versendet, oder von Thon gebrannt sind, wie die Mineralwasserflaschen, weil sich in solchen der Firniß am besten hält. Metallene Gefäße sind durchaus zu verwerfen, mit Ausnahme der sehr vortheilhaften gußeisernen, innen emaillirten Büchsen, deren Deckel jedoch möglichst luftdicht schließen sollen. Uebrigens müssen die Firnißgefäße immer gut verschlossen sein, damit weder Unreinigkeiten hineinkommen, noch die äußere abwechselnde atmosphärische Luft zu sehr auf das Trocknen des Firnisses wirken könne, weshalb man auch solche Gefäße nicht längere Zeit der Sonne aussetzen darf.

Auch bedarf noch der Drucker eine jede Sorte Firniß in kleineren Gefäßen mit eigener Holzspatel zum Herausnehmen desselben.

Der Ruß, dessen man sich, wie wir weiter unten sehen werden, zur Zusammensetzung der Druckfarbe bedient, wird am besten in der Art aufbewahrt, daß man auch den Farbenreibetisch ebenso, wie die früher beschriebenen Schwärztische, unten mit einem Schranke versieht, in dessen einer Hälfte zwei Schubladen zu dem augenblicklichen Bedarfe der zwei gebräuchlichen Rußsorten, in der andern aber, nebst mehreren kleinen Schubladen für die andern etwa zu verwendenden Farben, ein Fach für die Firnißgefäße, Läufer, Schachteln u. s. w. sich befindet.

Der Hauptvorrath an Ruß wird in Fässern in der Steinkammer oder auf dem Hausboden, immer aber geschützt vor jeglicher Feuchtigkeit, aufbewahrt.

Die Steinschleiferei ist das dritte Hauptlokal in einem vollkommen eingerichteten lithographischen Institute. Sie bedarf in Hinsicht auf ihre Lage gegen das Licht, obwohl sie durchaus nicht dunkel sein darf, da sonst der Schleifer das Korn oder die Politur des Steins nicht beurtheilen kann, einen weniger ausgesuchten Ort, als die Druckerei und die übrigen Ateliers, doch muß sie vollkommen trocken liegen und der Kälte nicht zu sehr ausgesetzt sein; denn eine feuchte, besonders Salpeter und andere Salze enthaltende Luft, wie sie in abgelegenen halbdunklen Gemächern häufig vorkommt, zieht sich leicht in die Steinplatten, wodurch sie dann bei eintretender Kälte Sprünge bekommen oder überhaupt schnell verwittern. Vor allen Dingen muß man vermeiden, die Steinschleiferei etwa in der Nähe von Senkgruben, Retiraden oder Düngerstätten zu bringen, indem die ammoniakalischen Dünste derselben sich leicht auf der Oberfläche der Steine konden-

4*

firen und dieſelben zu jeder Art der lithographiſchen Arbeit untauglich machen, indem ſie die Tinte und Kreide
zerſetzen und die Präparatur des Steines verhindern. Iſt
die Steinſchleiferei, wie dies bei beſchränkten Räumlichkeiten wohl der Fall ſein kann, zugleich der Aufbewahrungsort für die vorzubereitenden oder vorbereiteten, auch
wohl gar für diejenigen Steinplatten, auf welchen ſtehende
Werke lithographirt ſind, von denen von Zeit zu Zeit
neue Auflagen abgedruckt werden, ſo iſt das Lokal des
Geſagten wegen, beſonders wohl zu wählen. Als Ver-
wahrungsort der bezeichneten oder beſchriebenen Steine
muß in dieſem Fall eine beſondere Abtheilung unter eigenem
Verſchluß in der Steinſchleiferei angebracht werden, in welcher dann die zuſammengehörenden Platten, eines ganzen
Druckwerkes oder eines chromolithographiſchen Bildes,
wieder in einzelnen, an den Wänden untergebrachten
ſtarken Repoſitorien nach einer gehörigen Ordnung aufgeſtellt werden.

In der Schleiferei ſelbſt aber müſſen diejenigen Steine,
welche erſt geſchliffen werden ſollen, beſonders ſtehen, und
die bereits geſchliffenen wiederum allein, und zwar in zwei
verſchiedenen Abtheilungen aufgeſtellt werden, d. h. polirt
oder gekörnt, wie ſie die Manieren, zu denen ſie vorgerichtet ſind, fordern. In den meiſten Fällen aber wird
man die Steine nur in polirtem Zuſtande aufbewahren
und die zu körnenden erſt kurz vor dem Beginne der
Arbeit körnen, da faſt jedesmal ſich die größere oder geringere Rauhheit des Korns nach der auf den Stein zu
bringenden Zeichnung richten wird.

Die Hauptſache in der Steinſchleiferei iſt die Schleifbank. Sie beſteht aus einem, wenn es möglich iſt, in
der Mitte des Lokals feſtgemachten, ſehr ſtarken, aber
etwas niedrigen Tiſch, auf welchem in einem Vierecke,
zwiſchen dem die größtmöglichſten lithographiſchen Platten
Raum haben, Leiſten angebracht ſind, zwiſchen welche die
zu ſchleifenden Steine gelegt und zu gehöriger Befeſtigung
verkeilt werden. Eine andere Art von Schleifbänken hat

keine Randleisten, sondern es sind durch das Blatt in verschiedenen Entfernungen von einander symmetrische Löcher ge-
bohrt, deren immer je vier so gegen einander stehen, daß
sie ein Viereck zwischen sich einschließen, das mit irgend
einem Steinformat übereinstimmt. Der zu schleifende Stein
wird dann zwischen die vier, in ihrer Stellung ihm zu-
nächstkommenden Löcher gelegt, in die letzteren starke Pflöcke
gesteckt, und gegen diese der Stein mittelst vorgeschlagener
Keile befestigt. Uebrigens muß, der größern Reinlichkeit
wegen, dieser Tisch an den Rändern mit Leisten versehen
werden, damit der Steinschliff und das Wasser, mit welchem
während des Schleifens der Stein öfters genetzt oder abgespült wird, das Gemach nicht verunreinige; das Tischblatt aber muß von der Seite aus nach der Mitte hin
an der Oberfläche etwas vertieft werden und dort ein
Loch haben, durch welches die Feuchtigkeit abfließen und in
untergesetzten Gefäßen aufgefangen werden kann.

Ferner gehört in die Steinschleiferei ein großes,
flaches Wasserbehältniß, um die geschliffenen Steine
vor dem Poliren vom Schliff und Sand, und nach dem
Poliren vom Bimssteinschmutze völlig reinigen zu können.
Wenn daher beständig fließendes Röhrwasser auf die unter-
gelegten Steinplatten geleitet werden kann, so ist dies um
so zweckmäßiger, weil durch immer wieder rein über die
zu reinigende Platte fließendes Wasser der genannte Schmutz
am besten und leichtesten sich abspült.

Außer diesem muß jederzeit, entweder ein zum Steinschleifen passender, sogenannter Silbersand (Körnsand), oder
wo man denselben nicht haben kann, sowohl guter feinkörniger reiner Sandstein in Stücken, als auch bereits
gepochter, klarer und gesiebter Sand in abgesonderten Be-
hältnissen vorräthig gehalten werden, und die zur Bereitung selbst nothwendigen Pochinstrumente, sowie gröbere
und feinere Drahtsiebe dürfen dabei nicht fehlen. Kann
man aus Steinhauer- und Bildhauerwerkstätten den Abfall
erhalten, so ist dieser durch passende Siebe getrieben, sehr
gut zum Schleifen anwendbar. Besonders zweckdienlich ist

auch zum Steinkörnen der in den Eisengießereien verwen=
bete, sogenannte Formsand.

Bimsstein, sowohl rauher als feinkörniger, in be=
deutenden Stücken, und endlich kleine Wassergefäße
zum Anfeuchten des Sandes beim Schleifen, Meißel zum
Sprengen der Platten und Raspeln zum Abrunden der
scharfen Kanten an den Platten, sind ebenfalls unentbehr=
liche Bedürfnisse in einer Steinschleiferei.

Zweites Kapitel.

Von den Steinen oder lithographiſchen Platten und ihrer erſten Zubereitung.

Ehe wir uns mit den zur Lithographie tauglichen Steinen und deren Zubereitung zum Gebrauche beſchäftigen, dürfte es nicht unpaſſend ſein, einige Worte über das zu ſagen, was auf einem Steine vorgeht, wenn derſelbe zum Abdrucken vorbereitet wird. Zwar iſt bis jetzt die eigent= liche Operation des Zeichnens, Aetzens, Gravirens u. ſ. w. noch nicht beſchrieben worden; indeſſen dürfen wir voraus= ſetzen, daß dieſelbe unſeren Leſern mindeſtens oberflächlich bekannt ſei, und wir müſſen hier um ſo eher dieſe ein wenig in das Gebiet der Chemie hinüberſchweifenden Be= merkungen vorausſchicken, da nur durch genaue Kenntniß der chemiſchen Reaktionen, welche während der Operation ſelbſt auf dem Steine vorgehen, ſowohl die Erkennung der zur Lithographie brauchbaren Steine, als ſpäterhin auch die Möglichkeit umfaſſender Korrekturen ſchon verwendeter Steine begünſtigt wird.

Dem ungeweihten Auge ſcheint es unerklärlich, daß, nachdem der Stein eine ganz einfache Präparatur erhalten hat, beim Einſchwärzen nur die bezeichneten Stellen Farbe

annehmen, während die weißgebliebenen dieselbe recht eigent=
lich abstoßen. Die Erklärung, welche sich blos auf die
Verwandtschaft des Fettes der Zeichnung zum Fette der
Farbe und auf die Repulsion durch das Wasser, mit wel=
chem der Stein während des Einschwärzens benetzt wurde,
gegen das Fett in der aufgetragenen Farbe basirt, kann
dem Geiste unmöglich genügen, da sie nicht alle beim Stein=
drucke vorkommenden Erscheinungen befriedigend aufklärt.

Das Aetzen eines bezeichneten Steines hat zwei sehr
wichtige Zwecke zu erfüllen; einmal wird dadurch, wenn
auch nur in einem sehr geringen Grade, die Zeichnung
etwas erhaben gemacht; andererseits aber wird, und dies
ist die Hauptsache, der kohlensaure Kalk des Lithographie=
steins bei der Behandlung mit Salpetersäure, in salpeter=
sauren Kalk verwandelt, oder vielmehr auf seiner Ober=
fläche ein salpetersaures Salz gebildet, und dieselbe dadurch
für fette Körper unempfänglich gemacht. Diese Schicht
ist sehr glatt und wird, feucht, durchaus nicht vom Fette
beschmutzt, während der kohlensaure Kalk allein für das Fett
sehr empfänglich ist. Den besten Beweis liefert der Um=
stand, daß wenn man diese salpetersaure Schicht mit einer
Nadel so tief ritzt, daß der kohlensaure Kalk bloßgelegt
wird, selbst der feuchte Stein dort sogleich Fett annimmt. —
Schwefelsäure und Salzsäure wirken fast ebenso, doch behält
die Salpetersäure stets den Vorzug: das salzsaure Salz
nämlich ist leichter auflöslich und kann nach und nach ganz
weggewaschen werden, während das schwefelsaure Salz dem
Steine nur sehr schwach anhängt und sich bei der Wirkung
der Presse leicht abblättern und den kohlensauren Kalk
nackt zurücklassen würde.

Man hat unter diesen Umständen und bei der Pro=
cedur, die man jetzt in den lithographischen Anstalten an=
wendet, den kohlensauren Kalk als die allein taugliche
Steinmasse*) zum Steindruck anerkannt, und zwar die=

*) Aloys Senefelder hatte ein Surrogat dieser Steine er=
funden. Er verfertigte pergamentartige Tafeln aus Holz, Pappe
oder Leinwand mit einer Masse von Thon, Kreide, Leinöl und

jenige Klaſſe, welche Werner in ſeiner Klaſſifikation der Foſſilien mit dem Namen: dichter Kalkſtein belegt, und welche ſich in den tertiären oder Uebergangsgebirgen in einer Tiefe von 150 bis 180 Centim. und mit einer Mächtigkeit von 60 bis 90 Centim. vorfindet. Dahin ge= hört auch die ſchieferartige Abart von Hauy. Die Be= ſtandtheile des lithographiſchen Steines ſind Kalk=, Thon= und Kieſelerde mit Kohlenſäure gemiſcht; doch iſt erſtere, die Kalkerde, bedeutend vorherrſchend und von der Kieſel= erde nur ein ſehr kleiner Theil beigemiſcht. Der litho= graphiſche Stein löſt ſich daher in der Salpeter=, Salz= oder in andern Säuren faſt ganz auf. Steine aus reinem Kalke, wie der karrariſche Marmor, ſind zum Steindrucke nicht brauchbar, ſie laſſen die Fettigkeit zu wenig ein= dringen, die Zeichnung verwiſcht ſich leicht darauf, und ein ſolcher Stein kann daher nur wenige gute Abdrücke geben; auch täuſchen ihre farbigen Adern den Zeichner zu ſehr.

Ein feiner Sinterungskalk mit flachem, muſcheligem Bruche von ziemlich bedeutender Härte und gleicher Farbe, ohne fremdartige Adern und mit gleichartigem Korn, iſt zu dieſem Behufe der tauglichſte.

Die graulichen, beſonders aber die ins Grün ſpielen= den ſind weit härter, dauerhafter und von gleicherem Korn, als die ganz weißen oder gelblichen Steinplatten. Die mit Punkten und weißen, fadenförmigen Strichen mar= morirten ſind aber gänzlich auszuwerfen, oder höchſtens nur zu ganz groben Arbeiten, vielleicht noch allenfalls zu tabellariſchen Arbeiten zu benutzen; denn dergleichen Striche führen auch das geübteſte Auge eines Künſtlers leicht irre, woraus dann fehlerhafte Abdrücke entſtehen müſſen, da überdem die kreidige Subſtanz, aus welcher dieſelben be=

Metalloxyden beſtrichen, die ebenſo benutzt und behandelt werden konnten, wie die Solenhofer Steinplatten, aber weſentliche Vor= theile beſitzen ſollten, indem ſie erſtens wohlfeiler, zweitens viel leichter (eine Tafel in Bogenformat wiegt $\frac{1}{15}$ Kilogr.), drittens unzerbrechlich ſind und viertens die Farbe leichter annehmen, auch fünftens zum Ueberdrucke vorzüglich geſchickt ſein ſollten. Der Erfolg war aber nicht genügend.

stehen, sich sowohl im Aetzen als im Drucken anders ver=
hält, als der übrige Stein. Steine mit Kalkadern,
welche das Wasser einsaugen, wenn man den Stein be=
feuchtet, geben Anlaß zum Springen und nehmen gerne
an beim Druck.

Glasgallen, Krystallisationen nehmen dagegen
keine Druckfarbe an, nämlich die darauf angebrachte Zeich=
nung wird von der Walze wieder mit fortgenommen, indem
dieselben aus Kiesel bestehen, daher die fette Säure keine
Seife, wie mit dem kohlensauren Kalk bilden kann. Der=
artige Glasadern, sofern sie nicht breit sind, haben jedoch
selten Nachtheile für die gewöhnlichen Arbeiten, und springen
auch nicht, während Rostadern, welche von Eisenoxyd
herrühren, gerne springen.

Die Steine haben zuweilen auch dunkelfarbige und
weißliche Adern, welche sich als Risse zeigen, die jedoch
kein Zerbrechen des Steins zur Folgen haben; dagegen
ziehen erstere aber zuweilen die Druckfarbe an und zeigen
sich auf dem Abdrucke als schwarze Linien, während letztere
gerne Vertiefungen bilden, die sich auf dem Abzuge als
weiße Linien darstellen.

Gefährlich sind diejenigen Steine, welche Pflanzen=
bilder (Herbarisationen) auf ihrer Fläche zeigen; denn
diese Bilder sind gewöhnlich Ergebnisse metallischer Ein=
flüsse und bedecken meistens kleine Risse, welche das
Springen des Steines nach sich ziehen, sobald derselbe
dem Drucke der Presse ausgesetzt wird. Um sich zu über=
zeugen, ob eine solche Herbarisation wirklich über einem
Risse liegt, schlage man mit einem scharfen Hammer von
dem Rande des Steins, dem die Herbarisation am nächsten
liegt, neben dieser einen Schiefer ab. Springt derselbe in
einem Stück ab, so ist der Stein gesund; im Gegentheile
wird der Schiefer sich in zwei Theile trennen, welche die
Fuge des Risses zeigen. Einen solchen Stein darf man
nie gebrauchen.

Harte, gleichartige Steine bekommen durch das Schlei=
fen eine weit feinere Oberfläche, als die weichen und un=
gleichartigen. Die Zeichnungen werden darauf weit feiner

und zarter, denn die Fettigkeit breitet sich darauf nicht aus, wie dies bei weichen Steinen der Fall ist, und der Künstler hat weit leichteres Arbeiten, weil die Metallfeder nicht einschneidet, oder die Nadel nicht ungleich tief einsinkt und die Kreide weit zartere, nettere Striche liefert, als dies Alles bei den weichen Steinen der Fall ist. Noch sind Platten mit Löchern und solche, deren Härte ungleich ist, zu feinen Arbeiten völlig untauglich; denn sie halten die Zeicheninstrumente auf und liefern auch ungleichartige Zeichnungen.

Die Dicke der Steine bestimmt ebenfalls gar sehr ihren größern oder geringern Werth. Es muß die Dicke mit der Größe der Platten in einem ebenmäßigen Verhältnisse stehen; schwächer als 3 Centim. darf auch der kleinste Stein nicht sein, sonst hält er die bedeutende Pressung beim Abdrucken nicht aus. Die angemessenste Stärke der Platten ist 5 bis 8 Centim.; doch hat man deren auch bis zu 10 und 12 Centim. Dicke.

Man scheidet übrigens die bessern oder schlechtern Steine und benutzt sie nach ihrer Güte zu den verschiedenen Manieren. Zu welchen diese oder jene Art gebraucht werden kann, oder welche Manier der besseren Steine bedarf und welche mit den geringeren zufrieden ist, werden wir später in dem Kapitel über die Manieren sehen.

Man findet Steine, welche die angeführte chemische und mineralogische Zusammensetzung haben, an sehr vielen Orten; doch sind sie aus genannten Ursachen zum Steindrucke nicht alle gleich brauchbar, manche mehr, manche weniger. Die bayerischen, welche in der Grafschaft Pappenheim gebrochen werden und unter dem Namen Kellheimer bekannt sind, haben vor allen bis jetzt gefundenen den Vorzug, und das Dorf Solenhofen liefert die mehrsten und feinsten, und selbst Amerika bezieht seinen Bedarf dorther. Außerdem werden dergleichen in Frankreich bei Chateauroux gefunden; doch haben die Steine von Chateauroux, obgleich sie dichter und fester sind, den Nachtheil, daß sie leicht und splitterig brechen. Auch zu Guidemon bei Dun-le-Roi, ferner in den preußischen Rheinprovinzen, auch in Sachsen bei Maxen, unweit Pirna und in England und Nordamerika findet man diesen kohlensauren Kalkstein, und er wird zum Theil, besonders in Frankreich, zur Lithographie benutzt. Desgleichen wurde auch im König- reich Polen im Jahre 1861 ein derartiger Steinbruch ent- deckt und dieser Stein von Ludwig Herckner, Besitzer einer lithographischen Anstalt in Warschau, zum Steindruck benutzt*). An vielen Orten mögen übrigens noch der- gleichen Steinlager unbekannt vorhanden sein, oder, wo man sie kennt, hat man noch nicht genug Aufmerksamkeit und Kunst darauf verwendet, um sie mit Vortheil zu ge- winnen und brauchbar in den Handel zu bringen.

Man kann diese Steine in großen würfelförmigen Stücken brechen und dann durch einzelne starke Schläge an die Seite, wo die Lagen nach dem Bruche ausgehen, die Platten von einander trennen, oder auch durch Keile, die man nach allen Seiten eintreibt, die Platten einzeln nach ihrer Formation lösen, oder wo dieser Kalkstein mehr in ganzen Massen vorkommt, ihn, wie den Bimsstein, durch das Sägen in die Plattenform bringen.

Alle diese Steine bestehen, wie schon oben bemerkt, fast ausschließlich aus kohlensaurer Kalkerde, und dies ist um so nothwendiger, da sie sonst mit der lithographischen Tinte 2c. diejenige chemische Verbindung nicht eingehen würden, auf welcher allein der Steindruck beruht, indem ein Reagens vorhanden sein muß, welches sich der Bildung des salpetersauren Kalkes an den Stellen entgegensetzen muß, wo die Schwärze später auf dem kohlensauren Kalke haften soll; das Reagens muß aber mit dem Steine in

---

*) Der Bruch liegt im Dorfe Brzozówka zwischen Krakau und Kattowitz und ist bekannt unter dem Namen „Emma und Albert" Werke, Lithographie- und Sandsteinbrüche. Er umfaßt 600 Morgen in einer Länge von ca. ¾ Meilen, während die Lagerung der Steine sich bis auf 90 Meter Tiefe erstreckt.

Der Stein dieses Bruches ist ein dichter, gräulich gelber Kalkstein, von sehr homogener Beschaffenheit, der in seinem An- sehen dem Solenhofer Lithographiestein sehr ähnlich und wie dieser zu lithographischen Zwecken benutzbar ist.

sehr inniger Verbindung stehen, da die deckende Fettschicht, welche hier gleichsam die Stelle des Aetzgrundes beim Stahl= und Kupferstich versieht, sonst leicht durch die heftige Wirkung der Salpetersäure aufgehoben werden würde. — Man darf ja nicht glauben, daß alle Steine, welche fette Körper einsaugen und sich mit Wasser befeuchten lassen, zum Steindrucke tauglich zu machen sind; — sie müssen einerseits die zur Bildung des salpetersauren Kalks erforderlichen Bestandtheile besitzen, andererseits müssen aber auch die Tinte und Kreide nicht blos mechanisch von Molekul zu Molekul dringen, sondern sie müssen die Zusammensetzung des Steines verändern und mit demselben eine besondere chemische Verbindung zu bilden im Stande sein, welche die eigentliche Zeichnung liefert.

Die chemische Kreide, wie wir hier vorläufig bemerken müssen, besteht aus Seife, Talg, Wachs und Schellack, welche in einer hohen Temperatur zusammengeschmolzen werden, und kann eine chemische Verbindung mit dem Steine eingehen, hauptsächlich die darin enthaltene Seife; denn sie besteht aus einer Verbindung von Soda, Oel=säure und Margarinsäure. Wenn man Seife in Wasser auflöst, welches kohlensauren Kalk enthält, trübt sich das Wasser, wird milchig und giebt zuletzt einen bedeutenden Niederschlag. Dieser besteht aus den fetten Säuren, welche die Soda verließen und sich mit dem Kalke verbanden, zu dem sie näher verwandt sind und mit welchem sie unauflöslichen oleomargarinsauren Kalk geben; diese chemische Verbindung aber, — also nichts anderes, als oleomargarinsaurer Kalk ist die lithographische Zeichnung. Der auf diese Weise erlangte neue Körper hat aber ganz eigenthümliche Eigenschaften. Löst man eine solche Zeichnung mit Terpentin auf, so erscheint sie heller, als der umliegende Stein. Sie ist aber auch härter, wovon man sich durch eine Probe mit der Nadel leicht überzeugen kann. Alle nebenliegenden Stellen brausen ferner mit Salpeter=säure leicht auf, die bezeichnete Stelle aber, — die oleomargarinsaure Kalkschicht, — ist geschützt und wird durch die Salpetersäure nicht angegriffen.

Die Wahrheit des über die chemische Reaktion Ge= sagten wird dadurch bekundet, daß man aus der lithogra= phischen Zeichnung die Oelsäure und die Margarinsäure wirklich entwickelt hat. Man hat nämlich die Oberflächen zweier Steine mit chemischer Tinte bestrichen, wie eine Zeichnung behandelt und nachher beide Steine aufeinander so weit abgeschliffen, bis die kohlensaure Kalkschicht wieder bloßgelegt war. Den Schliff hat man geschlemmt und dann mit Weinsteinsäure behandelt, welche den zufällig beige= mischten kohlensauren Kalk zersetzte; der oleomargarinsaure Kalk aber erfordert zu seiner Zersetzung eine Temperatur von 100°. — Der mit Weinstein behandelte Niederschlag gab eine weiße, halbflüssige Masse, welche mit warmem, höchst wasserfreiem, Alkohole behandelt, ihre Oel= und Margarinsäure abscheidet. Die alkoholische Auflösung ließ dieselben bei Vermengung mit hinlänglichem, destillirtem Wasser leicht fahren. Die Flüssigkeit wurde milchigweiß und setzte bei ruhigem Stehen die Säuren auf der Ober= fläche ab, von wo man sie durch ein Filtrum schied und durch vieles Auswaschen reinigte. Nach dem Trocknen waren die Säuren weiß, hatten einen etwas ranzigen Geruch und brannten mit schöner Flamme. Ihre alkoholische Auflösung gab mit Kalkwasser und basisch=essigsaurem Blei weißen Niederschlag, und mit ätzender Soda gesättigt, wahre Seife. Durch Löschpapier kann man die Oelsäure von der Margarinsäure trennen.

Phosphorsäure steht in Hinsicht der chemischen Reak= tion mit der Salpetersäure auf gleicher Stufe, ja sie über= trifft dieselbe sogar in vieler Hinsicht; doch ist sie zu kost= spielig, um eine Anwendung im Großen zuzulassen, weshalb man sie nur zu Korrekturen und zur Deckung bei Gravüren anwendet, wovon wir später noch zu sprechen Gelegenheit haben werden.

Aus dem Obengesagten geht zur Genüge hervor, daß der Kalkstein allein zum Lithographiren tauglich sei, und zwar unter allen Kalksteinen nur der dichte kohlensaure Kalk; denn der erdige kohlensaure Kalk und die Kreide leisten dem Drucke der Presse nicht den gehörigen Widerstand,

saugen zu viel Waſſer ein und die einzelnen Theile löſen
ſich zu leicht ab, während wieder der zuckerartige kohlen=
ſaure Kalk, wegen ſeines kryſtalliniſchen Gefüges und ſeiner
zu großen Dichtigkeit, ſich der nöthigen Verbindung mit
der chemiſchen Kreide und Tinte widerſetzt.

Ebenſo erſieht man aber auch daraus, was wir hier
vorgreifen müſſen, welche Rollen Talg, Seife, Wachs und
Harz in der chemiſchen Tinte und Kreide ſpielen. — Seife
allein würde zur Bildung der oleomargarinſauren Schicht
vollkommen hinreichend ſein; aber mit Seife allein kann
man nicht zeichnen, da ſie zu weich iſt, um feine, zarte
Striche damit zu machen, und auch den Stein ſelbſt nicht
hinlänglich gegen die Einwirkung der Salpeterſäure ſchützen
würde, da dieſe ſie auflöſt und zerſtört. Der Talg be=
ſeitigt den letzteren Nachtheil; Wachs und Schellack aber
geben der Kreide oder dem Striche mit der Tinte das
gehörige Mark und die nothwendige Härte.

Endlich aber folgt auch aus dieſem kurzen chemiſchen
Ueberblicke, daß und wie es möglich ſei, Korrekturen auf
dem bezeichneten Steine vorzunehmen, indem jetzt nichts
weiter nöthig wird, als durch ein chemiſches Reagens die
oleomargarinſaure Schicht auf den fehlerhaften Stellen in
den urſprüglichen Zuſtand einer kohlenſauren Kalkſchicht
zurückzuverſetzen, ein Verfahren, auf das wir ſpäterhin zu=
rückkommen werden. — Ja man kann auf dieſe Weiſe
dahin gelangen die Zeichnung ꝛc. ganz von dem Steine
abzuheben und denſelben für eine neue Zeichnung geſchickt zu
machen, ohne ihn vorher wieder abſchleifen zu müſſen; dies
aber iſt eine Operation, die zu umſtändlich und zu koſtbar
iſt, um eine Anwendung in größerem Umfange zu geſtatten,
weshalb man bis jetzt noch überall für das einfache Ab=
ſchleifen der aus dem Drucke geſetzten Steine ſich ent=
ſchieden hat.

Da es indeſſen unſern Leſern von Intereſſe ſein muß,
auch das eben berührte Verfahren kennen zu lernen, ſo
theilen wir hier in wenigen Worten die Vorſchrift mit,
welche zwei der berühmteſten franzöſiſchen Autoritäten in
Hinſicht auf Lithographie, nämlich Chevallier und

Langlumé, darüber geben. Man nehme 1½ Kilogrm. destillirtes Wasser und löse darin ½ Kilogrm. mit Kalk kaustisch gemachter Pottasche (lapis causticus). Nun nimmt man den zu reinigenden Stein und wäscht ihn mit vielem Wasser ab; darauf bedeckt man alle bezeichneten Stellen, oder wenn nur Korrekturen von größerem Umfange gemacht werden sollen, die Stellen, welche ausgelöscht werden sollen, mit der Pottaschelösung, läßt dieselbe 4 Stunden lang darauf einwirken und wäscht dann den Stein abermals mit reinem Brunnenwasser. Findet man dann die Zeichnung gänzlich verlöscht, was man sehr leicht nach der Gleichfarbigkeit des Steines beurtheilen wird, so kann man nach dem Trocknen sogleich eine neue Arbeit beginnen; ist die Zeichnung aber noch nicht ganz vertilgt, so muß man das Verfahren noch einmal wiederholen.

Der Umstand, daß die natürlichen Lithographiesteine nicht überall zu haben sind, daß sie, an und für sich nicht ganz wohlfeil, durch den Transport noch mehr vertheuert werden und daß die Aufbewahrung einer nur einigermaßen beträchtlichen Anzahl von bezeichneten oder unbezeichneten Steinen nicht allein mehr oder minder großes todtes Kapital erfordert, sondern auch bedeutende Räumlichkeiten nöthig macht, hat schon zeitig den Gedanken rege gemacht, einerseits ein künstliches Surrogat für die Steine an und für sich zu erzeugen, andrerseits aber künstliche Lithographieplatten zu machen, welche neben der nöthigen Festigkeit, doch dünne genug wären, um deren eine große Anzahl in einem kleinen Raume aufbewahren zu können.

Die Zahl der zu diesem Zwecke gemachten Vorschläge und Versuche ist in der That sehr bedeutend, doch sind die erlangten Resultate ziemlich weit hinter den Erwartungen zurückgeblieben.

Hinsichtlich künstlicher lithographischer Steine können wir nächst der oben bereits erwähnten Senefelder'schen Erfindung, welcher er aber selbst keine besondere Folge gegeben hat, hier nur die Steine von Knecht in Paris und von Dr. Behrend in Berlin erwähnen. Die Anfertigungsart Beider ist noch nicht bekannt geworden, doch sollen die

Resultate der Platten von Knecht äußerst nette und scharfe Drucke sein, welche man mit gewöhnlichen Steinen kaum schöner zu erzeugen im Stande wäre. Die Steine des Dr. Behrend in Berlin, auf welche derselbe ein Patent erhielt und im Jahre 1838 zu Anfertigung derselben eine Fabrik anlegte, bestehen aus einer Art Email, welches auf einer Zinkplatte befestigt und nicht dicker als ein Pappblatt ist, und welches gleich bei der Erzeugung polirt oder feiner und gröber gekörnt geliefert wird. Die Platten, welche auch auf Zink= und Kupferdruckpressen gedruckt werden können, liefern ebenso schöne und ebensoviel Abdrücke, als wirkliche Steine und sind sehr dauerhaft. Problematisch erscheint es uns indessen, daß, da bei dem Druck in der Kupfer= und Zinkdruckpresse die Platten sich bekanntlich krumm ziehen, jenes Steinemail nicht abspringen sollte. Hinsichtlich des Preises stehen die kleinsten Emailplatten mit den Lithographiesteinen gleich, dann aber werden erstere in steigender Progression wohlfeiler, und zwar so, daß in Berlin ein Stein von 54 bis 70 Centim. 33 Mark, eine Emailplatte von selber Größe aber nur 10 Mark 50 Pfg. kostet.

Alle in natürlichen Platten vorkommenden Steine sind zunächst in genau rechtwinkeliger Gestalt durch den Stein= metz zu bearbeiten, dann von ihrer Rinde, die sie auf jeder Seite haben, zu befreien und hierauf erst zur Zeichnung fein zu schleifen. Das Abschleifen der Rinde kann man auf mehrfache Weise bewerkstelligen, nämlich: man baut, wo es rathsam ist, wo nämlich viel dergleichen Platten zu schleifen sind, eine eigens dazu eingerichtete Schleiferei, die durch Wasser oder irgend eine andere Kraft getrieben wird, oder man benutzt eine schon gangbare, zu anderem Behufe erbaute Schleifmühle, indem man die abzuschleifende Platte an die Seite des Schleifsteins stellt, wenn andere Gegen= stände geschliffen werden und immer Wasser darauf träu= feln läßt; oder man kann nach Art der Steinmetzen die Rinde abarbeiten, oder auch dieselbe nur wund machen und dann durch Menschenhände abschleifen lassen, wie bei dem sogleich zu beschreibenden Feinschleifen verfahren wird.

Weishaupt, Steindruck.   5

Die letzte Art ist wohl die beschwerlichste und kost-
spieligste, daher bei weniger häufigem Vorkommen dieser
Arbeit das Beisetzen an einen großen Schleifstein in einer
Schleifmühle wohl rathsamer; für Orte aber, wo viel dergleichen zu schleifen, eine eigene eingerichtete Schleiferei
wohl das Zweckdienlichste ist. Ein schönes, sehr passendes
und leicht zu erbauendes Werk dieser Art hat Jakob
Frischholz in seiner Steinschneidekunst, München (1820),
beschrieben und in einer Kupferplatte dazu figürlich dargestellt und erläutert.

In der neueren Zeit, wo namentlich die industriellen
Gesellschaften von Paris und Mühlhausen durch ausgesetzte
sehr hohe Preise neue Erfindungen und Verbesserungen im
Gebiete der Lithographie herbeizuführen strebten, waren auch
die Schleifmaschinen ein Gegenstand ähnlicher Forschungen.
Unter den vielfachen derartigen Erzeugnissen zeichnet sich
nur die von François dem Jüngern und Benoist in
Troyes erfundene aus; doch werden wir hier nur das
System angeben, auf das dieselbe basirt ist, um vielleicht
denkende Künstler zur Ausbildung der Idee anzuleiten, da
die Maschine selbst, wie wir weiter unten sehen werden,
den Anforderungen nicht ganz entspricht. Die ganze Konstruktion ist mit wenigen Linien auf Taf. I in **Fig. 10**
dargestellt.

Auf einem festen Untergestelle läuft ein Wagen hin
und her, welcher einen Rahmen enthält, in den der Stein
h mit aller nöthigen Genauigkeit eingekeilt werden kann.
Einer der Pfosten des Gestelles trägt das Lauf- und
Schwungrad a, das mittels einer Kurbel gedreht wird,
und an dessen Achse zugleich eine Vorrichtung angebracht
ist, dem Steinwagen seine hin- und hergehende Bewegung
mitzutheilen. Beim Schwungrade a geht eine Schnur ohne
Ende i über die Rolle b und theilt derselben und der auf
eben derselben Welle stehenden Scheibe c eine beschleunigte
Bewegung mit. Von der Scheibe c geht wieder eine
Schnur ohne Ende, nachdem sie über die Hülfsrollen d
und d' im rechten Winkel in eine horizontale Lage geleitet
ist, an die Scheibe e, an deren verlängerter Welle g das

gußeiserne Schleifrad f befestigt ist. Die Welle g kann in einem Halsbande gehoben und gesenkt werden, um das Schleifrad f beständig mit dem Steine h im Kontakte zu erhalten. Das Schleifen geschieht mit Wasser und Sand.

Durch die Operation selbst erlangte man allerdings Steine mit sehr guten und genauen Oberflächen; doch dient die Maschine nur zum Vorschleifen, und die Polirung und feine Bearbeitung des Steins muß immer aus freier Hand geschehen. Der Hauptnachtheil der Maschine war aber der, daß das Schleifrad sich enorm schnell abnutzte, und sehr oft erneuert werden mußte. Späterhin versuchten die Erfinder statt des Schleifrades einen zweiten Stein anzubringen, gelangten aber auch dort zu keinem günstigen Resultate, indem bei der Operation die Steine keine geradlinige Oberfläche bekamen, da allemal der untere Stein konvex, der obere aber konkav wurde. — Diese Erscheinung ist ebenso wahr, als auffallend; es ist aber noch nicht gelungen, dieselbe zu beseitigen.

Eine weitere Vervollkommnung erhielt die Schleifmaschine erst in neuester Zeit, wo dieselbe in vielen Maschinenwerkstätten sehr zweckentsprechend gefertigt wird; so liefert z. B. Haeckel u. Co. in Leipzig gut konstruirte Steinschleifmaschinen für Handbetrieb, sowie für Dampfbetrieb, wo letztere Maschine 30 bis 50 Steine per Tag schleift. Desgleichen sind zu beziehen excentrische Schleifscheiben (Taf. 1, Fig. 11) zum Ab- und Feinschleifen der Lithographiesteine, mit Kompositions-Belag, und zwar in 3 Größen und 3 Körnungen.

Die Steine der Solenhofer Brüche liegen in Lagen von Pappendeckel-Dicke bis zu 27 Centim., letztere selten. Alle Lagen sind von unregelmäßigen Adern durchzogen, so daß oft auf große Flächen nur wenige tadelfreie Platten ausgesprengt werden können, und weitaus der größte Theil derselben anderen Zwecken, als der Lithographie dienen.

Das Behauen dieser Platten geschieht in den Brüchen. Ist eine Lage bloßgelegt, so wird sie untersucht und mit Vermeidung der Adern, nach Schablonen, die zulässige Größe angezeichnet, hierauf die Lage mit Gewalt abge-

5 *

hoben, und nachdem man sie auf einen Pflock gelegt, daß sie mit den Rändern nicht aufliegt, durch regelmäßig, nach den Linien der Schablone, mittelst eines kleinen langstieligen Hammers (**Taf. I, Fig. 12**) geführter Prellschläge, ins Format gehauen.

Jeder Schlag verursacht einen in die Tiefe gehenden Riß, was nach dem Auseinanderfallen deutlich sichtbar ist; der von Schlag zu Schlag veränderte Ton zeigt den Erfolg der Operation an.

Wenn dies geschehen, werden die Ränder der Steinplatte mittelst eines feinen leichten Meißels zugerichtet, indem man schwache, von den Rändern nach der Mitte gerichtete Schläge darauf thut, und dann die Mitte mit einem Zackenmeißel (**Taf. I, Fig. 13**) bearbeitet.

Haben die Steine nun ihre viereckige Form erhalten, so werden dieselben geglättet, indem man sie Oberfläche gegen Oberfläche aneinander reibt, nachdem man feinen Sand dazwischen gestreut hat. Erst nach dieser letzten Zubereitung übergiebt man sie dem Handel.

In diesem Zustande ist die Qualität und Farbe des Steins nur dann erkennbar, wenn seine Oberfläche mittelst eines in Wasser angefeuchteten Schwammes von dem darauf haftenden Steinstaube gereinigt ist.

Man unterscheidet Steine von bläulicher, grauer und gelblicher Färbung und unter diesen wiederum die erste und zweite Qualität. Die Steine erster Qualität müssen in der ganzen Fläche eine gleichmäßige Färbung zeigen und frei von Adern und Kalkflecken sein, und werden vorzugsweise zu werthvollen Arbeiten gewählt. Hiervon eignen sich besonders die dunklen Steine zur Gravüre und zur Kreide, während die gelben Steine für Federarbeit ausreichend sind.

Die Steine, welche auf der Rückseite behauen sind, darf man nach der Größe immer $1\frac{1}{2}$ bis $2\frac{1}{2}$ Centim. dicker nehmen, als die mit einer „Naturlage", indem erstere leichter in der Presse springen. Besonders ist beim Auswählen auf die vom Behauen der Rückseite entstandenen Muscheln zu sehen; je größer dieselben, desto weniger ist

dem Steine zu trauen, weil häufig die Muschel soweit in
die Tiefe geht, als sie nach der Breite ausgesprungen ist.

In den Steinbrüchen, sowie in den Niederlagen,
werden auch doppelt geschliffene Steine, nämlich solche,
welche auf der Border- und Rückseite glatt geschliffen sind,
verkauft; wodurch die beiden Seiten des Steins zu lithographischen Platten gebraucht werden können.

Derartige Steine bedürfen jedoch einer sehr sorgfältigen Behandlung, weil sonst sehr leicht die unten liegende
Platte durch Kritzen und Risse verdorben wird. Diese
doppelseitig geschliffenen Steine sind daher nur zu sehr
weiter Versendung, z. B. nach Ostindien, Amerika zc.,
empfehlenswerth, wo eben die Steine durch die theuere
Fracht sich sehr erheblich vertheuern.

Die Lithographiesteine, wie selbe im Handel bezogen
werden, müssen nun erst zur lithographischen Arbeit vorgerichtet werden.

Diese Arbeit erfordert sehr große Genauigkeit, denn
sie ist die erste Ursache des Gelingens oder Mißrathens
einer Steinzeichnung, sowohl für den Zeichner, als auch
besonders für den Drucker.

Neue Steine, wenn sie noch Löcher vom Sand zeigen,
müssen mit Sandstein so lange geschliffen werden, bis diese
entfernt sind.

Ebenso können derartige, sowie auch schon gebrauchte
Steinplatten, in folgender Weise geschliffen werden:

Man nimmt zwei Platten von gleichen Dimensionen,
legt die eine auf die oben beschriebene Schleifbank, befestigt
sie, daß sie nicht hin- und herrutscht, siebt etwas rauhen
Sand darauf, den man mit Wasser anfeuchtet, legt dann
die andere Platte mit ihrer abzuschleifenden Seite darüber
und führt sie, anfänglich langsam, in kleinen und dann
immer größeren Kreisen, nach und nach immer schneller
über den untern Stein. So verbreitet sich der Sand über
die ganze Platte, und man hat nur darauf zu achten, daß
auf keinem Theile mehr Druck angewendet oder ein Theil
öfter, als ein anderer, berührt wird, sonst werden die
Platten uneben, welches leicht geschieht, wenn man nach

den Ecken und Rändern zu viel oder zu wenig Druck anwendet. Sind die Platten uneben geschliffen, so empfindet
dies oft schon der Zeichner, allein am meisten stört es den
Drucker, der dann trotz aller Sorgfalt keinen recht vollkommenen Abdruck liefern kann, weil der völlig horizontale
Reiber oder Rücker beim Drucken selbst die tieferen Stellen
nur wenig, auch wohl gar nicht berührt, wodurch dann
natürlich die leichten oder gar nicht getroffenen Stellen
lichter oder gar nicht drucken, und, was ein zweiter bedeutender Uebelstand ist, die aufgewalzte Schwärze nicht
vom Steine abgenommen wird, weshalb solche Stellen
dann leicht verschmutzen. Ist der aufgestreute Sand zu
Teig zerrieben, was man den Schliff nennt, so wirkt er
nicht mehr, und es muß frischer Sand aufgestreut und derselbe wieder benetzt werden. So fährt man fort, bis der
Stein eine feine, sehr ebene Oberfläche hat, auf der alle
früheren Risse und vertieften Striche entfernt, oder alle
Spuren der früher darauf gewesenen Zeichnung verschwunden
sind, d. h. bis die Schicht abgeschliffen ist, welche sich aus
dem kohlensauren Kalke der Steinplatte, einerseits durch
das Aetzverfahren als salpetersaurer Kalk, andererseits aber,
durch die Behandlung mit der Kreide oder Tinte, als
oleomargarinsaurer Kalk gebildet hatte, oder endlich die
Schicht, welche bei dem Graviren durch die Schnitte der
Nadel und des Diamants verwundet worden war.

Es ist nämlich hierbei zu bemerken, daß solche Platten,
die schon benutzt wurden, beim Schleifen ebenso zu behandeln sind, wie die, welche zum ersten Male benutzt
werden sollen, indem die auf dem Steine vorhandene Spur
der früheren Zeichnung, welche man daran erkennt, daß
der feucht gemachte Stein an diesen Stellen heller erscheint, als an den andern, vertilgt werden muß, ehe eine
neue Zeichnung darauf gebracht wird.

Ist die frühere Zeichnung sehr tief in den Stein eingedrungen, so daß man sie auch mit großer Mühe nicht
völlig wegbringen kann, und die Platte soll neuerdings zu
einer Arbeit gebraucht werden, die nur wenig geätzt werden
kann, dennoch aber viele Abdrücke liefern soll; so kann

man sich dadurch helfen, daß man beim Schleifen des
Steins Scheidewasser darüber gießt, oder ihn erst einige
Zeit mit Sand schleift und das darauf gegossene Scheide=
wasser einige Zeit wirken läßt und dann weiter schleift.
Hierdurch verliert sich die alte Zeichnung sehr bald; denn
das Scheidewasser, je stärker es über den Stein gegossen
wird, hebt die Zeichnung fühlbar herauf, indem es den Stein
um dieselbe herum bedeutend anfrißt, und so schleift sich
jene dann leichter ab; doch werden die Platten dadurch
sehr angegriffen und leicht schadhaft, wenn man nicht mit
gehöriger Vorsicht zu Werke geht. Dies Verfahren ist
indessen nur in wenigen Fällen und dann nur von solchen
Schleifern anzuwenden, welche schon bedeutende Fertigkeit
in dieser Arbeit besitzen. —

Der untere Stein wird schneller gut geschliffen, als
der obere, daher man von Zeit zu Zeit den untern Stein
zum obern machen muß und umgekehrt, sonst würde man
den einen zu sehr abnutzen und den andern nur nothdürftig
gut schleifen.

Der zum Steinschleifen verwendete Sand muß ein
gleichförmiger Kiessand sein, welcher wenig fremdartige
Stoffe oder erdige Theile enthält. Sind viele Quarz=
körnchen beigemengt, so erhält man leicht Furchen und Risse
in den Platten, welche sich nur mit vieler Anstrengung
wieder ausschleifen lassen; denn der Quarz ist härter, als
der Kies und zerreibt sich daher nicht ebenmäßig mit
diesem. Hat man aber reinen Quarzsand, so kann man
diesen, besonders beim ersten Aufsieben, mit großem Vor=
theile benutzen, da er sich nicht so schnell zu Teig zerreiben
läßt und daher, indem er außerordentlich stark angreift,
das Schleifen sehr befördert.

Uebrigens muß, wenn man mit Quarzsand, oder was
man auch mit Vortheil thun kann, mit einem harten,
gleichförmigen und ziemlich feinen Sandsteine vorgeschliffen
hat, allemal die feine Vollendung durch Schleifen mittelst
aufgesiebten Sandes zu vollenden streben. Wenn man
zwei Steine auf einander schleift und genöthigt wird die
Arbeit zu unterbrechen, so muß man den obern Stein ab=

heben und zur Seite legen, indem, wenn beide Steine, auf einander liegend trocknen, der dazwischen liegende Schliff eine Art Kitt bildet, der beide so innig mit einander verbindet, daß ein späteres Abheben unmöglich wird, ohne daß die Oberfläche des einen oder des andern theilweise abblätterte. Ist indessen eine solche Zusammentrocknung wirklich eingetreten, so muß man beide Steine in einen Trog mit Wasser legen und dort einige Stunden liegen lassen, bis die Schliffschicht sich wieder erweicht hat. Ueberhaupt muß man es, auch während des Schleifens, vermeiden, den Oberstein senkrecht vom Untersteine abzuheben, sondern ihn immer davon abschieben, da sonst leicht die Oberfläche des einen oder des andern Steines verletzt werden kann.

Das Glattschleifen und Körnen des Steines.

Nachdem nun die Platten gut geschliffen, d. h. nachdem alle Spuren der rauhen Deckschicht, oder auch einer früheren Zeichnung verschwunden sind, die Oberfläche ein sehr gleiches, feines Korn, und nirgends Risse zeigt, werden die Platten polirt oder gekörnt, je nachdem sie zu Feder- oder Stiftzeichnungen u. s. w. benutzt werden sollen. Jedenfalls aber sind sie vorher von allem ihnen überall anklebenden Sande oder Schliffe durch mehrmals wiederholtes Abwaschen zu befreien und die geschliffene Oberfläche besonders zu säubern. Namentlich muß man auch den an den Seitenwänden anhängenden Schliff und die etwa darin vorhandenen unzerriebenen, Sandkörner sorgfältig entfernen, da besonders letztere, wenn sie bei der spätern Bearbeitung des Steines auf dessen Oberfläche gelangen, leicht Veranlassung zu Schrammen und Rissen geben.

Soll einer der geschliffenen Steine nun gekörnt werden, so hat man ihn neuerdings in die Schleifbank zu legen, und jetzt mit gut gesiebtem Quarzsande zu überstreuen, der mäßig benetzt wird, und mit einem 15 bis 20 Centim. ins Gevierte haltenden Steinchen, dessen scharfe Ränder zuvor mittelst einer Raspel gehörig abgerundet wurden, kleine Kreise auf dem zu körnenden Steine zu beschreiben, die sich nach jeder Richtung durchkreuzen, so daß bei richtiger Bewegung mit dem kleinen Steine, sich hinter demselben eine wellenartige Zeichnung im nassen Sande bildet.

Die Operation bedarf nun, je nachdem der hierzu verwendete Sand und der zu körnende Stein härter oder weicher ist, einer kürzern oder längern Zeit; auch muß bei grobem Korne der Sand schnell und öfters gewechselt, bei feinerem Korne aber ziemlich zu Teig gerieben werden, nur darf man damit nicht zu lange fortfahren, indem sonst dadurch das Korn wieder abgeschliffen oder stumpf werden würde. Vorzüglich hat man bei dieser Arbeit darauf zu sehen, daß die Oberfläche nicht auf einem Punkte feiner, als auf dem andern werde, sonst kann der geübteste Künstler seiner Zeichnung nie die völlige Harmonie und Gleichheit der einzelnen Töne geben.

Die größere oder geringere Feinheit des Kornes während der Arbeit zu beurtheilen, hat seine Schwierigkeit; indessen wird man sich bei einiger Uebung bald darein finden. Ein sehr gutes Hülfsmittel dazu ist, den geschliffenen Stein mit der Oberfläche schräg gegen das Licht zu stellen und scharf auf eine oder die andere Stelle zu blasen, wo man sich dann sehr leicht von der größeren oder geringeren Glattheit und Ebenheit des Steines, oder von der größeren oder geringeren Feinheit und Gleichmäßigkeit des Korns überzeugen kann.

Hat man Steine zu werthvollen Kreidezeichnungen zu körnen, so muß man allemal denselben zuvor die Politur geben, welche sie für eine Gravirung oder Federzeichnung haben sollen, und dann erst obiges Körnen vornehmen.

Da von der Gleichförmigkeit des Kornes für das Gelingen und die Harmonie der Zeichnung sehr viel abhängt, so muß man in der Wahl der Siebe, deren man sich zum Aufsieben des Sandes bedient, sehr sorgsam sein, und nur solche wählen, deren Gewebe höchst gleichmäßig ist. Haarsiebe haben diese Eigenschaft selten; man wird daher, schon der Dauer wegen, immer am besten thun, nur Drahtsiebe von feinerem oder gröberem Gewebe, je nach Maßgabe der Umstände, zu verwenden.

Sehr zweckdienlich hierzu sind auch die Einsatzsiebe
(Taf. 1, Fig. 14) mit einem Tambour, zum Auffangen
des festen Sandes. a b c sind Siebe von feinem Nessel=
tuch, das oberste a ist am weitesten, das dritte c das
engste. d ist statt mit Nesseltuch mit Pergament bezogen.

Der im Siebe a bleibende Sand wird zum Abschleifen
verwendet. Die Siebe b c liefern zwei Sorten Sand
zum Körnen je nach der Feinheit des Korns, das man
wünscht; das feinste Material ist im Tambour.

Mit einer gröberen Sorte wird die Operation be=
gonnen und mit der feinsten vollendet.

Statt des gesiebten gelben Quarz= oder Silbersandes
ist nöthigenfalls auch geklopfter und gesiebter Sandstein
tauglich; ebenso kann ersterer durch Glas, das man in
einem eisernen Mörser stößt und dann siebt, ersetzt werden.
Vorzüglich eignet sich auch hierfür eine Art weißer Sand,
welcher in der Umgegend von Harburg im bayerischen
Kreise Schwaben und Neuburg gefunden wird.*)

Es ist auch nicht gleichgültig, ob das obere Steinchen
von einer weichern oder härtern Masse sei, als der zu
körnende Stein, und immer wird man ein schöneres Korn
erhalten, wenn ersteres von weicherer Masse ist.

Auch muß uns die Erfahrung lehren, wie oftmal das
Aufsieben des Sandes zu wiederholen sei, um ein durch=
aus gleiches Korn zu erzielen, was größtentheils von der
Härte des zu körnenden Steines und des Sandes ab=
hängig ist.

Diese Manipulation ist eben nur durch öftere Uebung
zu erlernen, doch soll mit dieser Fertigkeit des Körnens
jeder Lithograph vollständig vertraut sein.

Nach dem Körnen wird der Stein vollständig mit
Wasser abgewaschen und im trocknen Zustande sein Korn

*) Dieser feine scharfe Sand, sogenannter Körnsand, ist in
den Niederlagen lithographischer Utensilien in kleinen Quantitäten
zu kaufen und kosten 50 Kilogrm. ca. 6 Mark. —
Weit billiger ist der sogenannte Formsand, der gut durch=
gesiebt genau denselben Dienst leistet, wovon 50 Kilogrm. ca.
1 Mark in den Eisengießereien abgelassen wird.

untersucht, wobei man den Stein schief gegen das Licht
hält, so daß die eine Seite der kleinen Erhabenheiten des
Kornes hell erleuchtet ist, während die andere im Schatten
bleibt, wodurch das Auge die Beschaffenheit des Kornes
und die geringsten Fehler desselben zu erkennen vermag.
Die größere oder geringere Feinheit des Korns bestimmt
sich übrigens nach der Beschaffenheit der Zeichnung, welche
man auf den Stein bringen will, und nach der Zahl der
Abdrücke, welche man verlangt. Man giebt dem Steine
entweder ein grobes, feines oder mittleres Korn, welches
aber niemals stumpf sein darf.

Sehr detaillirte Zeichnungen verlangen ein feines Korn,
liefern aber weniger Abdrücke, da sich feines Korn leicht
zuschlägt. Zu Zeichnungen, welche man sehr transparent
halten will, oder welche namentlich in den Vordergründen,
sehr kräftige Partien enthalten, kann man ein gröberes
Korn wählen, welches auch mehr Abdrücke liefert. Im
Durchschnitte wird man immer gut thun, das Korn so
grob zu halten, als es sich irgend mit dem Wesen der
Zeichnung vertragen will, und dafür lieber mehr Zeit auf
die Ausführung der Zeichnung zu verwenden. Der Druck
wird dann leichter und man erhält mehr Abdrücke. Im
höchsten Nothfalle kann man Stellen, wo man vorzugsweise eine feineres Korn haben muß, nachkörnen. Dies
geschieht, indem man eben nur auf die bestimmte Stelle
Sand bringt, und dann die Operation des Körnens trocken
mit einem kleinen Glasläufer, den man nur auf der nach-
zukörnenden Stelle in kleinen, sich in einander verschlingen-
den, Kreisen hin und her bewegt, vollendet. — Ein derartiges Nachkörnen ist jedoch selten anwendbar, weil es
nicht wohl möglich, hierbei die Grenzen dieser Stellen gehörig zu beschränken.

Platten, die nicht gekörnt, sondern polirt verlangt
werden, müssen, nach dem obenbeschriebenen Schleifen, durch
anfänglich rauhen und dann feinern Bimsstein*) bis zu

*) Man findet diese Masse vorzugsweise in vulkanischen Ge-
genden oft in 15 bis 30 Meter mächtigen Lagern, auch in Lava-

einigem Glanze glatt polirt werden. Man bedient sich
dazu ebengeschliffener Stücke Bimsstein mit einer großen
Oberfläche, benetzt die Steinplatte mit reinem Wasser so
stark, daß dasselbe oben darauf stehen bleibt und überfährt nun dieselbe von einer Seite zur andern mit immer
gleichmäßigem Drucke mit diesem Bimssteine, gießt neuerdings Wasser auf, wenn die Platte zu trocken wird, und
fährt damit fort, bis die Oberfläche von allen Rissen völlig
frei und das Korn, wie schon gesagt, zu einer glänzend
glatten Fläche umgeschaffen ist. Man probirt dies, wenn
man mit einem Finger einen schnellen Zug über die mit
Bimssteinschmutz bedeckte Platte macht, um sie von diesem
Schmutze zu befreien, und dann nach dem Lichte zu schief
über dieselbe hinsieht. Auf gleiche Weise untersucht man
auch die gekörnten Steine, um schon beim ersten Schleifen
zu sehen, wie weit der Stein gut bearbeitet ist.

Sind nun alle Risse und das Korn mittelst des Bims-
steins gehörig weggeschliffen, so läßt man den weißen
Bimssteinschmergel, der sich bildet, anwachsen, drückt von
da an nicht mehr stark auf und bringt somit dem Stein
eine schöne Politur bei, indem man das Schleifen in runder
Bewegung vollendet.

Nach vollständigem Poliren und Körnen der Platten
werden dieselben abermals in reinem Wasser abgespült
und gut gesäubert, dann so gestellt, daß auf die geschliffene
Seite durchaus kein Schmutz kommen kann und so bis zu
ihrem Gebrauche aufbewahrt.

Desgleichen sind diese Platten sehr sorgfältig vor
Fett, Seife, Gummi, Speichel ꝛc. zu bewahren, weil derartige Flecke auf den Stein fettend oder ätzend wirken;
wodurch dem technischen Gelingen der lithographischen Arbeit stets nachtheilige Folgen bereitet, welche dann selbst
durch Korrekturen nicht immer vollständig zu verbessern sind.

strömen kommen Bruchstücke vor. Die geeignetsten zum Steinschleifen sind jene, welche leichter ins Gewicht fallen.

Neuerer Zeit kommen auch künstlich bereitete Bimssteine im
Handel vor, welche sich vorzugsweise statt der rauhen Bimssteine
vortheilhaft gebrauchen lassen. Dieselben sind das Produkt chemischer Fabriken, und kosten 50 Gramm 30 bis 40 Pfennige.

Das Zertheilen der Steinplatten.

Will man eine Platte theilen, z. B. aus einem Halbenbogensteine zwei Quartstücke machen, so zeichnet man sich die Sprenglinie, legt die Platte mittelst Hölzchen unter diese Linie hohl, macht zuerst durch leise Schläge auf einen stumpfen Meißel von gutem, hartem Stahle, auf der ganzen Linie hin eine Furche und giebt dann nach und nach, in rascher Folge, längs dieses Risses immer stärkere Schläge auf den Meißel, so springt der Stein in ziemlich gerader Linie; oder man nimmt einen kleinen Hammer, ebenfalls von gutem Stahle und mit einem langen, biegsamen Stiele (oder Helme), wie ihn die Straßenarbeiter führen, und mit diesem thut man nur einige Schläge auf die vorgezeichnete Linie und der Stein springt ebenfalls nach Wunsche, wenn man dabei mit Vorsicht zu Werke geht; denn diese, nebst guter Uebung, ist in beiden Fällen zu dem Gelingen sehr nothwendig. Ungeübte zersprengen die Platte leicht in vielfacher Richtung und oft in völlig unbrauchbare kleine Stücke. Zuweilen ist der Sprung schon durch den ganzen Stein, ohne daß sich dieser trennt. Man hört dies am Klange des Steines beim folgenden Schlage: ist dieser dumpf, wie bei einem zerbrochenen Gefäße, so darf man nur an die Rückseite der Platte mit dem Hammer einige Schläge thun, so wird sie leicht aus einander fallen.

Um einen zu dicken Stein in gleich große, aber nur halb so starke Platten zu theilen, oder auch nur eine Platte um einen gewissen Theil schwächer zu machen, bedient man sich am besten einer kupfernen Säge ohne Zähne, welche letztere durch feinen Quarzsand ersetzt werden, den man in die einmal begonnene Spalte streut und anfeuchtet, dies zuweilen erneuert und so die ganze Platte durchsägt, wie beim Holze mit der gewöhnlichen Säge, nur müssen dieses Geschäft, der Genauigkeit wegen, jederzeit zwei Mann verrichten. Außerdem kann man auch eine Art von Kreissäge dazu benutzen, die maschinenmäßig durch den Stein schneidet und ebenfalls von Frischholz im angeführten Werke genauer beschrieben und vorgezeichnet ist.

Es tritt aber bei beiden Arten, Steinplatten zu theilen, sowohl in der Richtung der Dicke, als in der der Länge, der natürliche Fall ein, daß die Platten sehr scharfe Kanten (Enden) erhalten, die später beim Drucken Unbequemlichkeit herbeiführen, weil sich an diesen die Schwärze häufig anhängt, wodurch leicht Schmutz auf die Zeichnung kommen kann, und eben solche scharfe Kanten bilden sich auch bei solchen Platten, die schon oft geschliffen wurden, oder bei solchen, die erst zum Zeichnen vorgerichtet werden; man hat daher noch vor dem Schleifen, oder doch wenigstens noch vor dem Körnen oder Poliren, dergleichen scharfe Kanten durch eine starke Feile, oder mit einem derartigen Instrumente, wohl abzurunden, und zu schleifen, um so den weitern Hemmnissen beim Drucken vorzubeugen.

Wir geben hier noch eine Preisübersicht der Solenhofer Lithographiesteine, wie selbe ab Solenhofen oder Leipzig nach allen Weltgegenden versendet werden.

Die Maße sind nach dem 12zölligen französischen Maße gegeben, welch' letzteres überhaupt in den Brüchen üblich ist.

Dimensionen		Blaugrau.				Gelb.			
		Thlr.	Ngr.	Wrt.	Pf.	Thlr.	Ngr.	Wrt.	Pf.
5	6	—	6		60	—	1	—	10
6	8		9		90		5		50
7	9		10	1			6		60
6	12	—	12	1	20		9		90
8	10	—	12	1	20		9		90
9	11		17	1	70	10		1	—
9	12		20	2			11	1	10
10	12		22	2	20	13		1	30
10	13	—	26	2	60	—	15	1	50

Dimen-sionen.	Blaugrau.				Gelb.			
	Thlr.	Ngr.	Mrk.	Pf.	Thlr.	Ngr.	Mrk.	Pf.
10—14	1	—	3	—	—	18	1	80
12—15	1	20	5	—	1	—	3	—
12—16	1	27	5	70	1	5	3	50
12—18	2	10	7	—	1	10	4	—
14—18	3	5	9	50	1	22	5	20
14—20	4	—	12	—	2	15	7	50
15—18	4	—	12	—	2	15	7	50
16—20	4	20	14	—	3	—	9	—
16—22	5	14	16	40	3	10	10	—
18—22	6	20	20	—	4	—	12	—
18—24	7	25	23	50	5	5	15	50
20—26	11	10	34	—	6	15	19	50
22—28	14	15	43	50	9	5	27	50
24—30	18	—	54	—	11	25	35	50
24—32	22	10	67	—	13	10	40	—
24—36	26	25	80	50	16	5	48	50
26—36	30	—	90	—	18	10	55	—
28—36	34	20	104	—	20	20	62	—
30—36	39	25	119	50	22	20	68	—

Bemerkungen.

1) Die Steine I. Qualität sind: „beste blaue und blaugraue Masse"; die Steine II. Qualität: „gelbe harte Masse".

2) Vorstehende Preise verstehen sich für die Stärke bis 4³⁄4 Centimeter; Steine von 5 Centimeter und stärker kosten 30⁰/₀ mehr.

3) Die doppelten, d. h. aufbei den Seiten geschliffenen Steine kosten 75⁰/₀ mehr als die einfach geschliffenen Steine.

4. Außergewöhnliche Größen, so wie Unterlagen zum Aufgipfen der dünnen Steine werden gleichfalls geliefert.

Die Versendung erfolgt unverpackt auf Gefahr des Bestellers, und wird nur auf besonderes Verlangen unter billigster Berechnung in Kisten verpackt.

Drittes Kapitel.

Von den für den Lithographen nöthigen Materialien und Werkzeugen.

Obgleich es hier nicht der Zweck sein kann eine ausführliche Materialienkunde der Lithographie zu liefern, indem es nie Sache des Lithographen sein wird, streng wissenschaftlich auf die physische und chemische Beschaffenheit der Grundstoffe einzugehen, deren er sich bei Ausübung seiner Kunst bedient, — er müßte denn Chemiker sein, so wird es dennoch für den praktischen Lithographen nicht ohne Interesse und Nutzen sein, die wesentlichsten Nachweisungen hierüber zu finden, wodurch ihm die richtige Beurtheilung des Zweckes und der Anwendung dieser Grundstoffe einigermaßen erleichtert wird. Daher wir auch zunächst eine kurze Erörterung über die Grundstoffe der Lithographie geben werden, deren beide Hauptgruppen aus Materialien bestehen, welche 1) theils für sich allein verwendbar sind, oder mit anderen in Verbindung kommen, und bei der lithographischen Kreide, Tinte und Druckfarbe u. dergl. ihre Anwendung finden, und 2) aus jenen, welche als Aetz- und Präparaturmittel gebraucht werden.

Materiale der ersten Gattung sind:

Wachs.

Wird durch Schmelzen der Bienenzellen gewonnen. Es ist gelb, zuweilen auch, besonders wenn die Bienen sich von Lindensaften nähren, weiß; man nennt es dann Jungfernwachs. Das im Handel vorkommende weiße Wachs ist jedoch meistens künstlich gebleichtes. Es schmilzt bei 50° R.; verseift sich mit ätzenden Alkalien, jedoch nicht vollständig.

Reines Wachs ist trocken, zerbrechlich und dessen Bruch körnig; es hängt sich nicht an die Zähne, wenn man es kaut. Im Handel kommt es manchmal mit Talg, Harz oder Stärkemehl verfälscht vor. Ersteres wird an seiner klebrigen Konsistenz und an seinem unangenehmen Geruche erkannt; das mit Harz vermengte wird beim Verbrennen auf Kohlen einen dicken Rauch und unangenehmen Geruch verbreiten. Das beigemischte Stärkemehl läßt sich finden, wenn solches Wachs in erwärmtem Terpentinöl aufgelöst wird, worin das Stärkemehl unaufgelöst zurückbleibt.

Spermazet, Walrath.

Findet sich in einer Kopfhöhle des Pottfisches. Schmilzt bei 40° R. und verseift sich unvollständig.

Talg, Unschlitt.

Bekanntes Fett aus den Eingeweiden der Thiere. Besteht aus Oel- und Talgstoff und findet seine Anwendung meist bei der Seifenbereitung.

Für den Gebrauch der lithographischen Tusche und Kreide ist besonders das Hammel-Nierenfett, welches am meisten Festigkeit besitzt, das zweckdienlichste.

Um es hierzu brauchbar zu machen, wird es in kleine Stücke zerschnitten und in Wasser ein paar Stunden gekocht, wobei man den während des Kochens entstehenden Schaum mit einem Löffel entfernt.

Nach dem Kochen wird das Ganze durch ein leinenes Tuch geseihet, dem Erkalten ausgesetzt und dann das Fett vom Wasser abgenommen.

Bei größeren Quantitäten Talges wird gewöhnlich dem Wasser und Fette noch Schwefelsäure beigemischt, welche die häutigen Stoffe vom Fette trennt, wodurch dieser Reinigungsproceß mehr befördert wird.

Der Talg dient auch zur Konservirung des Pressenleders, wozu der russische Talg sich ganz besonders eignet.

Seife.

Wenn man Oel oder Fett unter den geeigneten Umständen mit Soda oder Pottasche siedet, so geht der in diesen fetten Körpern enthaltene Oel- und Talgstoff in den Zustand der Oel- und Talgsäure über, wodurch nun die Seife sich bildet.

Nämlich durch diesen Proceß wird der Talg in Talgsäure und das Oel in Oelsäure umgewandelt, und hat nunmehr die Eigenschaft sich im Wasser aufzulösen.

Ebenso gehen Harze mit starken Säuren eine ähnliche Verbindung ein, und Metalloxyde und Alkalien verseifen sich gleichfalls. Einer Verseifung der letztern Art ist der lithographische Stein auf kaltem Wege unter Einwirkung einer Säure fähig, und es ist diese Verseifung in Wasser wie in flüchtigen Oelen unlöslich; während die Verseifung des Zinkes in flüchtigen Oelen löslich wird, daher eine auf Zink mit seifigen Stoffen gefertigte Zeichnung nicht mit Terpentinöl ausgeputzt werden kann, ohne das vollständige Verschwinden derselben herbeizuführen, indem hierdurch nicht allein die oben befindliche Schwärze, sondern auch die Verseifung selbst, welche allein den chemischen Druck ermöglicht, entfernt wird.

Die Seife, welche man zur Herstellung der lithographischen Kreide und Tusche verwendet, soll mit Soda bereitet sein, indem die Pottascheseife weicher, und daher auch weniger geeignet ist. Zudem wird auch eine gehörig ausgetrocknete Seife am zweckdienlichsten sein, und die aus

6 *

Oel bereitete Seife der Talgseife vorgezogen werden, weil erstere besser in den Stein eindringt.

Die im Handel vorkommende Marseillerseife ist eine der reinsten Oelseifen und wird deswegen vorzugsweise zur Kreide und Tusche verwendet.

Wasser.

Man unterscheidet gewöhnlich hartes und weiches Wasser. Letzteres ist das Regen=, Schnee= und destillirte Wasser, welches frei von allen fremden Beimischungen ist, während das harte Wasser Gyps oder Kalktheile, sowie auch Kohlensäure mit sich führt, und für den Gebrauch des Lithographen nicht immer tauglich ist.

Die lithographische Tinte ist das beste Mittel ein solches Wasser zu erkennen; gerinnt dieselbe beim Anreiben, so ist das Wasser „hart", und dauert das Gerinnen längere Zeit fort, so ist dies ein Zeichen von ungewöhnlich starker Beimischung fremder, besonders säurehaltiger Theile.

Stark gypshaltiges Wasser ist selbst zum Händewaschen untauglich, weil die Seife gerinnt.

Salpeter.

Dieses Salz kommt theils schon in der Natur gebildet vor, theils wird dasselbe auch künstlich erzeugt und findet bei der lithographischen Kreide seine Anwendung.

Durch den Salpeter erhält die Kreide eine gewisse Härte, indem man ihn in die Mischung bringt, wenn diese zu einer hohen Temperatur gelangt ist, wodurch er sich zersetzt und die Pottasche, welche er bei sich führt, den fetten Säuren überläßt, um sie vollends in Seife zu verwandeln. Ueberdies bleibt ein Theil des Wassers, worin derselbe aufgelöst wurde, und welches man nach der ersten und stärksten Flamme in diese Mischung bringt, damit verbunden, wodurch die Kreide eine Elasticität erhält, die sie außerdem nicht besitzen würde.

Soda und Pottasche.

Sind kohlensaure Salze, wovon erstere aus der Asche verbrannter Pflanzen, welche am Strande des Meeres oder salziger See'n wachsen, letztere aber aus der gewöhnlichen Holzasche gewonnen wird.

Die Soda kommt im Handel in durchsichtigen Krystallen vor; werden diese Sodakrystalle der Luft ausgesetzt, so verlieren selbe nach und nach einen Theil des Wassers, welches sie enthalten und zerfallen in Staub, während die Pottasche die Feuchtigkeit der Luft an sich zieht und zerfließt.

Die ätzende (kaustische) Pottaschenlauge, welche zur Seifenbereitung dient, wird durch Vermischung mit gleichen Gewichtstheilen Kalk erzeugt.

Mastix.

Derselbe wird in Südeuropa, Palästina und auf den griechischen Inseln, durch Einschnitte in die Rinde des Pistazienbaumes gewonnen; die herausgequollenen Tropfen von blaßgelber Farbe erhärten an der Luft, und sind die Mastixthränen, welche vorzugsweise bei der lithographischen Tusche Anwendung finden.

Schellack, Gummilack.

Dieses Harz fließt in Folge des Stichs der Gummischildlaus aus den Zweigen mehrerer Baumarten in Indien.

Es kommt im Handel als Stocklack vor, wo die Zweige noch daran sind, auch kann man es als Körnerlack, von den Zweigen abgebröckelt, und im gereinigten Zustande als Schellack oder Tafellack beziehen. Die letztere Qualität ist für die lithographische Kreide und Tusche anwendbar.

Kopal.

Dieses Harz kommt aus Westindien und Amerika, es ist hart und von blaßgelber, manchmal braungelber Farbe, und kann durch kaustisches Kali, sowie durch fette Oele unter Einwirkung der Wärme aufgelöst werden.

Asphalt, Judenpech oder Erdharz.

Derselbe ist schwarz, von muscheligem Bruche, hat das Aussehen der Steinkohle und wurde früher ausschließlich aus dem Asphaltsee (todtes Meer in Palästina) gefischt. In neuerer Zeit werden auch beträchtliche Quantitäten davon in Frankreich, der Schweiz und andern europäischen Ländern gewonnen, wo es mehr oder minder ergiebige Asphaltgruben giebt. Das Erdpech schmilzt in der Temperatur des siedenden Wassers, ist in mehreren fetten und flüchtigen Oelen löslich, aber nicht in den Alkalis, und wird durch die Säuren nicht angegriffen, weshalb es auch vorzugsweise zum Aetzgrunde des Kupferstechers und Lithographen brauchbar ist, und dessen Hauptbasis bildet.

Am tauglichsten ist für die Bereitung dieses Aetzgrundes, der ächte syrische Asphalt, welchen man an seinem starken Geruch und an seinem kleinmuscheligen kurzen Bruche, sowie an den braun geriebenen Ecken der Außenseite erkennt.

Derselbe ist in Terpentinöl schon in der Sonnenwärme löslich. Die gegrabenen Asphalte brechen dagegen großmuschelig, blendend schwarz und in großen Stücken, oft kann man Farbenringe darauf als optische Erscheinungen sehen; derartiger Asphalt löst sich in Terpentinöl nur unvollkommen auf und das ungelöste liegt in kleinen Körnern darin, so daß man schon hierdurch verhindert ist einen gleichen Grund aufzutragen.

Drachenblut.

Ein braunrothes, ziemlich Färbestoff enthaltendes Harz, welches aus einer in Indien vorkommenden Baumgattung ausschwitzt.

Dasselbe ist in Alkohol, Aether und in den flüchtigen und fetten Oelen, sowie auch durch die kaustischen Alkalis und das Kalkwasser leicht löslich.

Gummigutt.

Ein gelbes in Wasser lösliches Harz, welches aus den Einschnitten fließt, die man in die Rinde mehrerer auf Ceylon vorkommender Baumarten macht.

Terpentin.

Dieses flüssige zähe Harz, welches aus Einschnitten verschiedener Baumgattungen kommt, vorzüglich aber aus der Fichte, der Tanne und dem Lerchenbaume ausfließt, wird auch in der Lithographie verwendet, und hierzu der vom Lerchenbaum gewonnene sogenannte venetianische Terpentin vorgezogen.

Terpentinöl.

Dieses flüchtige Oel wird durch Destillation des Terpentins mit Wasser gewonnen.

Das ordinäre im Handel vorkommende ist oft mit Sauerstoff, den es aus der Luft anzieht, oder auch bei der Fabrikation aufnimmt, geschwängert, und ist dann zum Gebrauche der Lithographie nachtheilig.

Nicht selten lassen dann die beim Auspußen einer Lithographie hinfallenden Terpentinöltropfen bleiche Flecken zurück, welche nicht wieder Farbe annehmen wollen; um dieses zu verhüten, ist es daher immer nothwendig, derartiges Terpentinöl nicht auf die Zeichnung, sondern auf den Rand zu gießen.

Zudem enthält dasselbe noch häufig Harztheile, welche zum Verschmieren einer Zeichnung Veranlassung geben.

Immer wird man daher sicherer gehen, sich des rektificirten Terpentinöls zu bedienen, welches mehrmals über Wasser abgezogen wurde.

Besonders aber zur Bereitung des Aetzgrundes muß immer höchst rektificirtes verwendet werden, indem sonst der Grund lange nicht trocknet, oder oft gar nicht fest wird.

Derartiges Terpentinöl bedarf auch der Lithograph, um mit diesem falsche Striche oder ganze Linien mit Schrift oder Partien in der Zeichnung hinwegzunehmen, welche mit chemischer Tusche oder Kreide gezeichnet waren.

Nur muß man auch hier dieses Mittel sehr sparsam gebrauchen und mit großer Vorsicht zu Werke gehen, um den Stein nicht mit Fettigkeit zu verunreinigen.

Uebrigens dient dasselbe nur zur Vertilgung eben gemachter falscher Striche; haben dieselben aber schon Zeit gehabt tiefer in den Stein einzudringen, so hilft dasselbe selten, und man thut besser, solche Striche fein auszuschaben.

Die meiste Anwendung findet das Terpentinöl in der Druckerei, wo es zum Auswaschen der lithographischen Platten, sowie zum Verdünnen der Farbe beim Gravirdruck benutzt wird.

Für die Zwecke der Lithographie, besonders in der Aetzmanier, ist das amerikanische Terpentinöl*) das beste; zum Abwaschen der Walze, des Farbesteins und der Spatel genügt jedoch das wohlfeilere deutsche Kienöl.

Kolophonium.

Der Rückstand des Terpentins, welcher bei Bereitung des Terpentinöls zurückbleibt, mit weißem Peche zusammen-

*) In letzter Zeit versuchte man zum Auswaschen der lithographischen Platten statt Terpentinöl, das amerikanische Petroleum zu benutzen, welches jedoch die Zeichnung mehr oder minder angreift, daher im Allgemeinen noch immer das Terpentinöl den Vorzug erhält.

geschmolzen, geben das Kolophonium, welches in Alkohol, Aether und den fetten und flüchtigen Oelen löslich ist.

Leinöl.

Dasselbe wird aus Leinsamen gepreßt. Der Leinsamen wird nämlich unter Rollsteinen gemahlen und dann gepreßt, oder auch, nachdem er gemahlen ist, noch geröstet und dann erst gepreßt. Ersteres auf kaltem Wege gepreßtes Leinöl ist das klarste und zur Steindruckerei am tauglichsten.

Das warm geschlagene ist hingegen weniger durchsichtig und enthält viel Pflanzenschleim, der erst durch längeres Ablagern sich zu Boden setzt.

Zu wenig abgelagertes Leinöl verursacht beim Firnißsieden ein heftiges Schäumen, und der hiervon bereitete Firniß hat eine trübe grünliche Färbung.

In Ermangelung des Leinöls könnte auch aus Hanf- oder Nußöl, welche zu den trocknenden Oelen gehören, ein brauchbarer Firniß bereitet werden.

Zudem wird auch das Leinöl gleich dem Terpentinöl zum Auflösen oder zum Verdünnen der Farbe gebraucht.

Olivenöl.

Dieses fette nicht trocknende Oel wird zum Schmieren der eisernen Friktionstheile der Presse verwendet, um deren leichten Gang zu bewerkstelligen, sowie auch zum Schleifen auf Oelsteinen gebraucht.

Das reinste wird aus unreifen Oliven gepreßt.

Kienruß.

Derselbe wird erzeugt durch das Verbrennen des Harzes oder harzreicher Hölzer, in einem halbrunden mit verschließbarem Schürloch versehenen Ofen, aus welchem der Rauch (Ruß) durch einen $1\frac{3}{4}$ Meter langen Kanal in die Rußkammer geleitet wird, die $1^3/_4 - 2^1/_3$ Meter ins Gevierte hat, $3^1/_2 - 5^1/_4$ Meter hoch und oben mit einem pyramidenförmig zulaufenden Sacke geschlossen ist, in welchem sich der feinste Ruß anhängt, der minder feine an den Seitenwänden und der geringste am Boden sich befindet.

Dieser so im Handel vorkommende Ruß enthält viele fremdartige Stoffe, meist Harztheile, und würde in diesem Zustande, zur Druckfarbe verwendet, Abdrücke von bräunlichter Färbung geben und auch das Verschmieren der Platte zur Folge haben. Derselbe muß daher zuerst gebrannt (kalcinirt), nämlich seine fremdartigen Stoffe müssen durch vollständige Verkohlung entfernt werden.

Zu diesem Zwecke wird feinster Kienruß in Büchsen von Sturzblech, Taf. I, Fig. 15, oder auch in thönerne Gefäße von ähnlicher Form fest eingestampft. Das Gefäß mit einem Deckel, jedoch nicht luftdicht verschlossen, damit die sich entwickelnden Gase entweichen können, und dasselbe in einen Hafnerofen gebracht, worin man es, je nach der Stärke des Feuers, 6 — 12 Stunden liegen läßt; nämlich bis es rothglühend wird und weder Dunst noch Rauch mehr daraus aufsteigen.

Ist nach einigen Tagen das Gefäß vollständig erkaltet, so soll beim Oeffnen desselben der Ruß von Rissen durchklüftet, schieferartig zerbröckelt sein, und die einzelnen fest gewordenen Stücke „klingeln“, wenn man sie auf einander klopft oder rüttelt.

Die Verkohlung wird in einem blechernen Gefäße schneller vor sich gehen, als in einem thönernen; auch soll der Durchmesser des Gefäßes nicht über 1 Decim. betragen, indem sonst die Verkohlung gegen die Mitte zu unvollständig vor sich geht.

Lampenruß.

Derselbe wird durch Verbrennung von Oelen, besonders des Terpentinöls erzeugt, indem eine zuckerhutförmige Papierkappe über eine Lampe so gestellt, das wenig Luftzutritt von unten stattfindet, wodurch der an das Papier sich anhängende Ruß gewonnen wird.

Zum Gebrauche der Lithographie muß auch dieser Ruß zuerst gebrannt (kalcinirt) werden.

Von den so mannigfaltigen Verbindungen dieser bereits erwähnten Grundstoffe, welche der Lithograph bei seinen verschiedenen Arbeiten anwendet, ziehen zunächst jene Verbindungen unsere Aufmerksamkeit auf sich, welche derselbe zum Zeichnen verwendet, nämlich die chemische Tinte oder Tusche und die chemische Kreide, wovon erstere, in flüssigem, die andere in trocknem Zustande angewendet wird.

Die Grundstoffe bei beiden sind ziemlich dieselben, und wir werden sogleich sehen, welche Modifikationen und Verschiedenheiten die Anwendung derselben bedingt.

Wir sprechen hier zuerst

A. Von der chemischen Tinte.

Ihre Hauptbestandtheile sind Seife, Talg, Wachs und irgend ein Harz, nebst einer färbenden Substanz, meist Kienruß, von dem man höchstens den zwanzigsten Theil des Ganzen nimmt, wenn die Seife den fünften Theil ausmacht. Eine Tinte, welche zuviel Ruß enthält, fließt nicht gut aus der Feder und läßt keine reinen Striche zu. Der Ruß ist nur als Färbemittel vorhanden, um die Federzüge sichtbar zu machen, und ein brauner, fetter und ein reiner Strich druckt später ebensogut, als der schwärzeste, ja bisweilen noch besser, denn an der Stelle, wo in dem Striche Ruß ist, kann kein Fett sein, und doch ist das Fett das Agens der Lithographie.

Man hat eine große Anzahl von Recepten für lithographische Tusche, von denen jeder Verfasser behauptet, daß das seinige das bessere sei, welches wohl unter gewissen Umständen, nicht aber unbedingt wahr sein kann, da nicht nur die Art, die Tinte zu bereiten, sondern auch die Art, sie anzuwenden, deren Vorzüge gar sehr mindert oder vermehrt.

Ein gute lithographische Tinte muß folgende Eigenschaften besitzen: Sie muß sich zuerst beim Einreiben in Regenwasser gut auflösen, muß dann auch, aufgelöst, die gehörige Flüssigkeit besitzen, d. h. sie muß frei und fein aus der Feder laufen, und es ist angenehm, wenn sie gehörig schwarz ist. Auch muß sie so fett sein, daß selbst die feinsten Striche durch die spätere Aetzung nicht zerstört werden und nicht beim Druck vom Stein verschwinden. Zu diesem Zwecke muß die Tinte der Säure gehörig widerstehen, und ihre fetten Theile dürfen durch dieselbe weder verändert noch entfernt werden. Sie muß sich mit der Masse des Steines schnell und gut amalgamiren und, aufgetragen, ziemlich schnell trocknen.

Wenn man ein Stück der Tintenmasse nach dem vollständigen Erkalten durchbricht, so muß sie spröde und die Bruchfläche glänzend sein. Länger in der Hand gehalten, darf sie wohl etwas klebrig, aber keineswegs weich werden.

Alle diese Eigenschaften sind in einer Tusche von den erst angegebenen Substanzen enthalten, nur liegt in der angewendeten größern oder geringern Menge einer jeden und in der Güte der verschiedenen Substanzen ein bedeutender Unterschied hinsichtlich der Brauchbarkeit und Güte der Tusche.

Streng genommen wäre eigentlich, wie wir bei dem oben mitgetheilten chemischen Ueberblicke schon bemerkt haben, die Seife allein schon zur Herstellung einer lithographischen Zeichnung hinreichend; allein sie ist weißlich wie der Stein und besitzt nicht Festigkeit, oder vielmehr Selbstständigkeit genug, um zarte, feine Striche damit machen zu können; auch ist sie allein nicht stark genug, der Wirkung des nachherigen Aetzens mit der Salpetersäure zu widerstehen, darum mischt man den Talg bei, welcher dieser Säure völlig widersteht; Wachs und Harz aber geben der Mischung die nöthige Festigkeit und Konsistenz, einerseits, um die Tinte während des Gebrauches besser handhaben und aufbewahren, andererseits, um mit derselben eine feine und zarte Zeichnung auf dem Steine herstellen zu können; der Ruß endlich giebt ihr die Farbe.

Die lithographischen Tinten müssen für verschiedene Zwecke auch verschieden zusammengesetzt werden, und darnach richtet sich das Ueberwiegen eines oder des andern Ingredienz. Will man z. B. einen Stein sehr stark ätzen, um die Zeichnung hoch zu legen, so muß man den Zusatz von Talg vermehren; doch muß immer die Menge der Seife der Menge der übrigen Substanzen die Wage halten. Zu bemerken ist übrigens, daß der Ruß nie mit in Rechnung gestellt werden darf.

Die Menge von Recepten, welche für die Bereitung der chemischen Tinte gegeben werden, ist ungeheuer und man darf sagen, daß jeder Lithograph seine eigene Tinte hat. Es kann sicher nicht im Zwecke dieses Handbuches liegen, eine Sammlung von Tintenrecepten zu liefern; im Gegentheil, wir wollen der Verwirrung und Unsicherheit, welche dadurch in dieser Hinsicht bei unsern Lesern entstehen müßte, entgegenarbeiten und denselben nur einige Recepte mittheilen, welche wir durch eine lange Praxis als verläßlich und vollkommen bewährt gefunden haben. Man wird nach jedem dieser Recepte, bei sorgfältiger Bereitung, eine ausgezeichnet gute Tinte erhalten. Uebrigens sind diese Tinten nur zum direkten Schreiben und Zeichnen auf Stein bestimmt, indem die für andere Manieren erforderlichen späterhin, wo von diesen Manieren die Rede sein wird, mitgetheilt werden sollen.

Nr. 1.

Gelbes Wachs	2 Theile
Reiner Hammelstalg . .	$1\frac{1}{2}$ „
Weiße Marseiller Seife .	$6\frac{1}{2}$ „
Schellack	3 „
Feiner Kienruß . . .	$1\frac{1}{2}$ „

Diese Tusche von Lemercier eignet sich besonders zu Schriftsachen, ihrem Erfinder wurde hierfür 1838 (von der Aufmunterungs-Gesellschaft für Künste und Gewerbe in Frankreich) ein Preis von 800 Franken zuerkannt.

Zum Kochen derselben bedient man sich eines im Verhältniß zum Durchmesser hohen Gefäßes aus Eisen oder Kupfer mit gleichem Deckel, oder auch einer eisernen Pfanne mit hölzernem Griffe und einem Schnäuzchen zum Ausgießen.

Das Gefäß muß aber so groß sein, daß es von der zu bereitenden Masse nur zum dritten Theil angefüllt wird, indem sowohl die Seife, als der Schellack sich beim Schmelzen stark aufblähen und die Masse dann überlaufen würde, was sehr zu verhüten ist, da ein Verlust an einem oder dem andern Ingredienz die Mischungsverhältnisse des Ganzen verändert, und sich, wenn ersetzt werden soll, nicht mit hinreichender Genauigkeit berechnen läßt.

Man läßt zuerst das Wachs und den Talg zergehen, und setzt die Seife in kleinen Portionen, unter beständigem Umrühren nach und nach zu, wobei immer die bereits hineingeworfene Portion geschmolzen, sein soll, ehe eine frische hinzugethan wird, damit die Masse nicht überlaufe. Nachdem die Seife gehörig geschmolzen, so daß mit dem Spatel keine Stückchen mehr zu fühlen sind, wird in gleicher Weise auch der Schellack unter stetem Umrühren zugesetzt, und dann die Masse erhitzt, bis sich reichlich dicke weiße Dämpfe entwickeln, worauf man dieselbe mit einem glühenden Eisen, das man darüber hält, anzündet.

Man muß die Kochung nur so lange fortsetzen, bis die Masse auf diese Art Feuer fängt, denn jede andere Entzündungsweise giebt falsche Resultate; wenn sich die Masse von selbst entzündet, tritt der Brennproceß zu spät ein, während er übereilt wird, wenn man sie mit einem brennenden Spane in Brand setzt. Manche lassen die Tinte nur einige Sekunden brennen und dämpfen sie dann; das ist aber nicht richtig, denn es ist zu wenig. Sind die Theile in den eben gegebenen Recepten je 30 Grm., so kann man die Masse eine volle Minute brennen lassen, wobei man sie aber stets umrühren muß. Viele Lithographen sind ganz gegen das Brennen, indem sie behaupten, daß dadurch die Mischungsverhältnisse geändert würden und man nie eine gleichartige Tinte bekomme. Dem ift aber nicht fo, indem in den Recepten darauf Rückficht genommen ift. Jede ungebrannte Tinte ift schmierig und zum Ausklatfchen und Fließen geneigt; eine Tinte mit Schellack aber muß durchaus ftark gebrannt werden, weil fich diefer nur in fo großer Hitze völlig auf- löfen läßt. Hat die Mifchung die gehörige Zeit gebrannt, fo löfcht man fie aus, indem man das Gefäß mit einem genau paffenden Deckel, den man feft aufdrückt, verfchließt. Dann kühlt man die Maffe etwas ab und rührt nun blos über Kohlen den Ruß darunter, fetzt das Ganze wieder über das Feuer, und läßt es unter beftändigem Umrühren ungefähr eine Viertelftunde lang kochen, worauf man die Maffe, in etwas erkaltetem Zuftande, auf mit Seife be- ftrichenem Papier oder Stein ausgießt und vollftändig er- kalten läßt. Nachdem dies gefchehen, fchmelzt man fie wieder, um die Maffe beffer zu vermifchen, was beffer ift, als das, von einigen Lithographen gerühmte Abreiben auf einer warmen Stein- oder Metallplatte. Bei diefer Operation muß die Temperatur mäßig fein und die Maffe ftets umgerührt werden.

Ift nach Vollendung diefer Umfchmelzung, wo man das Feuer allmälig abgehen läßt, die Maffe ziemlich ab- gekühlt, fo gießt man fie auf einen mit Seife eingeriebe- nen Stein oder auf eine blanke Metallplatte, auf welcher man mittelft Holzftäben eine Art Rahme zurecht gelegt hat, und durchfchneidet dann die faft erkaltete Maffe mit einem Meffer in beliebige Stücke, gewöhnlich von 6 Centim. Länge, $2\frac{1}{2}$ Centim. Breite und $1\frac{1}{2}$ Centim. Dicke, die man auch durch Rollen rund formen kann.

Die fertige Tinte kann übrigens, felbft wenn man bei deren Bereitung forgfältig zu Werke ging, bei der Probe dennoch nicht ganz die gewünfchten Refultate lie- fern, was feinen Grund hauptfächlich darin hat, daß man einerfeits die Materialien nicht immer von gleicher Güte erhält, andernfeits fowohl Seife als Talg fehr hygrometrifch find und die Feuchtigkeit aus der Luft anziehen, der Talg fogar oft mit derfelben fo gefättigt wird, daß die wäfferigen Theile Gewichtsverfchiedenheiten der Mifchung herbeiführen.

Um daher hier zum Ziele zu gelangen, wollen wir unsern Lesern die möglichen Mängel solcher Tinten angeben und die Mittel anführen, welche sich zu deren Abhülfe darbieten.

Löst sich die Tinte nicht gut im Wasser auf, so schmelze man sie noch einmal und setze etwas Seife, nach dem Grade der Auflöslichkeit, zu. Auch kann man etwas kaustische Soda zusetzen.

Ist die Tinte weich und klebrig, so muß man sie umschmelzen und abermals brennen.

Ist die Tinte, statt schwarz zu sein, beim Auftragen braun, so muß man sie umschmelzen und etwas Ruß aus verbranntem Terpentin zusetzen.

Gerinnt die Tinte nach dem Einreiben, oder wird sie flockig, so ist sie zu wenig gekocht; man muß sie dann umschmelzen, noch eine Viertelstunde kochen lassen und allenfalls sogar noch einige Sekunden brennen.

Ueber Seife und Ruß, welche man zur Tusche verwendet, bleibt noch zu bemerken, daß man die Seife vorher in kleine Scheiben schneiden und in der Luft trocknen kann, um derselben die Feuchtigkeit zu entziehen, welche sie schwerer machen, also in zu geringer Menge in die Mischung treten lassen würde, denn das in derselben enthaltene Wasser wirkt wohl durch sein Gewicht, aber nicht als chemisches Reagens, da es kein Fett ist, und daher erleidet die Tusche dadurch eine große Verschiedenheit in ihrer Güte, ob die Seife bei gleichem Gewichte wohl getrocknet oder naß verbraucht wurde.

Es ist daher zweckdienlich, fein geschnittene Seife in gelinder Wärme vollkommen auszutrocknen und dann in Pulver zu verwandeln, das Pulver aber in Blechbüchsen wohl verschlossen aufzubewahren und seiner Zeit den Bedarf abzuwägen. —

Was den Ruß betrifft, so führt der gewöhnliche Ruß eine bedeutende Quantität brenzlicher Holzsäure bei sich, wodurch ein großer Theil des Alkalis der Seife unwirksam und daher die Tusche im Wasser schwer auflöslich würde, daher es rathsam ist den hierzu verwendeten Ruß zu kalciniren, nämlich denselben in einem verschlossenen Gefäße über Feuer solange zu glühen oder zu rösten, bis sich keine gelblichen Dämpfe mehr zeigen.

Noch besser für die Tusche ist der in gleicher Weise kalcinirte Lampenruß.

Nr. 2.

Weißes oder auch gelbes Wachs	40	Theile
Mastix in Thränen	10	„
Schellack	28	„
Weiße (Marseiller Oel-) Seife .	22	„
Feinen Kienruß	9	„

Diese Zusammensetzung des geschickten Steinzeichners **Desmadryll** wurde von **Engelmann** veröffentlicht.

Bei Bereitung derselben läßt man das Wachs in einem Kasserol, wozu ein Deckel gehört, schmelzen und erhitzt es, bis der davon aufsteigende Dampf sich durch einen brennenden Span entzünden läßt, wo dann das Gefäß vom Feuer entfernt, und Seife, Schellack und Mastix in kleinen Portionen zugesetzt wird, wobei man die Operation so einrichtet, daß die Flamme nicht verlöscht, aber auch andererseits nicht zu stark wird.

Wenn alle diese Ingredienzien vereinigt sind, erstickt man die Flamme, indem man den Deckel auf das Gefäß setzt. Hierauf bringe man den Ruß hinein und setzt das Ganze wieder über das Fener, bis die Mischung sich von Neuem entzündet. Sodann löscht man die Flamme aus und gießt eine Probe, die man am nächsten Tage untersucht.

Wenn die Auflösung, die man davon macht, bald klebrig wird, oder schlecht fließt, so setzt man die Masse wieder über das Feuer und läßt sie noch ein wenig brennen.

Hierauf gießt man sie, wie im ersten Recepte angegeben ist, auf eine Platte und schneidet sie nach dem Erkalten in Stücke.

Nr. 3.

Reinen Hammelstalg	16	Theile
Jugfernwachs	10	„

Weishaupt, Steindruck.   7

Weiße Seife . . . . 16 Theile
Schellack . . . . 14 „
Kalcinirter Ruß . . . . . 5 „

Diese Tinte fließt gut und gestattet feine Striche, wird aber nicht ganz so hart als die vorige, und kann daher durch eine unbedeutende Reibung leicht verwischt werden. Die Bereitung derselben ist wie bei der vorigen.

Nr. 4.

Getrocknete Talgseife . . . . 5 Theile
Mastix . . . . 5 „
Weiße Soda . . . . . . 5 „
Schellack . . . . 25 „
Ruß . . . . 2 „

Nachdem die in Stückchen geschnittene Seife geschmolzen, wird der Schellack in kleinen Portionen nach und nach zugesetzt, hierauf die trockne Soda, dann der Mastix beigefügt und zuletzt der Ruß eingerührt.

Sobald diese Substanzen, unter beständigem Umrühren mit dem Spatel, bei einem lebhaften Feuer gehörig zusammengemengt und geschmolzen sind, gieße man die Masse auf eine erwärmte gußeiserne Platte, welche mit hölzernen Leisten umgeben und mit Oel bestrichen wird, damit sich jene leichter ablöst; und nachdem die Masse in eine gleichförmige Schichte ausgebreitet ist, nimmt man die Leisten weg und schneidet dieselbe in beliebige Stücke.

Die Bereitung dieser Tusche unterscheidet sich hauptsächlich von der der ersteren, daß hierbei die Masse nicht bis zum Brennen erhitzt werden darf.

Während obige Tinten beim Gebrauche sich in der Schale trocken aufreiben lassen, muß diese mit dem Messer geschabt, und dann durch Beisatz einiger Tropfen Wasser und durch Reiben mit der Fingerbeere aufgelöst werden.

Diese aufgelöste Tusche fließt gut aus der Feder und hält sich tagelang ohne stockig zu werden, und die damit gemachten Striche, selbst die feinsten, halten eine kräftige

Aetzung aus und können in getrocknetem Zustande auch bei starker Reibung nicht verwischt werden.

Zugleich hält diese Tusche auch auf dem präparirten Stein, daher man bei Nachbesserungen blos den Gummi abzuwaschen braucht und mit Sicherheit dieselben mittelst dieser Tusche ausführen kann.

Tusche aus Kreidespänen.

Eine gute brauchbare Tusche geben auch die Kreidespäne, welche man schmelzt und etwas Talg und Seife zufügt. Fällt dieselbe schmierig aus, so wird durch Brennen, wenn schwer löslich, durch Seifenbeisatz abgeholfen.

Tusche zu Arbeiten mit dem Pinsel.

Für diese Arbeiten muß die Tusche klebriger sein, als sie die Federarbeiten verlangen. Sehr zweckdienlich hierzu ist folgende Komposition:

Wachs	6	Theile
Seife	6	„
Talg	3	„
Kienruß	2	„

Diese Stoffe werden langsam geschmolzen und die Masse soweit erhitzt bis sie sich entzündet, wo sie dann vom Feuer genommen und, nachdem sie zu erkalten angefangen, gegossen und in Stangen geschnitten wird.

Zu den gesuchtesten lithographischen Tuschen des Handels gehören: die präparirte Tusche von Vanhymbeeck, Lemercier, Rohard, Lefranc, Engelmann in Paris, Klimsch in Frankfurt am Main, Frick in Berlin ꝛc.

B.   Von der lithographischen Kreide.

Marc Antonio sagte: „Das Scheidewasser ist das Entzücken und die Verzweiflung des Kupferstechers", — wäre Marc Antonio ein Lithograph gewesen, er würde dies von der chemischen Kreide behauptet haben. Nichts ist so subtil, als ein feines Pünktchen, das der Zeichner

7*

mit der Kreide auf den Stein macht, und dennoch hängt
oft der ganze Effekt einer Zeichnung von diesem einzigen
Pünktchen ab, und dennoch soll dieses Pünktchen nicht allein
die Aetzung aushalten, nein, es soll auch durch Hunderte,
ja durch Tausende von Abdrücken unveränderlich stehen, es
soll nicht zu viel und nicht zu wenig Schwärze annehmen —
kurz! es wird von der Kreide, mit welcher dieses Pünktchen gemacht wurde, unendlich viel verlangt. Diese wenigen
Worte werden hinreichen, unsere Leser auf die Wichtigkeit
einer guten Bereitung der lithographischen Kreide aufmerksam zu machen.

Der Auftrag der Tinte geschieht in aufgelöstem Zustande und auf einem glatten Steine, wo schon die beigemischte Feuchtigkeit die genauere Verbindung mit dem
Steine begünstigt, wo die Aetzung weniger nachtheilig
wirken kann, und wo schon die Zeichnung an und für sich
eine kräftigere Behandlung gestattet; — die Kreide dagegen wird auf einen rauhen Stein, in trocknem Zustande
aufgetragen und die Striche sind oft nur eben wie auf den
Stein hingehaucht, mithin müssen sich ihre auf den chemischen
Theil des Steindruckes bezüglichen Eigenschaften noch viel
stärker aussprechen. Man sollte nun zwar versucht werden,
zu glauben, daß ein vergrößerter Fett- oder Seifengehalt
diesen Erfordernissen nothwendig ein Genüge leisten müsse;
aber eine Kreide, welche zu viel Fett hat, bringt zu tief
in den Stein ein, und die Zeichnung wird schwer, ein
Umstand, welcher, ebenfalls vorkommt, sobald die Kreide
zu viel Seife enthält und eine etwas feuchte Beschaffenheit
der Atmosphäre eintritt. Eine Kreide, zu welcher man
Schellack, Wachs oder Mastix verwendete, schmiert allerdings nicht so leicht, aber sie bringt auch nicht tief genug
in den Stein ein. Hier nur wenige Worte über den Einfluß, welchen die verschiedenen der Kreide zugesetzten Ingredienzien auf dieselbe äußern, und man wird leicht daraus die Grundsätze abstrahiren können, welchen man bei
Bereitung und Zusammensetzung einer gewissen Kreide zu
folgen habe.

Das Wachs verhindert, daß die Seife vom Waſſer aufgelöſt werde und konſervirt die Striche des Künſtlers. Die Stearine im Talge iſt nöthig, um eine feſtere Kohärenz zwiſchen der Kreide und dem Steine zu bewirken; da aber die Oele der vortheilhaften Wirkung des Wachſes überall im Wege ſtehen, ſo iſt ein Talg, welcher viel Oleine enthält, zur Kreidebereitung höchſt unvortheilhaft. Zuviel Stearine aber zerſtört hingegen wieder die Zähigkeit, welche das Wachs giebt und macht die Kreide brüchig, während zuviel Wachs wieder die Kohärenz des Striches mit dem Steine beeinträchtigt. Würden Wachs und Seife in Bezug auf den Talg zu ſtark genommen werden, ſo würden die Abdrücke nicht transparent werden, indem die Säuren die Kreide nicht durchdringen könnten. Ein zu großer Zuſatz von Seife läßt, wenn der Stein vor dem Aetzen der Luftfeuchtigkeit ausgeſetzt wird, die Striche zu tief in den Stein einbringen, wodurch die feinen Punkte in einander fließen, die Zwiſchenräume des Steinkornes ausfüllen und der Zeichnung die Durchſichtigkeit nehmen. Kreiden, in denen das Fett zu ſehr vorwaltet, haben den Nachtheil, daß die Schmierflecken, welche ſie auf dem Steine zurücklaſſen, durch das Aetzen nicht vollſtändig zerſtört werden und daher beim nachmaligen Abdrucken mitkommen. Eine höhere Temperatur veranlaßt ein Auseinanderfließen der Striche und eine Unklarheit im Drucke. Die vortheilhafte Temperatur iſt eine trockene von 10 bis 15°.

Eine gute lithographiſche Kreide muß feine und gleichartige Striche im Zeichnen geben, ſie muß gehörig hart ſein, um die Spitze möglichſt lange zu konſerviren, aber auch weich genug, um mit Leichtigkeit damit zeichnen zu können. Sie muß in der Aetzung gut ſtehen, damit auch die leichteſten Tinten Kraft genug behalten, um bis zum letzten Abdrucke Schwärze anzunehmen; dagegen aber müſſen auch die chargirteſten Schattenpartien immer transparent bleiben. — Die Kreide muß ſich gut ſpitzen laſſen, nicht zu leicht brechen, auf dem Bruche ein gleichmäßiges ſammtartiges Korn von höchſter Feinheit, aber ohne alle glänzende Punkte zeigen und weder Körner oder Klümpchen,

noch Blasen haben; auch dürfen die Bruchflächen, kalt an=
einander gedrückt, nicht zusammenhaften. Uebrigens muß
die Kreide einen kräftigen schwarzen Strich haben.

Die Zahl der Kreiderecepte ist so groß, als die der
Tintenrecepte, und wir haben auch hier, um unsere Leser
nicht zu verwirren, nur die, als die besten anerkannten,
mitgetheilt. Die Bereitungsart hat die größte Aehnlichkeit
mit der Tinte, doch muß sie noch sorgfältiger bewerkstelligt
werden. Man kann nach folgenden Recepten arbeiten:

32 Theile gelbes Wachs,
24   „   weiße Marseiller Seife, trockene,
4   „   reinen Hammelstalg,
1   „   Salpeter in 7 Theile Wasser aufgelöst,
7   „   Kienruß.

Das Gefäß, in welchem man Kreide kocht, muß so
groß sein, daß es durch die Masse nur zu ⅓tel angefüllt
wird, weil sie sich heftig bläht. Am besten eignet sich hierzu
eine Pfanne mit langem Stiel, welche mit einem Deckel
versehen ist.

Zur bequemeren Beimischung der Salpeterauflösung
ist auch ein Deckel zweckmäßig mit trichterförmiger Ver=
tiefung, welche sich in ein kleines Loch von ungefähr
2 Millim. Durchmesser endet.

Zuerst wird das Wachs und der Talg geschmolzen
und dann in kleinen Portionen die zuvor in Stückchen zer=
schnittene Seife hinzugesetzt, und gleichzeitig auch in einem
besonderen Gefäß der in Wasser aufgelöste Salpeter zur
Siedhitze gebracht.

Ist nun obige Mischung von Wachs, Talg und Seife
bis zum Entzündungs=Grade erhitzt, so läßt man dieselbe,
nachdem sie vom Feuer genommen, 2 bis 3 Minuten brennen.

Je länger man sie brennt, desto härter wird sie;
hierbei darf man aber die Flamme nicht zu stark werden
lassen, indem sonst nicht nur die feinen öligen Stoffe in
Gasform verbrennen, sondern auch die Masse sich verkohlen
würde, was solche verdirbt.

Nachdem die Flamme mittelst des Deckels erstickt ist, wird dann die gehörig erhitzte Salpeterauflösung tropfenweise zugegossen.

Das Wasser verdunstet in demselben Augenblicke, in welchem die Tropfen in die Masse fallen und verursacht eine beträchtliche Aufwallung der ganzen Mischung, so daß sie zuweilen überläuft, wenn man zu rasch beim Zugießen verfährt.

Die Masse wird nun wieder über das Feuer gesetzt, bis sie sich abermals entzündet. Die Flamme wird jedoch sogleich erstickt und der Ruß hinzugethan und zwar unter stetem Umrühren der Masse.

Dieses Umrühren wird so lange fortgesetzt, bis sich wieder einzelne Flammen in der Masse zeigen, dann stellt man das Gefäß vom Feuer und gießt nach einigem Erkalten eine Probe, welche man einen Tag lang vollständig erkalten läßt.

Zeigt sich dieselbe dann als zu weich, so muß man die ganze Masse noch einmal schmelzen und etwas brennen lassen, im umgekehrten Falle, wäre nämlich dieselbe zu hart, so ist es am besten eine zweite Mischung zu bereiten, welche man weniger brennen läßt, und beide Mischungen sodann zusammenschmelzt.

Hat sich die Konsistenz der Kreide bei der Probe als brauchbar gezeigt, so wird die ganz erkaltete Masse wieder geschmolzen, wodurch die Mischung inniger und die Kreide gleichartiger ausfällt.

Man thut übrigens gut, um eine Kreide von gleicher Qualität zu haben, stets in großen Massen zu arbeiten. — Die Ueberreste und die Abschnitzel geben, noch einmal umgeschmolzen, eine treffliche, etwas härtere Kreide zum Kontouriren und Detailliren.

Das Ausgießen der Masse kann entweder auf einem mit Seife bestrichenen Steine oder auf einer Metallplatte geschehen, wo sie dann, halb erkaltet, durch parallele Einschnitte mittelst eines Lineals und eines Messers in Stückchen getheilt wird, wobei nach dem Erkalten der Masse sich die einzelnen Krayonstücke leicht auseinander brechen lassen.

Desgleichen kann man auch die Masse in Formen gießen, wodurch die Stifte regelmäßiger werden und weniger Abgang entsteht.

Eine solche Kreideform ist auf **Taf. I, Fig. 16,** dargestellt. Sie besteht aus metallenen Platten a und b, welche durch ein Gewinde g mit einander verbunden und dergestalt kannelirt sind, daß, wenn beide Platten zusammengelegt werden, sie 24 cylindrische Aushöhlungen zeigen, welche durch die ganze Form der Breite nach hindurchgehen. Diese Platten sind in zwei Stücken Holz c und d gefaßt und können durch den Schraubenbolzen h mit der Flügelmutter f miteinander fest verbunden werden. Diese Form wird auf einen Stein gestellt und dann mittelst einer Gießkelle gefüllt. Im Augenblicke des Gusses müssen beide Theile der Form ein wenig von einander entfernt sein, und werden erst später mittelst der Mutter f fest zusammengezogen, wodurch die Kreide eine Art Pressung erhält, welche die Blasen verhindert. Der Handgriff e erleichtert das Handhaben. Nach dem Erkalten kann man die Tresse, welche sich dann gebildet hat und an der die 24 Kreidestäbchen hängen, aus der Form nehmen und die Stäbchen abbrechen, die Tresse aber wieder einschmelzen. Damit die Kreidestäbe nicht zu sehr an der Form anhängen, kann man dieselben mit Kohlenstaub und Wasser anstreichen, muß sie aber vor dem Gusse gut austrocknen lassen. Uebrigens thut man gut, die Masse möglichst kalt, nur eben noch flüssig, in die Form zu bringen; dann hängt sie sich nur wenig an. Diejenigen Stäbchen, welche zuletzt gegossen werden, sind allemal etwas härter, da bei denselben die Masse länger gekocht hat. Sie sind vorzugsweise zu Lüften und Halbtinten zu brauchen. Man muß sie daher abgesondert aufbewahren.

Die fertigen Stifte muß man in Gläsern mit luftdicht schließenden Deckeln und an sehr trockenem Orte aufheben.

Unter den vielerlei Kreidenkompositionen ist die obige, von **Engelmann** herrührend, eine der vorzüglichsten und daher auch die am meisten verbreitetste. Sie wird auch „fette Kreide" genannt zum Unterschied von der „Schel-

lackreide", welche magerer ist und deshalb auch eine
schwächere Aetzung verlangt.

Die Bestandtheile einer derartigen Schellackreide
sind:

    12 Theile gelbes Wachs,
     8   „   Seife,
    10 „   Schellack,
     1   „   Sodaauflösung,
     2   „   Talg,
     4   „   Kienruß.

Die Bereitung derselben ist wie bei der obigen, nur
daß hier, nachdem Wachs, Talg und Seife geschmolzen,
der Schellack zugesetzt und dann die Sodaauflösung, wie
dort die Salpeterauflösung zugegossen wird. Diese ziemlich
spröde Kreide eignet sich deshalb zu manchen Zeichnungen
besonders gut.

Folgende zwei Kreidenkompositionen sind ebenfalls sehr
empfehlenswerth.

Die erstere von Deroy durch Tudot veröffentlicht,
weicht wenig von der Engelmann'schen ab, wird auch in
gleicher Weise bereitet und besteht aus:

    32 Theilen weißes Wachs,
    11   „   Oelseife,
    12   „   feuchte Unschlittseife,
     1   „   Salpeter im Winter, 2 Theile im
              Sommer, aufgelöst in 5—10 Theilen
              Wasser,
    $6^{1}/_{2}$ „   Kienruß.

Die Bestandtheile der andern sind:

    32 Theile weißes Wachs,
    16   „   Spermazet,
    24   „   Oelseife,
     8   „   Schellack,
    12   „   Ruß.

Ihre Bereitungsart ist ähnlich wie bei der Schellack-
kreide, nur darf sie, wenn man die Verhältnisse je eines

Theiles etwa zu 20 Gramm nimmt, etwas länger gekocht und gebrannt werden.

Uebrigens hat diese Kreide eine tiefe Schwärze, behält ein reines Korn und hält eine ungewöhnliche starke Aetzung aus.

Die meistens im Handel vorkommenden lithographischen Kreiden sind Präparate von Lemercier und Lefranc, vorzüglich gut sind auch die deutschen Fabrikate des Fr. Frick (Faktor der Storch und Kramer'schen Anstalt in Berlin) und vieler anderer.

Die Aetz- und Präparirmittel.

Dieses sind solche Materialien, welche die Steinplatte bei den mancherlei Manieren zum Abstoßen der Fettigkeit geschickt machen sollen. Sie sind Säuren und Gummi. Unter den Säuren wird vorzugsweise verwendet:

Die Salpetersäure,

welche aus Salpeter bereitet und auch Scheidewasser genannt wird. Die im Handel vorkommende besteht aus 1 Theil koncentrirter Säure und 2 Theilen Wasser und hält gewöhnlich 36° am Aräometer.

Die Säuren, besonders aber die Salpetersäure, haben, wie bereits in der Einleitung gesagt ist, die Eigenschaft, die Oberfläche des Steines chemisch zu verändern und dadurch geschickt zu machen, auf den Stellen, wo noch keine Fettigkeit eingedrungen war, sie ferner abzustoßen und dafür dem Wasser und Gummi mehr Eingang zu verschaffen.

Dann wirken sie aber auch mechanisch auf die Steinplatte und mithin auch auf die Zeichnung, indem sie den Stein überall gleichmäßig anfressen und rauh machen, wodurch die mit Fett gezeichneten Stellen, welche vermöge des letztern vor dieser Wirkung geschützt sind, erhaben werden und der später darüber hingehenden Schwärzwalze mehr Gelegenheit geben, ihnen die Schwärze mittheilen zu können, während die vertieften Stellen aus eben diesem

Grunde mehr davor geschützt sind. Und dies geschieht mehr oder weniger, jenachdem das Aetzmittel stärker oder schwächer angewendet wurde. Ferner haben die Säuren die Eigenschaft, allen Schmutz, selbst, wenn sie koncentrirt genug sind, eine sehr dünne Fettschicht auf der Platte zu vertilgen. Fettigkeiten, die stark mit Talg gemengt sind, dann Harze, die auf dem Steine bereits eingetrocknet sind, Wachs u. dergl. widerstehen aber denselben völlig, und daher kommt es, daß man mit Fettigkeiten Stellen deckt, wo das Scheidewasser nicht wirken soll, und im Gegentheil diejenigen Stellen, welche etwa dort Druckschwärze angenommen haben, wo keine hinkommen soll, mit Scheidewasser reinigt.

Das arabische Gummi,

ein Pflanzenharz, welches aus einer am Nil wachsenden Atazienart fließt, ist im Wasser leicht löslich und stark sauerstoffhaltig.

In aufgelöstem Zustande geht dasselbe eine Verbindung mit dem lithographischen Stein (kohlensaurer Kalk) ein, deren Natur bis jetzt nicht genauer ermittelt worden ist, welche sich aber durch veränderte Färbung, sowie durch das Verhalten des gummirten Steins gegen Fette deutlich kund giebt.

Diese zweite, gleichsam physische Präparatur der äußeren Oberfläche der Steinplatte, bei welcher das Gummi gleichsam die durch das Anfressen des Scheidewassers entstandenen Poren verstopft und der Fettigkeit durchaus keinen Anhaltpunkt verstattet, ist zwar im Wasser unlöslich, kann aber durch völliges Austrocknen der Steinoberfläche sich verlieren, und auch durch mehrere Säuren, z. B. durch die Citronensäure, Essigsäure aufgehoben werden.

Salpetersäure und Gummi werden als Aetz- und Präparirmittel bei den verschiedenen Manieren des Steindrucks sehr verschieden, bald vereint, bald einzeln, bald einander entgegenwirkend angewendet, wie dies bei der Abhandlung von den verschiedenen Zeichnungsmanieren deutlich gezeigt werden wird.

Die beste Sorte Gummi besteht aus durchsichtigen, wasserhellen, spröden Brocken verschiedener Größe.

Die geringste Sorte ist mit Harzen untermischt, die im Wasser unvollständig sich lösen, und ist daher weniger tauglich.

In der Regel enthält das Gummi einzelne unreine Theile, als Sand, Staub, Holztheilchen ꝛc. daher dasselbe, nachdem es in Brunnenwasser aufgelöst, durch Leinwand geseiht werden muß.

Der Drucker bedarf des Gummis in verschiedenen Auflösungen: ganz dickes sogenanntes strenges Gummi, ähnlich dem dicken Syrup, dann leichter flüssiges und ganz dünnes. Jede dieser Lösungen muß fortwährend in einem besonderen Töpfchen bereit gehalten und wird mittelst des sogenannten feinporigen Gummischwamms auf den Stein gebracht, indem man ein wenig Gummi auf den Stein gießt und dieses gleichmäßig mit dem kleinen Schwamme verreibt und ausbreitet.

Auch andere schleimigte Substanzen wirken ähnlich auf den Stein wie das arabische Gummi, unter diesen vorzugsweise aber

das Gummitragant.

Dasselbe hat das Ansehen kleiner zusammengewundener Bänder, ist weiß oder röthlich, im Wasser weniger auflösbar und giebt diesem bedeutende Konsistenz.

Dieses Gummi kommt von der Insel Creta und den umliegenden Inseln, und wird zwar nicht als Präparaturmittel, jedoch bei Bereitung des autographischen Papiers benutzt.

Ein vorzüglichstes Präparaturmittel geben auch

die Galläpfel.

Dies sind runde Auswüchse, welche sich in Folge des Stiches der Eichengallwespe auf den Blättern verschiedener Eichengattungen bilden.

Die schwarzen sind die besten, sie werden meist aus Aleppo bezogen, sind rauh und höckerig, von dichter Beschaffenheit und haben 1½ bis 2½ Centim. im Durchmesser.

Die weißen Galläpfel von geringerem Werthe sind die, welche man lange auf dem Baum läßt.

Der aus den Galläpfeln bereitete Extrakt enthält viel Gerbestoff und Gallussäure, besitzt eine bedeutende zusammenziehende (adstringirende) Kraft, und ist eines der kräftigsten Mittel den Stein vor einer Wiederverbindung mit Fetten zu schützen.

Die Essigsäure (koncentrirter Holzessig)

ist das Produkt der zweiten Gährung zuckerhaltiger Stoffe; theils gewinnt man sie aus Holz durch Destillation, auch wird dieselbe bei der Theerbereitung als Nebenprodukt gewonnen.

Diese Säure hat die Eigenschaft die Gummipräparatur des lithographischen Steins aufzuheben und wird deshalb bei Nachbesserungen, Korrekturen u. s. w. an Feder- und Kreidenplatten mit großem Vortheil angewendet, auch ist sie in der Aetzmanier das tauglichste Aetzmittel.

Außer der Salpetersäure wird auch die aus Kochsalz dargestellte Salzsäure, zuweilen auch die aus Eisenvitriol gewonnene Schwefelsäure, aber nur sehr verdünnt, selbst Phosphorsäure und Citronensäure angewendet.

Was die Salzsäure betrifft, so hat dieselbe bei gemäßigter Stärke eine ähnliche Eigenschaft wie die Phosphorsäure, welche dem Stein so ziemlich seine Politur beläßt, während die Salpetersäure stets ein Korn auf dem glatten Stein frißt, daher die Salzsäure bei Federzeichnungen den Vorzug erhält.

Sehr häufig wird auch statt dieser Säure zur Präparatur des Steins bei Gravirarbeiten, das sogenannte Kleesalz benutzt. (Siehe Viertes Kapitel).

Statt des arabischen Gummis kann man inländischen von Kirsch- und Pflaumenbäumen und andere, dem Gummi ähnliche schleimige Massen aus dem Pflanzen- und Thierreiche benutzen; doch ist das Scheidewasser, mit wenigen Ausnahmen, immer das vorzüglichste, auch wohlfeilste Aetzmittel, und das arabische Gummi die sicherste und erprobteste physische Präparatur für die Steinplätten.

Hier ist eine Bemerkung einzuschalten, die auch anderwärts schon aufgestellt ward und gewiß zum großen Vortheile der Lithographie gereichen würde, wenn man sie mehr und mehr beherzigen wollte.

Nämlich in vielen, auch wohl eingerichteten Steindruckereien ist man noch immer ungewiß, wem eigentlich das Aetzen der Platten zukomme, ob dem Zeichner oder dem Drucker? — Es ist hier dem Zeichner zuerkannt, weil er ja oft schon vor der Zeichnung zu ätzen genöthigt ist, wie dies die verschiedenen Manieren und die dabei nöthigen Manipulationen erheischen, und weil er am besten wissen muß, ob seine Arbeiten ein stärkeres oder schwächeres Aetzen erlauben oder fordern. Stets soll aber dieses Aetzen der Platten nur in Beisein des Druckers geschehen, damit dieser weiß ob er einen kräftigen oder schwach geätzten Stein zu Drucken bekommt, da er, namentlich beim Andruck, hierauf achten muß. —

Doch soll damit nicht gesagt sein, daß sich der Drucker mit demselben gar nicht abzugeben brauche. Auch er muß das Aetzen in vollkommenem Grade verstehen, ja er ist eigentlich derjenige, der die ganze chemische Procedur des Steindrucks genau inne haben soll; denn seine Kenntnisse bestimmen, ob in einem gegebenen Falle mehr oder weniger Fettigkeit, mehr oder weniger Feuchtigkeit, ob hier ein Aetzmittel, oder das präparirende Gummi, oder ob ein mechanisches oder chemisches Hülfsmittel nöthig ist u. dergl. mehr, um viele und schöne Abdrücke von einer Zeichnung liefern zu können. Doch leider findet man nur sehr wenige intelligente Drucker, die einen Begriff von der chemischen Procedur der Steindruckerei haben, meist arbeiten rohe Empiriker an den lithographischen Pressen und — bei solchen gedeiht freilich die Kunst nicht sehr. — Als Anspornungsmittel sollte, wie der Name des Zeichners, so auch der Name der Druckers auf jeder bedeutenden lithographischen Arbeit erwähnt werden, denn die Arbeit des besten Zeichners kann durch einen schlechten Drucker verdorben werden.

Die Werkzeuge des Lithographen.

Diese sind von sehr verschiedener Art und richten sich nach den verschiedenen Manieren, in welchen man eben zu arbeiten genöthigt ist. Wir werden die Hauptgeräthschaften hier anführen, und es uns vorbehalten, einige unbedeuten= dere, nur einer oder der andern Manier durchaus eigen= thümliche bei der Abhandlung der einzelnen Manieren selbst nachzutragen.

a) Die Federn zur Schrift= und Federzeichnung.

Man macht die Federn in der Regel aus Stahl, weil die Federspulen theils nicht so fein zugespitzt werden können, daß man so zarte Striche, wie bei kleiner Schrift die Haarstriche sein müssen, machen kann, theils weil sie sich auf dem harten Steine zu schnell abnutzen und über= haupt von dem Alkali der chemischen Tusche zu sehr ange= griffen werden. Den Fehler des Abnutzens haben auch Federn von jedem andern weichen Metalle; man fand daher den Stahl als das vorzüglichste Metall dazu und kann die Federn daraus auf folgende Weise erzeugen: Man nehme eine gute Taschenuhrfeder von 5 bis 6 Millim. Breite, suche jedoch eine solche aus, welche möglichst gleich= förmig und durchaus frei von Rostflecken ist und putze dieselbe sorgfältig ab. Vor allen Dingen entferne man von der= selben jede Spur von Fett, indem man sie zuerst mit reinem Weingeiste wäscht, dann mit Kreide abreibt und endlich noch mit einem Stückchen feinem Bimsstein auf beiden Flächen nachschleift. Man hüte sich, das Federblatt mit der bloßen Hand anzufassen, und bediene sich dazu einer reinen Zange. Ist die Feder so gereinigt, so lege man sie in eine Untertasse und bedecke sie ganz mit einer Mischung von gleichen Theilen Salpetersäure und destillir= tem Wasser. Die Säure wird die Uhrfeder sogleich lebhaft angreifen, welches sich durch das Aufsteigen der Blasen zeigt, und die Säure wird eine gelbliche Farbe annehmen. Wenn die Säure ungefähr eine Minute eingewirkt hat, nehme man die Feder heraus, wische dieselbe mit Fließpapier oder einem leinenen Lappen ab, und setze sie dann von Neuem der Einwirkung der Säure aus. Dies wiederhole man, um die Aetzung recht gleichmäßig zu machen, mehrere Male, und setze es solange fort, bis die Feder etwa nur noch die Dicke eines mittelmäßig starken Schreibpapiers hat, worauf man sie wäscht und durchaus von aller Säure reinigt, auch wieder mit Kreide putzt 2c. Diese so geätzte Feder schneidet man mit der Scheere in Stücken von 2½ — 3½ Centim. Länge, und jedes dieser Stücke kann man dann zu einer Zeichenfeder zurichten.

Statt dieser etwas umständlichen Bereitungsart der Feder wird in neuerer Zeit ein sehr feiner bis zu Papierstärke dünn gewalzter Stahl benutzt.

Derselbe wird am besten von Bonnet in Genf, sowie auch an vielen andern Orten, z. B. Frankfurt, Karlsruhe 2c. fabricirt.

Man bezahlt 30 Centim. in knapp 2½ Centim. breiten Streifen mit 90 Pf. bis 1 Mark 20 Pf.

Uebrigens kann dieser Federstahl auch in großen Flächen und in Röllchen bezogen werden, wovon letztere Art in der Breite schmaler Uhrfedern, zugleich die nöthige Federbreite angiebt.

Das Schneiden der Feder geschieht nun in folgender Weise:

Zuerst müssen die Federstückchen rundirt werden, damit sie die ungefähre Rundung einer gewöhnlichen Stahlfeder erhalten.

Zu diesem Zwecke legt man das Stahlplättchen in eine auf Holz oder Blei angebrachte Vertiefung (Hohlkehle) und fährt mit einem dazu passenden Polirstahl, oder auch mittelst dem Handgriffe der Scheere so lange auf dem Stahlplättchen der Länge nach hin und her, bis dasselbe genau die Form der Hohlkehle angenommen hat.

Diese Operation muß mit Aufmerkſamkeit ausgeführt werden, damit die Kehlung wie auf **Taf. I, Fig. 17** vollkommen rund und nicht wie etwa **Taf. I, Fig. 18**, ſich buckelig geſtaltet, was zum Auflegen und leichtem Ausfließen der Tinte höchſt nöthig iſt, und auch der Feder mehr Steifheit und Elaſticität giebt.

Das Schneiden der Feder geſchieht mittelſt einer guten engliſchen Schere von Gußſtahl, wozu manche eine große, andere eine kleine paſſender finden.

Weſentlich iſt hierbei, daß ſelbe von richtig gehärtetem Stahl und geeigneter Form ſei, und vorzüglich gut ſchneiden muß.

Die zweckmäßigſte Form wäre **Taf. I, Fig. 19**, wobei die Schere vom Stützpunkt (Nagel) aus bis zum Griff, wenigſtens $1\frac{1}{2}$ bis 2 Mal ſo lang ſein ſoll, als von dieſem Punkte aus bis zur Spitze.

Wie bei der Schreibfeder ſoll der Spalt nicht länger ſein, als bis zu dem Beginn des Zuſchnittwinkels **Taf. I, Fig. 20**.

Der Spalt wird zuerſt und ſo hineingeſchnitten, daß man das Uebereinanderklappen der Scherenblätter vermeidet, indem ſonſt das Ende des Spaltes einſeitig ausreißt, und die Feder ſchwer zu richten wäre.

Die beiden Theile der Federſpitze müſſen gleich groß und die Spitze ſelber fein und ſcharf ſein, weil es ſonſt unmöglich iſt, feine und zarte Linien mit Sicherheit auf den Stein zu zeichnen.

Je nach Gewohnheit ſchneiden manche die Spitzen von hinten nach vorne, **Taf. I, Fig. 21**, andere wieder von vorne gegen hinten zu, **Taf. I, Fig. 22**.

Jedoch empfiehlt ſich das letztere Verfahren ganz beſonders zur Herſtellung einer ſichern, gut ſchreibenden Feder.

So können auch nach dem Zwecke oder nach Gewohnheit die Spitzen in ſtumpferen oder ſpitzigeren Winkeln, **Taf. I, Fig. 23—24**, geſchnitten, wovon erſtere für den Anfänger leichter zu handhaben ſind, und ſo auch die Breite des Stahls verſchieden genommen werden.

Sind beide Spitzen im Schneiden gleich gut gerathen, so werden dieselben durch einen Querschnitt gestutzt, wobei man, um die Spitzen genau zu sehen, die Feder so hält, daß hinter ihr ein heller Grund, Wand, Papier ic. ist.

Die so zubereitete stählerne Feder wird nun in einen oben und unten rund abgeschnittenen Federkiel so weit hinein gesteckt, daß nur der Schnabel hervorragt; auf der andern Seite aber treibt man einen andern Kiel oder ein wohlgerundetes Holz, wie man es bei den Pinseln gebraucht, hinein, so daß die Stahlfeder zwischen beiden fest eingeklemmt wird, siehe **Taf. 1, Fig. 25.**

Ebenso können auch als Federhalter die in neuerer Zeit für Stahlfedern in unzähligen Formen existirenden Halter gebraucht werden, **Taf. 1, Fig. 26.**

Stehen die Spitzen im Halter nicht gleich, so werden sie zwischen den Nägeln der Zeigefinger durch Auswärtsstreifen „gerichtet"; sollte dies nicht zureichen, so kann diesem Uebelstande dadurch abgeholfen werden, daß man die Feder aus dem Halter herausnimmt, auf den Stein legt und ihr Spaltende durch leichtes Darüberstreichen mit irgend einem rundlichen, metallenen Gegenstande ebnet.

Auch kann man auf einem feinkörnigen Schleif- oder vielmehr Wetzsteine nach Bedarf den Schnabel zuspitzen, die zu scharfen Kanten etwas abrunden, und die Feder sozusagen nach seiner Hand zurichten.

Findet man die Feder beim Schleifen etwas zu weich, so kann man deren Spitze wieder etwas härten, wenn man sie wenige Sekunden in die Flamme eines brennenden Lichtes hält und dann, noch glühend, schnell in das Unschlitt der Kerze stößt, worauf man sie endlich vollends gut schleift.

Mit diesen Federn (deren man aber jederzeit mehrere vorräthig haben muß, weil man damit nicht feine und Grundstriche zugleich machen kann, sondern erst die ganze Schrift, oder ganze Partien mit einer feinen Feder anlegt und die Grundstriche mit einer stärkeren nacharbeitet), wird in der Regel alle Schrift auf Stein geschrieben. Man muß sich dabei hüten, daß man die Federn nie rückwärts schiebt, wie man dies auf dem Papiere mit der Federspule macht, sondern man muß sie immer in der Hand wenden, damit sie bei jedem Striche vorwärts gezogen wird, was durch eine vortheilhafte Lage des Steines bei der Schrift, die, wie sich von selbst versteht, allemal verkehrt geschrieben werden muß, sehr erleichtert wird. Drückt man so, daß sich der Schnabel rückwärts biegen muß, wie dies bei be deutenden Grundstrichen mit der Spule oft zu geschehen pflegt, so bricht der Schnabel ab, und ebenso würde es gehen, wenn man durch Auf = oder Rückwärtsschieben den Schnabel anstrengen wollte.

Feinkörnige Wetz= oder Schleifsteine sind bei der Fe= derzeichnung, um die Stahlfedern darauf vorzurichten, sie zu schärfen, wenn sie stumpf geworden, oder hier und da nachzuhelfen, wenn sie nicht schreiben, wie sie sollen, unent= behrlich. Ein solcher Wetzstein ist gleichsam das Feder= messer des Lithographen, der ihm ebensowenig fehlen darf, wie jenes dem Schreiber.

b) Pinsel zur Schrift und Zeichnung und zu anderem Gebrauche.

Da es manchen Lithographen schwer wird, sich die Federn selbst zu schneiden, auch das oftmalige Korrigiren derselben sehr zeitraubend ist, so hat man versucht, sich statt der Federn der Pinsel zu bedienen. Auch mit diesen kann man Schrift auf Stein zeichnen; allein es gehört eine ausgezeichnete Fertigkeit und lange Uebung dazu, die Pinsel so zu führen, daß man eben so scharfe, reine Striche hervorbringt, wie mit einer Stahlfeder, und wenn auch der Künstler dies vermag, so ist er doch nicht im Stande, dem mit der Feder Arbeitenden an Schnelligkeit gleichzu= kommen, angenommen nämlich, daß jeder in seiner Kunst gleiche Fertigkeit besitze.

Man bedient sich zu diesem Zwecke der ganz feinen Miniaturpinsel und richtet davon einige so zu, daß alle Haare nach und nach in eine einzige Spitze zulaufen, andere aber streicht man breit, so daß die Haare fast alle neben einander liegen und schneidet auf beiden Seiten einige ziemlich weit oben ab, dann richtet man die Pinsel auf

8*

einer andern Seite wieder so breit und schneidet etwas tiefer auf beiden Seiten einige Haare ab; so fährt man fort, bis nur etwa noch 10 — 12 Haare übrig sind, diese schneidet man an ihrer Spitze ganz gleich.

Mit solchen Pinseln nun kann man völlig gleich fortlaufende Linien und Striche zeichnen, da man im Gegentheil mit den zuerst beschriebenen Pinseln Striche von verschiedener Stärke fertigen kann.

Außerdem bedarf man aber auch noch verschiedener großer und kleiner Pinsel, so z. B. zum Auftragen des Gravir- und Aetzgrundes, dann zum Ausdecken der Tonplatten, oder bei Ausbesserungen, und um hie und da Scheidewasser oder andere Präparirmittel in kleinen Partien anzubringen.

c) Die Reiß- oder Ziehfedern.

Es sind dies dieselben, wie man sie in jedem Reißzeug oder mathematischen Besteck findet, und sie werden auch auf dem Steine ebenso angewendet und benutzt, wie auf dem Reißbrette, das mit Papier bespannt ist. Man füllt sie ebenso, man giebt ihnen bei der Arbeit eben die Richtung in der Hand und führt sie so auf dem Steine, wie auf dem Papiere.

Die Backen oder Blätter der Reißfeder müssen an der Spitze zwar außerordentlich sein, aber durchaus nicht spitz, sondern etwas rundlich zugeschliffen werden, indem sie, sobald sie in eine Spitze auslaufen, den Stein, selbst bei der leichtesten Führung, angreifen und sich voll Steinstaub setzen, wo sie dann versagen.

Der Lithograph bedarf der Reißfeder besonders bei tabellarischen Arbeiten, dann bei allen Gelegenheiten, wo gerade Linien von größerer Ausdehnung nöthig sind und zu mathematischen und architektonischen Arbeiten. Selbst bei musikalischen Werken ist sie ihm unentbehrlich, er zieht damit die Taktstriche, und oft, wenn seine Rostrale zu Noten von vorgeschriebener Größe zu weit oder zu eng

sind, sämmtliche Notenlinien, die er sich dann freilich durch
genaues Maß, auf beiden Seiten, vorher angeben muß.

d) Das Rostral.

Dieses den Musikern und Notenschreibern allgemein
bekannte Instrument ist dem Lithographen, welcher Schrift
und überhaupt mit der Feder arbeitet, sehr nothwendig,
zum Lithographiren musikalischer Werke. Die in der Lithographie anzuwendenden Rostrale sind die bekannten, wie
man sie für das Papier benutzt; nur ist es rathsam, daß
man auf Stein stählerne, nicht messingene, anwende, weil
sich jene weit weniger abnutzen, als diese. Man hat sie
von verschiedener Konstruktion, doch ist der Satz festzustel-
len: daß alle die Gattungen, die auf Papier als vortheilhafter erkannt wurden, auch auf Stein diesen Vortheil
haben, mit Ausnahme der Masse, von Messing, Stahl ꝛc.,
wie erst erwähnt worden ist.

Die Art sie zu füllen, bei der Arbeit zu führen und
überhaupt sie zu behandeln, ist die bekannte; nur sind bei
diesen, wie bei den Reißfedern und allen Stahl- und Spul-
federn, stets Papierschnitzchen, Lappen u. dergl. nöthig,
um zu dick gewordene Tinte, Härchen, Fäserchen oder
andern Schmutz, der sich bei dem Gebrauche hineingezogen
hat und auf dem glatten Steine mehr schadet, als auf dem
Papiere, sogleich herausbringen und das Instrument leicht
säubern zu können. Uebrigens müssen alle fünf Schnäbel
des Rostrales noch viel sorgfältiger nach einer geraden
Linie abgeschliffen sein, als für Papier, da letzteres immer
etwas elastisch ist und feine Ungleichheiten ausgleicht, was
bei dem Steine selbstredend nicht der Fall ist.

Hierhin können wir auch ein Instrument rechnen,
dessen man sich zum Ziehen von Parallelen bedient, welche
die Schrifthöhe bestimmen. Bei Landkarten, Preiskou-
ranten ꝛc. kommt es darauf an, durch die ganze Arbeit
eine und dieselbe Schrifthöhe bei gleichartigen Gegenständen
beizubehalten. Das Abstechen dieser Schrifthöhe mit dem
Zirkel ist zeitraubend und wird leicht ungenau, da der

Zirkel beim Abstechen sich leicht verstellt. Wir haben uns
zu diesem Zwecke mit Vortheil eines Instruments bedient,
das genau wie eine gewöhnliche Reißfeder geformt war,
dessen Blätter aber von sehr weichem Messing gemacht
waren, und das zwei Schraubenmuttern hatte, nämlich
eine zwischen den Blättern und eine zweite, gewöhnliche,
außerhalb derselben. Mittelst dieser beiden Muttern lassen
sich die Blätter in jeder beliebigen gegenseitigen Entfernung
unverrückbar feststellen, doch dürfen sie nicht zu schwach
sein, um nicht etwa zu federn. Mit diesem Instrumente,
das man für die Schrifthöhe stellt, zieht man nach dem
Lineal die nöthigen Parallelen, welche auf dem weißen
Steine dunkelgrau, auf dem für die Gravirung präparirten
aber glänzend erscheinen und beim Drucke nie Farbe annehmen. Es versteht sich übrigens von selbst, daß die
Blätter nicht etwa scharf sein dürfen, indem sie sonst in
den Stein einschneiden würden.

Ferner bedarf der Lithograph, wenn er Musikalien
schreibt, eines Instrumentes, womit er die Notenköpfe
macht, um schneller und gleichmäßiger arbeiten zu können,
als wenn er jeden einzeln mit der feinen Stahlfeder um-
schreiben und dann mit einer gröbern ausfüllen sollte, und
dieses Instrument heißt:

e) Der Notentupfer

und ist ein messingenes oder silbernes Röhrchen von ungefähr $7\frac{1}{2}$ bis 9 Centim. Länge, das oben etwas weiter,
als unten, und zwar hier so weit und so geformt ist, wie
die Notenköpfe gewöhnlich sind. Oben wird es mit einem
messingenen Stöpsel verschlossen, an welchem ein Draht befestigt ist, der bis an die untere Mündung des Röhrchens
reicht, wo er in ein Kreuz oder stempelartiges Gefüge
ausgeht, zwischen welchem sich die flüssige Tusche beim
Eintauchen hineinzieht und von ihm gehalten wird, bis sie
nach und nach durch das Tupfen der Notenköpfe ausfließt.
An den Seiten des Röhrchens sind noch Löcher angebracht,
durch welche der Luft einiger Zugang gestattet wird, um
durch ihren Druck das Ausfließen der Tusche bei der Arbeit

zu befördern. Da sich indessen dieser Draht und mit ihm der ganze Notentupfer durch die eintrocknende Tinte sehr bald verschmieren würde, muß man dafür sorgen, daß der Draht sich in der Röhre stets bewege. Dies bezweckt man dadurch, daß man ihn ein wenig vor der Oeffnung der Röhre vorstehen läßt und das hintere Ende gegen eine, im Innern der Röhre befindliche Spiralfeder stützt. Setzt man nun den Tupfer auf die Stelle, wo man einen Noten= kopf machen will, so drückt sich der Draht in das Innere der Röhre, die Tusche fließt aus, und sobald man den Tupfer aufhebt, treibt die Spiralfeder denselben wieder vorwärts, ein Spiel, das sich bei jedem Notenkopfe wieder= holt. Da das hintere Ende der Röhre zur Aufnahme der Feder geschlossen ist, muß man an der Seite der Röhre eine Oeffnung zum Einfüllen der Tinte anbringen.

Man tupft bei dem Schreiben der Noten mit diesem Instrumente nur auf den Ort, wo die Note zu stehen kom= men soll und erhält so den Notenkopf selbst; so fährt man Zeile für Zeile fort, bis man eine oder auch mehrere Ko= lumnen fertig hat, worauf man dann die Hälse mit der Stahlfeder, und endlich die Taktstriche und Balken mit der Reißfeder daran macht.

f) Reißschiene, Lineale und Winkel

sind für den Lithographen, besonders für den, der sich mit Federzeichnungen und Schrift beschäftigt, ebenfalls noth= wendige Werkzeuge, denn schon bei aller Schrift, die sich verkehrt, wie dies für den Druck geschehen muß, nur sehr schwer, fast nie völlig gleich schreiben läßt, sind sie ihm nöthig, besonders nützlich aber die Reißschiene, um mit Bequemlichkeit eine Menge Linien in gleicher Richtung ziehen zu können, was die jederzeit winkelrecht gearbeiteten Steine oder vielmehr die Zeichenrahmen, welche wir vor= hin beschrieben und abgebildet haben, auch erlauben. Doch nicht nur zur Anlage der Schrift, auch zu andern Zeich= nungen, besonders bei mathematischen Figuren und über= haupt allen mathematischen und Bauzeichnungen ist sie unentbehrlich. Kleine und größere Schräglinien, deren

Endpunkte angegeben sind, kann man nach gewöhnlichen Linealen oder den Winkeln (Dreiecken) ziehen. Die Winkel dienen auch zugleich, um kleine Parallelen u. s. w. zu ziehen, zu welchen man die Reißschiene nicht stellen will oder kann.

Die bei dieser Arbeit zu verwendenden Lineale und Winkel läßt man am besten von starkem Eisen- oder Messingblech, etwa 1 Millim. dick, machen, und versieht sie auf ihrer obern Fläche mit einem Knopfe, damit man sie leichter handhaben kann, und nicht beim Aufheben zufällig in die Verlegenheit kommen möge, die Oberfläche des Steines mit den Fingerspitzen zu berühren, wodurch auf dem Steine Fettflecken entstehen würden, die später Farbe annehmen dürften. Gut ist es auch, die untere Fläche der Lineale und der Winkel bis auf 2 Millim. vom Rande mit starkem Papiere zu bekleben.

Für manche Arbeiten, wobei Lineal und Winkel in Anwendung kommt, ist auch das von Krauß konstruirte Lineal, welches an den Stein angeschlossen werden kann, sehr zweckdienlich und empfehlenswerth. Taf. I, Fig. 27, ist für kleinere Platten konstruirt. Der Körper a ist verschiebbar in dem Schlitze b c. Die Schrauben d e dienen zum Anziehen des Körpers a, die Schwanzschraube f zum Anziehen am Stein.

Taf. I, Fig. 28, ist für größere Platten bestimmt. Der Körper a ist versetzbar in die Löcher b c d ꝛc., e Stellschraube für den Körper f, g h Schwanzschrauben zum Anziehen an den Stein. Gewöhnlich werden auch zum Zeichnen der gebogenen Linien die Kurvenschablone benutzt.

g) Ein mathematisches Besteck oder Reißzeug

benutzt der Lithograph, wie der Architekt, denn auch ihm kommen dergleichen Arbeiten oft vor. Allerdings kann er durch das Durchpausen die Zeichnung genau übertragen, und er würde auch sehr mühsame Arbeit haben, wenn er jede mathematische, architektonische oder dergleichen Figur regelmäßig mit dem Zirkel übertragen wollte, denn dieser ist auf Stein weniger zu gebrauchen, da seine scharfen

Spitzen sich bald verbiegen oder abnutzen und er überhaupt nicht so fest aufgesetzt werden kann, wie auf dem Papiere; dennoch aber sind Zirkel, und besonders die Reißfedern, nebst allen im Reißzeuge gewöhnlichen Instrumenten, bei manchen Arbeiten nicht zu entbehren, und wenn es auch nur wäre, um sich zu überzeugen, ob die übertragene oder eine von der Hand nur angelegte Zeichnung richtig und genau gemacht sei, oder nicht. Es kommen aber auch lithographische Arbeiten vor, bei denen das Pausen nicht wohl anwendbar ist, so z. B. streng mathematische Zeichnungen, deren Hauptwerth in der konstruktiven Genauigkeit besteht, wobei alsdann der Lithograph statt des Pausens die Zeichnung auf dem Stein konstruiren muß.

Für den Gebrauch des Reißzeuges auf Stein müssen die Reißfedern und Zirkelfüße immer von gehärtetem Stahle sein, was zum gewöhnlichen Gebrauche nie nothwendig ist.

Bei dieser Gelegenheit müssen wir noch zweier besondern Zirkel erwähnen, welche dem Lithographen unentbehrlich sind, nämlich des Grabbogenzirkels und des excentrischen Zirkels.

Der Grabbogenzirkel ist ein gewöhnlicher, stählerner Zirkel mit gehärteten Spitzen, an dessen einem Schenkel aber ein Grabbogen von Messing befestigt ist, welcher durch einen Schlitz des andern Schenkels geht, dergestalt, daß mittelst einer Preßschraube dieser Schenkel unverrückbar festgestellt werden kann. Dieser Zirkel dient, um damit Kreise zu graviren, d. h. in den Stein einzuschneiden. Ein gewöhnlicher Zirkel würde, da er leicht im Gewerbe gehen muß, durch eine kleine Unebenheit, oder eine harte Stelle im Steine leicht aus seiner Stellung kommen und der Kreis dann nicht zusammenlaufen, was Unregelmäßigkeiten und mühsame Korrekturen nach sich ziehen würde; die feste Stellung der Schenkel bei einem solchen Grabbogenzirkel läßt aber diesen Uebelstand nicht eintreten.

Der excentrische Zirkel. Wenn aus einem Punkte auf dem Steine mehrere Kreise geschlagen werden sollen, muß man, sobald man mit gewöhnlichen Zirkeln arbeitet, den einen Schenkel in den Mittelpunkt-einsetzen; damit er aber nicht abgleite, muß dort eine kleine Vertiefung gemacht werden, wo der feststehende Schenkel hinkommt. An dieser Stelle nimmt nachher der Stein gern Farbe an, oder wenn über die Stelle hin wieder gezeichnet werden soll, so druckt dieselbe, da sie tiefer liegt, nicht mit. Ebenso ist, wo es gilt, sehr kleine Kreise zu schlagen, der feststehende Schenkel häufig im Wege. Allen diesen Uebelständen hilft der excentrische Zirkel ab, bei dem der feststehende Fuß fehlt, oder vielmehr nicht eingesetzt wird. Man hat dergleichen Zirkel, welche auch Kreismaschinen oder Nullenzirkel genannt werden, sehr vielfältig konstruirt; einer der einfachsten und für unsere Zwecke vollkommen ausreichend, ist der auf **Taf. I, Fig. 29 u. 30,** dargestellte koncentrische Zirkel von **Jobard. Fig. 29** zeigt denselben von der Seite, **Fig. 30** von vorn angesehen.

Bei diesem Zirkel **hängt der Mittelpunkt über dem** Plane, und die Kreislinie erzeugt sich durch den mittelst der Druckschraube m nach Maßgabe des Halbmessers zu stellenden Stift, welcher durch die Kurbel d excentrisch bewegt wird. a ist ein hölzerner Block, dessen untere Fläche vollkommen glatt ist und auf ein Blättchen Papier auf den Stein gesetzt wird. Auf diesen Block ist der kupferne Träger b festgeschraubt, welcher die Achse e aufnimmt, in deren Verlängerung der Mittelpunkt der zu schlagenden Kreise liegt. Diese Achse ist hohl und erlaubt einem genau centrirten Stifte den Durchgang. Dieser Stift dient dazu, die Achse genau über den Mittelpunkt des zu schlagenden Kreises auf dem Steine zu bringen, und wird, sobald dieser Zweck erreicht ist, wieder entfernt. Das untere Ende dieser Achse welche durch ein Büchse c läuft, ist mit einem excentrischen Kopf f verbunden, welcher mit zwei Federn g und h versehen ist, deren eine g gegen den zeichnenden Stift i drückt, während die andere h gegen ein kleines Stück k sich legt, durch welches dieser Stift läuft, der mittelst einer Schraube l in der zum Graviren gehörigen Höhe festgestellt werden kann. Durch diese Feder wird die

Spitze immer nach außen hin getrieben. Die Schraube m dient, um den Halbmesser der Kreise zu bestimmen.

Für größere Dimensionen wird auch der Stangen= zirkel benutzt, welcher hierzu zum Einsetzen eines Dia= manten eingerichtet, was auch bei obigen Kreismaschinen meistentheils der Fall ist.

Eine Abart des gewöhnlichen Zirkels ist der Ellipso= graph, welcher dazu dient, wie mit jenem Kreise von jedem beliebigen Durchmesser, so mit diesem Ellipsen von beliebigem Verhältniß ihrer Achsen zeichnen zu können. Bei technischen und architektonischen Arbeiten kommen der= gleichen Ellipsen sehr häufig vor, und ihre Bearbeitung aus freier Hand hat viel Schwierigkeit; deshalb ist man be= müht gewesen, Instrumente zu erfinden, mit denen man dieselben mechanisch und mit großer Genauigkeit erzeugen kann. Man hat zu diesem Zwecke zahlreiche Instrumente konstruirt, das beste ist aber der Ellipsograph von Cousens in London, dessen obere Ansicht wir auf Taf. II, Fig. 31, die Seitenansicht aber in Fig. 32 darstellen. Gleiche Buchstaben bezeichnen gleiche Theile. A, B, C und D sind vier mit Schlitzen versehene Schieber, welche mittelst Kopf= schrauben an den im Kreuz E, F, G, H laufenden Centrum= knöpfen festgestellt werden können, und zwar so, daß die hier an einer und derselben Stelle des Kreuzes befindlichen genau die Länge der halben zugehörigen Achse der zu zeichnenden Ellipse darstellen, wie dies Fig. 31 deutlich zeigt. Die vordern Enden von A und B und von C und D sind durch die Lenkstangen I und K mit einander paarweis verbunden. Diese Lenkstangen gehen, eine über der anderen durch den kreuzweis durchbohrten Kopf P, in dessen Mittelpunkt zugleich die Hülse für den zeichnenden oder Gravirstift befestigt ist. Bewegt man nun den letzt= genannten Stift, so bewirken die Schieber und ihre Ver= bindungsstangen, daß dies durchaus nicht anders, als in der Richtung einer mathematisch richtigen Ellipse geschehen kann. Macht man alle vier Schieber durch Stellung an den Schrauben gleich lang, so wird die beschriebene Figur ein Kreis sein, d. h. eine Ellipse, bei welcher die beiden

Achsen gleich groß sind, macht man aber das eine Schieber-
paar = 0, so beschreibt die Maschine eine gerade Linie,
d. h. eine Ellipse, deren eine Achse = 0 ist. Die beiden
Erscheinungen geben übrigens das Mittel an die Hand,
zu prüfen, ob das Instrument richtig gearbeitet sei.

h) Schaber und Gravirnadel.

Weiter oben in diesem Kapitel ist bereits gesagt, daß
man mit Terpentinöl Linien, ganze Partien einer Zeichnung u. s. w. wenn sie falsch, oder nicht nach Wunsch gerathen sind, wieder wegwischen kann; allein einerseits, wenn
die gemachte Zeichnung bereits eingetrocknet ist, andrerseits
bei kleinen Strichen, einzelnen Punkten u. dergl. mitten
in der Zeichnung oder Schrift, ist dies nicht mehr möglich. Man bedient sich dann eines Radirmessers, das, wie
gewöhnlich, zweischneidig, unten ziemlich abgerundet und
überhaupt etwas breit und stets sehr scharf sein muß. Mit
diesem radirt man einen Buchstaben oder dergleichen ebenso
weg, wie auf dem Papier, nur hat man sich wohl vorzusehen, daß man soviel möglich den Stein schone, denn
nimmt man zu viel weg, so kommt der neue Buchstabe
tiefer zu stehen, als die andern und der Drucker hat dann
stets zu kämpfen, um ihn im Abdruck ebenso schwarz als
die übrigen zu erhalten. Sind die Fehler nur Punkte,
oder ist eine oder die andere Linie hie und da rauh, oder
hat sie ein Häkchen u. dergl., so nimmt man eine zu
diesem Behuf etwas breit geschliffene Nadel und radirt
damit, oder putzt die fertige Schrift damit aus, um jedes
etwa noch überflüssige Pünktchen zu beseitigen.

Ein noch besseres Instrument ist der sogenannte Schaber, den man auch beim Rehaussiren der Glanzlichter in
der Kreidezeichnung braucht. Es ist dies der Schaber,
wie ihn die Kupferstecher zur schwarzen Kunst u. s. w.
brauchen. (Siehe Taf. II, Fig. 33). Man bedient sich
der Schaber, indem man die schneidende Stelle in sehr
flacher Richtung gegen den Stein legt und damit das zu
Entfernende fortnimmt.

Derartige Schaber bedarf der Lithograph von verschiedener Form und Größe, wovon die Schaberformen auf Taf. II, Fig. 34, alle gleich zweckdienlich, je nach der Verwendung sind.

Hierher gehören auch die Gravirnadeln. Dieselben müssen von sehr gutem Stahl und vollkommen gehärtet sein, damit sie den Stein scharf angreifen und so langsam als möglich stumpf werden.

Zur Anfertigung derselben kann man englische Stahlnadeln nehmen oder sich der sogenannten fünfeckigen englischen Reibahlen (Taf. II, Fig. 35) bedienen, wie sie die Uhrmacher verwenden.

Minder gut sind die französischen (Taf. II, Fig. 36), welche daran zu erkennen sind, daß sie keine Kanone a (Fig. 35) haben.

Auch die englischen Grabstichel sind sehr zu empfehlen, man muß sie aber vorher, da selbst die dünnste Sorte noch viel zu dick ist, in Scheidewasser dünner ätzen.

Ob man sich übrigens der Stahlnadel oder Reibahle bedient, müssen diese Instrumente entweder immer in Holz gefaßt, oder in Hefte befestigt werden. Derartige Hefte sind auf Taf. II in Fig. 37 und 38 dargestellt.

Diese Nadeln oder Reibahlen werden dann nach den nöthigen Formen zugeschliffen, wobei die geschliffene Fläche stets in schräger Richtung gegen die Achse des Stiftes gestellt sein muß, wie dies auch bei den Grabsticheln der Kupferstecher der Fall ist.

Viele Gravenrs spitzen auch die Ahle pyramidalisch oder kegelförmig zu, doch kann man solche nur zum Vorreißen anwenden.

Wir kommen überhaupt auf die Anwendung und Form der Nadeln weiter unten, wo wir von der Gravirmanier sprechen, wieder zurück.

In neuester Zeit bedient man sich meist zum Graviren der Diamanten, welche allerdings bedeutende Vortheile gewähren, da sie einen reinen Schnitt geben und nicht geschliffen zu werden brauchen. Man erhält dieselben in verschiedenen Stärken bereits gefaßt. Ist man, was indessen

jetzt, wo man die Diamanten von Donndorf in Fankfurt
a. M. und selbst in den besseren mechanischen Ateliers in
jeder verschiedenen Form und Stärke bequem beziehen
kann, nur höchst selten vorkommen dürfte, genöthigt, ungefaßte Diamanten anzuwenden, so muß man sich zur Arbeit
mit denselben einer Schraubenkluppe bedienen. Taf. II,
Fig. 39, zeigt eine solche. A ist ein, mit einer Zwinge
versehener Griff, in welchen die, aus zwei Blättern bestehende Kluppe B fest gemacht ist. Der hintere Theil der
Blätter ist mit einem Schraubengewinde versehen, auf
welchem sich die Mutter c bewegt. Da die Blätter konisch
anlaufen, so müssen sie, jemehr die Mutter nach vorn bewegt wird, sich schließen und so den Diamantsplitter D
festhalten.*)

Der mit Tinte arbeitende Lithograph hat auch

i) Gefäße

nöthig, in denen er die Tusche einreibt und auflöst und
in welchen er sie zum Gebrauche vor sich hat. Erstere
ersetzt jede Untertasse, und letztere irgend ein Fläschchen,
in welchem die Tinte nicht so schnell vertrocknet; doch muß
dessen Hals so weit sein, daß man mit einer ziemlich starken
Federspule bequem eintauchen kann. Noch besser sind
bleierne, kleine, mit einem genau passenden Deckel zu ver-
schließende Tintengefäße, in denen sich die Tinte vorzüglich gut hält und nur wenig eintrocknet, wenn man sie stets
gehörig zudeckt.

k) Der Kreidehalter, die Bleihülse.

Dieses Instrumentes bedarf jeder Lithograph zuweilen,
besonders aber ist es bei der Arbeit mit lithographischer

---

*) Ein guter Schriftdiamant ist eines der wichtigsten
Werkzeuge des Lithographen, und kann daher die Anfertigung
desselben, bezüglich Güte und Auswahl der Diamant-Splitter,
als auch die Form und Fassung in Stahl, nur von einem geübten Kenner vollzogen werden. — Eines hohen Rufes erfreuen
sich seit 25 Jahren die Schriftdiamanten von E. Winter in
Hamburg.

Kreide in mehreren Exemplaren nöthig. Es ist das bekannte messingene Instrument, wie es jedes Schulkind
besitzt, kann aber auch oft durch starke Federspulen oder
andere ähnliche Instrumente ersetzt werden. Sein Gebrauch
zum Einspannen der Kreide ist, wie das Instrument selbst,
gewiß Jedem bekannt, daher es weiter keiner Beschreibung
bedarf.

Da die Bleihülsen indessen immer etwas schwer und
unbehülflich sind, so bedienen sich die Zeichner in Kreidemanier lieber leichter Hülsen, welche sie aus Papier zu-
sammenrollen*), oder sie verwenden dazu das Schilfrohr,
das sich zu diesem Gebrauche vortrefflich eignet.

Sehr bequeme und zweckdienliche Kreidehalter erlangt
man auch, wenn die gewöhnlichen messingenen in der Mitte
entzwei geschnitten, und an jedem Theile ein hölzerner
Stiel befestigt wird.

1) Die Schraffirmaschine.

In der Lithographie kommen ebenso, wie in der
Kupferstecherkunst sehr oft Fälle vor, wo man größere oder
kleinere Flächen mit einer großen Zahl gleichweit voneinander stehender Parallelen bedecken, oder solche Parallelen
ziehen muß, deren Entfernungen nach gewissen Verhältnissen ab- oder zunehmen ꝛc., mit andern Worten: man
muß oft in der gravirten Manier glatte Töne, z. B. Luft,
Wasser, große ebene Flächen u. s. w. machen. Diese Arbeiten entsprechen aber nur dann den an sie zu stellenden
Erwartungen, wenn die Linien alle mit der größten Genauigkeit und Gleichmäßigkeit gezogen werden. Dies aus
freier Hand nach der Reißschiene zu vollbringen, würde
mehr verlangen heißen, als ein nicht ganz ausgezeichneter

---

*) Um derartige papierene Halter herzustellen, bestreicht man
einen Bogen Papier mit Leim und rollt ihn mehrere Male um
einen Bleistift oder ein hölzernes Stäbchen, daß ein wenig schwächer
ist als die lithographische Kreide. Man zieht sodann das Stäbchen heraus und läßt die so gebildete Röhre trocknen, welche
einen sehr leichten Halter abgiebt.

Künstler vermag, und selbst dann noch würden sich immer kleine Unrichtigkeiten vorfinden.

Zur bequemeren Lösung dieser Aufgabe hat man die Schraffirmaschinen erfunden. Deren giebt es, seit Conté in Paris für das Prachtwerk: Déscription de l'Egypte, im Jahre 1803 die erste solche Maschine erfand und Turrel in England dieselbe im Jahre 1821 verbesserte, eine große Anzahl nach den verschiedenartigsten Systemen zusammengesetzte, und es ist bewundernswürdig, was in der neuesten Zeit in dieser Hinsicht geleistet worden ist. Es würde hier viel zu weit führen, wenn wir auch nur die besseren dieser Maschinen beschreiben und abbilden wollten: wir beschränken uns daher nur darauf, zwei solcher Schraffirmaschinen hier mitzutheilen, deren Anschaffung mit geringen Kosten stattfinden kann, und die dennoch ihren Zweck vollständig erfüllen.

Die erste, einfachere dieser Maschinen ist auf **Taf. II**, **Fig. 40** u. **41**, dargestellt, und zwar **Fig. 40** die obere, **Fig. 41** die Seitenansicht dieser kleinen Maschine, welche sich hauptsächlich zu kleineren Arbeiten, Tarotirungen für Wechselschemas, Adreßkarten, Titelblätter 2c. eignet.

Ein starkes metallenes Lineal A, das durch seine eigene Schwere festliegt und sich nicht leicht verschieben läßt, hat auf seiner obern Fläche eine Nuth B, welche aus zwei Flächen besteht, die auf dem Grunde der Nuth zusammentreffen. In dieser Nuth läßt sich ein kleiner messingener Cylinder C, der sich aber bis über seinen wagerechten Durchmesser in die Nuth einsenken muß, hin= und herschieben, auf welchem das Rohr D rechtwinkelig festgelöthet ist und mit ihm ein Ganzes bildet. In diesem Rohre liegt eine sehr gleichmäßig geschnittene, feine stählerne Schraube, welche eigentlich den Körper der ganzen Maschine bildet. Diese Schraube ist am Fuße der Röhre dergestalt befestigt, daß sie sich wohl um ihre Achse drehen, aber nicht aus der Röhre herausgenommen werden kann. Auf dieser Schraube schiebt sich, ebenfalls innerhalb der Röhre, eine ringförmige Schraubenmutter, welche mit dem außerhalb der Röhre aufgeschobenen Ringe F durch eine

Schraube verbunden ist, welche durch den Schlitz a geht. Auf diese Weise bewegt sich, sobald die Schraube gedreht wird, die Mutter und mit ihr gemeinschaftlich der Ring F, nach Maßgabe der Umbrehungen vor- und rückwärts. Der Ring F trägt eine Hülse zur Aufnahme der Gravirnadel c, welche mittelst der Preßschraube d in jeder beliebigen Höhe festgestellt werden kann. — Man sieht, daß, sobald der Ring F an irgend einen Ort gestellt ist, wo man eine Linie ziehen will, und man den Cylinder C in der Nuth B verschiebt, die Nadel c eine Linie ziehen wird, welche mit der Richtung, die das Lineal A angiebt, parallel sein muß. Der Fall wird bei jeder Stellung des Ringes F stattfinden. Es kommt nun nur darauf an, die gegenseitigen Ent-fernungen dieser Parallelen mit Haarschärfe bestimmen zu können. Dazu dient der Theilring E, welcher auf der Schraube fest ist und ihre Umbrehungen mitmachen muß. Dieser Theilring ist sehr genau in 50 gleiche Theile ge-theilt, welche auf dem Umfange bemerkt sind. Bei b ist auf der Röhre ein Index festgeschraubt. Stellt man nun das Zeichen 0 (Null) unter den Index und läßt alle Nummern bis 50 unter dem Index durchgehen, indem man den Theilring nach und nach eine volle Umbrehung machen läßt, so hat auch die Schraube eine Umbrehung gemacht, die Mutter derselben, mithin auch der Ring F, sind aber um die Breite (oder Höhe) eines Schrauben-ganges vor- oder zurückgerückt. Es ist klar, daß bei 25 ein halber, bei $12^1/_2$ ein Viertelumgang gemacht und der Ring F um ebensoviel gerückt worden ist, daß man also für jeden Schraubenumgang 50 Linien ziehen kann, die alle parallel sind. Hat nun die Schraube 25 Umgänge auf 3 Centim., was keine große Feinheit ist, so kann man auf die Fläche von 3 Centim., wenn man bei jedem Theil-lungspunkte eine Linie zieht, 25×50 oder 1250 Linien ziehen. Man kann aber auch diese Feinheit noch steigern, wenn man, was sehr leicht und mit Genauigkeit geschehen kann, allemal die Distanz zwischen zwei Theilpunkten des Ringes halbirt und den Index auf diesen Halbirungspunkt stellt, wo man dann auf die Breite von 3 Centim. 2500

Weishaupt, Steinbruck.   9

Linien ziehen kann. Es liegt am Tage, daß man nun auch die Parallelen stufenweise einander nähern kann; wenn man z. B. 2 Linien zieht, deren Entfernung ½ Umgang, d. h. 25 Punkte beträgt, dann bei der folgenden nur 23 Theilungspunkte, bei der dann folgenden nur 21 Punkte ꝛc. nach Belieben nimmt, so werden die Linien nach und nach immer dichter fallen und die Flächen sich abschattiren. Beim Gebrauche wird das Lineal A unmittelbar in einer der zu ziehenden Linien genau parallelen Richtung auf den Stein gelegt. Seine Schwere hindert bei vorsichtiger Arbeit das Verschieben.

Die zweite Maschine, welche bedeutend zusammengesetzter ist, liefert aber auch viel genauere Resultate. Diese Maschine ist auf **Taf. II** in **Fig. 42—48** dargestellt, und zwar ist **Fig. 42** die obere Ansicht, **Fig. 43** die vordere Ansicht, **Fig. 44** die obere Ansicht des Wagens, **Fig. 45** die vordere Ansicht desselben, **Fig. 46** dessen Seitenansicht, **Fig. 47** die hintere Ansicht des Theilrings mit dem Sperrrade und **Fig. 48** die Seitenansicht des vorderen Theiles der Schraube. In allen Figuren bedeuten dieselben Buchstaben dieselben Theile.

A ist ein sehr genau und solid gearbeiteter Rahmen von Eichenholz oder noch besser von Gußeisen, in dessen Höhlung die Platte N genau paßt, sobald sie durch die vier Schrauben P, P', deren Muttern in dem Boden O liegen, der zwischen die Pfosten Q, Q' eingefalzt ist, in die Höhe getrieben wird. Auf die Platte N wird entweder die zu gravirende Kupferplatte befestigt, oder der zu gravirende Stein in der gehörigen Richtung eingelegt, und dessen Oberfläche durch die Stellschrauben P, P' genau parallel mit der obern Fläche des Rahmens A, gestellt. Ueber den Rahmen A hin bewegt sich das messingene Lineal B, welches das Endstück C und die Stütze D hat, um beständig rechtwinkelig auf der Achse der Schraube E zu stehen. Die Schraube E, welche außerordentlich fein und genau geschnitten und durchaus gerade sein muß, ist die Seele der Maschine. Sie ruht in den Böcken a und b dergestalt, daß sie sich wohl um ihre Achse, aber nicht der

Länge nach, bewegen kann. Ihr Kopf ist verlängert, und auf diese Verlängerung ist der aus drei Theilen, einem Sperrrade H, einer Kettenschnecke J und einer Rolle K bestehende Ring aufgeschoben, die Theilscheibe G, und die Kurbel M aber festgeschraubt. Dreht man nun mittelst der Kurbel M die Schraube E, so gehen die Theile G, H, J und K mit. Auf der Schraube E bewegt sich eine Mutter, welche einen Vorsprung hat, der in die Vertiefung eines Futters eingreift, das unterhalb des Lineals bei b' angebracht ist, und zwar dergestalt, daß, sobald man das Lineal nach dem Kopfe der Schraube zu zieht, der Vorsprung aus der Vertiefung geht, man das Lineal also frei bewegen kann, sobald man etwas sehen will, was unterhalb des Lineals liegt. Außerdem aber wird das Lineal durch die Schnur e gehalten, welche, an demselben fest und von dort, über eine Rolle geleitet, ein Gewicht trägt, welches das Lineal immer vorzuziehen strebt. Ein zweites Auflager findet das Lineal auf der Schraube durch ein unterhalb D angebrachtes halbcylindrisch ausgehöhltes Futter; den dritten Stützpunkt aber bildet die Rolle c, welche auf der Bahn d läuft.

Die einfache Anschauung giebt nun, daß, da die Mutter unterhalb b' mit dem Lineal so verbunden ist, daß sie sich nicht drehen, aber auch nicht nach rückwärts hin weichen kann, das Lineal, sobald man mittelst der Kurbel M die Schraube E nach der Linken hin dreht, sich nach Maßgabe der Umdrehungen nach dem Kopfe der Schraube hin bewegen muß. Dreht man im Gegentheil rechts hin, so würde sich die Mutter allerdings unter dem Lineal verschieben können; da indessen das Gewicht an der Schnur e das Lineal immer gegen die Schraubenmutter anzupressen strebt, so muß auch in dieser Richtung das Lineal der Bewegung der Schraubenmutter folgen.

Es kommt nun darauf an, die Entfernungen zu reguliren, auf welche das Lineal bewegt werden soll. Dazu dient die mit der Schraube verbundene Theilscheibe G. Dieselbe ist in 100 Theile getheilt, welche auf deren Umfang bemerkt sind, und derzufolge, nach dem, was wir bei

9*

der kurz vorher beschriebenen Maschine gesagt haben, jeder Schraubenumgang in 100 Theile getheilt wird. Da nun die Schraube E 30 Umgänge auf 3 Centim. ihrer Länge haben kann, so wird man auf 3 Centim. der zu schraffirenden Fläche 3000 Linien ziehen können. Der Index L, welcher an dem Tischblatt A befestigt ist, dient dazu, um genau zu bestimmen, um wie viele Theile man die Scheibe gedreht habe. Da man gern den Index auf Null stellen wird, um die Arbeit bei einem bestimmten Punkte der Platte beginnen, und doch ohne Bruchtheile ablesen zu können, so ist die Theilscheibe mit sehr großer Reibung auf der Schraube zu drehen, und man kann nun jedesmal Null · unter den Index bringen, während beim Umdrehen dennoch die Theilscheibe dem Gange der Schraube folgt. Um, wenn man eine große Menge Parallelen in gleichen Abständen zu ziehen hat, des jedesmaligen Ablesens beim Drehen der Scheibe überhoben zu sein, hat man ein Zugwerk angebracht, das regulirt werden kann, so daß der Zug einmal so lang ist, wie das anderemal, also die Linien alle gleich weit von einander kommen. Auf die Verlängerung des Schraubenkopfes nämlich ist eine Röhre aufgeschoben, welche das Sperrrad H, die Schnecke J und die Rolle K trägt und sich leicht auf der Schraubenverlängerung dreht. Das Sperrrad H legt sich gegen die Theilscheibe G, welche die kleine, mit einer Feder versehene Sperrklinke a' trägt, die in das Sperrrad H greift, daraus folgt, daß, sobald das Sperrrad H in der Richtung nach der Rechten hin bewegt wird, die Sperrklinke a' dasselbe hält und also auch die Theilscheibe G und mit ihr die Schraube E der Bewegung des Rades folgen müßte, daß aber auch, sobald man das Sperrrad nach links hindreht, die Sperrklinke a' ausläßt und das Rad H nebst der Schnecke J und der Rolle K sich unabhängig von der Schraube E nach links zu bewegen könne. Um nun dem Sperrrade H die Bewegung nach rechts hin mitzutheilen, dient der Zug. Es ist nämlich auf die Schnecke J eine Kette y aufgewunden, welche an der Zugstange x befestigt ist, die durch die am Rahmen A befestigte Hülse v geht und mittelst des daran

befindlichen Griffes gezogen werden kann, worauf dann die
Kette sich abzuwinden strebt und das Sperrrad H und mit
diesem auch die Theilscheibe G und die Schraube E nach
rechts hinzieht, also das Lineal um so viel Theile fortbewegt, als während des Zuges unter dem Index L durchgingen. Zur Regulirung der Länge des Zuges dient die
Zwinge w. Gesetzt, man wollte die Linien um 20 Theile
einer Schraubenumdrehung von einander entfernen, so stellt
man zuerst Null unter den Index und zieht nun die Stange
so lange nach rechts hin, bis die Zahl 20 unter den Index
kommt; dann schraubt man die Zwinge w so an die
Stange x fest, daß sie an v anstößt, so ist der Zug regulirt; denn wenn man jetzt die Kette wieder aufwindet, —
wobei natürlich, da bei der Bewegung nach links hin die
Sperrklinke a' ausläßt, die Schraube mit der Theilscheibe
stehen bleibt, bis der Griff wieder an v anstößt und dann
von Neuem zieht, bis die Zwinge w an v kommt, so würden
abermals 20 Theile unter dem Index L durchgegangen
sein, da nach rechts hin die Theilscheibe G mit dem Sperrrade geht; da nun aber das Wiederaufwinden der Kette
nach jedem Zuge zu zeitraubend wäre, so läuft über die
Rolle K eine Schnur Z mit einem Gewichte. Beim Zuge
nach rechts windet sich, da K mit der Schnecke J geht,
natürlich die Schnur Z auf die Rolle K auf, und da das
Gewicht, sobald der Zug aufhört, wieder zu fallen strebt,
so windet es die Schnur Z ab, die Rolle K dreht sich,
mit ihr die Schnecke J und folglich muß sich die Kette
wieder zu einem neuen Zuge aufwinden, u. s. f.

Es bleibt uns nun nur noch übrig, das Verfahren
des Linienziehens selbst zu beschreiben. Hierzu dient der
Wagen F. Derselbe schiebt sich auf dem Lineale B hin
und her, und damit diese Bewegung regelmäßig sei, befindet sich in dem Lineal die Nuth f, in welcher sich ein
genau passendes Metallstück verschieben läßt, as mittelst
zweier Schrauben m, m mit dem Wagen verbunden ist,
so daß sich derselbe nur parallel mit der Fuge f bewegen
kann. Zur Bewerkstelligung dieser Bewegung dient der
Griff O. Auf der Grundplatte F des Wagens ist der

Lappen g aufgeschraubt, an welchen, mittelst eines Schar-
niers q, die Trägerplatte h befestigt ist. Diese Platte ist
bei r an einem kleinen Winkelhebel befestigt, der seinen
Stützpunkt im Scharnier q hat, und mittelst dessen man,
sobald man auf dessen anderen Schenkel p drückt, die
Trägerplatte heben und senken kann. In einem Ansatze
der Trägerplatte ist ein Loch für die Gravirnadel oder
den Diamant i, welcher durch die Preßschraube k in jeder
beliebigen Höhe festgestellt werden kann. Da der Druck
auf die Nadel stets gleichmäßig sein muß, so darf man ihn
nicht mit der Hand geben, sondern es werden kleine aus
Blei gegossene Gewichte l, welche mit Löchern versehen
sind, auf die Gravirnadel geschoben und so der nöthige
Druck durch Vermehrung oder Verminderung der Gewichte
bewirkt. Beim Gebrauche hat man also nichts zu thun,
als durch einen Druck auf p die Platte h und mit ihr
die Nadel zu heben, dann mittelst der Schraube E und
des Wagens F die Nadel an den Anfangspunkt der zu
ziehenden Linie zu bringen, dann die Nadel auf die Platte
zu stellen, den Wagen in der gehörigen Richtung fortzu-
bewegen, bis die Nadel am Endpunkte der Linie angelangt
ist, dann die Nadel wieder auszuheben, wieder bis zu
einem neuen Punkte vorzufahren und so fort. Ist eine
Linie stückweis zu unterbrechen, so kann man auch dies
durch wechselweises Ausheben bewirken. Hat man viele
Linien von gleicher Länge zu ziehen, so ist es zeitersparend,
den Lauf des Wagens zu reguliren. Man bringt dann
zu diesem Zwecke die Nadel an den Anfang einer Linie
und schraubt nun an den Punkt des Lineals, wo der linke
Endpunkt des Wagens F hintrifft, eine kleine Zwinge,
zieht dann die Linie bis zu Ende, und schraubt, dorthin,
wo dann der rechte Endpunkt des Wagens sich befindet,
die zweite Zwinge: so braucht man dann nur den Wagen
zwischen beiden Zwingen zu bewegen und kann nie fehlen.
In diesem Falle thut man gut, den Wagen mittelst einer
Schnur u, die von dem Knopfe n über eine Rolle s geht
und mit einem Gewichte belastet ist, nach jedem Zuge
zurückziehen zu lassen. Um dabei mit der Bewegung des

Lineals nicht zu kollidiren, ist der Schlitz t im Rahmen **A** angebracht, so daß die Schnur u aller Orten in Wirkung treten kann.

Der Gebrauch der Maschine selbst wird manches Verfahren erläutern, dessen Ausführung hier zu weitläufig werden würde. Durch eine ziemlich einfache Vorrichtung am Wagen kann man die Nadel auch in wellenförmigen Parallelen ziehen.

Außer den hier beschriebenen Maschinen, welche nur gerade Linien ziehen, hat man auch deren zu kreisförmigen Arbeiten, Guillochis u. s. w. Diese Maschinen sind aber so zusammengesetzt, daß ihre Zeichnung, Beschreibung und Gebrauchsanweisung allein ein Buch ausfüllen müßte, um genügend zu sein, und Ungenügendes wollen wir nicht liefern. Wer dergleichen Maschinen verwenden will, thut besser, sie sich aus einem geprüften Atelier zu verschreiben, mag sich dann aber auch nur gleich einen Arbeiter mitkommen lassen, der sie brauchen kann, denn der Gebrauch einer solchen Maschine in ihrem ganzen Umfange erfordert einen Künstler, der mit Geschicklichkeit Geschmack verbindet. Für den gewöhnlichen Gebrauch reichen die beiden beschriebenen Maschinen, welche, nach unserer Zeichnung und Beschreibung, jeder nur einigermaßen geschickte Mechanikus machen und jeder Zeichner brauchen kann, vollkommen aus.

Bei Gelegenheit der Theilungs- und Schraffirmaschinen müssen wir hier die Aufmerksamkeit unserer Leser auf die in der feineren Lithographie in der neueren Zeit sehr vielfach mit vorzüglichem Erfolge angewendeten

m) Reliefmaschinen

lenken, mittelst deren von erhaben geformten Gegenständen, z. B. Medaillen, Münzen, Medaillons und anderen flachen Reliefs, in der gravirten Manier Nachbildungen erhalten werden, welche die Erhabenheiten und Vertiefungen des Originales durch eine Zeichnung in Strichmanier so täuschend wiedergeben, daß man bisweilen in der That versucht wird, sich durch das Gefühl zu überzeugen, ob nicht dennoch ein Relief vorhanden sei. Vorzügliche Anwendung findet die Reliefmaſchine bei Herausgabe von Münzwerken, Ornamentenwerken, bei Verzierung von Adreßkarten, Preis= kouranten und Handelspapieren (Wechſeln, Anweiſungen ꝛc.).

Die Erfindung und Anwendung der Reliefmaſchine machte im Jahre 1827 ein Deutſcher, Gobrecht, in Philadelphia, und nach ihm erfand in Frankreich Achille Collas ſeine Reliefmaſchine, mit welcher er die trefflichen und bewundernswürdig ſchönen Platten zum Trésor de Numismatique et de Glyptique lieferte; in England aber nahm Bate auf eine ſolche verbeſſerte Maſchine ein Patent. Die ausgezeichnetſten Maſchinen der Art, verbunden mit der Linir-, Kreis=, Wellen=, Ellipſen=, Kreis= und Ellipſen= Wellenmaſchine, lieferte Wagner in Berlin.

Da die Abbildung und Beſchreibung einer Reliefma= ſchine hier zu weitläufig ſein würde, namentlich, da es mehrere verſchiedene Konſtruktionen derſelben giebt; und da ferner an den meiſten neuern Gravirmaſchinen, nament= lich denen von Donndorf in Frankfurt a. M. bezogenen, die Reliefvorrichtung mit angebracht und Gebrauchsan= weiſung beigefügt wird, können wir uns hier darauf be= ſchränken, nur das Nothwendigſte über das Princip und die Leiſtungen, ſowie über die Anwendung der Maſchine ſelbſt einige Andeutungen zu geben.

Denken wir uns zwei horizontalliegende Platten, **Taf. II, Fig. 49,** A und B und auf der erſten einen Zeichenſtift b d ſenkrecht ſtehend, der mit derſelben in ſteter leichter Berührung gehalten wird, auf der Platte B einen Gravirſtift a f, ebenfalls ſenkrecht und gelind gleich= mäßig gegen die Platte gedrückt, beide Stifte aber durch den Winkelhebel d c e und die Schiebeſtange e f derge= ſtalt beweglich verbunden, daß der Hebel d c e ſich um den feſten Punkt c drehen, die Stifte aber in d und e ſich frei bewegen können, ſo würden, wenn nun auf A und B gleichzeitig Linien in gerader Richtung auf der Bildfläche gezogen würden, die Stifte b d und a f gerade parallele Linien machen, ſobald die Platten ebene Oberflächen haben. Finden ſich aber auf der Platte A Erhabenheiten und Vertiefungen, alſo ein Relief, ſo muß der Stift b d ab=

wechſelnd gehoben werden oder abſteigen. Es ſei b' eine
ſolche Erhebung, ſo wird der Stift die Stellung b' d' annehmen und den Hebel um c drehen, ſo daß e nach e'
und folglich a f nach a' f' geſchoben wird, und, da c d = c e
iſt genau nur ſo viel, als die Höhe b b' beträgt. Die
dabei gezogene Linie wird aber dann nicht mehr eine gerade ſein, ſondern die Form wie auf **Taf. II, Fig. 50**,
annehmen, und wenn die Erhebung von b nach b' in einem
Bogen geſchieht, ſich ebenfalls, wie auf **Taf. II, Fig. 51**,
bogenförmig bilden, ſo daß, wenn der Stift b d ein ſenkrecht auf der Platte B ſtehendes Profil in ſeinem Gange
beſchreibt, der Stift a f daſſelbe wagerecht liegend zeichnet. Dies iſt das geſammte Princip der Maſchine; denn
aus vielen ſolchen (auf die Länge von 3 Centim. 120 bis
200) dicht neben einander gelegten Profilen beſteht die
mit der Reliefmaſchine gemachte Zeichnung, indem die Aus-
beugungen der Parallelen mit der größten Schärfe die Abweichungen in die Höhe und Tiefe, die auf dem Originale
ſtattfinden, angiebt, und zugleich die Beleuchtung berück-
ſichtigt, indem, nach der Seite hin, wohin die Profile
übergelegt gedacht ſind, auch die Lichtſeite des Bildes
liegen wird.

Wir haben nun nur noch anzugeben, wie es möglich
iſt, daß die Maſchine die Linien in der gehörigen Entfernung zieht und zugleich die Reliefzeichnung für den Abdruck verkehrt auf die Platte bringt. **Taf. II, Fig. 52**,
zeigt in einfachen Linien die Haupttheile in der Seiten-
anſicht und **Fig. 53** in der obern Anſicht einer Reliefmaſchine nach der Konſtruktion von Karmarſch. Auf der
Tafel A ſteht auf 6 Füßen s, s, s die Platte B feſt, und
auf dieſer, abermals auf 4 Füßen, die Platte C; der
Theil B' der Platte B bildet den Träger des Original-
halters c, und letzterer kann ſich in Schlitzen auf demſelben
geradlinig hin- und herſchieben; die Platte C aber bildet
den Träger für die Stein- oder Kupferplatte e, welche
ebenfalls in Falzen geradlinig auf C hin- und hergeſchoben
werden kann. In beſondern Lagern liegt unterhalb B B'
die Schraube P P', welche auf dem Theil a rechts, und

auf b links geschnitten ist. Auf a bewegt sich die Mutter c
mit einem Ansatze, der an dem Träger von e befestigt ist,
so daß e sich bei der Umdrehung der Schraube nach rechts
hin bewegen muß. Auf der Schraube b aber schiebt sich
die Mutter d, welche mittelst eines Ansatzes den Träger
an f bewegt, bei derselben Umdrehung nach links hin.
Wenn also das Original mit dem obern Ende nach g gerichtet ist, so wird auch die Kopie mit ihrem oberen Ende
nach g hin gerichtet sein, die Zeichnung also in verkehrter
Lage gemacht werden. Mittelst des Theilringes p werden,
nach Art der früher beschriebenen Schraffirmaschinen, die
Entfernungen der Linien bestimmt, die an und für sich
nichts anderes sind, als eine Art modificirter Schraffirung.
Auf B' stehen die Träger g und h und g' und h', welche
paarweis durch einen Stab verbunden sind, auf welchen
sich zwei Hülsen, durch k zu einem Ganzen verbunden,
hin= und herschieben lassen. Die vordere dieser Hülsen
läßt die Schiebstange r durch sich hingehen, welche den
Arm q und an diesen den Zeichenstift l, der, im Scharniere
gehend, auf= und niedergeklappt werden kann, trägt. Bei n
hat die Schiebstange r eine Friktionsrolle, an welche sich
das Dreieck i m n, dessen Drehpunkt i an der Hülse auf g
fest ist, lehnt und mittelst einer Kugel auf dem Kopf r des
Zeichenstiftes m ruht, der seinerseits, ebenfalls zum Auf-
und Niederklappen eingerichtet, in dem Bügel a befestigt
ist. Es ist nun klar, daß, nach dem früher Gesagten,
wenn man bei irgend einer Stellung der Schraube P P'
unter Aufsetzung der Stifte l und m die Hülse g und h
von einer Seite nach der andern hinschiebt, der Stift m
ein senkrechtes Profil des Originales f beschreiben, der
Stift l aber dasselbe in horizontaler Richtung auf die
Platte e zeichnen wird, und daß man durch Bewegung
der Schraube P P' nach Maßgabe der Theilstriche des
Ringes p nach und nach mittelst solcher aneinander gesetzten
Profile die Zeichnung des Reliefs vollenden kann. Der
Stab r wird durch ein Gewicht stets mit dem Dreieck i m n
in Berührung gehalten. Weitere Details und den Gebrauch muß man an der Maschine selbst kennen lernen.

n) Kopirgeräth.

Der Uebertrag einer Zeichnung auf den Stein geschieht durch das Pausen. Man legt nämlich eine nach dem Originale auf Pauspapier gemachte Durchzeichnung mit der Bildseite nach unten auf den Stein, schiebt ein Blatt gefärbtes Papier darunter, und fährt alle Linien mit der Pausnadel nach, wie wir dies später erklären werden. Hier handelt es sich nur um die Anfertigung des gefärbten Papiers und um die Pausnadeln. Das gefärbte Papier erlangt man, indem man sogenanntes Seidenpapier, oder dünnes Briefpapier zc., auf einer Seite entweder mit fein gepulvertem, präparirtem Blutstein oder mit feinem Graphitpulver (abgeschabtem Bleistift) trocken, mittelst eines reinen leinenen Läppchens, einreibt und den Ueberfluß durch gelindes Wischen wieder abreibt. Man hat sich sehr vorzusehen, daß bei der Bereitung alles Fett fern gehalten werde; denn da das Papier mit der gefärbten Seite nach dem Steine zu liegen kommt, so würde sich jede Spur von Fett demselben mittheilen und den Grund zu nachmaligem Verschmutzen des Steines geben. Ein solches Blatt gefärbtes Papier kann man sehr lange und oft wiederholt gebrauchen, da es von seiner Farbe nur wenig abgiebt.

Die Pausnadel ist eigentlich eine stumpfe Gravirnadel, deren Ende sorgfältig rund gemacht und polirt ist, damit die Nadel die gehörig scharfe Linie gebe, ohne zu schneiden. Sehr zweckmäßig ist es auch, statt der Pausenadel sich eines harten Bleistifts zu bedienen, indem man dann gleich sehen kann, welche Linien bereits gepaust sind, da diese schwärzer erscheinen, als die übrigen.

Auch ist in manchen Fällen dem gewöhnlichen Paus- oder Pflanzenpapiere, das mit Balsam copaive bereitete Papier vorzuziehen, indem dieses sehr durchsichtig ist und sich weniger verzieht als wie ersteres.

Bei Gegenständen aber, welche große Genauigkeit erfordern, wie z. B. topographische Pläne, architektonische Zeichnungen u. dergl., ist zum Durchzeichnen das soge-

nannte **Glaspapier** besonders geeignet. Eigentlich sind
dies dünne Leimplatten, welche in Paris fabricirt werden,
wovon dermalen der Bogen Kanzleiformat 1 Mark 30 Pf.
kostet. Dasselbe kann auf beiden Seiten benutzt werden,
auch kann man einen gepausten Gegenstand 10 — 20 Mal
damit überdrucken, worauf wir im nächsten Kapitel wieder
zurückkommen, und dieses Verfahren gehörig erläutern
werden.

Auch der

o) Kopirmaschinen

müssen wir hier mit einigen Worten erwähnen. Obgleich
sie, streng genommen, nicht hierher gehören, da dem Lithographen die fertige Zeichnung geliefert werden muß, so
dürfen wir sie doch nicht ganz übergehen, indem der Künstler dann und wann sein Original selbst ausarbeiten muß.

Die Kopirmaschinen zerfallen in zwei Klassen, nämlich
in die, welche das Original in derselben Größe wiedergeben und in solche, welche dasselbe entweder in gewissem
Verhältnisse vergrößern oder verkleinern. Die ersten sind
dem Lithographen ganz unnöthig, denn das Pausen auf
dem Originale hilft ihm ebenso schnell und ebensogut zum
Ziel, und das Original wird davon minder beschädigt,
als von dem Stifte der Kopirmaschine.

Von größerer Bedeutung für den Steinzeichner aber
sind jene Kopirmaschinen, welche zugleich vergrößern oder
verkleinern. Zu diesen gehört vor allem der Storchschnabel
oder Pantograph, dessen Beschreibung wir hier jedoch übergehen, da das Instrument selbst jedem Zeichner bekannt
oder in dessen Händen ist. Die von Gavard an demselben gemachten bedeutenden Verbesserungen, die das Instrument auf eine hohe Stufe der Vollkommenheit erhoben
haben, findet man in Engelmann's Manuel de Lithographie, das bald nach dem Erscheinen in einer guten
deutschen Uebersetzung von Kretschmar erschien, angegeben, auf welches Werk wir hiermit die Leser verweisen
wollen.

Man hat die Kopirmaschinen so weit verbessert, daß sie mittelst eines ziemlich zusammengesetzten Mechanismus, die vorgelegte Zeichnung nicht allein reduciren, sondern auch zugleich verkehrt auf den Stein graviren. Wer indessen jemals mit dem Pantographen, — denn nur vervollkommnete Pantographen sind alle diese Maschinen, — gearbeitet hat, wird wissen, daß selbst die von dem geübtesten Künstler gemachte pantographische Reduktion noch einer berichtigenden Ueberarbeitung und Vervollständigung von Seiten des Zeichners bedarf, daß mithin eine gleich gravirte Pantographirung unmöglich mängelfrei sein kann. Man sollte sich daher jedenfalls mit der umgekehrten pantographischen Reduktion auf dem Stein begnügen und die berichtigende Gravirung der Künstlerhand überlassen. Zu einer solchen verkehrten Reduktion aber eignet sich die im Folgenden beschriebene sehr einfache Maschine, von welcher wir auf **Taf. III** in **Fig. 54** eine perspektivische Ansicht und in **Fig. 55** das Detail des zeichnenden Stabes liefern, sehr gut.

Ueber die Grundlage A erheben sich die vier Pfosten B, B, B, B, welche oben durch den Rahmen L verbunden sind und durch die Bänder M, M . . . in ihrer Lage gehalten werden. Zwischen diesen Pfosten ist der Rahmen C eingelassen, welcher innerhalb derselben auf- und niedergeschoben und mittelst der Pflöcke O, O . . . in der für die Reduktion erforderlichen Lage festgestellt werden kann. In diesem Rahmen sind die Querleisten N verschiebbar, um sie, nach Maßgabe des darauf zu legenden Steines, stellen zu können. Die Unterlage A dient, um auf dieselbe das zu reducirende Original J gehörig zu befestigen; auf den Rahmen C kommt der Stein K, mit der zu bezeichnenden Fläche nach unten, zu liegen und erhält mithin die Zeichnung verkehrt, d. h. was auf der rechten Seite der Zeichnung liegt, kommt nach links hin zu liegen u. s. w., wie wir dies weiter unten erklären werden.

Genau in der Mitte zwischen den Seitenpfosten befinden sich die beiden Ständer D zur Aufnahme der Stangenstütze E, zu welchem Behufe sie den Schlitz a haben, in welchem sich die Stangenstütze E senkrecht auf= und abbewegen und mittelst der Kapseln F auf der ge= hörigen Höhe feststellen läßt. Diese Stangenstütze trägt auf ihrer Mitte einen Ring c, der innen sehr genau kugel= förmig ausgearbeitet ist, um die Kugel G der Zeichenstange aufzunehmen, und mit ihr vereint ein sogenanntes Kugel= oder Nußgelenk zu bilden. Behufs des Einlegens kann das Stück b abgenommen und, nach Einfügung der Kugel G, mittelst der Schrauben g, g wieder befestigt werden. Diese Kugel G ist nun durchbohrt, so daß die Zeichenstange H durch dieselbe hingeschoben und mittelst der Zwingen m und der Preßschrauben n in jedem beliebigen Punkte ihrer Länge festgestellt werden kann. Die Zeichenstange H hat nun folgende Einrichtung: Den mittleren Theil derselben, bis zu den Punkten c, c' bildet ein Rohr, in welchem die Theile p und p', wie die Röhren eines Perspektivs, stätig, aber leicht, beweglich sind. Die Röhren p und p' sind unten geschlossen und stehen auf Spiralfedern l, welche im Innern des Hauptrohrs angebracht sind und die Röhren p, p' immer nach außen hin drängen. Am andern Ende sind die Röhren p, p' ebenfalls bei i und i' geschlossen und lassen den Zeichenstiften d und e den Durchgang. Diese Stifte haben einen Fuß q, mit dem sie sich gegen Spiralfedern stemmen, welche, sich gegen den andern Boden der Röhre stützend, die Zeichenstifte immer nach außen hin treiben, so daß durch diese verschiedenen Verschiebungen die beiden Stifte immer so weit herausgetrieben werden, bis sie einerseits das Original J, andererseits den Stein K berühren. Um beide Stifte, sobald sie nicht zeichnen sollen, gleichzeitig auszuheben, sind am Fuße derselben die Schnüre r und r' befestigt und durch den Ring s gezogen. Zieht man beide Schnuren oder nur eine an, so hebt man beide, oder nur einen Stift aus.

Ein genauerer Anblick der zusammengestellten Ma= schine erklärt deren Anwendungsweise vollkommen. Führt man nämlich den unteren Stift e über die Kontouren des Originals, so wird auch der obere eine der untern Figur ganz ähnliche auf den Stein zeichnen. Da aber die ganze Bewegung sich um den Mittelpunkt der Kugel G koncentrirt, so wird Alles, was unten rechts ist, oben links liegen, die Zeichnung also verkehrt auf dem Stein erscheinen. **Taf. III, Fig. 56** erklärt dies deutlicher. Wir denken uns auf J ein Fünfeck a b c d e gezeichnet, das kopirt werden soll. G ist der Punkt, um den sich die Stange dreht; K die Zeichnungsfläche: so stellen die Linien a G a', b G b', c G c', d G d', e G e', die verschiedenen Lagen der Stange für die Ecken der Figur dar, und a'b'c'd'e' wird die, durch die Operation erhaltene Figur sein. Denken wir uns nun die Fläche K, auf deren untere Seite wir gezeichnet haben (denn diese Bedingung haben wir oben für die Lage des Steines gegeben), um ihre Kante A B dergestalt gedreht, daß ihre untere Seite ihre obere wird, (denn so liegt der Stein in der Presse) und wie auf **Tafel III** in **Fig. 57** neben **Fig. 56** gelegt, so wird man sehen, daß die Zeichnung wirklich verkehrt auf dem Steine, also druckrecht steht.

Nur noch wenige Worte über die Reduktion, welche die Maschine vornimmt. Denken wir uns, der untere Zeichenstift mache eine kreisförmige Bewegung, so wird auch der obere eine solche machen müssen; da aber alle Kreise ähnlich sind, so wird auch die obere Figur der untern ähnlich sein. Was vom Kreise gilt, gilt natürlich auch von Polygonen u. s. w., mithin wird stets die obere Figur der unteren ähnlich sein, und es kommt hier nur darauf an, die gegenseitigen Verhältnisse beider Figuren zu bestimmen. Man betrachte auf **Taf. III, Fig. 58**: die Linie e d ist die, hier als senkrecht angenommene, Zeichenstange, G der Mittelpunkt der Kugel. Ist e der untere, d der obere Zeichenstift und rückt e nach e', so wird d, da G feststeht und d e sich beliebig verlängern kann, nach d' kommen, unten also die Linie R, oben aber die Linie r erzeugt sein. Nun aber ist $\llcorner \alpha = \llcorner \beta = R$, $\llcorner \gamma = \llcorner \delta$ als γ Scheitelwinkel, mithin müssen beide Dreiecke ähnlich sein. Demnach verhält sich aber r : R = h : H, mit andern Worten, die beiden Linien verhalten sich wie ihre senkrechten Entfernungen von der Ebene des

Punktes G. Nehmen wir nun an h = H, so. ist auch r = R, d. h., wenn der Mittelpunkt der Kugel G genau im Mittel der Entfernung des Steines vom Original liegt, erhält man eine treue Kopie des Originals. Nehmen wir hingegen an, h = 1 und H = 2, der Mittelpunkt der Kugel stehe also auf dem Drittel der Entfernung beider Flächen, und R sei gleich 6 Centim., so erhalten wir das Verhältniß r : R = h : H oder die Werthe substituirt:

$$r : 6 = 1 : 2 \text{ folgt}$$
$$r = \frac{6 \cdot 1}{2} = 3$$

Die neue Linie r also wird die Hälfte der alten werden, und so fort läßt sich für jede Reduktion die Stellung der Kugel berechnen. Gesetzt, man wollte die neue Linie nur ein Viertel so lang, als die alte haben, so müßte man H suchen, also setzen, wenn R = 6, folglich r = 1½ und h = 1 wäre

$$r : R = h : H \text{ substituirt}$$
$$\tfrac{3}{2} : 6 = 1 : H$$
$$3 : 12 = 2 : 2\,H$$
$$2\,H = \frac{2 \cdot 12}{3} = \frac{24}{3} = 8 \text{ und}$$
$$H = \frac{8}{2} = 4$$

Mithin müßte die Entfernung beider Platten in 5 Theile getheilt und der Mittelpunkt der Kugel G auf das erste Fünftel gestellt werden, um allen Linien der neuen Zeichnung ein Viertel der Länge der Originallinien zu geben.

Daß der oben angeführte Satz und die daraus entwickelten Folgen auch ihre Anwendung finden, wenn die Zeichenstange nicht senkrecht steht, beweist **Taf. III, Fig. 59.** Hier habe die Zeichenstange im Anfange die Stellung d G e und nach Ziehung der Linien R und r die Stellung d' G' e', so entstanden die Dreiecke d G d' und e G e'. In diesen sind aber die Winkel α und β als Wechselwinkel an der Transversale zweier Parallelen, die Winkel γ und δ aber als Scheitelwinkel gleich, folglich müssen es auch die dritten Winkel sein, und die Dreiecke sind ähnlich. Bei ähnlichen Dreiecken verhalten sich aber die Grundlinien, wie ihre Höhen, diese aber sind hier h und H, d. h. die senkrechten Abstände der Grundlinien vom Punkte G, also auch hier r : R = h : H.

Man verzeihe uns, daß wir hier etwas genauer in das mathematische Detail eingegangen sind; wir haben dies indessen für nöthig gehalten, da die Maschine bis dahin noch nicht bekannt und beschrieben war.

In den Fabriken und Magazinen sämmtlicher Bedürfnisse für Lithographie und Steindruck finden sich nun nebst den aufgeführten Maschinen und Utensilien, auch Materialien vor, sowie noch mancherlei lithographische Geräthschaften und Pressen, und zwar je nach Bedarf von verschiedener Konstruktion und Größe. —

Um nur einige derartige Spezial-Magazine anzudeuten, nennen wir z. B. Eduard Emil Baumann in Berlin, welches schon 1850 von Heinrich Kretschmar gegründet, Haeckel u. Co. seit 1853 etablirt in Leipzig, Klimsch u. Co. in Frankfurt am Main, — deren illustrirter Preiscourant wohl am besten die Reichhaltigkeit ihres Lagers beurkundet. —

Besonders erwähnenswerth ist auch das Lager und die permanente Ausstellung lithographischer Maschinen, Utensilien und Materialien von Süß u. Brunow in Leipzig, welches Lager mit Schnellpressen, Handpressen, Schleifmaschinen, Prägpressen 2c., sowie mit schwarzen und bunten Farben, Firnisse, Bronze und Blattmetall, Kreide, Tusche, autographischer Tinte, Walzen und Steine in allen Formaten ausgestattet ist.

Weishaupt, Steindruck.   10

Viertes Kapitel.

Von den beim Steinzeichnen üblichen Manieren.

Es ist eine Eigenthümlichkeit des Steindrucks und zwar eine von denen, die ihn der Kunst und ihrer Pflege sehr wichtig machen, daß man ihn nicht nur zur Nachahmung fast aller bekannten Manieren der Zeichen- und Malerkunst, sondern auch auf vielfache Weise in nur ihm eigenen Benutzungsarten, mit Vortheil anwenden kann.

Betrachtet man alle bereits gangbaren Manieren nach ihrem wahren Wesen, so giebt es eigentlich zwei Hauptmanieren, denen alle anderen untergeordnet sind, nämlich die erhabene und die vertiefte.

A. Die erhabenen Manieren.

Unter diesen sind solche Manieren zu verstehen, bei denen die Zeichnung oder Schrift auf die Oberfläche der Steinplatte gemacht wird und auf diese Weise mechanisch, schon vermöge der Körperlichkeit der Zeichentusche oder Kreide, mehr aber noch durch das Aetzen über die glatte Oberfläche des Steines hervorragend, also erhaben gemacht, keineswegs aber als Relief zu betrachten ist.

Die erhabenen Manieren können nun entweder auf polirten Steinen, oder auf solchen Steinen ausgeführt werden, welche nach der Politur von Neuem rauh gemacht wurden, deren Oberfläche also ein mehr oder minder starkes Korn erhalten hat. Die Arbeiten auf polirten und gekörnten Steinen der erhabenen Manieren gliedern sich in die **Federzeichnung** und in die **Kreide- oder Krayonmanier.**

Die Federzeichnung

ist die gebräuchlichste und für das industrielle Leben fast die nützlichste Manier und wird folgender Art behandelt:

Ehe der Stein zu Federarbeiten benutzt werden kann, muß derselbe, nachdem er wohl geschliffen und fein mit Bimsstein polirt wurde, mit einer die Tusche zusammenhaltenden Masse, die aber auch zugleich eine gewisse Fettigkeit besitzt, um den Stein nicht etwa für die angewandte fette Tusche unempfänglich zu machen, eingerieben werden, wodurch hauptsächlich das Ausfließen der Tusche auf den Stein verhindert, sowie auch jene feinen Schlifftheile, die dem Stein anhängen, entfernt werden. Zudem würden auch ohne dieses Verfahren die mit Tusche gezeichneten Linien nicht so scharf werden und sogar beim späteren Aetzen nicht die gehörige Widerstandsfähigkeit besitzen.

Hierzu eignet sich eine dünne, schaumartige Seifenauflösung (1 Theil Seife und 8 — 10 Theile weiches Wasser), mit welcher die Platte in der Weise übergossen wird, daß keine fetten Stellen entstehen und das Alkali der nachherigen Zeichnung nicht nachtheilig sei, daher man dann noch einige Tropfen reines Wasser darüber gießt und nun die Platte schnell mit einem reinen Tuche abreibt, oder sie auch, wenn die Lösung dünn genug war, senkrecht stellt und ablaufen läßt.

Einfacher und ebenso zweckmäßig ist es, den Stein mit einer dünnen Lage von Terpentinöl zu überziehen, indem man mit einem in Terpentinöl getauchten Schwämm-

10*

chen oder Leinwandbäuschchen die Platte leicht und durch=
aus gleichmäßig überfährt, und dann mit einem reinen
Tuche gehörig abreibt.

Bei beiden hat man sich wohl zu hüten, daß man
die Steinplatte nicht fettig mache, was geschehen würde,
wenn man die Seifenauflösung allzufett und dick machte,
oder das Terpentinöl nicht blos schnell über die Platte
verbreiten und eiligst wieder abtrocknen wollte.

Schon der Zeichner würde auf einem so eingeschmier=
ten Stein keine gute Zeichnung hervorbringen und der
Drucker immerwährend mit Verschmutzungen des Steins
zu kämpfen haben.

Der so vorbereitete Stein ist jetzt zur Aufnahme einer
Schrift oder Federzeichnung fertig, und man kann zur Ar=
beit selbst schreiten.

Man reibt die lithographische Tusche gewöhnlich in
einer Untertasse an, die jedoch ganz trocken sein muß; auch
kann man die Tasse, namentlich im Winter, etwas erwärmen,
wodurch beim kräftigen Hin= und Herreiben der Tusche,
dieselbe dann leichter an der Tassenfläche haftet. Hiervon
reibt man mehr oder weniger an, in dem Verhältniß als
man ungefähr zur Arbeit eines halben Tages bedarf, was
man aus eigener Erfahrung bald lernt.

Ist die Tusche trocken auf die Tassenfläche aufgerieben,
so träufelt man einige Tropfen Wasser darauf.

Am besten eignet sich hierzu das Regenwasser, oder
chemisch gereinigtes (abgedampftes) Wasser, oder irgend
ein anderes reines weiches Wasser, während gewöhnliches
Brunnenwasser untauglich ist, da dieses wegen seiner
chemischen Beschaffenheit die Tusche nicht gehörig, sondern
körnig auflöst.

Sind nun die paar Tropfen Wasser auf die trockene
Tusche geträufelt, so arbeitet man beides mit dem Finger
durcheinander, bis die Tusche im Wasser vollständig auf=
gelöst ist und dieselbe die gehörige Schwärze, aber auch
die nöthige Flüssigkeit besitzt.

Sollte ihr letztere mangeln, so setzt man noch etwas
Wasser zu und reibt wieder alles durcheinander; mangelt

ihr aber erstere, wofür man sich vom Anfange dadurch,
daß man lieber zu wenig, als zu viel Wasser aufgießt,
hüten kann, so muß man in einem andern Gefäße Tusche
nachreiben, die frühere, zu dünne Tusche, statt Wasser
darauf gießen und Alles zusammenreiben. Sehr leicht
läßt sich auch erkennen, ob die Tusche hinreichend gut angerieben, wenn man die Tasse ein wenig zur Seite neigt,
so daß die Tusche an den weißen Rand fließen kann, wo
dann bei richtiger Mischung die zurückweichende Flüssigkeit
auf dem weißen Tassenrand einen schwarzen Rückstand
zurückläßt, während dieser bei zu dünner Tusche bräunlich erscheint. Ist die Tusche gut aufgelöst, so gießt man
sie in das zum Gebrauche bereits oben beschriebene Gläschen, worin man sie nach Verhältniß der Temperatur einen
halben bis mehr als einen Tag flüssig erhalten kann.
Bei sehr trockner Sommerwitterung kommt es jedoch oft
vor, daß man in 3 bis 4 Stunden schon wieder frische
Tusche einreiben muß. Man halte diese Vorschriften nicht
für zu kleinlich, sondern befolge sie genau, denn nur so
erhält man eine gute flüssige, gleichmäßige Tinte und nur
mit solcher arbeitet man gut und — schnell.

Eingetrocknete Tusche wieder aufzureiben und zu ver-
brauchen, ist nicht rathsam; man muß jederzeit wieder frische einreiben und das Gläschen vorher von der alten
wohl säubern, sonst würde die Tinte schmierig und klümpig,
was den Lithographen an Schnelligkeit und Sauberkeit
der Arbeit hindert. Doch kann man solche alte Tusche,
wenn man sie wieder gut einreibt, noch zu gröbern Arbeiten, z. B. Noten, zur Ausfüllung großer Frakturschriften
u. dergl. benutzen.

Auf die fein polirte und mit Seifenwasser oder Terpentinöl vorbereitete Steinplatte schreibt oder zeichnet man
nun mittelst der früher beschriebenen Stahlfedern oder
Pinsel und mit der aufgelösten Tusche oder Tinte, ebenso,
wie mit der Gallustinte oder der chinesischen Tusche, auf Papier, nur mit dem Unterschiede, daß hier alle Schrift oder
Zeichnung verkehrt gemacht werden muß. Für die Schrift
ist folgende Methode besonders erleichternd:

Man theilt sich nämlich erstlich, wenn mehrere Seiten Schrift zugleich auf einen Stein kommen, die Seiten durch Bleistiftstriche gehörig ein, berechnet die Linienzahl, die darauf kommen soll, zieht diese mit einem feinen Bleistift, ohne jedoch zu scharf aufzudrücken, nach der Reißschiene, legt dann den Stein so, daß man die horizontal gezogenen Linien alle senkrecht gegen sich laufend hat, fängt nun bei der ersten Linie links oben an und schreibt so die Zeile, aber nur in feinen Strichen, herab; ebenso die zweite, dritte Zeile und so fort. Dadurch weicht man dem widrigen Gefühle, gegen die gewohnte Hand schreiben zu müssen, aus und hat auch die schiefe Lage der meisten gangbaren Schriftarten mehr in seiner Gewalt, was man sich übrigens durch diagonal, nach der Richtung der Schriftlage (ein Winkel von 70° mit der Schriftlinie), gezogene Linien noch sehr erleichtern kann. Hat man so die Seite voll geschrieben, so nimmt man stärkere Federn und füllt nun die Schrift aus, d. h. man giebt nun erst jedem Buchstaben seine gehörigen Grundstriche. Hierauf putzt man die Schrift theils mit der Feder, theils mit dem Schaber oder der Nadel aus und bringt nun die Platte, nachdem die Schrift vorher völlig getrocknet ist, wozu man derselben mindestens 5 bis 6 Stunden Zeit geben muß, auf den Aetztisch.

Noch ist hier zu bemerken, daß man sich bei allen Steinzeichnungen, bei der Federschrift aber vorzüglich, gewöhne, seine Arme auf dem oben, im ersten Kapitel beschriebenen Lineal liegen zu haben, damit theils die Platte nicht hier oder da durch die Hände Schweiß- oder Fettflecke bekomme, theils der warme Athem dieselbe nicht feucht mache, weil an feuchten Stellen die Tinte läuft, wie dies auf Papier ebenso der Fall ist.

Wesentlich ist noch, daß man beim Arbeiten mit der Feder die Tusche so stark als möglich halte, ohne am Hervorbringen schöner gleicher Linien behindert zu sein, und auch die Linien langsam ziehe, damit sie sich gehörig aus der Feder sättigen, und ein gehöriges Relief erhalten; schnell gezogene Linien sind stets mager, grau, sie halten weniger die Aetzung aus und bereiten dem Drucker manche Verlegenheiten.

Bei tabellarischen Arbeiten oder konstruktiven Zeich-nungen, wobei ein Durchpausen nicht wohl stattfinden kann, und die Eintheilungslinien unmittelbar auf den Stein ge-zeichnet werden müssen, bedient man sich hierzu der ge-wöhnlichen Bleistifte, oder manchmal auch der Rothstifte.

Ein Nachtheil, den diese Stifte haben, ist der, daß bei ihrer Anfertigung der gemahlene Graphit oder Röthel mit fettigen Stoffen, Milch, Schellack u. s. w. gebunden wird, wonach dann späterhin beim Drucke die gezogenen Linien nach und nach mit annehmen, was jedoch durch ein feines Ziehen der Linien und eine geeignete Aetzung leicht zu verhindern ist.

Mit vielem Vortheile kann man sich auch zum Ziehen dieser Linien ganz weicher Messingstifte mit stumpfen Spitzen, oder eine Mischung von 5 Theilen Blei, 3 Theilen Zinn und 8 Theilen Wismuth, aus der man kleine Stifte gießt, die man zuspitzt, bedienen. Für die verschieden vorkommenden Schrifthöhen kann man sich aus weichem Messing Schriftgabeln bereiten, wodurch man 2—3 Linien zugleich erhält, welche besonders auch bei den zu gravirenden Landkartenschriften vorzügliche Dienste leisten.

Wie bei eben angegebener Behandlungsart der Feder-schrift, verfährt man auch auf ähnliche Weise bei Zeichnun-gen von Kunstgegenständen mit der Feder, nur muß man, wenn sie kopirt werden, dieselben, der mehreren Genauig-keit wegen, vermöge einer Pause auf den Stein bringen, und das Original durch einen Spiegel kopiren, weil es verkehrt auf den Stein gezeichnet werden muß.

Dieser Spiegel läßt sich auf dem Zeichentische sehr bequem anbringen; man giebt demselben eine schräge, gegen den Zeichner gerichtete Stellung und legt das Original mit der untern Kante gegen den Spiegel zu, wodurch es sich in diesem aufrecht stehend und verkehrt zeigt. Bei einiger Uebung lernt aber ein geschickter Zeichner sich auch ohne den Spiegel behelfen, was vortheilhafter ist, da man dadurch im Stande ist, sich das Original näher vor Augen

zu rücken, es auch viele Spiegel giebt, welche das reflek-
tirte Bild verzerren oder, wenn auch nur wenig, schief
darstellen, was, namentlich bei Kopien von Portraits 2c.
zu Fehlern Veranlassung wird.

Wir müssen hier zugleich einige Worte über das
Uebertragen der Zeichnung auf den Stein sagen, die übrigens für alle Steindruckmanieren gelten. Man weiß,
daß auf dem Steine möglichst wenig hin und her gearbeitet werden darf, um seine sehr empfindliche Oberfläche
nicht zu verletzen oder zu verunreinigen. Man wird daher
auch die Zeichnung nur in sehr seltenen Fällen gleich auf
dem Steine entwerfen können, sondern dies muß auf einem
abgesonderten Blatte geschehen, und zwar umsomehr, da
die Zeichnung auf dem Steine verkehrt stehen muß.

Man nehme daher ein Blatt Pauspapier, befestige
es auf dem Originale und zeichne die Kontouren und
Details des letztern, aber nicht etwa die Schraffirungen 2c.
mit hartem Bleistift — ein weicher würde nur schmieren —
sorgsam durch. Ist dies geschehen, so lege man die Pause
umgekehrt, d. h. mit der bezeichneten Fläche nach unten,
auf den Stein und bringe sie genau in die richtige Lage,
worauf man die beiden oberen Ecken mit etwas Gummiarabicum oder Mundleim festklebt, doch darf davon nichts
in den zu bezeichnenden Raum fallen, weil das Gummi
den Stein präparirt. Ist das Gummi trocken, so schiebe
man unter die Pause ein Blatt des mit Röthel oder
Graphit angeriebenen Kopirpapiers, mit der eingeriebenen
Farbe nach dem Steine zu gewendet, und klebe dann
auch die beiden untern Ecken der Pause, indem man
dieselbe, ohne sie viel hin und her zu schieben, straff
zieht, mit Gummi fest. Dann fahre man unter gelindem
Drucke alle einzelnen gepausten Kontouren mittelst einer
abgestumpften Nadel (die Pausenadel) auf das Genaueste nach, hüte sich aber, keine zu vergessen, indem
das Nachholen derselben Schwierigkeiten hat (siehe S.
139). Ist man mit dieser Operation fertig, so löse man
die beiden untern Ecken wieder ab, hebe die Pause etwas,
entferne das Kopirpapier und revidire, ob Alles durchge-

zeichnet ist. Sollte man etwas vergessen haben, so müßte man die Pause genau wieder auflegen, dann ein Stückchen gefärbtes Papier an die mangelhafte Stelle behutsam unterschieben und das Fehlende nachholen. Ist Alles gut, so entfernt man die Pause ganz und kann die wirkliche Arbeit beginnen.

Man sollte nur Röthelpapier brauchen, da man, namentlich in der Kreidemanier, wenn man schwarz paust, nur sehr schwer die bereits nachgezeichneten Kontouren erkennen kann.

Eine andere Art zu pausen, ist folgende: Man mache sich eine Tinte von Zinnober oder sehr fein geriebenem Röthel und reinem Wasser, und pause mit dieser mittelst einer Feder die Kontouren des Originals sehr sauber, hüte sich aber, mit der Hand das Pauspapier zu berühren. Ist die Pause trocken, so bringe man den Stein in die Presse, lege auf denselben die Pause, ohne sie viel hin und her zu schieben, mit der bezeichneten Seite nach unten, befestige sie an zwei Ecken, lege dann etliche Bogen glatte Makulatur darüber, schließe den Rahmen und lasse den Stein unter ziemlich starkem Drucke langsam durchgehen. Beim Oeffnen findet man dann die Pause auf dem Steine. Die Operation muß sehr sorgfältig gemacht werden, sonst verschiebt sich die Pause. In manchen Fällen ist es gut, wenn der Stein etwas Weniges feucht ist; naß aber darf er durchaus nicht sein.

Auch ist es nach Umständen zweckdienlich vor dem Auflegen der Pause den Stein gleichmäßig mit Terpentinöl zu überwischen.

In gleicher Weise kann auch eine mit Rothstift gezeichnete Pause übergedruckt werden.

Wir haben bereits im vorigen Kapitel bei den Kopirgeräthen, des sogenannten Glaspapiers erwähnt, mittelst welchem die kleinsten Gegenstände mit der größten Pünktlichkeit und Schärfe gepauset und durch einfache Weise auf den Stein übergetragen werden können.

Das Verfahren hierbei ist folgendes:

Nachdem man das Glaspapier (eigentlich Hausenbla=
senfolie, Leimpapier, papier glace oder gélatine) an den
Ecken auf das Original geflebt, werden mit einer Paus=
nadel die Umrißlinien des Originals nachgefahren, nämlich
mit der Nadel auf dem Leimpapier diese Linien leicht ein=
gravirt, so daß äußerst feine Fädchen wie Hobelspäne sich
herausringeln.

Ein schwarzes Papier, das man von Zeit zu Zeit
zwischen Pause und Original schiebt, läßt das Vergessen
leicht erkennen.

Zu tiefe Linien müssen hierbei vermieden und die
Nadel aufrecht gehalten werden, welche zu diesem Zwecke
einer Spitze bedarf, die vollkommen rund ist, d. h. keine
Ecke hat.

Dies wird am einfachsten erreicht, wenn man eine
kleine Rinne in den Schleifstein macht, und darin mit der
Nadel dieselbe fortwährend drehend hin und her fährt.

Ist die Pause soweit vollendet, so wird sie mit ge=
schabtem Röthel oder schwarzer Kreide mit der Fingerbeere
leicht eingerieben, daß die Linien scharf und rein dastehen,
und dann in der oben erwähnten Weise auf dem trockenen
Steine übergedruckt. Dieses Ueberdrucken der Pause läßt
sich öfters wiederholen, wenn dieselbe immer zuvor mit
Röthel oder Kreide eingerieben wird.

Hat man etwa bei tabellarischen Arbeiten Linien zu
machen, welche einen helleren — grauen — Ton haben
sollen, so etwa, wie mit dem Bleistift gezogene Linien, so
würde man fehlen, wenn man dieselben mit der Ziehfeder
und Tinte ziehen wollte, denn sie würden dann ebenso
schwarz erscheinen, als die anderen. Dergleichen Linien
reißt man, nachdem der Stein bereits vollkommen präparirt
wurde, mit der trocknen Nadel scharf in den Grund und
reibt sie mit Schwärze ein. Walzt man nachher beim
Drucke den ganzen Stein mit der Farbe ein, so nehmen
die tiefer liegenden Linien weniger Schwärze auf und er=
scheinen deshalb auf dem Abdrucke grau. —

Bei derartigen tabellarischen Arbeiten werden auch
diese feinen Linien oftmals als punktirte Linien ausgeführt

und mittelst der sogenannten Punktirrädchen gravirt. Diese Punktirrädchen sind jedoch sehr unpraktisch, denn die Spitzchen brechen leicht ab und dann giebt es unegale und unvollkommene Pünktchen. Die Rädchen sind überdies eben gar nicht zu repariren, wenn sie verdorben sind, und sie verderben eben doch so leicht.

Zum Graviren dieser punktirten Linien eignet sich mehr folgendes Instrumentchen.

Man nimmt nämlich eine abgebrauchte Gravirnadel oder ein hartes Holz von der Länge und Dicke einer solchen und macht in den hintern Theil derselben einen etwa zwei Centimeter langen Einschnitt. In diesen steckt man nun eine gute englische Nähnadel auf die Weise wie bei **Taf. XII, Fig. 135**, ersichtlich. Nun umwickelt man fest den Spalt mit Zwirn und kann auch vorher oben auf das Oehr der Nadel ein kleines dünnes Blech legen und mit hinein wickeln, damit die Nadel nicht etwa oben sich herausdrücke.

Zieht man nun mit diesem Instrumente Linien, indem man dasselbe etwas steil zum Steine hält, ungefähr wie bei **Taf. XII, Fig. 136**, so entstehen durch das Federn der Nadel punktirte Linien von der schönsten Regelmäßigkeit und Feinheit. Man kann durch veränderte Haltung sowohl, als auch durch schnelleres oder langsameres Ziehen die Punkte enger und weiter machen.

Dieser Federzeichnungsmanier fast gleich, oder doch so mit ihr verschwistert, daß man eine für die andere gebrauchen kann, ist die Manier der Pinselzeichnung. Ihr Unterschied liegt nur darin, daß man hierbei den Pinsel, anstatt der Feder, anwendet, und es ist fast unglaublich, wie scharf eine geübte Hand mit dem Pinsel zu arbeiten vermag.

Diese Manier ist weniger passend für die Schrift, als für Zeichnungen, die in der Federmanier gearbeitet werden sollen; denn weit mehr als die spröde unbiegsame Stahlfeder ist der nachgebende Pinsel geeignet, neben möglichster Zartheit der Striche, auch die stärksten und

kräftigsten Drucker- und Schattenlinien hervorbringen zu
können.

Da nun aber der Pinsel noch die Eigenschaft hat,
daß er die Tinte weniger leicht ausfließen läßt, als dies
die Feder thut, so ist es rathsam, dazu sich einer mehr
fließenden Tinte, als die man zur Federmanier gewöhnlich
gebraucht, zu bedienen, wozu die im vorigen Kapitel angeführte Tusche für Pinselarbeiten sehr zweckdienlich ist.

Endlich aber ist noch wohl zu berücksichtigen, daß der
Pinsel selten solche volle, saftige Striche liefert, wie die
Feder, diese daher dem Scheidewasser weniger widerstehen
und somit Zeichnungen dieser Art weit schwächer, als
Federzeichnungen geätzt werden müssen. Beim Drucken
ist sie der Federzeichnung gleich, nur etwas zarter zu behandeln.

Uebrigens lassen sich zur Feder- und Pinselmanier
am besten gelbe, weiße und überhaupt geringere Platten
verwenden, indem hier die Weichheit der Masse, Adern,
Flecken rc. weniger schaden als bei den andern Manieren.

Die Holzschnittmanier.

Sie hat viel Aehnlichkeit mit der Manier der Federzeichnung, unterscheidet sich aber gar sehr in der Art, sie
zu behandeln. Man überstreicht nämlich die Steinplatte,
so weit die Zeichnung reichen soll, ganz mit chemischer,
gewöhnlicher lithographischer Tinte und läßt sie völlig eintrocknen; dann zeichnet man mit stählernen, nach Verhältniß spitzig oder breit geschliffenen Nadeln diejenigen Stellen,
welche im Abdrucke weiß erscheinen sollen, in den schwarzen
Grund, indem man diesen heraushebt, doch so, daß man
den Stein nicht verletzt. Auf diese Art steht dann die
Zeichnung schwarz auf der Platte, wie bei der Federzeichnung, mit welcher sie auch dann beim Aetzen, Abdrucken
u. s. w. ganz gleich behandelt wird.

Diese Manier der Lithographie hat wenig eigenthümlichen Nutzen und ist daher nicht sehr gebräuchlich, doch
könnten Künstler, die mit der stählernen Feder auf dem

Steine nicht umzugehen verstehen, auf diese Weise recht artige Zeichnungen liefern, weil sie mit der Nadel gleichsam wie mit einem Bleistifte arbeiten können, nur müssen sie sich dabei freilich immer. das Ganze im umgekehrten Verhältnisse denken, indem sie nicht die verlangten Striche selbst, sondern alle dazwischenliegenden weißen Stellen zeichnen.

Die Kreide- oder Krayonmanier

ist ebenfalls eine sehr wichtige Erfindung unseres vieldenkenden, erfindungsreichen Senefelder, und für die Kunst von demselben Werthe, wie die übrigen Steindruckmanieren für industrielle Zwecke.

Jeder Künstler, der mit Kreide auf Papiere Kunstwerke zu schaffen weiß, kann sie nach kurzer Uebung auf dem Steine mit der lithographischen Kreide gewiß eben so schön liefern. — Welcher große Gewinn für die Kunst und besonders für die ausübenden Künstler! und selbst die Sammler haben den Vortheil, des Künstlers eigne Arbeit zu erhalten, denn durch diese Manier können von der Hand des Meisters selbst geniale, bildliche Darstellungen in ihrer ganzen Größe und Freiheit hundert- ja tausendfach wiedergegeben werden, die man vor Erfindung dieser Steindruckmanier nur einmal haben, oder nur durch eine zweite, ebenso geschickte Hand, die des Kupferstechers oder Holzschneiders, vervielfältigt erhalten konnte.

Wie man mit der chemischen, lithographischen Tusche in flüssigem Zustande auf die Steinplatten zeichnen kann, und sich diese Tusche mit der Steinplatte verbindet, ebenso geschieht es auch, wenn man eine, jener Tusche ähnliche, nur etwas fettere und konsistentere Masse im trocknen Zustande auf den Stein aufträgt. Man hat demnach solche Masse, deren Recepte und Bereitungsart bereits oben angegeben sind, in Stiftform gebracht und damit auf den Stein gezeichnet.

Das Wesen der Kreidezeichnung auf Papier liegt bekanntlich darin, daß der Strich eigentlich nur eine Zusam-

menſetzung größerer oder kleinerer, mehr oder minder eng
beiſammenſtehender Punkte iſt. Dieſe Eigenſchaft wird
theils durch die weiche, körnige Beſchaffenheit der Zeichen=
kreide, theils durch das Korn des Papiers, auf welchem
man zeichnet, hervorgebracht. Dieſe beiden Erforderniſſe
ſind auch für die Steinzeichnung in Krayonmanier erfor=
derlich, und wenn ſchon die lithographiſche Kreide der
Zeichenkreide im Striche nahe kommt, ſo würde doch das
Zeichnen auf einem glatten Steine keine guten Reſultate
liefern. Da wir deswegen jedenfalls ſuchen müſſen, die
Steinfläche zur Kreidezeichnung dem dazu paſſenden Papiere
ſo ähnlich als möglich zu machen, ſo iſt es nöthig der=
ſelben eine mehr rauhe Oberfläche zu geben, eine Operation,
die wir oben bei der Bereitung der Steinplatten, das
Körnen genannt, und dort weiter beſchrieben haben. Auf
dieſer Rauhheit, die ſich aber, mit wenigen, früher ſchon
bemerkten Ausnahmen, durchaus gleichförmig über den
ganzen Stein verbreiten muß, ſpringt, ſo zu ſagen, die
Kreide von einem erhabenen Punkte zum andern und macht
daher nicht ſcharfe, zuſammenhängende Linien, ſondern eine
ſehr ſanfte, weiche Zeichnung, die aus lauter einzelnen,
kleinen Punkten beſteht, wie dieſelbe durch das Ueberrieſeln
mit der Kreide auf rauhem Papier entſteht, die wir in
den neueſten, zum Theil großen Meiſterwerken der Stein=
druckerei ſo ſehr bewundern.

Nur die härteſten, von allen Adern, Punkten u. dergl.
reinen und gleichfarbigen Steinplatten ſind zu dieſer Manier
brauchbar. Sie müſſen völlig rein geſchliffen und es darf
keine Spur von einer frühern Zeichnung auf einer ſolchen
Platte zu ſehen ſein, denn dieſe würde leicht wieder Farbe
annehmen, weil man die Kreidezeichnung nicht ſo ſtark
ätzen darf, als die Federzeichnung, bei welcher ſich durch die
ſtärkere Aetzung alle ſich etwa noch vorfindenden Spuren
einer frühern Zeichnung vollends verlieren.

Kräftige Zeichnungen mit ſtarken dunkeln Tönen ver=
langen ein mehr rauhes Korn, dahingegen feine, viel Licht
enthaltende Partien, z. B., Hintergründe in einer Land=
ſchaft, wieder ein weit feineres Korn, bedürfen; welches

jedoch ebenso scharf als wie ersteres sein muß. Die schwierige Aufgabe für den Künstler, auf demselben Korne verschiedene Töne mit einander harmonirend darzustellen, kann am einfachsten durch die Anwendung einer weichen und härteren Kreide gelöst werden, wobei die kräftigen Massen mit der weichen Kreide gezeichnet, während die härtere die zarten feinern Partien liefert.

Vor Allem muß sich jedoch der Zeichner zuvor von der Wirkung der Kreide, von der er Gebrauch zu machen gedenkt, überzeugen, ehe er sich ihrer zu einer wichtigen Arbeit bedient.

Wenn man zu ein und derselben Zeichnung Kreide von verschiedenen Fabrikanten verwendet, setzt man sich der Gefahr aus, sehr unvollkommene Resultate zu erhalten, indem stets die Bereitung derselben und das Mischungs-Verhältniß ihrer Bestandtheile verschiedenartig ist.

So wird z. B. bei einer Kreide, deren Quantität Ruß im Verhältniß zu den fetten Theilen zu stark ist, die Zeichnung zwar ganz kräftig auf dem Stein aussehen, und dennoch beim Abzuge nur blasse effektlose Abdrücke liefern; während sie, wenn ein Uebermaß von fetten Theilen vorwaltet, auf dem Steine leicht und durchsichtig aussieht, auf den Abdrücken aber rußig und plump zum Vorschein kommt.

Würde daher der Zeichner zu den Fernsichten eine Kreide anwenden, die ganz schwach zeichnet, weil sie nicht genug Ruß enthält, dagegen aber zu den hervortretenden Partien sich anderer Kreide bedienen, in der ein Uebermaß von Ruß enthalten ist, so würde er zwar auf dem Stein einen sehr schönen Effekt erzielen, wobei aber auf dem Abdrucke dann der Hintergrund des Bildes weit stärker ausgedruckt erscheint, als der Vordergrund.

Es besteht daher das Haupterforderniß einer guten Kreide, daß der darin enthaltene Ruß zu den fetten Körpern in solchem Verhältnisse stehe, daß die Abdrücke genau denselben Effekt bieten, welchen die Zeichnung auf dem Stein gewährt; wobei sie dann immerhin der Qualität nach weicher und härter sein kann.

Beim Zeichnen selbst muß zuerst die Pause, wie bei der Federzeichnung ꝛc., mittelst Röthelpapier auf den Stein gebracht werden. Des schwarzgefärbten Pauspapiers kann man sich hier nicht bedienen, da dasselbe im Tone genau mit der Kreide übereinstimmt, man also nicht sehen könnte, welche Linien mit Kreide gezeichnet wurden oder nicht; indessen muß das rothe Papier so stark abgewischt werden, daß die Pause möglichst fein wird, da starke rothe Streifen durch die Zeichnung hin störend wirken und die richtige Beurtheilung des Kreidetones erschweren würden*). Nach Vollendung der Pause beginnt man sogleich das Auszeichnen mit der Kreide. Dieses ist für die verschiedenen Gegenstände, welche man zeichnen will, auch durchaus verschieden; der Zeichner muß dabei seinen eignen Weg gehen, und wir können ihm hier nur einige Fingerzeige geben, welche ihm die Wahl der ihm zu Gebote stehenden Mittel erleichtern sollen.

Zeichnungen, welche nicht allzufeine Kontouren haben und deren Kontouren nicht eine außerordentliche Schärfe verlangen, müssen durchgängig in Kreide ausgeführt werden, und man muß mit der größten Sorgfalt darauf hinarbeiten, die Mitteltinten so unmerklich abzustufen, daß sie sich gleichsam gegen das Licht hin in Nichts auflösen und für dies höchste Licht die reine Steinfläche reserviren. Die Farbe des Steins trägt in dieser Hinsicht ungemein, da sie denselben Vortheil gewährt, den sich der Zeichner durch das farbige Papier verschafft, nämlich die Schatten mehr verschmilzt, als das weiße Papier. Der Zeichner auf Stein wird sich, wenn er diese Beobachtung vergißt, daher sehr getäuscht finden, wenn er von einer Zeichnung, die ihm auf dem Steine hinreichend verschmolzen und akkordirt erschien, einen Abdruck erhält, in welchem das höchste Licht und die Mitteltöne scharf gegeneinander abgesetzt erscheinen und die ganze Weichheit fehlt, welche er seiner Zeichnung

---

*) Um Striche der Durchzeichnung schwächer zu machen oder auszuwischen, würde das Abschabsel von Handschuhleder oder ein Stückchen weißes Leder die einzige Substanz sein, die man ohne Gefahr anwenden könnte.

gegeben zu haben glaubte. Der Grund davon liegt auch noch mit darin, daß die Druckerschwärze durchaus homogen ist, daß mithin ein Punkt, der mit der Kreide grau gezeichnet, auf dem grauen Grunde fast unsichtbar, im Abdrucke schwarz auf dem weißen Grunde sehr bemerkbar hervortritt. Die Zeichner sollten sich daher beim Zeichnen auf Stein eine feste, kräftige Manier angewöhnen und sich vor dem täuschenden Grauzeichnen hüten, eine Maßregel, die schon darum unerläßlich wird, weil die grauen, gleichsam nur hingehauchten Farbentöne sich beim Aetzen nur gar zu leicht abheben und dann alle Akkordirung verloren geht, alle Uebergänge verschwinden. Man thut am besten, die Schatten gleich kräftig neben einander zu stellen und dann durch das Ueberarbeiten nur zu akkordiren, statt dieselben durch den Auftrag nach und nach zu verstärken, denn auf einer leicht gearbeiteten Tinte haftet eine schwerere nur mangelhaft, und es werden auch die Abbrücke solcher Zeichnungen immer bleich und ohne Frische sein, und nie jenen brillanten und kräftigen Ton erhalten, der nur durch eine gleich anfänglich kühne und kräftige Anlage der hervortretenden Schattenstellen erreichbar ist.

Zum Zeichnen bediene man sich immer gut geschärfter Stifte, deren man, um in der Arbeit nicht aufgehalten zu sein, stets mindestens 6 bis 12 Stück im Gange haben muß. Beim Spitzen muß man, wie bei der gewöhnlichen Kreide, von der Spitze aus nach dem dicken Theile der Kreide zu mit einem scharfen Messer schneiden, indem man sonst sehr leicht die Spitze abbricht, oder abschneidet. Die abgeschnittenen Kreidespäne kann man mit Vortheil wieder einschmelzen und erhält daraus eine treffliche harte Kreide.

Die Temperatur und der hygrometrische Zustand der Luft sind nicht ohne Einfluß auf die lithographische Kreide. Wenn trübes und feuchtes Wetter ist, durchdringt der in der Luft enthaltene Dunst sehr bald die Spitze und macht sie weich. Man muß sie dann sehr oft spitzen, und es wäre nicht räthlich, mehrere im Voraus zurecht zu schneiden.

Ist dagegen die Luft trocken, so behält die Kreide, wenn sie überhaupt brauchbar war, die Spitze vollkommen

Weishaupt, Steindruck.   11

gut und man kann davon eine beliebige Menge im
Voraus zuspitzen, ohne deren Erweichung fürchten zu
müssen.

Zu gewissen Arbeiten, wie z. B. Luft, Fernsichten
u. dgl. herzustellen, muß die Kreidespitze lang sein, damit
sie Elasticität besitzt.

Zu den starken und gedrängten Arbeiten muß sie dagegen stumpf sein, um nicht allzuleicht zu zerbrechen.

Wenn die Spitze ein wenig abgenutzt ist, braucht
man, um sie wieder zu schärfen, nur damit über ein rauhes
Papier zu fahren, indem man den Griffel vorwärts stößt
und gleichzeitig zwischen den Fingern umdreht. Auf diese
Weise bleiben die kleinen Theilchen, die sich von der
Kreide ablösen, zurück, und die Spitze wird ganz fein und
sauber.

Die flüchtigen und leichten Stellen der Zeichnungen
halten, wenn sie mit spitzer Kreide hergestellt werden, weit
besser und bieten beim Abzuge weit mehr Feinheit und
Gleichförmigkeit dar, als wenn sie mit einer stumpfen
Spitze gemacht worden sind, indem erstere in die tiefern
Stellen des Kornes eindringt und sich fest setzt, während
die stumpfe Kreide sich nur an die höchsten Rauhheiten
desselben anhängt, und durch das Aetzen oft gänzlich wieder
abgelöst wird.

Man lasse sich ja nicht verleiten, zu glauben, daß man
in den tiefsten Schattenpartien mit stumpfen Stiften zeichnen dürfe. Dies ist hier so schädlich, als irgend wo;
denn die Schatten verlieren dadurch alle Transparenz, und
die großen schwarzen Punkte, welche dabei entstehen, stören
die Harmonie. Hat man dennoch das Unglück gehabt dergleichen dicke Punkte zu machen, so hat man zwei Wege,
dieselben zu entfernen. Bemerkt man sie auf frischer That,
so reicht es hin, einen stumpfen Kreidestift senkrecht auf
den Punkt ziemlich fest aufzudrücken und dann rasch wieder
in die Höhe zu ziehen, dann wird dieser die darunter-
liegende Kreide mit fortreißen und den Stein an dieser
Stelle blanklegen, worauf man ihn von Neuem bezeichnen
kann. Wir haben ganze Töne auf diese Weise heller ge-

macht. Der zweite, faſt noch beſſere Weg, einen Ton
heller oder transparent zu machen, iſt das Durchſchneiden
der Punkte. Man nimmt nämlich eine feine Gravirnadel
und ſchneidet mit derſelben die einzelnen Punkte dergeſtalt
durch, daß der Schnitt bis auf den rohen Stein kommt.
Doch muß man ſich vorſehen, daß man, wenn man ganze
Töne ſo bearbeiten will, die Schnitte nicht alle nach einer
und derſelben Richtung hin führe, indem dies einen ſehr
widerlichen Eindruck macht, ſondern man muß dann in den
verſchiedenartigſten Richtungen, mehr rieſelnd, arbeiten.
Beſſer jedoch thut man immer, die Töne gleich von Anfang an ſorgfältig zu behandeln und nichts zu überreilen.

Um den Uebelſtänden zu entgehen, welche aus der
Täuſchung entſtehen, die durch den dunkeln Ton des Steins
herbeigeführt wird, und der zufolge die auf dem Steine
mit größter Weichheit behandelten Schatten im Abdrucke
gegen das höchſte Licht hin hart abgeſetzt erſcheinen, ziehen
es manche Künſtler vor, nicht den Stein ſelbſt als das
höchſte Licht zu betrachten, ſondern die ganze Zeichnung,
wie man ſich auszudrücken pflegt, zuzuarbeiten, d. h., ſelbſt
das höchſte Licht mit einem feinen Tone zu überarbeiten.
Dieſe Maßregel iſt namentlich für Ungeübtere, ſehr empfeh-
lungswerth und hat überdies noch den Vortheil, daß man
diejenigen Stellen, welche nothwendig glänzend weiß und
grell daſtehen müſſen, z. B. den lichten Punkt im Auge,
Glanz und Streiflichter auf Stoffen und Metallen ꝛc. mit
dem Schaber wieder ausſchaben und ſo rehauſſiren kann,
was treffliche Effekte giebt.

In den tiefſten und kräftigſten Schattenpartien und
da, wo es mehr, wie z. B. bei ſkizzirten Sachen ꝛc., auf
eine kecke und kühne Behandlung und Erreichung großer
Effekte, als auf eine ſorgfältige Ausarbeitung ankommt,
kann man in die dunkelſten Partien mit der Feder und
dem Pinſel mit lithographiſcher Tinte in die Kreidezeichnung hineinarbeiten, und um Kleckſerei zu verhüten, dieſe
Partien leicht mit der Nadel wieder durchſchneiden, wo es
nöthig iſt. Der Geſchmack und das Genie müſſen hier
dem Künſtler die Hand führen und das Studium vor-

11*

handener Meisterwerke ihn leiten. Eben daraus muß er
auch ersehen, wo er selbst bei sehr sorgsam ausgeführten
Zeichnungen sich des Schabers, oder der Tinte bedienen darf.

Zeichnungen mit außerordentlich feinen Details, die
selbst in der Kreidemanier noch Schärfe genug behalten
sollen, werden mit der Feder und mit Tinte fein kontour-
nirt und dann mit der Kreide ausgezeichnet. Dies wird
namentlich bei kleinen Landschaften und bei Architekturen
der Fall sein müssen.

Um überzeugt sein zu können, daß eine Partie kräftig
genug gezeichnet sei, um die Aetzung auszuhalten, darf
man sie nur schräg gegen das Licht hin betrachten, wo sie
dann einen milden Glanz haben muß. Mattgezeichnete
Partien erlauben nur eine schwache Aetzung.

Je freier und regelmäßiger die Arbeit ausgeführt
wird, je mehr man Acht hat, bei jedem Striche gleich stark
aufzudrücken; desto bestimmter kann man auf ein befrie-
digendes Resultat rechnen. Zuweilen, wenn man die Färbungen bis zu einem gewissen Grad von Stärke gesteigert
hat, findet man, in Folge der Zerbrechlichkeit der Kreide,
die Schwierigkeit, neue, noch stärkere Züge anzubringen.

Um mit einer solchen Arbeit gut zu Stande zu kommen, muß man den Griffel der Kreide beinahe perpen-
dikulär gegen den Stein halten, oder noch besser, damit
der gewöhnlichen Bewegung der Hand entgegengesetzt vorwärts fahren.

Die Abwechselung des Kornes, welche manchem Bilde
einen vorzüglichen malerischen Effekt verleiht, kann mittelst
einer schmälern oder breitern Strichführung mit spitzer und
stumpfer Kreide, und mittelst Bearbeitung der Nadel hervorgebracht werden.

Zu diesem Zwecke bedienen sich einige Lithographen
für die Nadel eiserner Hefte in ähnlicher Form wie auf
Taf. II, Fig. 38.

Einige Zeichner treiben dann die fast vollendete Zeichnung mit einem wollenen Lappen (Flanell) kräftig ab, wodurch der Stein eine mehr oder minder starke Kreidefär-
bung erhält, und die Arbeit sanfter und harmonischer wird,

wobei zuletzt die höchsten Lichtstellen mittelst des Schabers hervorgehoben werden.

Hierzu muß der Schaber scharf sein, damit er nebst der Kreide zugleich auch einen kleinen Theil von der Oberfläche des Steins mit fortnimmt. Nach Bedarf kann auch an passenden Stellen blos ein Theil des Kornes entfernt werden, wodurch man feine, helle Färbungen erhält, die geeignet angebracht, eine sehr gute Wirkung hervorbringen.

Um aber dieses Verfahren mit einer gewissen Sicherheit auszuführen, bedarf es wiederholter Proben, um sich von dem Resultate desselben hinreichende Rechenschaft geben zu können.

Während des Zeichnens sind aber auch noch manche Vorsichtsmaßregeln nothwendig, theils um den Uebelstand zu vermeiden, daß Flecken, denen man nicht leicht vorbeugen, oder die man gar nicht entfernen kann, beim Abzuge mit zum Vorschein kommen, theils um auch überhaupt eines vollständigen Gelingens beim Drucke versichert zu sein.

Der Stein muß so viel wie möglich gegen Staub geschützt bleiben, und vor dem Zeichnen mit einem eigens dazu bestimmten reinen Pinsel oder Fuchsschwanze abgestäubt werden, weil der vorhandene Staub dem gehörigen Festsetzen der Kreide hinderlich ist, und die darauf gezeichneten Stellen beim Abzuge theilweise verschwinden würden, wodurch unterbrochene, ungleiche Färbungen entstehen.

Da alle fetten Körper auf dem gekörnten Steine leichter eindringen als in den polirten, so darf der Theil des Steins, worauf die Zeichnung kommt, nicht mit den Fingern berührt werden, indem bei der geringsten Fettigkeit derselben, diese berührten Stellen die Druckfarbe anziehen und Flecken verursachen.

Ebenso wenig dürfen gummiartige Körper, welche für das Fett undurchdringlich sind, im flüssigen Zustande auf den Stein gebracht werden, weil die Kreide auf solchen bedeckten Stellen in den Stein nicht eindringen kann, und daher dieselben am Abdrucke sich als weiße Flecke zeigen.

Deshalb ist auch die Pause auf dem Steine mittelst Oblaten, Gummi oder Mundleim nur außerhalb des Randes der Zeichnung anzukleben.

Gleich den gummiartigen Körpern hat auch der Speichel auf den Stein dieselbe nachtheilige Wirkung. Sollten daher Speichelspritzer auf diesen fallen, so muß man sie dadurch entfernen, daß man mit einem Stückchen Fließpapier oder einem reinen leinenen Tuch leicht und ohne zu reiben darauf drückt.

Ist aber auf den befleckten Stellen noch keine Zeichnung angefangen, so ist es sicherer, sogleich dieselben behutsam mit reinem Wasser abzuwaschen.

Wenn fettige Schuppen, welche aus den Haaren des Zeichners auf den Stein fallen, einige Stunden darauf liegen bleiben, und gleichsam ihr Fett vom Stein aufgesogen wird, so erscheinen dieselben beim Abdrucken als schwarze Punkte, deren Spuren besonders in den leichten Tönen der Zeichnung nicht mehr ganz zu vertilgen sind.

Um dieses zu vermeiden muß daher der Zeichner den Stein mit einem großen reinen Pinsel öfters abkehren, um allenfalls darauffallende Schuppen zu entfernen.

Beim Zeichnen muß man sich sehr hüten, den Stein anzuhauchen, indem dadurch die daraufliegende Kreide einen gewissen Grad von Feuchtigkeit erhält, der verursachen kann, daß die dort befindlichen Töne ihre Transparenz verlieren. Derselbe Fall tritt auch ein, wenn man im Winter auf einen kalt gewordenen Stein zeichnet, wo schon die warme Ausdünstung der Hand, noch vielmehr der Hauch den Stein schwitzen macht. Weshalb auch manche Lithographen sich eines Streifen dünnen Kartons bedienen, der ähnlich dem bekannten Respirator die Breite und die Höhe des Mundes vollständig deckt und mit zwei Schleifen von Band oder Schnur versehen ist, welche man über die Ohren schlingt um so hierdurch den Stein vor der Verbindung mit dem Athem zu schützen.

Auch soll man im Winter den Stein immer vor dem Zeichnen im warmen Zimmer liegen haben, damit er nie zu kalt werde. Im Sommer hingegen muß man sein

Zimmer so kühl, als möglich, halten, da die Hitze die Kreide erweicht, welche dann gern schmiert, und die feinen Zwischenräume des Korns verkleistert.

Uebrigens soll man während der Zeichnung nie die Art der Kreide wechseln, da bei zwei verschiedenen Sorten der Farbenton variirt und kein Urtheil über die Harmonie der Zeichnung zuläßt, während zugleich eine kleine Differenz in den Massenverhältnissen einen Unterschied in der Aetzung herbeiführt, der ebenfalls störend auf die Harmonie des Abdrucks einwirken muß.

Zudem soll auch der Stein so groß sein, daß um die Zeichnung wenigstens ein 4 Ctm. breiter Rand-Raum bleibt, was schon für die Operation des Abzugs· unumgänglich nöthig ist, indem, wenn eine Zeichnung dem Rande eines Steines allzunahe kommt, die äußeren Stellen sich nur sehr schlecht einschwärzen lassen und gewöhnlich rußig werden.

Die Tamponnirmanier.

Wir verdanken dieses schöne Verfahren dem berühmten französischen Lithographen Engelmann, und dasselbe ist lange nicht hinreichend gewürdigt worden, was wohl darin liegen mag, daß es höchst sorgfältig behandelt sein will, obgleich es aber dann auch die herrlichsten Effekte in Weichheit und Harmonie hervorbringt. Um sich des Tampons mit Erfolg zu bedienen, reicht es nicht hin, alle die Zufälligkeiten zu vermeiden, welche aus dem Mangel an Erfahrung beim Zeichnen selbst entstehen, sondern man muß auch eine sehr genaue Kenntniß von der Wirkung des Druckverfahrens selbst haben.

Die Tampons, Ballen, haben genau die Gestalt der sonst gebräuchlichen, allgemein bekannten Buchdruckerballen, nur daß sie bei weitem kleiner sind. Man macht sie von Holz, kreisrund, die eine Fläche ist etwas hohl gearbeitet, die andere mit einem Griffe versehen. Die untere Seite der Tamponplatte, d. h. diejenige, welche dazu bestimmt ist, die Tinte auf dem Steine zu vertheilen, wird in ihrer Höhlung mit Baumwolle ausgefüllt, deren aber soviel sein muß, daß sie eine flach halbkugelige Erhabenheit bildet. Darüber zieht man ein Stück Kalbleder und dann ein Stück weißes Handschuhleder, die Fleischseite nach außen. Beide werden scharf angespannt und mittelst einer Schnur in einer Rinne, welche am Rande der Platte ausgedreht ist, fest angezogen, so daß die obere Fläche des Ballens auch nicht die kleinste Falte zeigt. Man muß übrigens mehrere Ballen von verschiedener Größe haben.

Da hier diese Ballen nicht mit der Feuchtigkeit in Berührung kommen, so kann man sich auch mit Vortheil der, aus einer in den Buchdruckereien bekannten Masse, gegossenen Ballen bedienen, welche eine große Elasticität und Dauer besitzen, und auch umgegossen werden können, sobald sie unbrauchbar werden.

Beim Gießen eines Tampons oder Ballens läßt man den Stiel hohl ausdrehen, befestigt auf die Platte desselben ein sehr tiefes Uhrglas, verklebt die Fugen mit Lehm oder Glaserkitt und gießt dann die aus gleichen Theilen Tischlerleim und Syrup gekochte flüssige Masse durch den Stiel ein.

Die Form des Uhrglases, das man vorher mit Oel bestreicht und nach dem Gusse, sobald die Masse erkaltet ist, leicht abnehmen kann, giebt die kalottenförmige Erhöhung des Ballens.

Lederne Ballen scheinen übrigens den Vorzug zu haben, da das Tamponniren mit denselben gleichförmigere Tinten giebt.

Sehr zweckdienlich sind auch, besonders bei kleinen Gegenständen, Ballen in Hammerform, **Taf. III, Fig. 60.**

Die Tamponnirtinte setzt man zusammen aus

    4 Theile Jungfernwachs,
    1 „   Talg,
    2 „   getrockneter Seife,

welche man zusammenschmelzt, dann die Hitze bis zur Entzündung treibt, darauf 3 Theile Schellack nach und nach hinzuwirft, nachdem die Masse 30 Sekunden gebrannt hat, dieselbe auslöscht und 1 Theil mit Soda gesättigtes Wasser hinzuthut. Nachdem der entstandene Schaum verschwunden ist, setzt man 1 Theil des leichtesten Lampenrußes und 4 Theile gewöhnlicher Druckfarbe zu, mengt Alles gut durch einander und läßt die Masse erkalten, die man in Stäbe formt.

Nach Engelmann's Angabe besteht die Tamponnir= tinte aus

8 Theilen Wachs,
3 „ Talg,
5 „ Seife,
6 „ Schellack,
3 „ Ruß,

welche Substanzen man in gleicher Weise, wie bei der lithographischen Tusche, zusammenschmelzt, dann 8 Theile gewöhnliche Druckschwärze hinzufügt und in dicke Stangen gießt.

Sobald man nun die Zeichnung auf den zur Kreide= zeichnung gekörnten Stein gebracht und die Kontouren mit der Feder mit lithographischer Tinte, oder mit der Kreide festgestellt hat, überzieht man den Rand des Steins und alle Stellen der Zeichnung, welche ganz weiß bleiben sollen, mit einer dünnen, aber zusammenhängenden Schicht Reserve. Dieses ist eine Mischung von 3 Theilen Wasser, in wel= chem man soviel Gummi = arabicum aufgelöst hat, daß die Masse die Konsistenz eines Syrups erhält, einem Theil Ochsengalle und soviel Zinnober, als nöthig ist, um eine sehr gesättigte Farbe hervorzubringen. Jeder andere Far= benzusatz wird dieselben Dienste thun, doch wird man immer Zinnober vorziehen, da er bei dem spätern Nach= arbeiten durch die tamponnirten Töne durchscheint.

Ist der Stein, nachdem man die Reserve an den ge= hörigen Stellen aufgetragen hat, vollkommen trocken ge= worden, so löse man auf einer matten Glastafel etwas Tamponnirtinte mit Terpentinöl oder Lavendelöl zu der Kon= sistenz einer gewöhnlichen Druckfarbe auf, verbreite sie mit einem eigens dazu bestimmten größern Tampon und nehme von letzterm mit dem, nach der Größe der zu tamponnirenden Flächen proportionirten Ballen die Farbe ab, so daß letzterer vollkommen eingeschwärzt erscheint.

Mit diesem zweiten Tampon gebe man nun, indem man ihn senkrecht und mit gelindem Drucke gegen den zu tamponnirenden Stein stößt, diesem einen gleichmäßigen Farbenton, wie man ihn für die lichteste Tinte bestimmt hat. Wenn der große Tampon farbeleer ist, so bedeckt man ihn wieder auf der Glasplatte mit einer Farbenschicht; doch muß sowohl auf ihm, als dem kleinen Tampon, die Farbe stets sehr gleichmäßig verbreitet sein. Beim Tamponniren hat man sehr darauf zu sehen, daß die Stöße mit dem Tampon nicht zu fest, dagegen aber ziemlich rasch und sehr gleichmäßig gemacht werden. Man muß die Farbe auf beiden Tampons sehr oft erneuern und vertheilen, sonst bildet sie sich auf dem Tampon zu einem Ringe, der dann, sobald man einen Stoß etwas zu stark macht, sich auf den Stein überdruckt und den ganzen Ton verdirbt.

Ist dieser erste lichteste Ton (— man muß sich sehr hüten, einen Ton nicht zu tief zu tamponniren, da man einen solchen nicht wieder aufhellen kann) durchaus gleich= förmig, als wenn er mit Tusche in der verlangten Nüance angelegt wäre, aufgetragen, so decke man mit der Reserve alle diejenigen Theile der Zeichnung, welche diesen Ton behalten sollen, lasse den Stein trocknen und tamponnire abermals für den zweiten Ton. Bei dem Decken mit der Reserve hat man sich sehr vorzusehen, dieselbe allerdings sehr genau an die Ränder anzuführen, aber weder hier noch überhaupt zu dick aufzutragen, indem man sonst, namentlich an Rändern, nicht gehörig tamponniren kann, wodurch man dann überall zwischen den Tönen Lichtkanten erhält, die sich nur mit großer Mühe, oft sogar gar nicht, mit dem Uebrigen in Akkord bringen lassen.

Ist der zweite Ton ebenfalls in der nöthigen Stärke tamponnirt, so deckt man wieder diejenigen Stellen, welche nun tief genug schattirt sind und geht zum dritten und, wenn dieser fertig ist, zum vierten Tone über und dies so fort, bis auch die tiefsten Töne tamponnirt sind. Dann

geht man mit dem Steine unter einen Brunnen und ent=
fernt die verschiedenen Reserveschichten sehr behutsam und
ohne zu reiben, und setzt dies Abwaschen so lange fort,
bis auch die letzte Spur des Gummi entfernt ist. Als=
dann vollendet man die Zeichnung auf dem Steine mit
der Kreide und mit der Tinte.

Diese Manier ist vortrefflich für die Anlage der vor=
bereitenden Tinten bei Zeichnungen von bedeutenden Dimen=
sionen, für die eintönigen Gründe und vorzüglich für die
Lüfte. Handelt es sich nur um das Tamponniren der Luft
an einer kleinen Landschaft, so wäre es unnöthig, die
übrigen Stellen erst zu decken, sondern man schneidet aus
einem Blatte starken Papiers nur die zu tamponnirende
Stelle heraus, befestigt dann das Blatt in der gehörigen
Richtung auf dem Steine und tamponnirt nun. Das
Papier dient dann als Reservepatrone, und man spart auf
diese Weise viele Zeit. Indessen muß man hier sehr vor=
sichtig zu Werke gehen, namentlich muß das Patronen=
papier nicht zu dünn sein, durchaus scharfe, nicht ausge=
franzte Ränder haben, und sich während dem Tamponniren
nicht verschieben oder gar auf= und abklappen.

Sobald die Schwärze auf der Glasplatte anfängt
dick zu werden, verdünnt man sie mit etwas Terpentin=
oder Lavendelöl zur gewöhnlichen Weichheit.

Knecht, ein französischer Lithograph, hat dies Ver=
fahren, wenn wir so sagen sollen, weiter ausgeführt, und
wir wollen unsern Lesern hier die Details desselben mit=
theilen. Er theilt seine Arbeiten ein in:

a) platte Tinten,
b) Schatten,
c) lichte Zeichnung auf dunklem Grunde,
d) dunkle Zeichnung auf hellem Grunde,
e) dunkle Zeichnung auf dunklem Grunde.

Die Tinte, deren er sich bei dieser Arbeit bedient, be=
steht aus einer Zusammensetzung von gleichen Theilen
Jungfernwachs, weißer Seife, Leinöl, Schellack und der
nöthigen Quantität Kienruß; die Bereitungsart ist die aller

lithographiſchen Tinten. Seine Reſerve iſt die obenge-
nannte, der er aber auch ſtatt des Zinnobers wohl zuweilen Bronce, Gold oder Silber, zuſetzt.

a) Platte Tinten.

Man erhält die platten Tinten (gleichtönige, einför-
mige Flächen) wie bei Engelmann. Sobald man die
erſte Tinte tamponnirt hat, wäſcht man die ganze Reſerve
von dem Steine und bedeckt, nachdem derſelbe wieder
trocken iſt, Alles was weiß bleiben und das, was die erſte
Tinte behalten ſoll, mit der Reſerve, tamponnirt dann die
zweite Tinte und ſo fort, ſo viel man Tinten haben will.

b) Schatten mit dem Pinſel.

Um Schatten zu erhalten, muß man ganz anders
verfahren. Wollte man z. B. nur einen einzigen Strich
tamponniren, während alles Andere weiß bleiben ſoll, ſo
liegt es am Tage, daß es ſehr ſchwer, ja unmöglich ſein
würde, den ganzen Stein mit Reſerve zu bedecken und
nur dieſen einzigen Strich auszuſparen. Man bedient ſich
daher hierzu des folgenden Mittels:

Man verſetzt Kienruß oder Bleiweiß mit Terpentinöl
und mit venetianiſchem Terpentin, daß die Maſſe die
Stärke eines dicken Oeles erhält. Mit dieſer Deckfarbe
malt man nun alle Theile der Zeichnung, welche man
ſpäter tamponniren will. Man muß ſich jedoch wohl hüten,
zu viel Terpentinöl zur Deckfarbe zu ſetzen, da ſie ſonſt
fließt und zum Gebrauche untauglich wird, weshalb man
beſſer thut, den Terpentingeiſt in einem Fläſchchen ſtehen
zu haben, und mit dem Pinſel nur ſoviel herauszunehmen,
als man zur Verdünnung der Farbe braucht. Jeder Strich
mit der Deckfarbe muß ſchwarz und kräftig daſtehen. —
Iſt der Stein trocken, ſo überzieht man ihn gänzlich mit
der Reſerve, der aber keine Ochſengalle beigemiſcht ſein
darf. Auf den mit Deckfarbe gemachten Strichen haftet
die Reſerve nicht, und wenn dieſe trocken iſt, löſt man mit
reinem Terpentingeiſte die Deckfarbe auf und entfernt die-

felbe mittelſt eines Lappens, aber ohne zu reiben, ſo daß der Stein an dieſen Stellen wieder weiß wird.

Iſt der Terpentingeiſt verflogen, ſo tamponnirt man den verlangten Ton auf die bloßgelegten Stellen und verfährt, wie wir oben bereits beſchrieben haben. Es iſt klar, daß man das Verfahren wiederholen und mehrere Tinten geben kann; doch darf man dann die Deckfarbe nicht weiter anwenden, ſondern muß mit der Reſerve allein arbeiten, indem, wenn man die Deckfarbe mit Terpentin wegnehmen wollte, man auch die Tamponnage an jenen Stellen mit wegnehmen würde. Könnte man ſich aber nicht ohne die Deckfarbe behelfen, ſo müßte man ſich auf einem andern Steine eine Probe von der erſten Tinte aufbewahren, um ſpäter beurtheilen zu können, ob die ſpätere dunkel genug tamponnirt ſei, um die erſte zu ſchattiren.

c) Helle Zeichnung auf dunklem Grunde.

Man beginnt damit, die Kontouren und die Drucker mit der Deckfarbe zu malen, und bedeckt dann mit der Reſerve den Rand der Zeichnung und die höchſten Lichter. Dann hebt man die Deckfarbe ab und tamponnirt den erſten Ton, deckt, tamponnirt den zweiten Ton und ſo fort, bis die Zeichnung vollendet iſt, worauf man dann den Grund ſo dunkel tamponnirt, als man für nöthig hält, den Stein abwäſcht und dort, wo es nöthig iſt, mit Kreide oder Tinte vollendet.

d) Dunkle Zeichnung auf hellem Grunde.

Man überlegt Alles, was ſchattirt werden ſoll, mit der Deckfarbe und überzieht dann den ganzen Stein über und über mit Reſerve. Iſt dieſelbe trocken, ſo hebt man die Deckfarbe mit Terpentin ab und behandelt nun die jetzt allein blank daſtehende Zeichnung nach dem reinen Engelmann'ſchen Verfahren.

e) Dunkle Zeichnung auf dunklem Grunde.

Für den Anfang kommt dieſe Arbeit ganz mit der vorhergehenden überein, nachher aber weicht ſie davon ab.

Wenn die Zeichnung vollendet ist, bedeckt man sie mit der Reserve, welche man gut trocknen läßt. Darauf nimmt man auf Baumwolle etwas Weingeist und bemüht sich, die Deckfarbe abzuheben. Man muß mit trockner Baumwolle nachwischen und oft frischen Weingeist nehmen, damit die wässerigen Theile desselben nicht etwa die Reserve angreifen. Sollte dies dennoch geschehen, so muß man die Reserve vor dem Tamponniren erst wieder ausbessern.

Allgemeine Bemerkungen.

Wollte man einen bereits zu dunkel tamponnirten Ton herabstimmen, so decke man alle untadelhaft erscheinenden Stellen mit der Reserve und tamponnire den fraglichen Ton mit einem harten Tampon ohne Farbe, bis derselbe hell genug ist.

Will man hingegen einen Ton dunkler arbeiten, so decke man, was gut ist, mit der Reserve und tamponnire dann das zu Helle nach. Wollte man das Ganze nach- tamponniren, so braucht man nur die Ränder und die höchsten Lichter zu decken.

Die Tinte muß man jeden Tag neu einreiben und die Tampons öfters, und namentlich, sobald man die Ar- beit, sei es auch nur für Stunden, schließt, mit Terpentin sauber reinigen. Ist durch Nachlässigkeit die Farbe auf einem Tampon eingetrocknet, so ist derselbe gänzlich un- brauchbar und muß neu überzogen werden. Die mit einem hart gewordenen und etwa mit Terpentin wieder aufge- weichten und nothdürftig rein gemachten Tampon gear- beiteten Tinten werden durchgängig hart und unschön.

Die Aetzung der tamponnirten und mit Kreide oder Tinte ausgezeichneten Steine geschieht auf dieselbe Weise, wie dies für die mit Kreide gearbeiteten Steine später beschrieben werden wird.

Statt des Tamponnirens lassen sich auch die Tinten mit einem geschwärzten Büschel Wolle anwischen, welcher vorher auf einem Steine abgerieben worden ist.

Die Wischtinte hierzu ist aus folgenden Bestandtheilen zusammengesetzt:

1 Theil Wachs,
2 „ Schweinefett,
3 „ Wallrath,
1 „ Seife.

Man läßt diese Substanzen zergehen und solange über dem Feuer stehen, bis sie die zwischen dem Wachs und dem Talg inneliegende Konsistenz erlangt haben. Sodann reibt man soviel kalcinirten Ruß hinzu, als möglich ist, denn diese Farbe muß eher im Uebermaß, als in unzureichender Quantität darin vorhanden sein, weil außerdem die Arbeit roth aussehen und beim Drucke schwärzer ausfallen würde, als man wünschte.

Im Uebrigen ist die Behandlung mit der Reserve ganz so wie beim Tamponniren.

Nach beendigter Arbeit wird der ganze Stein mit Reserve bedeckt, und dann mit hartem Wasser abgewaschen.

Die Manipulationen dieses Tamponnir= und Wischverfahrens sind jedoch für den Zeichner und Drucker bedeutend schwieriger, als die der Kreidemanier.

In geeigneter Verbindung mit letzterer leistet zwar das Tamponniren bei Architekturbildern, bei Lufttönen der Landschaften u. dergl. gute Dienste, allein gegenwärtig, bei der bedeutend vorangeschrittenen Vervollkommnung der Kreidemanier, sind diese Verfahrungsweisen beinahe ganz entbehrlich geworden.

Die Tuschmanier.

Diese Manier bildet eine Nachahmung der mit schwarzer oder anderer Farbe mittelst des Pinsels durch Laviren oder Verwaschen auf Papier dargestellten Zeichnungen, ist auch bereits seit längerer Zeit versucht, aber erst in den letzten Jahren durch Hanke zur Vollkommenheit gebracht worden.

Man bedient sich zu derselben der grauen Kreidesteine mit erhabenem, gutem, mittelfeinem Korne, reibt dieselben aber, ehe man sie bezeichnet, mit Flanell sehr sorgfältig ab, damit das Korn durchaus frei stehe und die Zwischen-

räume desselben nicht etwa mit Steinstaub gefüllt seien.
Zuerst reibt man feucht, dann trocken ab.

Die Tinte, deren man sich bei dieser Arbeit bedient,
besteht aus 1 Theil Wachs, 2 Theilen Schweinefett,
3 Theilen Wallrath, 2 Theilen Seife und der zum Färben
nöthigen Menge ausgeglühetem und auf dem Stein mit
dem Glasläufer ganz fein geriebenem Kienruß. Die Ingredienzien werden zusammengeschmolzen und so stark erhitzt, daß, wenn man der Masse ein brennendes Schwefel-
hölzchen nahe bringt, dieselbe sich entzündet, worauf man sie
unter stetem Umrühren einige Sekunden brennen läßt, dann
die Flamme mit einem genau schließenden Deckel erstickt
und die Masse ausgießt und in Stangen formt.

Die Umrisse werden mit einem feinen Pinsel mit der
nach gewöhnlicher Art eingeriebenen, oben angegebenen
Tinte gemacht, und sind, wenn sie einmal trocken sind, fest
genug, um sich bei der nachherigen Arbeit nicht etwa
wieder aufzulösen.

Man kann sich auch Zeichenstifte aus obiger Masse
formen, indem man statt der Seife Gummilack zusetzt.
Mit diesen Stiften kann man die Kontouren sehr fein,
leicht und ebenso dauerhaft zeichnen, als mit dem Pinsel.
Fehler werden mit dem Schaber fortgenommen und nach-
gezeichnet.

Wenn die Kontouren ganz trocken sind, geht man an
das Tuschen. Zu diesem Zwecke reibt man sich auf der
Palette eine hinreichende Menge Tinte schwarz ein und
bildet in verschiedenen Näpfchen, durch Zusatz von Regenwasser, eine Reihe von Tönen vom hellsten bis zum dunkelsten;
jedes einzelne Näpfchen muß aber, zur Verhütung des
Vollstaubens und des zu schnellen Eintrocknens mit einer
kleinen Glasglocke bedeckt werden. Von dieser Stufenfolge
macht man sich auf dem Rande der Platte eine Skale, um
die Farben nach dem Trocknen beurtheilen zu können, wo
sie dunkler sind.

Nun fängt man die Arbeit an, indem man zuerst die
hellsten Schattentöne aufträgt und die dunkleren nach und
nach folgen läßt. Beim Auftragen muß man bemüht sein,

die Farbe immer in derselben Richtung und nicht hin-
und herfahrend auszubreiten; man muß nur ebensoviel
Tusche in den Pinsel nehmen, um den Stein leicht anzufeuchten, sonst trocknet die Tusche zu sehr und die Töne
werden nicht gleichmäßig. Man darf nie über schon aufgetragene Striche fahren, ehe dieselben ganz trocken sind,
weshalb man die Striche in die ganze Länge zieht und
die folgenden dicht daneben setzt. Die größte Vorsicht in
dieser Hinsicht ist bei den ersten Tönen nöthig, bei den
spätern arbeitet man freier. Ist der erste Ton ganz trocken,
so macht man die zweiten Schatten über die ersten,
welche sich, einmal trocken, nicht leicht wieder auflösen.
Hat man alle Töne durchgearbeitet und ist die Platte
vollendet, so wischt man sie mit einem reinen Tuche ab
und behandelt sie dann wie eine Kreidezeichnung, läßt sie
aber möglichst lange unter dem Gummi stehen. Vor dem
Beginn des Druckes behandelt man die Platte mit Terpentinöl und überfährt sie dann mit einem, leicht mit
Leinöl benetzten Flanelllappen. Der Druck erfolgt genau
wie bei der Kreidezeichnung.*)

B. Die vertieften Manieren.

Vertiefte Manieren nennen wir solche, bei denen die
Schrift oder Zeichnung nicht, wie bei den erhabenen, auf
die Oberfläche der Steinplatte gezeichnet, sondern in dieselbe eingegraben wird, wie dies beim Kupferstiche der
Fall ist. Diese vertieften Linien werden dann mit einer
Schwärze von fettiger Substanz ausgefüllt und sodann auf
mehrfache, sogleich zu beschreibende Weise eingeschwärzt
und auf die gewöhnliche Art abgedruckt.

Man hat zwei Arten, die Striche in die Tiefe ein-
zugraben, nämlich mechanisch durch Instrumente, Grabstichel, Nadeln u. s. w., oder chemisch durch das Einätzen
mit Scheidewasser.

---

*) Diese Tuschmanier hat sich jedoch in der Praxis nicht
zur Lebensfähigkeit erschwungen.

1) Die Gravirung.

Diese ist eine vertiefte Manier, bei welcher die Zeich=
nung auf mechanischem Wege in die Steinplatte gebracht
wird. Sie geht mit dem eigentlichen Kupferstiche parallel
und ist das in der Lithographie, was dieser in der Chalco=
graphie ist. Sie ist eine der gangbarsten und nutzbarsten
Manieren des Steindrucks und eignet sich vorzüglich zu
sehr feinen Schriftarbeiten, z. B. Landkarten, Visitenkarten,
Wappenstichen, Diplomen, architektonischen Zeichnungen u.
dergl. m.

Man arbeitet in dieser Manier nicht so schnell, als
mit der Feder, allein doch immer noch weit schneller, als
der Kupferstecher in Metall arbeiten kann. Und da man
dessen Arbeiten, hinsichtlich der Zartheit und Sauberkeit,
ganz gleichkommen kann, so ist die Manier gewiß ein
großer Gewinn für die Kunst.

Zur gravirten Manier sind nur die härtesten Steine
tauglich und man muß sich vorzugsweise dazu der grauen,
ins Bläuliche spielenden bedienen und nur solche aussuchen,
welche ein gleichartiges Gefüge und keine weichen Stellen
haben.

Der Stein wird mit Bimsstein naß, spiegelglatt und
ohne feine Löcher und Risse, geschliffen und dann trocken
10 — 14 Mal mit feinem Bimsstein nachpolirt, wodurch
der Stein für das spätere Ansprechen der Nadel viel
empfänglicher gemacht und dem Abbrechen der Nadelspitzen
sehr vorgebeugt wird.

Hierauf erhält der Stein eine Präparatur, damit er
später, beim Einreiben der Farbe auf den unbezeichneten
Stellen weiß bleibe. Dieses Präpariren geschieht bei neuen
Steinen durch Ueberstreichen mit Gummiauflösung; bei
schon einmal gebrauchten Steinen aber wird der Gummi=
auflösung etwas Gallusextrakt beigemischt, dasselbe kann
auch bei neuen Steinen von weißlichgelber Farbe, welche
weich sind, mit Vortheil angewendet werden.

Eine Gummiauflösung, welche durch die Länge der
Zeit schon etwas sauer geworden, ist die geeignetste hierzu.

Einige Lithographen äßen vor dem Gummiauftragen
den Stein mit schwachem Aeßwasser, wie selbes bei Kreide=
zeichnungen angewendet wird, wobei sie sich der Phosphor=
säure oder auch der Salpetersäure bedienen; oder über=
streichen den Stein mit einer Gummiauflösung, der ein
wenig obiger Säure beigemischt wurde.

Wir geben jedoch dem obigen Verfahren den Vorzug.

Sehr gebräuchlich ist auch die Kleesalzpräparatur,
wobei feingepulvertes in Wasser aufgelöstes Kleesalz mittelst
des Tampons auf die ganze Steinfläche in derselben Weise
verbreitet wird, als wolle man den Stein damit schleifen;
dieser Kleesalzauflösung wird sodann ebenfalls mit Wasser
angefeuchteter Blutstein beigefügt und dieses Verfahren
mittelst des Tampons einige Zeit fortgesetzt, wodurch der
Stein zum Graviren spiegelblank hergerichtet.

Wird der Stein jedoch nicht sofort gebraucht, so muß
er gummirt werden.

Der Tampon ist aus starken Tuchenden, die man um
sich selber wickelt, ähnlich wie der bereits im I. Kapitel
erwähnte Tuchtampon, gefertigt.

Durch das Kleesalz erhält der Stein eine vorzügliche
Politur, weshalb die Anwendung desselben bei feinen
Gravirarbeiten, z. B. Visitenkarten, die auf Glanzpapier
gedruckt werden, sich ganz besonders empfiehlt; dagegen
wird von vielen Lithographen die Präparatur der Salpeter=
säure da vorgezogen, wo die Gravirarbeit einer längeren
Zeit bedarf und mancherlei Korrekturen nicht zu umgehen
sind, oder wo das Abdecken in Anwendung gebracht und
sodann das Korrigirte und Abgedeckte vor Annahme der
Druckfarbe am vollständigsten geschützt bleibt.

In die präparirte Fläche wird dann die Zeichnung
oder Schrift mittelst der Nadel oder des Diamanten ein=
gerißt und nach Vollendung dieser Arbeit diese gravirten
Stellen mit Leinöl getränkt, wobei unter Einwirkung des
Gummi die Bildung einer Kalkseife vor sich geht, welche
das Anziehen der Druckfarbe an diesen Stellen bewirkt.

Bei dieser Operation ist vorzüglich die Qualität des
Steins zu berücksichtigen, indem das Eindringen des Oels

12*

bei weichen rauhkörnigen Steinen einer längeren Zeit bedarf, als bei dem feinkörnigen Steine.

Würde auf einem nicht gummirten Steine die Gravirarbeit vorgenommen, so wird beim Einreiben der ganze Stein Farbe annehmen, ohne daß die gravirten Stellen ein besonderes Bestreben zeigen werden, gegenüber dem übrigen Stein die Farbe anzuziehen, woraus die Nothwendigkeit der Gummipräparatur, sowie die hierdurch bewirkte Verseifung des Oels mit dem kohlensauren Kalk hervorgeht.

Um die gravirten Striche und deren Effekt zu sehen, ist es nöthig, der Steinoberfläche eine Farbe zu geben, wozu gewöhnlich gebrannter Ruß oder Röthel gewählt wird.

Am häufigsten kommt der schwarze Grund in Anwendung, wozu gebrannter Ruß mit etwas Spiritus und Wasser fein abgerieben und beiläufig der zehnte Gewichtstheil Gummi darunter gemischt, in einem verschlossenen Fläschchen aufbewahrt wird. Bei demselben darf nur soviel Gummi sein, als zur Bindung der Farbe nöthig ist, denn das geringste Uebermaß an Gummi erschwert das Graviren, indem die Nadeln auf solchen Stellen nur schwer angreifen.

Auch muß das Auftragen dieses Grundes so dünn wie möglich geschehen, damit er den Graveur nicht hindere.

Hierbei wird zuerst die Gummipräparatur abgewaschen und der Stein mit einem Tuche abgetrocknet, wobei jedoch eine schwache Gummilage auf dem Stein zurückbleiben soll, indem sonst, besonders im Sommer, ein Schmutzigwerden der Platte zu befürchten wäre.

Nachdem dies geschehen, wird die Farbe auf den Steinrand gebracht, mit der Fingerbeere nochmal fein zerrieben und mit einem Schwämmchen unter Zusatz von Wasser über die Platte verbreitet, und dann mittelst eines Vertreibpinsels oder mittelst der bei den Papierfärbern gebräuchlichen Vertreibbürste möglichst gleichmäßig ausgeglichen *).

*) Hierzu eignet sich auch eine feine Haarbürste, die zum Hutbürsten benutzte, sogenannte Seidenbürste.

Der Vertreibpinsel ist aus Dachshaaren gefertigt, die 4½ Centim. aus der Hülse gehen und an der untern Fläche einen 3 Centim. weiten Kreis bilden, **Taf. III, Fig. 61**, mit welchem durch Tupfen der Grund gleichmäßig verbreitet wird, so daß der ganze Stein schuppig aussieht, und dann durch ein nach allen Richtungen leichtes Hin- und Herziehen des Pinsels, die vollständige Ausgleichung des Grundes geschieht. Der rothe Grund wird vorzugsweise bei Korrekturen angewendet, oder wenn bei der bereits gravirten und mit Farbe eingeriebenen Platte Ergänzungen oder weitere Ausarbeitungen zu machen sind; wobei der ganze Stein oder auch blos die betreffende Stelle mit fein geschabtem Röthel oder Zinnober gewöhnlich trocken mittelst der Fingerbeere eingerieben wird.

Ebenso kann aber auch der mit Wasser feingeriebene Röthel mit einem Schwämmchen auf den Stein verbreitet, und dann wie beim schwarzen Grunde mit dem Pinsel oder der Bürste bearbeitet werden.

Der auf diese Art präparirte Stein ist nun zur Aufnahme der Pause und zur weitern Bearbeitung fertig; doch muß man stets unter der Vorlage arbeiten und es ist ebenso unzweckmäßig als nachtheilig, die Hand und den Arm unmittelbar, selbst wenn man ein zusammengeschlagenes Tuch unterlegt, auf den Stein zu bringen.*) Zunächst trägt man die Pause auf, und zwar mit rothem Kopirpapier, wenn man den Stein schwarz oder mit scharzem, wenn man den Stein roth grundirt hat, oder man legt die Zeichnung sogleich mit Reißblei darauf an, doch hat man sich vorzusehen, daß man mit der Pausnadel nicht etwa den gefärbten Ueberzug durchreiße. Ist die Pause vollendet, so hauche man sie über und über stark an, wo-

---

*) Einige Lithographen ziehen es jedoch vor, statt der Vorlage des Brettchens, ein Stück festes, gut gewalktes Tuch auf den Stein zu legen, worauf die Hand ruht. Dieses Tuch dient gleichzeitig dann zum Wegwischen des weißen Staubes den die Gravirnadel-Spitze hervorbringt. Ebenso dient das erwähnte Tuch zum Bedecken des Steins, wenn man die Arbeit verläßt, um sie gegen jeden Unfall zu sichern.

durch sich dieselbe auf dem Grunde fixirt und bei dem nachherigen Arbeiten ꝛc. nicht verwischt wird. Das Ueber-drucken einer Zeichnung mit der fetten Tinte auf diese grundirte Platte ist nicht rathsam, weil theils die Präparatur durch den Druck leicht verletzt werden könnte, theils aber auch auf den fetten Linien sich mit der Nadel sehr schlecht arbeiten läßt.

Ist die Zeichnung vollendet, so nimmt man die be-reits früher beschriebenen Nadeln und arbeitet nun nach Verhältniß die Linien breit oder schmal durch die Gummi-decke in dem Steine aus. Es reicht vollkommen hin, wenn nur die Präparatur durchschnitten ist, was man daran erkennt, daß sich ein leichter weißer Staub an dem ge-machten Striche zeigt. Zu tief gravirte Linien nehmen die Schwärze späterhin nicht gut an und erscheinen im Drucke grau. Am allerwenigsten soll man breite Linien tief arbeiten. Diese müssen so flach, als irgend möglich gehalten werden, sonst erscheinen sie im Druck an beiden Rändern schwarz und in der Mitte grau. Man kann diese breiten Linien oft mit einem Striche, vermöge breiter Nadeln machen, doch kann dabei, wenn man darin nicht die rechte Fertigkeit besitzt oder mit großer Vorsicht zu Werke geht, der Stein leicht an den Seiten dieser Linien ausspringen und die Zeichnung sehr verderben, daher es rathsamer ist, diese Linien nur nach und nach durch Nach-schaben an den Seiten zur gehörigen Breite zu bringen. — Ganz feine Linien sind schon tief genug, um nachher Farbe aufzunehmen, wenn sie nur völlig weiß erscheinen. Alle Kontouren muß man stets mit der englischen Stahlnadel vorreißen, mit Ausnahme der geraden Linien und der Kreise, welche durchaus, ihrer Gleichförmigkeit halber, mit der Diamantnadel ausgeführt werden müssen. Die breiteren Nadeln zum Ausschaben, Ausarbeiten und Schattiren der Schrift dürfen durchaus nicht von beiden Seiten halbplatt sein, sondern sie müssen von einer Seite fast ganz flach, von der anderen jedoch stark oval, fast halbrund, geschliffen sein; da man mit solchen Nadeln die höchste Reinheit und Schärfe der Striche erreichen kann. Alle Strichlagen,

welche nicht ganz fein sind, muß man stets mit einer Aus-
arbeitnadel machen, da die spitzgeschliffene Vorreißnadel
leicht rauhe Striche erzeugt. Bei allen Strichlagen, d. h.
bei Zeichnungen, nicht aber bei der Schrift, soll man die
Nadel stets zwischen dem Daumen und dem ersten Finger
haben; bei allen dickeren Strichen jedoch nehme man die
Nadel zwischen den ersten und zweiten, sowie bei den
stärksten zwischen den zweiten und dritten Finger. Man
kann auf diese Art nach einiger Uebung schneller und
schärfer arbeiten, als auf die gewöhnliche Weise.

Viele Künstler, welche in gravirter Manier arbeiten,
bedienen sich, statt der oben beschriebenen Stahlnadeln,
lieber der gefaßten Diamantsplitter, welche man käuflich
erhalten kann und es ist nicht in Abrede zu stellen, daß
diese Diamantspitzen, namentlich für feine Arbeiten, außerordentliche Vortheile gewähren, indem sie stets eine gleiche
Schärfe behalten, was sie zu Maschinenarbeiten und platten
Tinten vorzüglich geeignet macht. Für breite Arbeiten
wird man sich indessen immer der breitgeschliffenen Stahlnadeln bedienen müssen, und selbst für feinere Arbeit bleibt
die Stahlnadel vorzuziehen, da den Arbeiten mit dem
Diamant immer eine gewisse Steifheit, wir möchten sagen,
Kälte bleibt und ihnen das Markige der Arbeit mit der
Stahlnadel fehlt.

Der beim Graviren an den eingerissenen Linien entstehende weiße Staub wird leicht mit einem trocknen Pinsel
weggestrichen, oder auch nur weggeblasen. Vor allen Dingen
aber hat man bei der Arbeit und außer derselben darauf
zu achten, daß die schwarze oder rothe Decke nicht naß
werde, sonst löst sich die Präparatur auf, dringt dann in
die schon gravirten Striche und präparirt diese, welche nun
keine Farbe annehmen. Daher hat man sich wohl vorzusehen, daß der Stein nie schnell aus der Kälte in große
Wärme gebracht werde, wo das starke Schwitzen die Präparatur ebenfalls auflösen könnte, dann, daß man bei der
Arbeit den Stein nicht zu sehr anhauche und, wenn es ja
geschehen, ihn sogleich trocknen lasse, ehe man weiter arbeitet. — Fehlerhafte Striche, welche man bei den er-

habenen Manieren mit Terpentinöl wegwischt, müffen hier so flach als möglich weggeschabt und dann wieder mit etwas verdünnter Phosphorsäure präparirt und mit dem schwarzen oder rothen Tone mit einem kleinen Pinsel gedeckt werden, worauf man dann andere richtige Striche hineinarbeiten kann. Unbedeutende falsche Punkte oder Striche aber darf man nur mit einer Mischung von Gummi, etwas Phosphorsäure und Ruß oder Röthel decken, und sie werden dann keine Farbe annehmen.

Statt der Phosphorsäure werden auch gewöhnlich diesem Deckgrunde einige Tropfen Salz- oder Salpeter-säure beigemischt. —

Die eben erwähnte Korrekturmethode bringt uns zu-gleich auf eine Nüance der gravirten Manier, nämlich auf die weißen Zeichnungen auf einer platten Tinte, weiße Stellen in Lüften ꝛc. Diese weiße Zeichnungen finden z. B. auf Adreßkarten, Sicherheitswechseln und ähnlichen Arbeiten statt und erfordern, wo man mit der Feder arbeitet, sehr viel Mühe, sind aber in der gravirten Manier sehr leicht zu machen. Sie entstehen, wenn durch eine große Menge gleich weit von einander entfernter, gleich starker Linien oder dergleichen eine platte Tinte erzeugt wird, und man eine Arabeske oder Schrift ꝛc. darin ausspart, daß sie sich weiß auf dunklem Grunde zeigt. Bei der Federmanier muß man die Linien, welche die platte Tinte bilden, wirk-lich an den bezeichneten Stellen unterbrechen, oder die ganze Zeichnung später mit sehr vieler Mühe mit dem Schaber und der Nadel herausradiren, was unendlich viele Zeit und Arbeit kostet. Bei der gravirten Manier hin-gegen macht man die unterliegende platte Tinte, ohne alle Unterbrechung, mit der Maschine, oder schabt, wenn der Grund ganz schwarz erscheinen soll, denselben mit einem flachgeschliffenen Schaber ganz flach und glatt aus, prä-parirt ihn leicht mit etwas Terpentinöl, das man mit Löschpapier wieder abwischt und deckt alsdann mit der Präparatur alles, was späterhin weiß erscheinen soll. Auch der feinste Zug dieser Zeichnungen erscheint dann im Drucke weiß. Will man neben die weißen Zeichnungen, was oft sehr gute Wirkung macht, schwarze Drucke legen, oder in dieselbe schwarze Schraffirungen und Adern ꝛc. machen, so werden diese von Neuem mit der Nadel an oder in die Präparatur gravirt. Die eben erwähnte Präparatur besteht aus 2 Theilen Phosphorsäure, 4 Theilen Gallusextrakt und 1 Theil dicker Gummiauflösung. Alle drei Ingredienzien reibt man auf einer dicken, matt geschliffenen Glasplatte tüchtig durcheinander und giebt nachher soviel Ruß (in Spiritus abgerieben) zu, daß die Farbe ungefähr die Dicke gut angeriebener schwarzer Tusche hat und gut aus der Feder fließt; beim Nichtgebrauche muß diese Deckmasse oder Präparatur in einem Glase gut verschlossen aufbewahrt werden.

Aus dem bisher über die Gravirung Gesagten geht hervor, daß die Zeichnung hier, wenn sie vollendet ist, weiß auf schwarzem oder rothem Grunde dasteht, und es gehört eine gewisse Uebung dazu, ein richtiges Urtheil über den Effekt derselben nach dem Drucke zu fällen; doch findet man sich bald darein. Hier möge nur die Bemerkung Platz finden, daß man sich bei dieser Beurtheilung schon darum leicht täuscht, weil ein weißer Strich auf schwarzem Grunde viel breiter aussieht, als ein schwarzer auf weißem Grunde. Demzufolge wird eine Schrift, welche, auf schwarzem Grunde gravirt, den gehörigen Grad von Stärke hat, späterhin gedruckt, viel zu mager erscheinen. Man muß auf diesen Unterschied bereits beim Graviren Rücksicht nehmen und deshalb alle Striche fetter halten. Als Abhülfe hat man vorgeschlagen, Anfänger auf rothem Grund graviren zu lassen, da hier der Unterschied nicht so bedeutend sei; indessen können wir diesem Rathe nicht beistimmen, indem dann, wenn sich das Auge einmal gewöhnt hat, dieselben Umstände wieder eintreten, wenn man zum schwarzem Grunde übergehen will, also streng genommen, der Uebelstand verdoppelt wird, und zweitens darum, weil der geringere Abstich der weißen Striche vom rothen Grunde die Augen mehr angreift. Wir haben uns daher stets des rothen Grundes nur dann bedient, wenn es darauf ankam, bedeutende Korrekturen in gravirten Ar-

beiten zu machen, wo der Stein neu grundirt werden muß
und es darauf ankommt, die bereits fertige, schon ge-
schwärzte Zeichnung, welche durch den rothen Grund durchscheint, sehen zu können, um die neue Arbeit damit in
Harmonie zu bringen.

In neuerer Zeit hat man auch versucht, durch tiefer
geschnittene Striche einen größeren, dem des Kupferstichs
ähnlichen Effekt in die Steingravirung zu bringen. Mit
den gewöhnlichen Arbeitsnadeln geht dies nicht, sondern
man bedient sich dazu des dreieckig geschliffenen Kupfer-
stechergrabstichels; jedoch gehört zu dieser Arbeit viel Uebung
und Vorsicht, da der Stein leicht ausspringt; auch drucken
sich dergleichen Steine sehr schwer, da die Farbe die großen
Tiefen nicht gern ausfüllt. Man muß hier fett und mit
weichen Reibebürsten einschwärzen und in der Presse einen
sehr scharfen und langsam ausgeführten Druck geben.

Ist die Gravirung vollendet, so nuß man den Stein
einlassen, d. h. die bis dahin noch weiß dastehenden
Striche mit Fett ausfüllen, damit sie späterhin die Druckfarbe annehmen. Zu diesem Zwecke gießt man gutes,
reines Leinöl auf den Stein und vertheilt es über dessen
ganze Oberfläche dergestalt, daß es in alle, durch das
Graviren bloßgelegten Striche eindringe. Dies Oel läßt
man etliche Minuten auf dem Steine stehen, wischt es
dann leicht ab und reibt, mittelst eines weichen Lappens,
leichte Druckfarbe in allen Richtungen über den Stein hin
ein. Diese Druckfarbe mengt sich mit dem Reste des
Leinöls und füllt alle Striche vollständig aus. Ist dies
geschehen, so taucht man einen andern Lappen in Gummiwasser und wischt damit die überflüssige Farbe und den
Ueberzug vom Steine ab, worauf man diesen so lange
mit der Walze mit Druckfarbe bearbeitet, bis die Oberfläche des Steins rein und jeder Strich ganz schwarz erscheint, derselbe wird dann gummirt und ist nun zum
Drucke fertig.

Jene gravirten Platten, welche nicht sogleich zum Drucke
gelangen, werden gewöhnlich dann mit Klauenfett einge-

laſſen, um hierdurch das ſchnelle Eintrocknen der eingeriebenen Farbe zu verhindern.

Bei Aenderungen, welche vorzunehmen, nachdem der
Stein bereits ſchon geölt und eingetragen iſt, müſſen die
zu korrigirenden Stellen mit einem kleinen, feinporigen
Bimsſtein ſorgſam aufgeſchliffen werden, worauf man
dieſe Stellen wieder mit derſelben Säure und Gummi
präparirt, mit der der Stein ſchon anfänglich behandelt
wurde. Dieſe präparirten Stellen werden dann mit Röthel
ſehr ſchwach grundirt, ſo daß die eingelaſſenen gravirten
Linien vollſtändig ſichtbar bleiben. Die aufgeſchliffenen
Stellen der mit Kleeſalz behandelten Steine werden
aber mittelſt eines Stückchen Korks mit Blutſtein und
Kleeſalz ſehr ſorgfältig nachgerieben und polirt. Hierauf
wird die Abänderung nachgravirt, die Korrektur eingeölt
und mit Druckfarbe eingerieben.

Da, wo eine größere Abänderung mittelſt Pauspapier
übergetragen werden muß, iſt das mit trockener Farbe gefertigte Kopir- oder Unterlegpapier weniger tauglich, indem
ſich die hierdurch erhaltenen Pausſtriche auf dem Grunde
ſehr leicht verwiſchen.

Man bereitet ſich ein Unterlegpapier ſpeziell für dieſen
Zweck, indem man die Farbe am beſten Pariſer- oder
Miloriblau mit Seifenwaſſer fein abreibt und mittelſt
Pinſel ein Blatt Seiden- oder Oelpapier damit beſtreicht.

Wenn es übrigens ſchwierig iſt einige Stellen der
Arbeit auf gravirten Platten wegzunehmen, ſo iſt es an-
derſeits ſehr leicht eine neue hinzuzufügen, und hierin
bietet dieſes Genres der Lithographie einen Vorzug vor
allen andern dar.

Man kann z. B. den Entwurf zu einer geographiſchen
Karte machen, Abdrücke davon nehmen, ſpäter die Berge,
den Lauf der Flüſſe u. ſ. w. hinzufügen, und braucht zu
dieſem Zwecke blos die Platte mit einer leichten Gummi-
ſchichte zu überziehen, oder auch die, welche bereits darauf
iſt, abzuwaſchen. Man färbt den Stein mit Röthel und
gravirt die neuen Arbeiten darauf, welche man mit den

alten in vollkommene Uebereinstimmung bringen kann, weil sie durch die rothe Färbung hindurchschimmern.

Zu der zweiten vertieften Manier, bei welcher die Chemie mit ins Werk tritt, und die auf der Oberfläche des Steins gemachte Zeichnung durch Scheidewasser oder Essigsäure in die Tiefe geätzt wird, gehört:

2) Das Radiren.

Das hierbei anzuwendende Verfahren ist dem chalcographischen Radiren sehr analog und Folgendes: Man nimmt, wie bei der vorigen Manier, eine gute und fein polirte Platte, ätzt sie wie für eine gravirte Zeichnung, präparirt sie mit Gummi, den man aber bald wieder wegwäscht, und nachdem sie wieder trocken, überzieht man sie mit hartem Aetzgrund, welchen man erzeugt, indem man 12 Theile Wachs, 6 Theile Mastix, 4 Theile Asphalt, 2 Theile Kolophonium und 1 Theil Talg über gelindem Feuer zusammenschmelzt, bis der Asphalt vollkommen aufgelöst ist, worauf man die Masse dann anzündet, bis auf zwei Drittel einbrennen läßt, ausgießt und in Stangen formt, wenn dieselbe fast erkaltet ist. Dieser Aetzgrund wird zum Gebrauche mit Terpentinöl aufgelöst, eine Farbe, gebrannter Ruß oder Zinnober, darein gemischt, dann mit einem reinen, ledernen, oder einem mit Baumwolle ausgestopften taffetnen Ballen auf die Platte getragen und nun wenigstens einen Tag, bis er völlig trocken ist, stehen gelassen und vor allem Staub oder anderen Unreinigkeiten wohl geschützt.

Zu gleichem Zwecke ist auch folgender Firniß anwendbar, welcher zusammengesetzt ist aus:

20	Theilen	Asphalt von glänzendem Bruch,
6	„	Jungfernwachs,
5	„	Mastix ungestoßen,
5	„	Kautschuk (Gummi elasticum),
5	„	Seife,
100	„	Terpentinöl,
12	„	Lavendelöl.

Der Asphalt wird in Brocken gebrochen, jedoch nicht zerrieben, indem man sonst eine körnige Auflösung erhält, die sich schlecht aufträgt und keinen reinen Grund giebt.

Das Ganze wird in einer Flasche einer mäßigen Hitze ausgesetzt, mit Ausnahme des Kautschuk, den man für sich allein zuerst in Lavendelöl auflöst und dann hinzusetzt. Dieser Firniß kann nun mittelst des Ballens oder mit dem Pinsel (sogenanntem Batscher) auf dem Steine gleich gestrichen werden. Derselbe ist von weichen weißen Schweinsborsten, an der untern Seite mit den natürlichen Spitzen der Borsten jedoch gleichlinigt auslaufend, **Taf. III, Fig. 62.** Breite bei a — b 4½ Centim. Die Borsten liegen, wo sie aus dem Blechfutter herauskommen, nur 2 Millim. dick aufeinander, und stehen aus dem Bleche c 6 Centim. hervor.

Nachdem der Grund gehörig getrocknet, bringt man die durchgepauste Zeichnung darauf und arbeitet nun die Zeichnung mit scharfen Nadeln von hartem Stahl in dem Aetzgrunde völlig aus, d. h. nicht in den Stein hinein, was zwar hie und da, bei breiten Strichen ohne Schaden, oft mit großem Vortheil anzuwenden ist, weil dann dem Scheidewasser gleichsam vorgearbeitet wird; nicht aber bei den feineren Strichen, die leicht zu breit werden, wenn der Stein durch die Nadel verletzt ward, weil das Scheidewasser nachher zu stark wirken würde. Ein Strich, der mit einer stumpfen Nadel nur durch den Aetzgrund bis auf den Stein gemacht wurde, wird feiner, als ein solcher mit scharfer Nadel, die den Stein ritzte, gemachter.

Ist die Zeichnung vollendet, so wird die Platte mit verdünntem Scheidewasser übergossen und dadurch werden die Striche in die Tiefe geätzt, indem nur da, wo der Aetzgrund von der Nadel durchbrochen ward, das Scheidewasser auf den Stein wirken kann; alles Uebrige bleibt glatt und so hoch wie zuvor.

Das Aetzen geschieht hierbei am besten nach Art der Kupferstecher; indem man einen Rand von Klebewachs um den Stein bringt und das Scheidewasser auf letzterem stehen läßt; nur muß man die entstehenden Bläschen immer durch Abstreichen mit dem Barte einer Taubenfeder zu vertilgen suchen, oder wenigstens das Scheidewasser einige Mal ab- und wieder aufgießen, weil auf den Stellen, wo sich Blasen bilden, die Aetzung nicht gleichmäßig vor sich geht.

Die Stärke des Aetzmittels wird darnach bestimmt, wie tief man ätzen will; je schwächer man ätzt, desto zarter wird die Zeichnung. Durch einige eigene Uebung lernt man bald den richtigen Grad kennen.

Gewöhnlich wird hierzu 1 Theil Scheidewasser mit etwa 40 Theilen Wasser vermischt.

Noch besser eignet sich aber hierfür die mit Wasser verdünnte Essigsäure.

Um die Wirkung der Säure zu ermessen, giebt es keinen andern Maßstab, als die aufsteigenden Bläschen der Kohlensäure, welche bei dieser Operation entbunden wird.

Etwa eine Minute nach dem Aufgusse des Aetzwassers zeigen sich schon alle Linien der Zeichnung mit diesen Bläschen bedeckt, welche sich nun hie und da zur Größe eines Hirsekorns aufblähen, wo dann die Säure wieder abgegossen, die Platte mit Wasser abgewaschen und getrocknet wird. Um dieses Trocknen zu befördern, kann man sich auch eines kleinen Blasebalges bedienen.

Eine derartige Aetzung giebt einen leichten zarten Ton, sollten nun einige Stellen der Zeichnung einen kräftigeren Ton erhalten, so werden mittelst eines Pinsels die zu bleibenden zarten Stellen mit dicker lithographischer Tusche überdeckt, und nach dem Trocknen derselben das Aetzen in gleicher Weise wiederholt; wodurch sich nun bei richtiger Behandlung durch mehrmaliges Ausdecken und Aetzen jede gewünschte Nüance hervorbringen läßt.

Indessen sind auch hierin gewisse Grenzen einzuhalten. Da, wie wir bereits bei der gravirten Manier gesagt haben, die tiefen Striche nicht, wie dies bei den gestochenen und radirten Kupferplatten der Fall ist, mehr Farbe aufnehmen und darum im Drucke schwärzer und kräftiger erscheinen, so kann natürlich hier der Vortheil nicht angewendet werden, welchen der Kupferstecher dadurch erlangt,

daß er einige Partien tiefer ätzt, als andere, um sie dadurch im Drucken dunkler zu erhalten. Im Gegentheile,
der Künstler, welcher in Stein radiren will, muß seine
ganzen Schatteneffekte nur durch eine größere oder geringere
Breite der Striche erreichen, und sein Aetzen darf nur
darauf hinzielen, alle Striche ziemlich flach in dem Steine
auszuhöhlen.

Ist Alles geätzt, so wird die ganze Platte von der
noch anhängenden freien Säure durch Abspülen mit reinem
Wasser befreit und die ganze Zeichnung mit chemischer
Tinte überstrichen; doch muß man vorsichtig damit umgehen, daß man nicht etwa den Aetzgrund verletze, sonst
dringt diese Tinte auch in die verletzten Stellen und verursacht nachmalige Schmutzflecke, die nur schwer wieder
wegzubringen sind.

Ist diese Tintendecke völlig getrocknet, so gießt man
Terpentinöl über die ganze Platte, löst Alles damit auf
und reinigt sie dann mit einem in Gummiwasser getauchten
Schwamme oder wollenen Lappen.

Nun kann man die Platte einschwärzen und abdrucken
und dabei ganz so verfahren, wie wir dies weiter unten
für die gestochenen oder vertieft geschnittenen Manieren
angeben werden; doch ist es hier noch räthlicher, die
Walze zu gebrauchen, als bei jenen.

Im Allgemeinen wird von dieser Aetzmanier bei Herstellung von Zeichnungen sehr wenig Gebrauch gemacht,
die meiste Anwendung findet sie bei den Arbeiten der Gra-
vir- und Reliefkopirmaschine; wozu man sich eines leichten
Auftrages des obigen Aetzgrundes bedient, oder auch denselben in folgender Weise bereitet.

$^1/_{15}$ Kilogr. ächter Asphalt, dem man einer Erbse
groß venetianischen Terpentin beigemischt hat, wird in
höchstreftificirtem Terpentinöl in einem gläsernen Fläschchen
bei Sonnen- oder gelinder Ofenwärme aufgelöst, und dann
dieser Auflösung soviel Terpentinöl beigesetzt, bis sie Syrupdicke hat.

Dieser Grund wird nun mit Terpentinöl gehörig verdünnt auf den Stein mittelst des Pinsels etwas schwächer

als wie beim Radiren aufgetragen. Derselbe trocknet, der Sonne oder dem Zuge ausgesetzt, in 5 — 10 Minuten; im Winter soll beim Grundiren der Stein etwas temperirt sein.

Auch soll hierbei der Staub gänzlich fern gehalten, da alle Stäubchen, die sich auf den Grund im nassen Zustande setzen, Flecken verursachen und die weitere Operation benachtheiligen.

Hat nun der Grund die gehörige Härte erreicht, so kann mit dem Ziehen der Linien begonnen werden, wobei es rathsamer ist, den Diamant durch Gewichte oder Balance so zu stellen, daß er den Stein, wiewohl höchst unbedeutend, angreift.

Sollte der graue Staub des Grundes beim Ziehen sich stellenweise anhängen, und nicht gehörig wegblasen oder mittelst eines Pinsels entfernen lassen, so wäre der Grund nicht genug trocken oder zu zähe und die Ursache hiervon ein zu großer Beisatz von Terpentin oder schlechtem Terpentinöl.

Die über die Zeichnung hinausgezogenen Linien werden vor dem Aetzen mit demselben Grunde mittelst eines kleinen Pinsels sorgfältig zugedeckt, und nach dem Trocknen dieser Stellen das Aetzen mit Essigsäure vorgenommen.

Eines sehr guten Rufes erfreuen sich die Asphaltpräparate von L. Menton in Mannheim und Frick in Berlin. Hin und wieder bedienen sich auch die Lithographen des sogenannten „schwarzen Firnisses“, welcher im Handel vorkommt und aus Theer, Asphalt und Ruß zusammengesetzt ist.

Er ist übrigens häufig zu spröde und sein Rußgehalt macht, daß er sich dick aufträgt, dies ist beim Ziehen von Reliefen hinderlich.

Fr. Krauß empfiehlt folgenden Aetzgrund:

Es ist bekannt, daß eine Lösung von syrischem Asphalt in Terpentinöl einen sehr guten Grund giebt, jedoch wird er selten gerathen, weil der Asphalt Fälschungen aller Art ausgesetzt ist, und ebenso das Terpentinöl außerordentlich variirt.

Nimmt man nun ächten syrischen Asphalt, bröckelt ihn in erbsen= bis bohnengroßen Stückchen und gießt Terpentinöl darüber, so löst sich der Asphalt schon in der Sonnenwärme.

Ist das Terpentinöl rein, so wird der Grund beim Aufstreichen schnell trocknen, aber er wird schon nach 2 bis 3 mal 24 Stunden spröde sein und ausspringen, franzige Linien geben. Er muß nun durch Beisatz von wenigen Tropfen Olivenöl zäher gemacht werden; es ist nöthig, daß der Grund 8 Tage halte ohne auszuspringen.

Wäre es aber, daß die Lösung zu langsam trocknete, also nach mehreren Stunden noch klebte, so ist das Terpentinöl schlecht, man muß sich höchstrektificirtes aus der Apotheke verschaffen, welches übrigens ziemlich theuer ist.

Neben der Beschaffung ächten tauglichen Materials ist die Hauptsache, daß der Grund vorher geprüft und nicht eher in Gebrauch genommen werde, als bis er die Bedingung 8 Tage zu halten, ohne auszuspringen, erfüllt. Noch ist zu bemerken, daß der Grund im Sommer in der Regel einen weiteren, wenn auch kleinen Beisatz von Olivenöl erhalten muß, wenn derselbe im Winter gerade recht war, indem derselbe nicht nur durch Wärme und Zugluft, sondern auch durch das Licht zersetzt wird.

Radirverfahren
von Heinrich Hofmann, Lithograph Firma J. A. Hofmann in Würzburg.

Ein reingeschliffener Stein wird mit Terpentinöl, wie es zu jeder Federarbeit gebräuchlich ist, präparirt, und ihm dann ein dünner Anstrich von mit Eiweiß angeriebenem Bleiweiß gegeben.

Man reibt diesen Eiweißgrund am besten mit einem Farbemesser an, und zwar möglichst fein, in einer Konsistenz wie bei den Oelfarben der Maler. Man darf jedoch nicht mehr Eiweiß dem Bleiweiß als Bindemittel zusetzen, als nöthig ist, damit der Grund nur auf dem Steine hafte, und sich nicht ohne alle Verbindung gleich wieder vom Stein wegwischen läßt. Es genügt hierzu ein kleiner Zusatz von Eiweiß. Zum bequemeren Anreiben dieses Grundes fügt man dann noch einige Tropfen Wasser hinzu. Beim Auftragen auf den Stein verdünnt man den Grund mit etwas Wasser, das man in den Auftragpinsel nimmt, bis zu dem Grade, daß sich der Grund bequem aufstreichen und zertheilen läßt. Das Auftragen des Grundes geschieht ebenso wie das des schwarzen Grundes beim Graviren, nämlich erst mit flachem Borstpinsel und dann mit dem Dachspinsel vertrieben, damit er möglichst egal wird.

Hierauf wird auf diesen weißen Grund noch ein Asphaltgrund aufgetragen, ebenfalls mit flachem Pinsel, gerade so wie zu geätzten Relief-Arbeiten. Asphalt von Menton in Mannheim ist der beste zu diesem Zwecke, weil er sehr zart ist, nicht springt und schon zur richtigen Stärke für das Auftragen hergerichtet ist.

Ist der Grund trocken, was wenigstens 24 Stunden erfordert, macht man die Pause, wie bei jeder lithographischen Arbeit, mit Röthelpapier und zeichnet alsdann den Gegenstand auf den Stein und zwar nur durch Entfernung des Grundes.

Die Nadel soll durchaus nicht ritzen, damit die freie leichte Bewegung beim Zeichnen nicht verhindert wird.

Schraffirungen von den feinsten bis zu den stärksten lassen sich mit außerordentlicher Leichtigkeit machen.

Man muß zu diesem Zwecke spitzere und breitere Schaber haben. Die breitesten Effektstellen kann man schließlich noch herausnehmen, wenn man den Schaber zwischen den ersten und zweiten oder zweiten und dritten Finger nimmt. Ist die Zeichnung fertig, so wird dieselbe mittelst eines Pinsels mit Tusche zugedeckt, gerade wie bei geätzten Reliefarbeiten.

Ist die erste Lage Tusche trocken, kann man noch eine zweite aufstreichen, damit alles recht satt und gleichmäßig gedeckt ist. Dadurch, daß die Tusche auf den feinsten Strichen ebenso hoch wie auf den starken sitzt, kommen auch die feinsten Strichlagen ebenso egal und kräftig, wie die stärksten.

Ist der Zusatz von Eiweiß zu groß, kömmt die Arbeit nicht so gut, denn: nimmt man blos Eiweiß allein unter den Asphalt-Grund, so wird dasselbe beim Zeichnen nicht vollständig von der Nadel entfernt, und die Striche kommen dann, weil die Tusche nicht so direkt auf den Stein einwirken kann, nicht so fest und kräftig.

Die Tusche muß beim Auftragen, was mit einigen leichten Strichen geschieht, möglichst dickflüßig sein, stärker als zu Federarbeiten. Ist auch die zweite Lage Tusche trocken, wird der Stein geätzt, gerade wie eine Federzeichnung. Man kann die Säure messerrückendick auftragen und zwei bis drei Minuten darauf stehen lassen.

Hierauf wird die Säure abgegossen, der Stein getrocknet und ganz mit Terpentinöl übergossen, welches man zwei bis drei Minuten darauf stehen lassen muß, je nachdem der Grund kürzere oder längere Zeit auf den Stein war. Man darf aber den Grund nicht eher abwaschen, bis sich durch das Terpentinöl alle Tusche und aller Asphalt vollständig aufgelöst haben.

Nun nimmt man mehrere in einem Wasser ausgespülte und tüchtig ausgedrückte Schwämme und wischt mit dem ersten in einigen leichten Strichen die Tusche und den Asphalt vom Steine, wobei man sich zu hüten hat, daß man mit diesem Schwamme nicht auch den weißen Grund mit abwische, was Schmutzflecken geben könnte, da in dem Schwamme sich Tusche befindet. Mit dem zweiten Schwamme, den man etwas in reines Wasser taucht, wischt man, nachdem an den Kanten des Steines einige Tropfen Terpentinöl zugegossen, den weißen Grund ab und mit dem dritten ebenfalls in reines Wasser getauchten Schwamme wischt man mit Zuhilfenehmen einiger Tropfen Terpentin und Zugießen von Wasser den Stein vollständig rein, so daß keine Fettspuren auf dem Steine mehr zu sehen sind und der Stein bis auf die gezeichneten Stellen vollständig das Wasser angenommen hat.

13*

Hierauf nimmt man den vierten Schwamm, welcher mit bis zur Konsistenz des dünnsten Firnisses verdünnten Gummi arabicum getränkt ist, überstreicht damit den ganzen Stein und reibt ihn mit dem Anreibschwamm gerade so wie eine Autographie.

Was nun dieses Anreiben der Zeichnung nach dem Abwaschen betrifft, so könnte statt desselben der Stein sogleich auch eingewalzt werden, jedoch ist immerhin das Anreiben weit sicherer und besser.

Gut ist es, zur Verhütung von Schmutzflecken, erst mit Federfarbe einzureiben und erst, wenn der Stein einige Minuten in Gummi gestanden, mit Ueberdruckfarbe.

Kleine Schmutzflecke, oder etwas Ton, was sich ja fast beim Anreiben eines jeden Steines, mag es nun Ueber= druck oder Radirung sein, gerne zeigt, kann man dann, wenn die Zeichnung vollständig dasteht, leicht mit einem in Gummiwasser getauchten wollenen Läppchen entfernen.

Ist der Gummiüberzug trocken, wird der Stein mit Ueberdruckfarbe eingewalzt und geätzt wie jeder andere Ueberdruck.

Die nach diesem Radirverfahren bereits ausgeführten Arbeiten beweisen die vollständige Entwickelung dieser Tech= nik, welche sich besonders zu Etiquetten, und verschiedenen anderen künstlerischen Illustrationen eignet.

Auch bietet beim Zeichnen diese Radirmanier weit weniger technische Schwierigkeiten, als das Graviren oder die Federmanier.

Immerhin will dieselbe jedoch geübt sein, theils um eine Fertigkeit in der richtigen und zweckmäßigen Hand= habung der Nadeln zu bekommen, theils auch um kennen zu lernen, was man innerhalb der Grenzen dieser Manier leisten kann, um die Vortheile, die sie einer andern gegen= über bietet, anwenden und ausnützen zu können, anderseits aber auch auf das, was nur schwer und unvollkommen zu erreichen ist, zu verzichten.

Wer übrigens die wenigen technischen Schwierigkeiten überwunden hat, der wird dieses Verfahren in vielen Fällen mit Vortheil anwenden können. Akkuratesse ist aller=

dings bei der ganzen Sache nöthig und dies wird ohne
Zweifel ein Hinderniß für ihre häufige Anwendung sein.

Denn was anders hat z. B. der Gravirmanier,
die doch einer langen Uebungszeit bedarf, um etwas
Schönes zu leisten, diese große Verbreitung verschafft, als
ihre beim Einschwärzen so einfache und ein Mißlingen fast
ganz ausschließende Art und Weise? Nur ganz grobe Un-
achtsamkeit kann hier etwas verderben.

Was aber steht der immer häufigeren Anwendung
der so schönen Kreidemanier in vielen Geschäften, wo
weniger tüchtige Drucker sind, immer entgegen? Das
größere Risiko, die leichtere Möglichkeit des Verderbens
der Arbeit, beim Einwalzen sowohl als auch durch unvor-
sichtigen, ungeschickten Druck. —

Jedenfalls gebührt aber dieser vollkommen durchgebildeten Radirmanier eine weit größere Verbreitung und
Anwendung, als sie bereits in der allgemeinen lithographischen Praxis gefunden hat.

Bei diesem Radirverfahren hat man auch das lästige
Aetzen, wie es bei der vertieften Radirmanier nothwendig
ist, erspart und überdies sind die auf obige Weise gezeichneten Sachen auch weniger monoton, wie die geätzten, es
ist mehr Leben und mehr Abwechselung und Harmonie der
Schattentöne darin.

Für Maschinenarbeiten aber läßt sich die Sache
nicht verwenden, ebenso wenig für ganz kleine Sachen, welche
man viel besser gravirt. Der Grund ist eben, weil zwei
Lagen aufgetragen werden, für feine Sachen zu dick.

Da aber, wo Autographie zu grob und roh, Gravir-
oder Federmanier aber zu aufenthaltsam und kostspielig ist,
da kann diese Radirmanier gut am Platze sein.

Die Autographie oder der Ueberdruck.

Diese Manier des Steindrucks ist wohl die wichtigste
aller Steindruckmanieren und unterscheidet sich von den
übrigen Manieren sehr wesentlich durch die schnelle Erzeugung der autographischen Druckplatte, während die un-

mittelbare Bearbeitung der Feder=, Kreide= und Gravir=
druckplatten einer geraumen Zeit bedürfen.

Diese Manier gliedert sich nun

1) in den Ueberdruck des mit lithographischer
Tinte oder Kreide auf Papier Geschriebenen
und Gezeichneten auf Stein und

2) in den Ueberdruck lithographischer und
anderer Abzüge auf Stein, zur weiteren Ver=
vielfältigung derselben.

Das vorzüglich Nutzbare dieser Manier geht schon
aus ihrer vielverzweigten Anwendung für Büreau= und
industrielle Zwecke hervor, wobei sie selbst der Chromo=
lithographie ein unentbehrliches Hilfsmittel geworden.

Schon der Ueberdruck des mit lithographischer Tusche
auf Papier Geschriebenen gewährt den großen Vortheil,
ächte Originale schnell und häufig zu vervielfältigen, Kon=
siliarbeschlüsse, Befehle u. s. w. mit ungemeiner Schnellig=
keit zu verbreiten, ebenso wichtige Nachrichten, Handlungs=
briefe u. dergl. schnell vervielfältigt nach allen Gegenden
versenden und besonders Handschriften, in fremden Sprachen
verfaßt, in welchen man noch keine Lettern hat, ebenfalls
mit großer Schnelligkeit vielfach an Interessenten ver=
theilen zu können.

Ueberall sind auch die großen Vortheile dieser Stein=
druckmanier bereits anerkannt und seit Jahren schon viel=
fach benutzt worden.

Die großen Vortheile liegen nämlich darin, daß jeder,
der mit gewöhnlicher Gallustinte schreiben gelernt, auch
mit einer sogenannten chemischen oder lithographischen Tinte
auf Papier schreiben kann, welche Schrift dann auf einen
Stein übergedruckt, daselbst präparirt und darauf von
diesem Steine vielfach wieder abgedruckt wird.

Zu der Federzeichnungsmanier muß sich ein Künstler
besonders einüben, weil Alles verkehrt geschrieben werden
muß und man auch auf dem Steine und mit der Stahl=
feder erst manche kleine Unbequemlichkeit zu überwinden hat.
Hier aber nimmt der Sekretär, der Kaufmann oder wer
er sei, eine gewöhnliche Feder, taucht sie, statt in gewöhn=

liche Tinte, in eine Auflösung von chemischer Ueberdruck=
tusche und schreibt damit auf jedes gut geleimte Papier;
doch ist es vortheilhafter, auf ein eigens dazu bereitetes
Papier zu schreiben, von dem sich die Schrift noch leichter
und vollkommener ablöst, als von dem gewöhnlichen.

Wir wenden uns nun zu dem Verfahren selbst und
liefern die Bereitungsart der dazu gehörigen Materialien,
müssen jedoch noch vorausschicken, daß der Ueberdruck eigent=
lich durch zwei verschiedene Hauptverfahrungsweisen be=
werkstelligt werden kann; nämlich mittelst des sogenannten
autographischen und auch mittelst des gewöhnlichen Papiers.

Beide Verfahrungsweisen sind bei richtiger Behand=
lung gleich gut, und wir werden beide ausführlich er=
läutern.

a) Das autographische Papier.

Das autographische Verfahren beruht nämlich darauf
die Schriftzüge vom Papier auf den Stein überzutragen,
mithin muß dies so vollständig als möglich geschehen; auf
dem gewöhnlichen, minder gut geleimten Papier fließt aber
die autographische Tinte und bringt in dasselbe tief ein, wes=
halb die feinen Striche ꝛc. sich nur schlecht ablösen. Man
bereitet daher ein Papier, das besonders zu diesem Zwecke
geeignet ist, indem auf dasselbe eine der Tinte undurch=
dringliche Schicht aufgetragen wird, welche, späterhin durch
Feuchtigkeit erweicht, mit der Schrift zugleich das Papier
verläßt, so daß kein Pünktchen übrig bleibt, das nicht auf
den Stein käme.

Der Anstrich des Papiers hat sonach nur eine mecha=
nische Wirkung, nämlich die: zusammt der auf dasselbe
gebrachten Tinte an den Stein zu kleben, und die nach=
herige Ablösung des Papiers durch Aufweichen zu ge=
statten.

In den Druckereien, wo der Ueberdruck häufig vor=
kommt, muß dergleichen Papier immer vorräthig sein.

Es wird auf folgende Weise bereitet. Man nimmt
nach dem Recepte Engelmann's:

4 Theile Stärke,
1 „ Gummitragant,
2 „ Leim,
1 „ fein pulverisirte spanische Kreide,
½ „ Gummigutt.

Der Leim, das Gummitragant und das Gummigutt werden, jedes besonders, im Wasser ungefähr zwei Tage lang aufgelöst, wobei der Gummitragant, welcher sehr aufschwillt, einer größeren Quantität Wasser bedarf.

Nun bereite man den Stärkekleister, wobei zuerst die Stärke mit kaltem Wasser mager befeuchtet und unter stetem Rühren nach und nach das Wasser zugegossen wird, damit keine Knollen sich zusammenballen. Ist dann das Ganze zu einem Breie zerrührt, so gießt man siedend Wasser darüber und läßt es etwas aufkochen. Dann setzt man den Leim, das Gummitragant und die spanische Kreide hinzu und läßt das Gefäß über dem Feuer, bis man recht gleichartigen Kleister erhält, und erst, nachdem derselbe unter stetem Rühren erkaltet ist, wird die Gummiguttauflösung eingerührt.

Der Wasserzusatz ist nach der Dicke dieser Masse zu bemessen, welche nie dicker als Buchbinderkleister werden soll, damit sie leicht aufzustreichen ist.

Man drückt das Ganze durch ein Tuch und trägt zwei recht gleiche und möglichst dünne Schichten auf Briefpapier, wozu man sich am geeignetsten eines feinen und auf der einen Seite flach geschnittenen Schwammes bedient.

Weitreichende Vorräthe dieses Papiers sind jedoch nicht anzurathen, indem dasselbe nach etlichen Monaten an Tauglichkeit verliert.

Sehr empfehlenswerth und wohl am meisten verbreitet ist auch folgendes Recept:

30 Theile Stärke,
2 „ Alaun,
1 „ Gummigutt.

Das Gummigutt und der Alaun werden, je besonders, im warmen Wasser aufgelöst, in den gekochten Kleister eingerührt und das Ganze durch ein Tuch gedrückt.

Diese Masse soll gleichfalls die Dicke des gewöhnlichen Buchbinderkleisters haben, und wird auch auf Papier mittelst des Schwammes aufgetragen, wozu sich dünnes ungeleimtes Papier, vorzüglich aber das nachgeahmte chinesische Papier am besten eignet.

— —

Auch das autographische Papier von Cruzel, welches von Engelmann empfohlen wird, liefert ausgezeichnet gute Resultate und kann nach folgendem Verfahren bereitet werden.

Man gebe dem Papiere drei schwache Lagen von Schöpsenfußleim, dann eine Lage weißen Kleister und eine Lage sehr blasser Auflösung von Gummiguttä in Wasser. Der Kleister muß dünn genug sein, um sich gehörig ausbreiten zu lassen. Jede einzelne Schicht muß gehörig trocknen, ehe eine neue aufgetragen wird.

Der Leim allein genügt bei dem autographischen Papier nicht, weil er sich bei der Befeuchtung ausbreitet, wird er aber auf die vorbeschriebene Weise angewendet, so befördert er die vollständige Lösung der Kleisterschicht vom Papiere, während der Kleister allein zu fest am Papiere hängt, die Schwärze absorbirt und also einen unvollkommenen Abdruck giebt. Diese Absorbirung der Schwärze verhindert wieder die Gummischicht. Die Leimauflösung muß übrigens schwach genug sein, um sich selbst im kalten Zustande gehörig auftragen zu lassen. Wendet man sie aber heiß an, so kann man sie schon etwas stärker machen und sie breitet sich doch genug aus. Die Gummiauflösung muß an demselben Tage verbraucht werden, wo sie gemacht wurde, da sie sonst ölig wird. Dies hat zwar beim eigentlichen Umdrucke keinen Nachtheil, aber das Papier wird dadurch glänzend und nimmt die Tinte schwer an. Der Kleister läßt sich nur kalt, den Tag nach seiner Bereitung und nach Entfernung der oben befindlichen Haut verwenden.

Will man sehr feine Zeichnungen für den Ueberdruck machen, bei denen nicht allein die Tinte beim Zeichnen nicht fließt, sondern auch, und an diesem Fehler leiden alle durch Ueberdruck erzeugten Steine, beim Umdrucke sich nicht breit drückt, so mache man eine starke Abkochung des sogenannten Flöhkrautsamens in Wasser und setze so viel lauwarmes Wasser zu, daß dieselbe steif, aber nicht zu dünn wird. Damit überstreiche man das Papier mit einem breiten Pinsel zwei bis drei Mal je nach der Dicke der Auflösung, lasse es aber jedesmal gehörig austrocknen und ziehe es endlich unter dem Reiber über einen fein polirten Stein. Das Eigenthümliche dieses Papiers besteht darin, daß die auf demselben gezeichneten Striche beim Ueberdruck nicht breiter werden.

Ebenso hat auch das autographische Papier von Krauß die vorzügliche Eigenschaft, daß es mit der flüssigsten Tusche die feinsten Linien zuläßt, und die darauf gemachte Schrift oder Zeichnung aufs Vollständigste abgiebt. Dasselbe wird bereitet aus:

125 Gramm	Stärke, gekocht zu der Dicke des Buchbinderkleisters,	
66²/₃ „	feinsten Leim, über Nacht in Wasser eingeweicht und dann gekocht,	
375 „	Kremserweiß, fein in Wasser abgerieben.	

Die Stärke und den Leim drücke man durch ein Tuch und mische dann das Kremserweiß, darunter.

Diese Masse wird im warmen Zustande auf dünnes Papier mittelst eines Schwammes oder Borstenpinsels einmal aufgetragen, wobei man nicht unterlassen darf, die Masse stets zu rühren, wenn man eintaucht, indem sich sonst das Kremserweiß zu Boden setzen würde. Die angegebene Portion reicht zu 100 Kanzleibogen hin.

b) Die autographische Tinte.

Man kann sich allerdings im Nothfalle der gewöhnlichen lithographischen Tinte zum Autographiren bedienen, indessen darf man nicht vergessen, daß dieselbe ein Noth-

behelf ift, und daß man bei deren Anwendung immer
nur mangelhafte Refultate erlangen wird, indem die mit
derfelben gemachten Züge, wenn fie fein find, oft gar
nicht kommen; find, fie aber ftark, oder liegen die Schraf=
firungen einer folchen Zeichnung fehr eng, fo pflegen die=
felben im Ueberdrucke nicht fcharf begrenzt zu kommen,
oder fie fchlagen gar zu. Es ift bei einer Ueberdrucktufche
hauptfächlich darauf zu fehen, daß die mit ihr gemachte
Schrift oder Zeichnung ftets etwas Neigung zum Kleben
behalte, was bei leichtem Aufdrücken und fchnellem Zurück=
ziehen des Fingers an einem leichten Geräufch erkennbar
ift; doch darf dies nur in geringem Maße der Fall fein;
wo fie zu weich ift, treten beim Abzug die Linien aus.
Gewöhnlich laffen fich auch farblofe Tinten beffer über=
drucken, als wie die mit Ruß verfetzten.

Man hat deshalb eigene autographifche Tinten zufam=
mengefetzt, und wir theilen hier die geprüfteften Recepte mit.

16 Theile Schellack,
10 „ Jungfernwachs,
8 „ Seife,
8 „ Drachenblut,
5 „ Talg.

Wachs, Seife und Talg werden erhitzt, bis fie fich
anzünden laffen, und während des Brennens wird das
Drachenblut und der Schellack zugethan. Die Maffe muß
5 Minuten brennen; aus der erkalteten Maffe formt man
Kugeln und löft nach Bedarf je 1 Theil Tufche mit 8 Thei=
len Waffer kochend auf.

Diefe Tufche hat keinen Ruß, da fich derfelbe gerne
niederfchlägt; der Zufatz von Drachenblut giebt ihr aber
eine hinreichend tiefe bräunliche Färbung; im aufgelöften
Zuftande hält fie fich 1—3 Monate flüffig, fie ift fehr
fett und läßt fich gut überdrucken.

Eine der vorzüglichften autographifchen Tinten ift
die von Mantoux, welche Engelmann geradezu als
die befte bezeichnet.

Dieselbe fließt gut und gestattet die zartesten und feinsten Züge und deren Uebertrag läßt sich mit großer Reinheit bewirken.

Die Bereitung derselben ist aber etwas umständlich und setzt einige Erfahrung im Laboriren voraus; ihre Bestandtheile sind:

3 Theile Kopalgummi,
5   „   Wachs,
5   „   gereinigter Hammelstalg,
4   „   Seife,
5   „   Schellack,
5   „   Mastix,
$\frac{1}{2}$ „   Schwefelblüthe.

Man setze das Kopalgummi in einem kupfernen Gefäß, das nur zur Hälfte voll sein darf, über das Feuer; wenn es anfängt zu knistern, füge man, um das Zergehen zu beschleunigen, zwei Eßlöffel voll Baumöl hinzu, und wenn es gut geschmolzen ist, setze man das Wachs und den Talg zu.

Sind diese Substanzen hinreichend erhitzt, so entzünde man sie und werfe die Seife hinein, welche recht trocken und in kleine Stückchen zerschnitten sein muß, und füge, nachdem sie geschmolzen ist, der brennenden Masse den Schellack und den Mastix zu, worauf die Flamme mit der Schwefelblüthe verstärkt wird, um eine vollkommene Vermischung des Kopalgummis mit den andern Substanzen zu bewirken.

Nach dieser Operation lösche man die Flamme, um die Masse ein wenig abzukühlen, entzünde sie hierauf wieder und lasse sie langsam brennen, bis sie auf ein Viertheil reducirt ist.

Eine zu weit getriebene Reduktion würde die Tinte untauglich machen, indem die fetten Stoffe sich dann verkalken, während bei einem nicht zureichenden Brennen die Tinte sehr schnell gerinnt. Wesentlich ist auch hierbei die vollständige Schmelzung des Kopals.

Ein Ueberfeuern, wobei das Gefäß schnell heiß wird, würde das Verbrennen und die unvollständige Auflösung des Kopals zur Folge haben; auch dürfen die übrigen Substanzen nicht eher zugesetzt werden, bis diese Auflösung wirklich erreicht ist.

Zum Gebrauche löset man einen Theil dieser Tusche in 10 Theilen weichem Wasser auf und kocht sie bis diese Auflösung eine blaßgelbe Färbung annimmt, und solche beim Auftragen mit der Feder nach dem Trocknen Glanz und einiges Relief zeigt.

In mittelst Schmirgel verschlossenen Flaschen hält sich dieselbe, wenn sie gut bereitet ist, jahrelang flüssig, und sollten auch nach einigen Monaten die hiervon gemachten Ueberdrücke magerer ausfallen, so wird durch wiederholtes Kochen die Auflösung ihre frühere Eigenschaft wieder erlangen.

Für diejenigen, welche lieber eine dunkelschwarze Tinte benutzen wollen, dient folgendes Recept von Cruzel, wobei man aber durchaus keinen gewöhnlichen Ruß nehmen darf.

8 Theile Jungfernwachs,
2 „ weiße (Oel=) Seife,
2 „ Schellack,
Feinsten Lampenruß soviel, als zur Färbung nöthig ist.

Man läßt die Seife und das Wachs zergehen, und ehe die Mischung sich entzündet, fügt man den Ruß zu; läßt das Ganze 30 Sekunden brennen, löscht dann die Flamme aus und setzt nach und nach unter beständigem Umrühren den Schellack hinzu, entzündet die Masse noch einmal, erstickt dann die Flamme und gießt dieselbe, wenn sie anfängt zu erkalten, in Formen.

Man kann mit dieser Tinte sehr fein zeichnen und die Zeichnung vor dem Ueberdrucke sehr lange aufbewahren.

Der Talg ist aus diesem Recepte fortgelassen, weil sich die Zeichnungen mit Talgtinte zwar anfänglich vorzüglich gut umdrucken lassen, aber mangelhaft ausfallen, wenn sie fünf bis sechs Tage liegen bleiben, und dies zwar um=

somehr, je länger man sie aufbewahrt. Zuviel Talg läßt die mit der Tinte gemachten Züge gerne ausklatschen.

Autographische Tusche auf Papier ohne Anstrich.

3 Theile Schellack,
1 „ Wachs,
6 „ Talg,
5 „ Mastix,
4 „ Seife,
1 „ Lampenruß.

Seife, Wachs und Schellack werden zusammen erhitzt, bis die Masse aufgehört hat sich zu blähen, dann fügt man den Mastix, wenn dieser geschmolzen ist, den Talg und zuletzt den Ruß hinzu.

Diese Tusche wird jedesmal wie die gewöhnliche lithographische Tusche frisch angerieben.

Zu den bestpräparirten autographischen Tinten gehören auch die von Menton und Klimsch.

Die Tinte ist dünnflüssig und schreibt sich leicht mit jeder Feder, sie hält sich jahrelang unverändert und ist nur darauf zu achten, daß keine Feder eingetaucht werde, die mit Schreibtinte in Berührung gekommen und daß sie vor Frost geschützt sei.

Man braucht zum Manuskript kein besonders präparirtes Papier, sondern kann jedes Schreib- oder Zeichenpapier dazu verwenden.

Das Manuskript braucht vor dem Ueberdruck nicht geätzt und ebenso der Stein zum Ueberziehen nicht gewärmt zu werden. —

Das einfache Ueberdruckverfahren ist folgendes:

Das Manuskript wird zwischen feuchtes Makulatur gelegt, und nach dem Feuchten auf den frisch geschliffenen staubfreien Stein gebracht; als Oberlage wird ein mit Terpentinöl leicht getränktes Papier aufgelegt und rasch durchgedreht, worauf der Stein gummirt, angerieben und leicht geätzt wird; nun kann sogleich gedruckt werden, und ist demnach schon innerhalb 15 Minuten ein druckbarer Stein geschaffen.

Vom Schreiben und Zeichnen mit autographischer Tinte.

Beim Schreiben und Zeichnen auf autographischem oder auch gewöhnlichem Papiere, können Eintheilungslinien mit dem Bleistifte gemacht werden, ohne daß daraus ein Nachtheil für den Uebertrag hervorginge, jedoch darf das Papier mit den Fingern nicht berührt werden, indem jede fettige Spur, die dem Papier mitgetheilt wird, gleichzeitig mit der Schrift oder Zeichnung auf den Stein übergeht und die Druckfarbe annimmt.

Wesentlich ist es auch, daß man die Tusche nicht zu wässerig hält, damit alle Linien satt und gleich stark ausfallen, und die nöthige Fette zum Ueberdrucke erhalten. Die Tusche darf aber auch nicht zu dick sein, welches im Schreiben hinderlich, und oft die Ursache ist, daß graue Linien aus der Feder kommen, die, weil sie kein Relief und keinen Glanz haben, ebensowenig gut überdrucken, als solche mit wässeriger Tinte.

Da Kielfedern sich schnell abnutzen, so sind die im Handel vorkommenden Stahlfedern vorzuziehen.

Eine derartige Feder muß feine Spitzen haben, damit die Tusche leicht ausfließe; auch darf man beim Schreiben nicht aufdrücken, um das Einkritzeln derselben auf dem Papier zu vermeiden. Sollte sie nicht von vornherein gehen, so kann man sie dadurch zurechtrichten, daß man den Spalt tüchtig aufdrückt und die klaffenden Spitzen, ähnlich wie bei den Federn auf Stein, mit den Nägeln richtet. Hängt sich dieselbe gerne im Papiere ein, so kann dies dadurch gehoben werden, daß man damit auf dem Schleifstein die Züge schreibt, bei welchen sich dieser Uebelstand am meisten wiederholt.

Verfahren bei dem Ueberdrucke.

Hat man nun die Schrift oder die Zeichnung auf dem Papiere vollendet und dieselbe, wenn die Arbeit nicht allzugroße Eile hat, mindestens zwei Stunden gehörig austrocknen lassen, so kann man zum Ueberdrucke selbst schreiten.

Man bringt einen fein polirten und von allem Steinstaube sorgfältig gereinigten Stein in die Presse, legt ihn
daselbst fest und bestimmt Anfang und Ende des Durch-
zuges mittelst der Stellschrauben, die wir bei der nachfolgenden Beschreibung der Presse werden kennen lernen,
wählt einen sehr guten, scharfen Reiber und regulirt dessen
Breite nach der Größe des umzudruckenden Gegenstandes.
Ehe man aber diese Operation vorgenommen hat, lege
man die Zeichnung zwischen feuchtes Papier, damit die
Tusche sowohl, als der Anstrich sich etwas erweiche.

Der in der Presse bereits eingerichtete Stein wird
nun mit einem trocknen feinen Bimsstein und nach diesem
mit einem reinen leinenen Tuch abgerieben, um jede möglicherweise auf ihn haftende Fettspur zu entfernen.

Statt diesem trocknen Abbimsen kann auch der Stein
mit fein gepulvertem und gesiebten Kalk abgerieben
werden. —

Hierauf legt man nun die Zeichnung mit der bezeichneten Seite, aber ohne sie hin und her zu schieben,
auf den Stein, breite darüber zwei bis drei Blätter
Makulaturpapier und lasse den Stein unter gelindem
Drucke unter der Presse durchgehen.

Findet man beim Oeffnen, daß die Zeichnung gut
auf dem Steine fest anliegt, so gebe man dem Makulatur
eine andere Lage, oder drehe den Stein um, so daß beim
zweiten Durchziehen der Reiber in entgegengesetzter Richtung über den Stein läuft, wobei auch zugleich der Druck
zu verstärken ist. Dieses Durchziehen wird auch von einigen
bei immer steigender Pressung drei bis vier Mal wiederholt.

Nach dieser Operation wird das Makulaturpapier
entfernt und das am Stein klebende Papier reichlich mit
Wasser oder auch mit schwachem Aetzwasser (1 Theil Salpetersäure und 100 Theilen reinem Wasser) benetzt, bis
das Papier die Tusche durchscheinen läßt.

Nach wenigen Minuten kann man dann das Blatt
vom Steine abheben, worauf dasselbe weiß erscheint und
die ganze Schrift auf dem Steine liegt. Jetzt wische man
mit einem Schwamme den Kleistergrund weg und lasse

den Stein gehörig trocknen, damit die Tusche erhärten
kann, wonach man denselben mit schwach gesäuertem Wasser
ätzt und nun gummirt, worauf der Stein zum Drucke
fertig ist. Besteht die Autographie aus feinen Zügen,
welche durch die Aetzung angegriffen werden könnten, so
ist es besser, sich mit dem Gummiren allein zu begnügen,
wobei man eine Schicht Gummiauflösung in der Stärke
des Syrups, welcher man etliche Tropfen Gallus beifügt,
mittelst eines feinen Schwammes darüber ausbreitet und
trocken werden läßt, bevor man zum Einschwärzen des
Steines schreitet.

Das Einschwärzen geschieht, nachdem man das Gummi
mit Wasser entfernt, ohne jedoch den Ueberdruck des Steins
mit Terpentingeist abzuwaschen, mittelst der Druckwalze.

Hierbei läßt man zuerst die Walze langsam, und indem man stark aufdrückt, darüber laufen, bis sich die
Schwärze an alle Züge gut angehängt hat. Dann macht
man einen Abzug und, wenn dieser gut ausfällt, fährt
man mit dem Abziehen fort.

Vorkommende Flecken müssen mit dem Schaber entfernt und fehlende Schriftzüge oder Linien nachgebessert
werden, nachdem man den Stein hat trocknen lassen. Im
Allgemeinen sind zu den Autographien die weichen Steine
den harten vorzuziehen, weil die Fettigkeit schneller und
leichter in erstere eindringt.

Bei sehr schwachen Umdrücken muß jedoch, bevor die
Druckwalze in Anwendung kommt, das sogenannte „Anreiben" der umgedruckten Platte vorausgehen, dessen
nähere Manipulation bei dem nachfolgenden Umdruckverfahren erläutert ist.

Ueberdruckverfahren bei gewöhnlichem Papiere ohne Anstrich.

Jedes glatte Schreibpapier ist zu dieser Operation
tauglich; die dünnsten Sorten sind jedoch hierbei vorzuziehen, weil sie am leichtesten von der Säure durchdrungen
werden, daher gewöhnlich dünnes Brief-Velinpapier hierzu
gewählt wird.

Weishaupt, Steindruck. **14**

Nachdem die Schrift oder Zeichnung beendet und ganz trocken ist, legt man das Blatt umgewendet auf ein glattes reines Papier und befeuchtet es auf der Kehrseite mit einer Mischung von 1 Theil Salpetersäure und 3 Theilen Wasser, bis die Schrift oder Zeichnung auf der Rückseite sichtbar wird, und der Leim des Papiers zerstört ist.

Nun taucht man das Blatt ins Wasser, um durch Abspülen alle Säure hinwegzubringen, die darauf zurückgeblieben sein könnte.

Gewöhnlich bedient man sich hierzu eines viereckigen mit Wasser gefüllten Kästchens und eines in dasselbe passenden Rähmchens, welches der Länge und Breite nach netzartig mit Fäden überspannt ist, worauf man das gesäuerte Papier legt und so zu wiederholten Malen in das Wasser taucht.

Hierauf bringt man das Blatt zwischen einige Bogen ungeleimtes Makulaturpapier, um das überflüssige Wasser zu entfernen, und legt es sodann auf den zum Ueberdrucke bestimmten Stein, welcher leicht erwärmt sein muß.

Nachdem das Blatt mit etwas Makulatur bedeckt wurde, lasse man den Stein unter hinreichendem Drucke einmal unter der Presse durchgehen, nehme dann das Blatt weg und lasse den Stein erkalten.

Inzwischen können breitgelaufene Stellen mit dem Schaber korrigirt, und das etwa Fehlende ergänzt werden.

Nachdem der Stein gummirt wurde und einige Zeit in Ruhe blieb, entfernt man das Gummi wieder und überzieht denselben mittelst eines Schwammes mit schwach gesäuertem Gummiwasser, welchem man blos soviel Salpetersäure zusetzte, so daß kaum sichtbare Luftbläschen auf dem Stein entstehen. Dann reibt man die Platte, während sie noch feucht von diesem Gummiwasser ist, mit Druckfarbe ein, wozu man sich eines leinenen Bäuschchens bedient, dessen untere ebene Fläche mit Druckfarbe, der man einige Tropfen Terpentinöl oder ein wenig Talg beigefügt hat, eingerieben wird.

Sieht man nun, daß durch das Hin- und Herreiben des Bäuschchens auf dem Ueberdrucke die Farbe sich an allen Stellen der Zeichnung oder Schrift festgesetzt hat, so entfernt man das Gummi mittelst eines in Wasser getauchten Schwammes und fährt mit dem Einschwärzen mit der Walze fort, wie gewöhnlich.

Wenn die Platte an einigen Stellen, die weiß bleiben sollen, Farbe annähme, so müßte dieselbe wieder mit gesäuertem Gummi überwischt werden.

Das Erwärmen des Steins vor dem Ueberdrucken kann sehr einfach dadurch geschehen, daß man den Stein mehrmal mit siedendem Wasser übergießt, wodurch er regelmäßiger erwärmt wird als am freien Feuer.

Man muß aber, ehe man die Zeichnung auflegt, den Stein vollständig auf der Oberfläche trocken werden lassen. Er bleibt dann noch hinlänglich warm.

Ebenso kann man sich auch hierzu des Erwärmungsapparates auf **Taf. III, Fig. 63,** bedienen.

Der von Spänglerblech gemachte Apparat A wird mit warmem Wasser durch die Oeffnung b mittelst eines gewöhnlichen Trichters nicht ganz voll gefüllt und mit einem Korkstöpsel gut verschlossen, derselbe kommt dann auf zwei neben dem Steine befindliche Leisten zu liegen, welche etwa 2 Centim. höher als der Stein sind. 3—4 Minuten genügen, um der Oberfläche des Steines die gehörige Temperatur zu verschaffen.

Man mag indessen den Stein auf diese Weise oder durch Aussetzen gegen die strahlende Wärme eines Feuers oder Ofens wärmen, so muß dies sehr vorsichtig geschehen, denn durch die ungleichmäßige Erwärmung leidet der Stein und springt leicht in der Presse.

Sollte man genöthigt sein, kalt überzudrucken, so ist es rathsam, den Stein schwach mit Terpentingeist zu überstreichen, bevor das umzudruckende Blatt aufgelegt wird.

Wir wollen unseren Lesern hier noch eine Behandlungsart der Autographie mittheilen, welche von der bis jetzt beschriebenen in vieler Hinsicht abweicht, aber so vortreffliche Resultate liefert, daß ihrem Erfinder, dem Eng-

14*

länder Netherclift, der dafür ausgesetzte bedeutende Preis zuerkannt wurde.

Zur Bereitung seines autographischen Papiers nimmt Netherclift 125 Gramm Tapioca (Maniok, Satzmehl) und 125 Gramm Arrowroot (Satzmehl von der Pfeilwurzel, einer Scitaminea), beides Stoffe, welche man durch die Droguisten in Hamburg und anderen bedeutenden Städten beziehen kann, kocht jede einzeln zu einem Teige, mengt dann beide und verdünnt sie mit heißem Wasser zu einem dünnen Brei, den er durch Musselin seiht. Dazu setzt er 500 Gramm Spanischweiß, das vorher gut in Wasser abgerieben wurde, und streicht die Masse mittelmäßig stark auf halbgeleimtes Papier, indem er zuerst mit einem breiten Pinsel eine Lage Pergamentleim und, wenn diese ganz trocken ist, drei Lagen der oben erwähnten Masse sehr gleichförmig aufträgt, jede einzelne aber sehr gut trocknen läßt. Dann werden immer zwei und zwei Blätter trocken mit der bestrichenen Seite gegen einander gelegt und auf einem polirten Steine durch eine scharf gespannte Presse gezogen, so daß die Rückseite der Blätter möglichst stark geglättet wird.

Netherclift's autographische Tinte besteht aus gleichen Theilen gelber Seife und Schellack, die wie gewöhnlich gekocht und gebrannt werden, und denen er soviel Lampenruß zusetzt, als zur Färbung nöthig ist. Die Tinte kann beim Gebrauche in kaltem oder warmem Wasser aufgelöst werden. Wachs und Talg hält Netherclift für durchaus überflüssig, und da seine Tinte keine Säuren zur Neutralisirung des Alkalis bedarf, so braucht man die übergedruckte Zeichnung oder Schrift gar nicht zu ätzen, oder ihr nur dann, wenn die Schraffirungen sehr dicht liegen, eine schwache Aetzung zu geben, um die Zeichnung mechanisch etwas höher zu legen. Der Schellack fixirt die Seife hinlänglich.

Um den Ueberdruck zu bewerkstelligen, muß man den Stein mäßig wärmen und verfahren, wie wir früher beschrieben haben. Durch das nachherige Befeuchten geht die Zeichnung mit Einschluß der Decke von dem Papiere an den Stein und so scharf, daß selbst die stärksten Striche nicht ausklatschen.

Schließlich haben wir noch eines Umdruckverfahrens zu erwähnen, welches im Jahre 1820 Bleibimhaus erfand, das vielseitig verbreitet und angewendet wurde.

Der wesentliche Unterschied dieses Verfahrens liegt darin, daß auf gefirnißtem Papiere mit autographischer Tinte gezeichnet oder geschrieben wird.

Die Bereitung desselben geschieht, indem man starkes Papier oder auch Pergament auf Rahmen spannt, und mit einer Lage, mittelst Terpentingeist verdünntem Aetzgrund überdeckt und an der Luft trocknen läßt.

Statt dieses Papiers kann man auch Wachstaffet nehmen, den man auf einen Rahmen von Eisenblech spannt, so daß er straff sitzt, und keine Falten schlägt.

Man kann sich eines und desselben Papierbogens oder Taffet lange Zeit bedienen, indem man nach gemachtem Gebrauche die noch darauf zurückgebliebene Tinte mit Seifenwasser und einem wollenen Lappen abwäscht, und dann mit reinem Wasser abspült, worauf man ihn mit einem reinen leinenen Lappen abwischt.

Der einzige Uebelstand dieses Verfahrens besteht in der Schwierigkeit, auf den Firniß zu schreiben, indem die Feder sehr leicht in dieser weichen Substanz stecken bleibt, daher man auch gegenwärtig dem autographischen Papiere den Vorzug giebt.

Im Uebrigen geschieht das Ueberdrucken auf leicht erwärmten Stein, und wird dann ebenso behandelt, wie beim autographischen Papier.

Die Autographie der Kreidezeichnung.

Gegenüber der Autographie der Schrift- und Federzeichnung ist jedenfalls die der Kreidezeichnung das schwierigste Problem des Ueberdrucks, welches bereits die Neuzeit in vollständigster Weise gelöst. Hierbei wird die von dem Künstler auf präparirtem Papier mit lithographischer Kreide gefertigte Zeichnung auf Stein übergedruckt und kann hierdurch die treueste Wiedergabe der Originalzeichnung in beliebigen Abzügen erzeugt werden.

Von dieser neuen Ueberdrucksmethode für alle Arten von Zeichnungen in Kreidemanier wurden nun sowohl in Frankreich, als auch in mehreren lithographischen Kunstanstalten Deutschlands, sehr überraschende Resultate erzielt.

Der Hauptvortheil dieser Methode besteht darin, daß der Künstler seine eigene Originalzeichnung durch lithographischen Druck erhält, ohne daß diese von dem Lithographen auf Stein gezeichnet werden muß.

Die Manipulation für den Künstler selbst ist äußerst einfach, derselbe zeichnet auf ein eigenes präparirtes Papier mit lithographischer Kreide einen beliebigen Gegenstand, schickt dieses Blatt in die Steindruckerei und in wenigen Stunden darauf stehen beliebige Abzüge zur Verfügung, welche ganz genau wie die Originalzeichnung sind.

Die Länge der Zeit, welche die Zeichnung eines Gegenstandes in Anspruch nimmt, übt keinen Einfluß auf das Gelingen des Ueberdrucks und der Abdrücke aus, nur ist zu bemerken, daß während des Zeichnens auf Reinhaltung des präparirten Papiers und nicht zu häufige Berührung mit den Fingern hauptsächlich gesehen werden muß.

Ueber die Bereitung des hierzu nöthigen gekörnten Ueberdruckpapiers bringt im Polygraphischen Centralblatt L. Menton in Manheim folgende Mittheilung seines Verfahrens, welches er bereits seit 25 Jahren anwendete.

9 Theile Fruchtstärke, gekocht zu der Dicke des Buchbinderkleisters,

4 Theile Gelatine, über Nacht in Wasser eingeweicht und dann gekocht,

27 Theile Kremserweiß, fein in Wasser abgerieben.

Stärke und Gelatine drücke man durch ein Tuch und mische das Kremserweiß darunter, die Masse wird nun vermittelst eines Borstenpinsels auf Papier getragen und muß beim Auftragen noch warm sein; man giebt gewöhnlich zwei Anstriche; ist die Masse indeß etwas dünn, so sind drei nöthig.

Das Papier wird nun gehörig getrocknet und ein scharf gekörnter Stein in der Presse eingerichtet; das an-

gestrichene Papier wird in feuchtes Papier gelegt, ähnlich
wie wenn man einen Abdruck zum Ueberdruck machen
wolle. Hat nun das angestrichene Papier etwas Feuchtigkeit angezogen, so daß es etwas erweicht ist, so wird die
angestrichene Seite auf den gekörnten Stein gelegt und
mit starkem Druck durch die Presse gezogen; es drückt sich
dadurch das Korn des Steins auf dem Papier ganz
scharf ab, so daß man sich je nach dem feinen oder groben
Korn des Steins ein gleiches auf dem Papier erzeugen
kann. Beim Zeichnen auf dieses Papier darf keine zu
harte Kreide verwendet werden.

Aehnliches Papier kommt auch im Handel vor, welches
jedoch statt mit gekörntem Steine, durch eine Metallplatte
oder Walze granulirt ist.

**Autographie auf granulirtes Papier mit Kreide, erfunden von
Maclure und Macdonald in London,**

empfohlen durch Gebrüder Obpacher in München.

Dieses Verfahren eignet sich ganz vorzüglich zu Illustrationen von Schriften, wissenschaftlichen Abhandlungen,
Portraits, Bilderbogen ꝛc., da hierdurch die Kopie durch
einen Lithographen ganz in Wegfall kommt, und der betreffende Autor selbst seine beabsichtigten Illustrationen
zeichnen kann.

Auch zur schnellen Ausführung von Einladungskarten,
Speisekarten ꝛc. ist diese Manier nicht genug zu empfehlen
und hat sich schon überall Bahn gebrochen. Dieses granu-
lirte Papier ist zu haben bei Gebrüder Obpacher in
München und kostet ein Bogen in der Größe von 28—39
Centimeter 1 Mark 40 Pfennige. Derartig gekörntes
Ueberdruckpapier von Maclure u. Macdonald verkaufen
auch Klimsch u. Komp. in Frankfurt a. M., und die
meisten lithographischen Utensilienhandlungen.

**Verfahren, beim Ueberdruck einer mit Kreide auf gekörntes
Papier gemachten Zeichnung.**

Das gezeichnete Blatt Papier wird mit der Vorderseite auf eine reine trockene Papier-Unterlage gelegt und

auf der Rückſeite ſo lange mit einem gut feuchten Schwamm
beſtrichen, bis die Feuchtigkeit ſo in das Papier einge=
drungen iſt, daß beim Berühren die Vorderſeite leicht am
Finger kleben bleibt.

Hierauf geſchieht das Ueberziehen auf einen glatten
(nicht gekörnten) erwärmten Stein, erſt mit ſchwächerer,
und dann mit ſtärkerer Spannung; als Unterlage wird
feuchtes Makulatur verwendet.

Iſt der Ueberdruck nun in dieſer Weiſe geſchehen, ſo
hat man das Papier auch wieder vom Stein abzulöſen,
was Aufmerkſamkeit erfordert. Es geſchieht dies durch
langſame Begießung mit heißem Waſſer; hierdurch löſt
ſich die Papierſchichte ab, während ein Theil des Klebe=
ſtoffs der Schicht auf dem Steine haftend bleibt, und
dieſer letztere wird durch fortwährendes Beſpülen mit
kaltem Waſſer weggebracht; man vermeide jedoch ſich eines
Schwammes oder der Hand zu bedienen, da hierdurch
die Zeichnung ſehr leicht beſchädigt wird.

Wenn nun die Zeichnung rein auf dem Stein ſteht,
ſo übergießt man denſelben, nachdem er gut trocken ge=
worden, mit Gummi und läßt dieſen eine Stunde darauf
ſtehen; das Abwaſchen des Gummi geſchieht dann wie ge=
wöhnlich mit einem Schwamme, alsdann wird die Zeichnung
mit möglichſt wenig Druckfarbe angewalzt mit geſtoßenem
Kolophonium überpudert und geätzt.

Hierbei muß mit der größten Vorſicht umgegangen
werden, damit die Zeichnung recht rein und offen bleibt.
Die Aetzung geſchieht erſt ganz ſchwach, dann ein zweites,
drittes Mal ſtärker. Die Aetzflüſſigkeit, aus reinem Waſſer,
etwas Gummiauflöſung und einigen Tropfen Salzſäure
beſtehend, wird mittelſt des Pinſels aufgetragen, und iſt
weit ſchwächer hier anwendbar als wie bei der gewöhn=
lichen Kreidezeichnung.

Nach dem erſtmaligen ſchwachen Aetzen wird die
Zeichnung wiederholt mit Druckfarbe eingewalzt und einer
etwas ſtärkern Aetzung unterzogen, und ſo gleichfalls die
dritte Aetzung damit vorgenommen. Nun iſt der Ueberdruck fertig und können beliebige Abzüge gemacht werden.

Für den Zeichner selbst wäre noch zu bemerken, daß auch mit lithographischer Tusche auf dem Papiere gearbeitet werden kann.

———

Die zweite Gruppe der Autographie umfaßt den Ueberdruck von Abzügen auf Stein und die verschiedenen Nebenanwendungen des Umbrucks.

Hierzu gehören:

1) Die Anwendung auf Kupferdruck und Buchdruck.

Es tritt oft der Fall ein, daß man von einer Kupferplatte in sehr kurzer Zeit eine sehr große Anzahl von Abdrücken verlangt, so daß dieselben unmöglich in der gewünschten Zeit geliefert werden können und man genöthigt ist, die Platte zwei oder drei Mal zu graviren, was ebenfalls nicht immer ausführbar ist.

In solchen Fällen nimmt man die Kupferplatte, schwärzt dieselbe, statt mit Firniß, mit einer Mischung von 2 Theilen Wachs, 2 Theilen Talg und 6 Theilen lithographischer Druckfarbe ein und zieht von derselben nach und nach eine kleine Anzahl von Abdrücken, nämlich soviel, als man braucht, um sich soviel Hülfsplatten zu erzeugen, daß man in der gegebenen Zeit die verlangten Drucke liefern kann. Diese Abdrücke zieht man auf chinesisches Papier, oder wenn man ungeleimtes autographisches Papier hat, auf die mit Kleister bestrichene Seite, wobei man letzteres ziemlich trocken hält, und nur zwischen gefeuchtetem Papiere einschlägt.

Die noch frischen Abdrücke legt man in ein Gefäß mit Wasser, dergestalt, daß dieselben, mit ihrer gedruckten Seite nach oben gekehrt, auf dem Wasser schwimmen, und legt sie dann auf ungeleimtes Papier, damit die überflüssige Feuchtigkeit wieder aufgesaugt wird, bringt unterdessen einen polirten Stein von der gehörigen Größe erwärmt in die Presse, und macht alsdann, wie oben beschrieben, einen Umbruck, worauf man dann, nachdem der Stein einige Stunden unter dem Gummi gestanden hat, weiter drucken kann.

Kröppelin in Paris hat für seinen Ueberdruck von Kupferstichen auf Stein folgende Einschwärzefarbe für die Mutterabdrücke mit dem besten Erfolge angewendet.

12 Theile Wachs,
 1   „   Unschlitt,
 4   „   Oelseife,
16   „   Kolophonium,
12   „   schwacher Steindruckfirniß.

Alle Ingredienzien werden zusammengeschmolzen und das Ganze mit der nöthigen Menge Frankfurter Schwärze durch sorgfältiges Abreiben versetzt. Die Mutterabdrücke werden auf autographisches Papier abgezogen und, wie oben angegeben, übergedruckt.

Will man Buchdruck umdrucken, so muß man mit obiger Farbe oder auch mit aufgelöster autographischer Tinte, welche so dick als Buchdruckerfarbe sein soll, einschwärzen und den Abdruck auf autographisches Papier nehmen. Wir haben übrigens mehr als einmal Buchdruck, der mit gewöhnlicher Druckerschwärze und auf gewöhnliches Papier abgedruckt und schon einige Tage, ja selbst Wochen alt war, auf diese Weise umgedruckt und bei gehöriger Vorsicht und Sorgfalt, namentlich beim Aetzen, die besten Resultate erlangt.

Sollten beim Umdrucke einige Striche nicht kommen, so muß man nach dem ersten Probedrucke den Stein, ohne ihn zu gummiren, trocken werden lassen und dann die Korrekturen mit lithographischer Tinte machen. Es reicht vollkommen hin, den Stein, wenn die Korrekturen ganz trocken sind, zu gummiren. Hätte man aber verschmutzte Stellen radiren müssen, so ist es nothwendig, diese Stellen mit einer schwachen Säure nachzuätzen und dann erst zu gummiren.

Eine besondere Ausdehnung hat das Ueberdruckverfahren durch die Erfindung des sogenannten anastatischen Druckes erlangt; da dieser aber meistentheils auf Zinkplatten ausgeführt wird, so werden wir das Erforderliche in dem Abschnitte vom Zinkdruck beibringen, und erwähnen hier nur, daß man die nach dem anastatischen Verfahren präparirten Drucke mit den gewöhnlichen Handgriffen auch auf Steinplatten abdrucken kann.

2) Die Verbindung des Buchdruckes mit dem Steindrucke (Typolithographie).

Sehr vortheilhaft ist es, wenn man Bücher, deren Text Buchdruck ist, welche aber Illustrationen oder auch erklärende Zeichnungen ꝛc. haben, so abdrucken kann, daß der Steindruck und Buchdruck mittelst einer und derselben Operation hervorgebracht werden. Zu diesem Zwecke bietet der Umdruck die Hand.

Man setze den Letternsatz wie gewöhnlich, sperre aber in demselben die Stellen, wo späterhin die Illustrationen, Figuren, Schriften in fremden Sprachen, wozu man keine Lettern hat ꝛc., hinkommen sollen, aus; den Letternsatz bringe man in die Buchdruckerpresse, schwärze ihn mit einer Druckfarbe aus aufgelöster autographischer Tinte ein und nehme einen Abdruck auf autographisches Papier. In diesem Abdruck zeichne man nun die gewünschten Gegenstände mit der Feder und autographischer Tinte ein, und drucke das Ganze alsdann auf den Stein über, worauf man dann Letterndruck und Zeichnung zugleich weiter drucken kann. Hätte man Kupferstiche in das Werk einzudrucken, so mache man nach dem vorher beschriebenen Verfahren Abdrücke von der Kupferplatte auf chinesisches Papier und klebe diese in den Umdruck des Letterndruckes ein, worauf man den Ueberdruck des Ganzen macht und weiter druckt. Man thut übrigens gut, dergleichen Umdrücke erst 24 Stunden ruhen zu lassen, ehe man den wirklichen Weiterdruck beginnt.

Obschon, seitdem der Holzschnitt sich hinsichtlich des Illustrirens der durch den Buchdruck hervorgebrachten Werke jetzt eine so umfassende Geltung erworben hat, daß das hier oben angegebene Verfahren als antiquirt betrachtet werden könnte, so fehlt es dennoch nicht an Fällen, wo man sich trotzdem desselben mit Vortheil bedienen kann. Namentlich wird dies der Fall da ein, wo die kleine Auflage eines Werkes die Anfertigung der Holzschnittplatten nicht rentirend erscheinen lassen würde. Wir erwähnen hier als Beispiel die bekannten Düsseldorfer Monatshefte; dieselben enthalten im Texte Bilder, welche anscheinend Holzschnitte sind. Wir finden aber hier nichts anderes als Lithographien, welche Federzeichnungen in dem Charakter der Holzschnitte sind und, in einen mit Ueberdruckfarbe gemachten Abzug des Letternsatzes geklebt, mit diesem zugleich auf einen Stein abgedruckt wurden. Die hierdurch erzielte Ersparniß leuchtet ein, und dies umsomehr, da die genannten Hefte Verlag einer lithographischen Anstalt sind. Aehnliche Fälle der Anwendbarkeit des hier angegebenen Verfahrens werden sich öfter finden; so z. B. bei dem Druck farbiger Bücherumschläge, welche nicht selten auf der Rückseite Bücheranzeigen bringen, wobei dann die typographische Bücheranzeige mit der lithographirten Hauptplatte zugleich umgedruckt und so hierdurch ohne weitere Kosten und Mühe sogleich lithographisch mitgedruckt werden kann.

Dieses typolithographische Umdruckverfahren unterscheidet sich nur wenig vom gewöhnlichen Umdruck.

Es werden nämlich in der Buchdruckerpresse von der Buchdruckplatte mit strenger Farbe auf mit Kleister bestrichenem Papier reine saubere Abzüge gemacht, welche eher grau statt schwarz sein sollen, wobei das gestrichene Papier vor dem Druck in feuchtes Makulatur gelegt.

Der Umdruck auf den Stein geschieht wie gewöhnlich, dieser wird trocken abgebimst, der Bogen, worauf der lithographische und typographische Abzug befestigt, auf den Stein gelegt, mehrmal durchgezogen, hierauf nicht allzustark mit reinem Wasser befeuchtet und wiederholt stark durchgezogen.

Letztere Manipulation kann öfter wiederholt werden, da sie dazu dient, den Abzug ganz vom Papier loszulösen und auf den Stein zu übertragen. Nachdem das Papier abgelöst, wird der Umdruck gummirt, angerieben, und nach seinem sorgfältigen Reinigen nach einiger Zeit geätzt.

3) Die Anti-Typolithographie.

Die Typolithographie ist ziemlich alt und wurde schon von Alois Senefelder ausgeführt.

Ueber das Verfahren der Anti-Typolithographie theilt nun in der „Lithographia" L. Menton folgendes mit.

Eine Mischung von Gelatine, Gummi und Albumin wird 3 bis 4 Wochen in einer Flasche aufbewahrt; nach dieser Zeit ist die Masse in sich selbst zerfallen, aus dem gallertartigen Zustande in einen flüssigen übergegangen und ganz klar geworden.

Mit dieser geklärten Masse bereitet man sich durch Zusatz von Ruß eine so strenge Farbe, wie sie die Buchdruckerwalze vertragen kann, druckt mit derselben den Typensatz auf ein gut geleimtes glattes Papier, welches die Farbe nicht zu rasch einsaugt und zieht diesen Abdruck sofort auf den Stein über.

Sobald die Farbe gehörig getrocknet, übergießt man den Stein mit Oel und wird nun wahrnehmen, daß sämmtliche übergedruckte Stellen das Oel abstoßen und daß es nur vom reinen Stein angezogen wird.

Nachdem das Oel abgelaufen, behandle man den Stein mit einem leichten Gummiwasser, walze mit nicht zu leichter Farbe ein und ätze den Stein.

Man wird jetzt die Schrift oder Zeichnung in voller Schärfe und Schönheit weiß auf schwarzem Grunde vor sich haben.

4) Das Umdruckverfahren für lithographische Gravir- und Federarbeiten.

Der Umdruck hat bereits eine Vervollkommnung erreicht, wodurch es möglich geworden, eine gravirte oder Federplatte fast ins Unendliche zu vermehren, ohne daß hierbei die Originalplatte den geringsten Nachtheil erleidet; zudem ist auch die Herstellung einer großen Anzahl Abdrücke in kurzer Zeit ermöglicht.

Diese Vervielfältigung der Platten mittelst des Umdrucks bietet hinsichtlich der Ersparniß und der schnellen

Vervielfältigung der Gegenstände unermeßliche Vortheile dar, und findet deshalb die vielseitigste Anwendung. So braucht man auch z. B. jene Gegenstände, von denen man eine große Anzahl Abdrücke zu machen wünscht, als wie Etiquette u. dergl. nur einmal auf den Stein auszuführen und sodann einen großen Stein damit zu bedrucken und 10, 20, 50 Exemplare auf einmal abzuziehen.

Ist dieser Stein dann abgenutzt, so kann man ihn durch eine neue Reihe von Umdrucken mit dem kleinern Steine augenblicklich wieder vorrichten.

In gleicher Weise lassen sich auch Umdrücke gravirter Landkarten, oder überhaupt solcher Gegenstände, von welchen man jährlich eine große Anzahl Abdrücke braucht, welche die gravirte Platte zu liefern nicht im Stande wäre, herstellen, deren Abdrücke an Reinheit und Schärfe, dem Abzuge der Originalplatte gleichkommen.

Bei dieser etwas schwierigen Operation ist jedoch die vollständigste Anweisung des Lehrbuches nicht zureichend, und es gehört praktische Erfahrung dazu, um des Gelingens immer gewiß sein zu können.

Man verwendet hierzu entweder das gewöhnliche autographische Papier, wovon das mit Kremserweiß bereitete besonders zweckdienlich ist, oder noch besser, das ächte chinesische Papier, wodurch man die schönsten Ueberdrücke erhält.

Sind die überzudruckenden Blätter groß, so giebt man dem chinesischen Papier einen leichten Kleisteranstrich, wie zum Behufe des Druckens, damit es sich nicht verschiebe und auf dem Auflegebogen kleben bleibe.

Der Abdruck wird jedoch immer auf die unangestrichene Seite gemacht.

Bei kleinen Blättern ist dieser Anstrich ganz entbehrlich. Die Umdruckfarbe ist hierbei von großer Wichtigkeit: man soll mit derselben einen normalen scharfen Abdruck herstellen, dieser soll mit Leichtigkeit auf einen andern Stein übertragen werden, wobei sich die Zeichnung nicht breit quetschen darf und eine schnelle Verbindung mit dem Stein eingehen muß. Dieser Uebertrag muß beim Anreiben oder Anwalzen die Farbe leicht anziehen und dann eine möglichst starke Aetzung aushalten, damit beim Fortdruck der Stein sich klar und scharf hält.

Die Ueberdruckfarbe wird verschiedenartig bereitet. Engelmann bedient sich folgender Mischung:

$$
\begin{array}{rl}
1 & \text{Theil Wachs,} \\
1 & \text{„ \quad Talg,} \\
1 & \text{„ \quad Seife,} \\
12 & \text{„ \quad Firniß,} \\
6 & \text{„ \quad venetianischen Terpentin.}
\end{array}
$$

Nachdem Unschlitt und Wachs geschmolzen, wird die Seife nach und nach zugesetzt und die Masse über Feuer gelassen, bis sie aufgehört hat, sich zu blähen, und dann der Terpentin beigefügt.

Mit diesem Firniß wird dann der Ruß abgerieben.*) Einige bereiten sich eine Ueberdruckfarbe aus

$$
\begin{array}{rl}
1 & \text{Theil Tusche und} \\
2 & \text{„ \quad Druckfarbe,}
\end{array}
$$

welche sie zusammenschmelzen, wodurch sie reine und volle Abdrücke erhalten.

Der Beisatz von Seife, welcher in der Tusche, sowie bei obiger Umdruckfarbe enthalten ist, bleibt jedoch immer nachtheilig für die Originalplatte, indem manche Stellen derselben, welche weiß bleiben sollen, Farbe annehmen und durch ein beständiges Reinigen dieselbe zuletzt Schaden leidet.

Besser wird daher folgende Zusammensetzung sein, bei welcher die Seife ganz ausgelassen ist.

$$
\begin{array}{rl}
4 & \text{Theile Kolophonium,} \\
1 & \text{„ \quad venetianischen Terpentin und} \\
10 & \text{„ \quad Federdruckfarbe}
\end{array}
$$

---

*) Zur obigen Mischung nehmen einige Lithographen statt 12 Theile Firniß, nur 3 Theile stärksten Firniß, und setzen hiervon der Druckfarbe je die Hälfte oder bei kräftigen Zeichnungen nur ein Drittel bei.

werden durch langsames Erwärmen zusammengeschmolzen, und die Masse nach einigem Erkalten in einer blechernen Büchse zum Gebrauche aufbewahrt.

Zu gravirten Ueberdrücken wird sie mit Terpentinöl verdünnt, zu Federarbeiten mit etwas Firniß.

H. G. Schneider empfiehlt folgende Ueberdruckfarbe,[*] welche sich auch sehr gut zum Kupferüberdruck eignet und auf dem Stein eine sehr kräftige Aetzung aushält. Die Bestandtheile derselben sind:

1 Theil venetanische Seife,
1 „ Hirschtalg,
1 „ Wachs,
1 „ Kolophonium,
1 „ Mastix,
1 „ Schellack,
1 „ venetianischen Terpentin
$\frac{1}{2}$ „ Lavendelöl (Spiköl).

Die zum Ueberdruck bestimmten Abzüge bedürfen einer sorgfältigen Behandlung, man hat hierbei mehr auf reine und scharfe, als wie auf starke Abdrücke zu sehen. Nach Vollendung dieser Abdrücke soll sogleich deren Ueberdruck auf etwas erwärmtem Steine vorgenommen werden. Das Durchziehen geschieht mit starker Pressung, langsam und nur einmal; man feuchtet dann das übergedruckte Blatt mit dem Schwamme an, und entfernt es vom Steine.

Derselbe soll nun wenigstens einige Stunden ruhen, ehe man ihn gummirt, und wie bei der Autographie mittelst eines leinenen Bäuschchens anreibt, und mit der Druckwalze einschwärzt.

Nachdem der Stein in diesem Zustande etwa einen halben Tag gestanden ist, wird er gleich einer zart behandelten Kreideplatte schwach geätzt und gummirt; und kann

[*] Als vorzügliche Präparate sind auch allgemein anerkannt: die Umdruckfarbe von Frick und Menton, die des letztern ist seifenfrei, und wird hiervon ein Theil zu 6 Theilen gewöhnliche Druckfarbe gemischt.

nun wie jede Federzeichnung mit gewöhnlicher Druckfarbe gedruckt werden.

Bei sehr schwachen und feinen Ueberdrücken, ist es zweckdienlicher, statt des Aetzens das Präparat von Gummi und Gallus anzuwenden, wodurch der Stein nicht angegriffen und dennoch stärker als wie durch Gummi allein, präparirt wird.

Beim Beginne des Druckes dieser Platten ist die Wahl des Materials und der Manipulation von großer Wichtigkeit.

Ein geübter Drucker wird anfänglich nicht durch Anwendung leichter Druckfarbe, kräftige Abdrücke zu erhalten suchen, was sehr bald ein Breiterwerden der Linien zur Folge hat, wo dann, bei diesem fortgesetzten Druckverfahren, durch schwer zu beseitigende Verschmierungen der Umdruck gänzlich unbrauchbar würde.

Sollte anfänglich der Umdruck die Druckfarbe nicht gehörig annehmen wollen, so kann derselbe dadurch empfänglicher für die Druckfarbe werden, daß man den Stein rein einschwärzt und, ohne ihn zu gummiren, einige Stunden ruhen läßt, und dann vor dem Beginn des Druckes wieder gummirt.

Das Abziehen der ersten 100 Abdrücke erfordert die größte Sorgfalt, ist dieses aber gelungen, dann druckt eine solche Platte fast williger als eine Federplatte.

Dieser Ueberdruck wird gewöhnlich auf feuchtem Papier gemacht, wobei ein Verziehen der Zeichnung, besonders bei großen Formaten, mehr oder weniger stattfindet, was manchmal z. B. beim geprägten Blattmetalldruck nachtheilig einwirkt.

Wo daher die umgedruckte Zeichnung mit der Größe der Originalplatte sehr genau übereinstimmen soll, ist man genöthigt, diesen Umdruck auf trockenem Papiere vorzunehmen, wobei mittelst einer kurzen farbereichen Ueberdruckfarbe der Abdruck auf die angestrichene Seite des autographischen Papiers gemacht wird.

Sind mehrere Abdrücke auf einen Stein umzudrucken, so werden diese auf halbgeleimtes Papier geklebt, dann

Weishaupt, Steindruck. 15

auf den in der Presse eingerichteten Stein gelegt, und mit zwei sehr feuchten Papierbogen bedeckt, und so das Ganze einmal schnell durch die Presse gezogen.

Bei diesem Verfahren gewinnt man den Vortheil, daß hierdurch der Kleister des Papiers erweicht, und selbst am Steine festklebt, wodurch sich dasselbe nicht mehr strecken kann, selbst wenn es, um einen kräftigen Umdruck zu erhalten, mehrmals durch die Presse gezogen wird.

Uebrigens wird, nachdem man mittelst des Schwammes Wasser auf die Rückseite des Ueberdrucks gebracht, wodurch sich Kleister und Farbe allmählig vom Papiere lösen, damit verfahren wie bei jedem andern Ueberdrucke.

5) Das Kautschukverfahren bei lithographischer Autographie.

Dieses originelle Verfahren, wodurch vermittelst einer Kautschukhaut, die wie ein Trommelfell gestreckt und zusammengelassen, Autographien vergrößert oder verkleinert auf den Stein übergetragen und gedruckt werden können, ist eine Erfindung, welche durch die Londoner Ausstellung 1862 bekannt geworden.

Hierüber enthält die Stuttgarter Gewerbehalle folgende Mittheilung von G. F. Krauß:

Derselbe ist nämlich seit zwei Jahren im Besitz einer solchen „Streckmaschine", wie man sie nennen könnte, und hat eine zu diesem besondern Zweck von ihm konstruirte Presse in seiner Druckerei aufgestellt. Das Streckwerk ist ein gußeiserner Rahmen mit vier daraufliegenden Schrauben, welche bis zur Mitte ein linkes, von dort nach außen ein rechtes Gewinde haben.

Sie werden durch eine Kurbel vermittelst Winkelrädern gedreht. Acht Muttern, welche auf diesen Schrauben laufen, führen vier Schienen, die zusammen- oder auseinanderrücken, je nachdem man dreht. Diese vier Schienen tragen acht Stifte, in welche der Streckrahmen eingelegt wird.

Letzterer selbst ist mit 48 Parallelogrammen versehen, welche sich in 4 Eckstücke einhängen; von jedem Parallelogramm und jedem Eckstück geht ein Haken aus, in welchen die Kautschukhaut mittelst 52 Mutterschräubchen befestigt wird. Die Kautschukhaut ist ca. 30 Centim. ins Gevierte, und kann bis zu 60 Centim. gestreckt werden, was die Parallelogramme vermitteln.

Ein Grund aus 625 Gramm Kremserweiß, $116^2/_3$ Gramm Leim, $116^2/_3$ Gramm Waschstärke, 100 Gramm Syrup wird dünn mit einem Pinsel auf die Haut aufgetragen.

Der Kautschukrahmen wird durch Stellschrauben fixirt, ausgehoben und ein Abdruck darauf gemacht, wobei übrigens der Reiberdruck unzulässig ist; weshalb man den Reiber an seiner Druckfläche mit einem $4^1/_2$ Centim. dicken, in Axen laufenden Cylinder versehen hat.

Ist der Abdruck fertig, so legt man den Rahmen wieder in seine Stifte, löst die Stellmuttern und läßt durch Drehung der Kurbel die Haut bis zur beliebigen Reduktion zusammen.

Nun stellt man die Muttern wieder, nimmt den Rahmen heraus, legt ihn auf einen temperirten Stein, nachdem man die Haut etwas angehaucht hat und macht den Ueberdruck.

Beim Ablösen muß man mit warmem Wasser nachhelfen, da sonst die Haut durch das Herunterziehen mißhandelt wird. Der Uebertrag erfolgt sehr vollständig.

Beim Vergrößern verfährt man umgekehrt. Der Abdruck wird auf die nur leicht gestreckte Haut gemacht, solche dann bis zur gewünschten Vergrößerung ausgestreckt 2c. 2c.

Man kann auf einmal bis zur Hälfte reduziren und auf doppelte Größe steigen.

Die Verkleinerungen werden überraschend schön. Die Vergrößerungen, wie es in der Natur jeder mechanischen Vergrößerung liegt, etwas roher.

Kleine Abweichungen kommen hin und wieder vor, sie sind aber nicht von Belang. In vielen Fällen gewährt die Maschine große Vortheile, aber ihr hoher Preis (das Streckwerk $1028^1/_2$ Mark) wird ihrer allgemeinen Einführung noch lange hinderlich sein.

15*

6) **Negativer lithographischer Ueberdruck, erfunden von Franz Weingärtner in Görlitz in Schlesien.**

Sehr häufig findet man lithographische Produkte, welche mit Schwarz oder Broncedruck auf weißes oder doch anderes hellfarbiges Papier im Effekt berechnet waren.

Dieselben Sachen hatte man aber auch, vermuthlich der Abwechselung halber, auf dunkel stahlblaues Papier mit hellem Broncedruck hergestellt, wodurch ein ganz falsches Bild entstand, indem Schatten und Licht gänzlich umgekehrt wird.

Dies führte auf den Gedanken auf irgend eine Weise für derartigen Druck eine negative Platte zu erzeugen.

Es existirt zwar ein Verfahren, mittelst welchem man gravirte Originalplatten negativ machen kann; bei diesem Verfahren ist jedoch eine fernere Benutzung der Originalplatte als positiv vollständig unmöglich. —

Weingärtner kam demzufolge auf ein einfaches Ueberdruck-Verfahren, mit dem er sehr schöne Resultate erreichte und wodurch die Beschaffenheit der Originalplatte in keiner Weise alterirt wird.

In seiner Anstalt wird dies Verfahren schon seit 1867 ausgeübt und praktisch angewendet.

Derselbe veröffentlichte sein Verfahren in dem Polygraphischen Centralblatte, dem er zugleich 3 Beilagen beifügte, nämlich

1) einen Abdruck vom Originalstein,
2) einen Abdruck vom negativen Ueberdruck in Schwarz auf weißes Papier, und
3) einen Abdruck vom negativen Ueberdruck in Broncedruck auf stahlblaues Papier.

Unbezweifelt möchte hieraus die Sicherheit des Verfahrens zur Genüge entnehmbar sein*).

---

*) Weingärtner hat auch Proben dieses Verfahrens in Wien ausgestellt, und zwar in Gravir=, Holzschnitt= und Kreidemanier. Letztere erfordert allerdings eine sehr sorgfältige Behandlung und längere Uebung in diesem Verfahren. Die Hauptschwierigkeit liegt hauptsächlich darin, den Ueber-

Bei dem Verfahren dieses negativen Ueberdrucks richtet man die zum Ueberdruck bestimmte, rein und fein geschliffene Platte wie zum Graviren vor, indem man dieselbe mit Kleesalz gut polirt und mit Gummi überzieht.

Dann macht man von der Originalplatte so viele Abbrücke, wie man negativ übertragen will, mit einer guten möglichst zähen Ueberdruckfarbe, (welche aber durchaus keine Seife enthalten darf) auf gutes Ueberdruckpapier.

Man kann hierzu chinesisches mit Kleisterstrich versehenes, oder auch anderes präparirtes Ueberdruckpapier verwenden.

Das zu den Abbrücken zu verwendende Ueberdruckpapier muß jedoch einen sehr kräftigen Abdruck gestatten, und die Druckfarbe auf der Ueberdruckplatte vollständig sitzen lassen.

Auch muß die Platte, auf welche man den Ueberdruck machen will, temperirt, das heißt nicht kalt, aber auch nicht zu warm sein.

Kurz zuvor, ehe man den Ueberdruck machen will, wäscht man den Gummi rein ab, es darf nicht die geringste Spur Gummi auf dem Stein sitzen bleiben. Nun schreitet man, wie gewöhnlich, zum Ueberdruck der Zeichnung auf den dazu bestimmten Stein und löst das Papier mit kaltem oder heißem Wasser, je nach Beschaffenheit des verwendeten Ueberdruckpapiers, ab; man muß sich aber hüten, mit dem Schwamme nachzuwaschen, da die Druckfarbe auf dem polirten Steine eine nur ganz geringe Anhaftungsfähigkeit hat, und sich theilweise oder auch ganz vom Steine ablösen würde.

Um den etwa noch auf der Platte anhaftenden Kleisterstrich oder sonstige Präparatur möglichst zu entfernen, bedient man sich eines in Wasser getauchten feinen Haarpinsels, mit welchem man behutsam den Strich entfernt.

druck kräftig auf den polirten Stein zu bringen und beim Abwaschen nicht zu beschädigen.

Das Original kann von feiner Herstellung sein, muß sich jedoch in gutem kräftigen Zustande befinden.

Sollte von dem Papierstrich auf den Linien der Zeichnung noch etwas sitzen bleiben, so schadet dies nichts, man kann sofort mit dem Abwaschen aufhören, wenn der Strich auf den unbezeichneten Stellen des Steines entfernt ist.

Sobald der Stein rein ist, trocknet man denselben behutsam mit reinem, weißen Löschpapier ab und nachdem derselbe trocken ist, kann man zur Aetzung schreiten.

Zu diesem Behufe macht man mit Klebwachs oder Glaserkitt einen überstehenden Rand um den Stein und begießt diesen mit verdünnter Essigsäure; man muß sich aber wohl hüten, die Säure zu scharf zu nehmen, da sonst ein Durchfressen der Zeichnung unfehlbar eintreten würde.

Nach einem 5 Minuten langen Stehenbleiben der Säure dürfen sich erst kleine sichtbare Bläschen bilden; tritt dies früher ein, so hat man die Säure zu scharf genommen und muß sich beeilen dieselbe abzugießen und tüchtig mit Wasser nachzuspülen.

Der Geschmack entscheidet am besten über die Beschaffenheit der Säure; dieselbe muß, auf die Zunge gebracht, nur wenig herbe schmecken.

Da die Essigsäure, welche im Handel vorkommt, größtentheils gefälscht ist (z. B. mit Schwefelsäure), so thut man gut, sich statt der Essigsäure sogenannten koncentrirten Essig zu kaufen, welcher in jeder Apotheke zu medizinischen Zwecken vorräthig gehalten wird.

Nachdem die Essigsäure rein abgespült ist, trocknet man den Stein nach dem Ablaufen des Wassers mit einem Blasebalge.

Diese Aetzung wiederholt man noch einmal; dies ist nothwendig, um die unlösliche Gummischicht von den unbezeichneten Stellen des Steines vollständig zu entfernen.

Wenn der Stein trocken ist, muß derselbe eine gleichmäßige weiße Färbung zeigen, und ist dann zum weiteren Verfahren tauglich.

Nun überzieht man den Stein, so weit dies erforderlich ist, mittelst eines feinen weichen Haarpinsels, mit dick eingeriebener lithographischer Tusche, wobei man sich jedoch hüten muß, auf die schon gedeckten Stellen wiederholt zurückzukommen, weil dies der Zeichnung schädlich sein würde.

Wenn die Tusche vollständig trocken ist, ätzt man den Stein in seiner ganzen Fläche, wie eine Federzeichnung und überzieht denselben mit Gummi arabicum.

Ist der Gummi trocken, so wäscht man denselben mit Wasser ab; ist dies geschehen, entfernt man die Tusche mit Terpentinöl und Wasser behutsam von dem Steine; starkes Reiben hierbei muß vermieden werden.

Nun nimmt man ein gebrauchtes Tampon, wie dasselbe beim Gravirdruck angewendet wird, jedoch ohne Farbe und verfährt damit, nachdem man den Stein etwas mit Bier netzt, gerade so, als wenn man einen gravirten Stein einschwärzen wollte; dies dient dazu, um den unvermeidlichen Ton und Schmutz von den gezeichneten Stellen, welche weiß bleiben sollen, zu entfernen; nachdem man dies vollständig erreicht hat, was man bei einiger Aufmerksamkeit leicht beobachten kann, schwärzt man den Stein mit der Walze, welche mit einer fetten Farbe (ohne Seife) versehen ist, vorsichtig ein; hat sich der Grund hinlänglich gedeckt, so läßt man die Platte wo möglich 24 Stunden stehen, um die Fettfarbe erhärten zu lassen.

Dann ätzt man den Stein ziemlich scharf und gummirt denselben ein. Dieses Abwaschen, Einschwärzen und Aetzen kann man nach Bedürfniß einige Mal wiederholen, damit die weiße Zeichnung genügend breit wird. — Man kann solche negative Zeichnungen in beliebiger Zahl auf gewöhnliche Art überdrucken und auf dunkel stahlblaues oder rothes und braunes Papier mit hellem Broncedruck herstellen z. B. bei Etiquetten, Siegelmarken 2c.

Die Bronce, welche man dazu verwendet, kann von ziemlich grober Beschaffenheit sein.

Das Umkehren der Zeichnungen und Schriften aus Weiß in Schwarz und aus Schwarz in Weiß.

Schon Senefelder hat diesen Kunstgriff der Lithographie erfunden und in seinem Werke beschrieben; indessen waren die nach dieser Beschreibung erlangten Resultate keinesweges genügend, weshalb wir früher darüber nicht gesprochen haben. Durch die Bemühungen des französischen berühmten Lithographen Knecht aber ist das Verfahren jetzt so ausgebildet, daß die Resultate nichts zu wünschen übrig lassen.

Um eine Zeichnung weiß hervortreten zu lassen, verfährt man folgendermaßen: Man präparirt einen gut zugerichteten und polirten Stein mit folgender Mischung: 1 Gewichtstheil gepülverte blonde Galläpfel läßt man 5 Minuten lang in 10,000 Gewichtstheilen Wasser kochen und seiht diese Abkochung durch, worauf man zu 40 Gewichtstheilen Wasser 5 Theile dieses Absudes und 5 Theile Salpetersäure zusetzt. Nachdem der Stein mit diesem Aetzwasser übergossen wurde und dasselbe einige Minuten darauf eingewirkt hat, wäscht man den Stein mit reinem Wasser ab. Ist derselbe ganz trocken, so macht man darauf seine Zeichnung mit der Feder oder dem Pinsel und mit einer Mischung von Gummiwasser und Kienruß. Ist die Zeichnung vollkommen trocken, so walzt man den Stein mit einer leichten Druckfarbe ein, bis er vollkommen schwarz ist. Vor allen Dingen hüte man sich während dieser Arbeit vor aller Feuchtigkeit, weshalb man auch zum Einschwärzen keine Walze anwenden darf, welche an demselben Tage schon zum Drucke gedient, also Feuchtigkeit gezogen hat. — Ist nun der Stein vollkommen schwarz geworden, so spritzt man einige Tropfen Wasser auf denselben und fährt mit Einwalzen fort, worauf die Walze die ganze Gummizeichnung abhebt und den Stein an den bezeichneten Stellen weiß läßt. Dann überzieht man den Stein noch einmal mit dem obigen Aetzwasser und zieht nachher die Abdrücke, bei welchen dann die Zeichnung scharf weiß in schwarzem Grunde steht, ab. Hat man viel Abdrücke

zu machen, so kann man den Stein mit fetter Farbe (Kon=
servir=Farbe) einschwärzen und dann, wie bei einer Feder=
zeichnung, ätzen und gummiren.

Will man aber diese weiße Zeichnung in Schwarz
umkehren, so braucht man nur zuvörderst den Stein mit
Wasser rein zu waschen und darauf mehre Male und lang=
sam eine Auflösung von 1 Gewichtstheil Marseiller Seife
in 25,000 Theilen Wasser darauf zu gießen und, nachdem
der Stein wieder trocken ist, in die, je nach der gegebenen
Präparatur mehr oder weniger tief geätzte Zeichnung mit=
telst eines Flanelllappens eine fette mit chemischer Kreide
vermischte Farbe so lange einzureiben, bis sie dieselbe faßt
und die Vertiefung ausfüllt. Den nun ganz schwarz ge=
wordenen Stein läßt man 24 Stunden liegen, damit die
fette Farbe gehörig eindringe, worauf man den ganzen
Stein mit Terpentinöl reinigt und nun die Zeichnung
wieder mit der fetten Farbe einreibt, dabei aber den
Flanell mit einer Mischung von 1 Gewichtstheil Phosphor=
säure und 50,000 Gewichtstheilen Wasser anfeuchtet. Die
Phosphorsäure läßt das Fett nur an den Stellen auf dem
Stein haften, welche anfänglich mit der Seifenauflösung
präparirt worden sind, indem das Alkali derselben an
diesen Stellen die präparirende Eigenschaft der Phosphor=
säure aufhebt. Die Oberfläche des Steins zeigt nun aller=
dings noch eine mattgraue Farbe, diese aber verschwindet,
wenn man, nachdem die Zeichnung gehörig Schwärze an=
genommen hat, die Fläche des Steins mit einem reinen
Flanell mit Phosphorauflösung abreibt, ja selbst schon
unter der Walze beim Einschwärzen des Steines zum
Drucke. Ist der Stein wieder rein, so kann man ihn
gummiren und etwa eine Stunde stehen lassen, worauf
man weiter drucken kann.

Um jede Art von Ueberdruck umzukehren,
präparirt man den Stein mit der Phosphorauflösung,
wäscht ihn dann mit Wasser ab und läßt ihn vollkommen
trocken werden, druckt den frischen Abzug über, trägt auf
das Ganze Gummiauflösung, schwärzt hierauf mit einer
gut gefertigten Walze und einer leichten Tinte, wobei man

sich sehr in Acht zu nehmen hat, daß die Walze nicht rutsche. Dann macht man ein oder zwei Abdrücke und schwärzt wieder ein, schüttet nun die oben erwähnte Seifen= auflösung auf, läßt dieselbe eintrocknen, und dann geschieht die obige Operation genau wie vorher, worauf endlich die Schrift oder Zeichnung weiß auf schwarzem Grunde her= vortreten wird. Hieraus ergiebt sich auch, daß man, statt überzudrucken, gleich mit Tinte oder lithographischer Kreide auf den präparirten Stein zeichnen und dann umkehren kann. Besser aber ist es in diesem Falle, mit einer Kreide zu zeichnen, welche man aus gleichen Theilen Jungfern= wachs, gereinigter Pottasche, Weinsteinsalz (Sal tartari), Unschlitt und Lampenruß zusammengesetzt. Zur Tinte läßt man in 25 Theilen Wasser, 4 Theile Gummilack und 1 Theil Borax zergehen und setzt zur Färbung etwas Lampenruß oder auch 1 Theil chemische Tinte zu.

Soll eine schwarze Zeichnung von der schon viel Ab= brücke gemacht sind, in Weiß umgekehrt werden, so hält dies sehr schwer und man thut besser, davon einen Abdruck überzudrucken und das Verfahren bei diesem Ueberdruck anzuwenden.

Sehr originelle Arbeiten kann man hier hervorbringen, wenn man ungeleimtes Papier mit einer dichten Schicht Kleister überzieht und, nachdem es trocken ist, mit der be= strichenen Seite auf einen scharfgekörnten Stein legt, 3 — 4 Mal unter scharfer Pressung unter dem Reiber durch= gehen läßt, und dann mit chemischer Kreide auf dieses Papier zeichnet, die Zeichnung selbst überdruckt und umkehrt.

Auf Stein gemachte Zeichnungen sind leicht umzukehren. Man reinigt zuerst den Stein mit Ter= pentinöl vollständig und bringt dann Kalkmilch darauf, die man mit einer Bürste in die Zeichnung einreibt; dann wäscht man den Stein, läßt ihn trocknen und walzt mit einer recht harten Walze mit fetter Farbe ein, bis die Oberfläche des Steins schwarz ist: dann ätzt man mit Phosphorauflösung wie oben, reinigt den Stein mit Ter= pentinöl und macht die Abdrücke. Will man die Zeichnung wieder schwarz haben, so verfährt man ebenso, schüttet aber,

nachdem man das Kalkwasser angewendet hatte, Seifen=
wasser auf und schwärzt dann mit dem Flanelllappen.

Hochgeätzte Steine schwärzt man mit starker ge=
färbter Gummiauflösung ein, macht einen Abdruck, den man
auf einen mit Phosphorsäure präparirten Stein überdruckt,
diesen, nach dem Trocknen, mit fetter Farbe einschwärzt,
darauf mit Wasser besprengt und den Ueberdruck mit der
Walze abhebt, worauf die Zeichnung weiß auf schwarzem
Grunde steht.

Diese Manipulationen des Umkehrens haben jedoch
keinen praktischen Werth und gehören zu den interessanten
Spielereien der Lithographie.

Fünftes Kapitel.

Die Chromolithographie.

Die Chromolithographie entwickelte sich gleich=
sam aus dem, auf glattem Stein erzeugten Tonplatten=
druck, dessen weitere Vervollkommnung durch die soge=
nannten aufgehöheten Platten hervorging; welche zunächst
zur Nachahmung der Krayonzeichnung auf Tonpapier mit
schwarzer und weißer Kreide dienten und auf gekörntem
Steine mittelst der höchst wirksamen Manier des soge=
nannten Ausschabens in Asphalt erzeugt werden.

Durch diese Manier lassen sich bekanntlich die Effekte
nicht allein durch Striche (Schraffirbehandlung) als auch,
ähnlich wie bei der Kreidezeichnung, durch abgestufte Töne
erreichen.

Es entstand hieraus gewissermaßen der Druck mit
abgestuften Tinten, woraus so allmählich durch das Ueber=
einanderdrucken derselben, die übergreifenden Tinten
hervorgingen, durch welche der eigentliche Farbendruck sich
entfaltete; der nun gleichsam durch Vereinigung sämmtlicher
Steindruck=Manieren, sowie, durch künstlerische Benutzung
und Behandlung ihrer Mittel, sich zur selbständigen Kunst=
technik erschwang.

Bei dem Entwicklungsgange desselben wurden zweierlei Prinzipien verfolgt, wobei man die gebrochenen Tinten des Kolorites in höchst ökonomischer Weise blos allein durch das Uebereinanderdrucken der drei Hauptfarben zu erreichen suchte, und ebenso auch dieses Kolorit ohne diese Beschränkung durch das Uebereinanderdrucken der erforderlichen gebrochenen Tinten erzeugte.

Obgleich man nun nach beiden Verfahrungsweisen sehr überraschende Resultate erzielte, so mußte doch entschieden das letztere Verfahren dem künstlerischen Zwecke weit mehr entsprechen als das erstere.

Betrachten wir das ganze Gebiet der Chromolithographie, so zerfällt dasselbe in folgende einzelne Abtheilungen:

1) Druck mit platten Tinten; a) einfarbig, b) mehrfarbig.

2) Druck mit abgestuften Tinten.

3) Druck mit übergreifenden Tinten.

Mehrere dieser Manieren werden auf glatten Steinen gearbeitet, andere auf gekörnten, und obgleich im vorliegenden Werke die Arbeiten auf glatten Steinen von denen auf gekörnten getrennt behandelt wurden, so konnte dennoch hier diese Trennung nicht beibehalten werden, ohne die ganze Branche zu zerreißen, was zu Uebelständen hätte Veranlassung geben müssen.

Die Reihefolge der lithochromischen Arbeiten eröffnet

1) der Druck mit platten Tinten.

Es kann sehr oft darauf ankommen, den lithographischen Zeichnungen einen, über das ganze Blatt, oder über einzelne Stellen desselben sich erstreckenden Farbenton zu geben, um dem Bilde dadurch irgend einen besonderen Effekt zu verschaffen. Es versteht sich von selbst, daß wir hier nicht davon sprechen, daß man eine Feder- oder Kreidezeichnung, statt mit schwarzer Farbe, mit bunter drucken könne, sondern von besonderen Lokaltönen, welche sich in einer und derselben Färbung über alle Plätze der Zeichnung verbreiten. Dies bewirkt man durch die soge-

nannten Tonplatten. Es können aber über eine Zeich=
nung nur eine, oder auch mehrere Platten gedruckt werden.
Zu denselben werden allemal glatt polirte Steine ange=
wendet, da gekörnte nicht die für diesen Zweck nöthige
Intensität der Farbe geben würden. Der Tondruck kann
nun einfarbig oder mehrfarbig sein.

a) Einfarbiger Tondruck. Monochromen. Die
Täuschungen, deren wir schon früher bei der Kreidezeich=
nung erwähnt haben, und welche in der natürlichen Fär=
bung des lithographischen Steines begründet sind, haben
den Tondruck als ein Auskunftsmittel erfinden lassen, aus
dem aber später ein bedeutendes Verschönerungsmittel ge=
worden ist. Da die Abstufungen der Lichter sich in der
Zeichnung auf dem gelblichen oder graulichen Stein anders
darstellen, als auf dem weißen Papier im Abdrucke, so
kam man auf die Idee, dem Abdrucke den Farbenton des
Steines zu geben und so die Harmonie wiederherzustellen.
Dies ist der Ursprung der Lithochromie.

Um eine einfache Tonplatte anzufertigen, hat man
nichts weiter zu thun, als daß man von der Zeichnung,
über welche die Tonplatte gelegt werden soll, einen Ab=
druck zieht und von diesem auf den zur Tonplatte be=
stimmten glatten Stein einen trocknen Ueberdruck macht.
Der gesammte bedruckte Raum wird dann mittelst des
Pinsels mit lithographischer Tusche bedeckt, nachdem man
die geradlinigen Grenzen dieses Raumes mittelst der Reiß=
feder und Tusche zuerst gezogen, worauf man die bedeckten
Stellen trocknen läßt, und die Platte dann präparirt, wie
wir dies später für die Federzeichnung lehren werden.
Auch über den Druck selbst werden wir später das Nöthige
beibringen, und bemerken hier nur etwas über das Auf=
legen, indem dies für die Lithochromie abweichend von
der später zu beschreibenden gewöhnlichen Art geschehen
muß. Es liegt nämlich am Tage, daß wenn die Ton=
platte nicht ganz genau auf den Abdruck paßt, die an
einer Seite überstehenden, an der andern fehlenden Rän=
der 2c. einen üblen Anblick geben müssen, daß man daher
sehr genau dabei zu Werke gehen muß. Hierzu bleiben
nun drei Wege offen:

1) das Auflegen mittelst Nadeln,
2) das Auflegen nach Marken,
3) das Auflegen mit der Punktur.

Jede dieser Arten hat ihre Vortheile, aber jede hat auch wieder Zufälligkeiten, welche weder die eine noch die andere ausschließlich anwenden lassen.

1) Das Auflegen mittelst der Nadeln. Da man nach dem Auflegen des Blattes auf den Stein nicht mehr unter das Papier sehen kann, so mußte man auf Mittel denken, dennoch den Abdruck genau auf die Ton= platte zu legen. Ein solches Mittel gewährten die Nadeln. Man wähle nämlich ein Paar bestimmte Punkte der Zeich= nung, wozu, wenn dieselbe von einem Viereck eingeschlossen ist, am besten zwei diagonal entgegengesetzte Ecken des Vierecks geeignet sind, durchsteche auf dem von der schwar= zen Platte gezogenen Abdrucke diese Ecken mit einer sehr feinen, in einem Griffe befestigten Nadel, stecke dann zwei eben solche Nadeln, von hinten her, durch diese Löcher, stelle deren Spitzen, während man dem Gehülfen den Ab= druck etwas über den Stein erhoben halten läßt, genau in die korrespondirenden Ecken der Tonplatte, und lasse, indem man jene Nadeln festhält, das Blatt leicht auf den Stein fallen, gebe dann, ohne dasselbe zu verrücken, die Ueberlage darauf, schließe den Rahmen und lasse den Stein durch die Presse gehen. Hätte die Zeichnung keinen ab= geschlossenen Rand, so muß man zwei nicht allzu auffallend liegende Punkte als Passer annehmen und dieselben ehe man den Ueberdruck bestreicht, auch auf der Tonplatte bleibend markiren, was am besten dadurch geschieht, daß man diese Punkte mit einer scharfen Radirnadel etwas in den Stein einbohrt, um sie später, wenn die Tonplatte nur einen gleichmäßigen Ton hat, wieder auffinden zu kön= nen. — Wäre auch dies nicht thunlich, so mache man mit Tinte auf den gezeichneten Stein ein Paar feine Punkte, welche dann nicht allein auf dem Gegendruck erscheinen und sonach auf der Tonplatte angebohrt werden können, sondern die dann auch jeder Abdruck hat, wonach man die Nadeln einstecken kann.

Will oder kann man in der Zeichnung keine paſſenden Punkte beſtimmen, ſo kann man auch außerhalb des Randes auf dem Originalſteine ein Paar Kreuze ziehen, welche beim Ueberdruck mit auf die Platte kommen. Die beiden Kreuzungspunkte ſind dann die Punkte für die Nadeln. Doch muß man dieſe Kreuze ebenſo behandeln wie die Marken, von denen wir gleich ſprechen werden. Auf der Originalplatte reißt man ſie ziemlich tief, dann erſcheinen ſie auf dem Abdrucke weiß und ein wenig erhaben, wonach man leicht den Kreuzungspunkt finden kann. Werden die Drucke ſpäter ſo weit beſchnitten, daß die Kreuze wegfallen können, ſo darf man ſie ſchwarz laſſen.

2) Das Auflegen nach Marken. Hierzu iſt es nothwendig, daß der Stein jedesmal mindeſtens 3 Centim. ringsherum größer ſei, als das Papier, auf welches man drucken will, und daß man alle Blätter, auf welche man drucken will, genau gleich groß zuſchneide. Um die Paſſer vorzurichten, wähle man dann zu dem Abdrucke, von welchem man den Gegendruck machen will, ein Papier, das genau ſo groß iſt, als der ganze Stein, auf welchem letztern man aber mit chemiſcher Tinte an zwei einander diagonal gegenüberſtehenden Ecken ein Paar Winkel gemacht hat, welche die Endpunkte des wirklich für die Abdrücke beſtimmten Papiers dergeſtalt bezeichnen, daß das letztgenannte genau zwiſchen dieſe Winkel paßt. Zieht man dann den Abdruck auf großes Papier, ſo drucken ſich die Winkel mit dem Gegendruck auch auf den für die Tonplatte beſtimmten Stein über, und man hat auch hier die Lage des zugeſchnittenen Papiers genau beſtimmt. Dieſe Regiſterwinkel oder Paſſer würden aber, wenn man ſie ſo ſtehen laſſen wollte, allemal mit Farbe annehmen und leicht verſchmutzen, man muß ſie daher ſowohl auf dem Originalſteine als auf der Tonplatte mit einer Gravirnadel tief einreißen und den Schnitt mit etwas rother Tinte, welche man erzeugt, indem man etwas Karmin in Ammoniak auflöſt und mit dem Vier- bis Fünffachen an Waſſer verdünnt, oder mit Weingeiſt, in welchem Zinnober aufgelöſt iſt, ausfüllen. Dieſe Farbe nimmt nie an und wider-

steht den Einwirkungen des Einfeuchtens rc. Daß man zuvor jede Spur der Tinte oder Druckfarbe in den Paſſern vertilgen und dieſelben ſcharf äßen und gummiren muß, verſteht ſich von ſelbſt.

3) Das Auflegen mit der Punktur. Dies ist jedenfalls das ſicherſte und namentlich für den Druck mit mehr als einer Touplatte geeignetſte Verfahren, leider aber auch das, welches die meiſten Vorbereitungen verlangt. Man kann die Punktur entweder im Rahmen oder im Fundament anbringen.

a) Punktur im Rahmen. Dieſe erheiſcht eine beſondere Vorrichtung des Deckrahmens, welche wir auf Taf. III, Fig. 64, dargeſtellt haben, wobei man ſich den Rahmen ſo ſtehend denken muß, daß der Stein, bei der hier gezeichneten Stellung des Rahmens, rechts vor den Füßen des letzteren liegt. Soll der Druck gemacht werden, ſo wird der Klapprahmen B auf A geſchlagen und beide zuſammen dann, mittelſt der Scharniere an den Füßen D über den Stein. Der gewöhnliche eiſerne Deckrahmen A ſteht mittelſt der Füße D, D auf dem Fundamente der Preſſe feſt, kann höher und tiefer, je nach der Dicke des Steines, geſtellt und, um die Scharniere der Füße gedreht, über den Stein geklappt werden. Er enthält die Spannſtange b mit den Kloben c, c, c zum Anſpannen des Leders. In den innern vier Ecken des Rahmens befinden ſich vier Gewerbe d, d, d, d, um welche ſich die Regeln C, C, C, C ſenkrecht mit einiger Reibung aufklappen laſſen. Alle vier Regeln laufen diagonal nach der Mitte zu und ſind, ihrer Länge nach, zu Aufnahme der Punkturſtifte E, E, E, E geſchlitzt. Dieſe Stifte werden mittelſt der Preßſchrauben F, F, F, F an beliebigen Punkten feſtgeſtellt. Der Flügelrahmen B läßt ſich um die Scharniere a, a drehen, auf den Deckrahmen A legen und mittelſt eines Wirbels mit demſelben zu einem Ganzen verbinden. Er trägt die Bänder G, G, G, G, welche verſchiebbar ſind und allemal außerhalb der Grenzen des Reiberganges liegen müſſen. Sie dienen dazu, um das Papier beim Umklappen des Deckrahmens in ſeiner Lage zu halten. Will man

Weishaupt, Steindruck. 16

nun die Punktur für irgend ein Blatt stellen, so lege man
das Blatt in den aufgeschlagenen Rahmen auf das Leder,
lege aber zuvor einige Blätter Makulatur unter, damit
das Leder nicht etwa das Papier beschmutze. Nun steche
man mit einer starken Nadel in der Richtung der früher
erwähnten Schlitze vier Löcher durch das Papier und das
Leder des Deckrahmens, setze in diese vier Löcher die
Puntturspitzen E und ziehe dieselben mittelst der Schrauben F an die Regeln genau fest; so ist die Punktur gestellt. Diese Stellung der Punktur muß man nun auf die
Tonplatten genau übertragen, sobald man sie in die Presse
bringt: doch muß dieselbe für eine und dieselbe Zeichnung
stets ganz unverändert bleiben. Beginnt man nun den
Druck, so legt man das Papier in den Deckrahmen, drückt
es auf die Punkturen, schlägt den Flügelrahmen zu und
bringt den Deckrahmen über den Stein. Nun werden die
Regeln mit den Puntturspitzen zurückgelegt und der Abdruck kann gemacht werden. Es liegt am Tage, daß durch
die Löcher, welche die Puntturspitzen im Papier gemacht
haben, auch dessen Lage für die übrigen Tonplatten bestimmt ist. Uebrigens wird man sich selten mehr als zwei
einander diagonal gegenüber stehender oder zwei nebeneinander stehender Puntturspitzen bedienen, doch müssen
alle vier vorhanden sein, um die Wahl zu haben. Die
einzige Schwierigkeit ist die genaue Regulirung der Lage
der Tonplatten in der Presse, und man muß hier jedesmal
die größte Aufmerksamkeit anwenden.

b) Punktur im Fundamente. Hierbei wird der
Stein in einen, etwa $1\frac{1}{2}$ Centim. starken und 3 Centim.
hohen eisernen Rahmen gelegt, welcher mittelst Stellschrauben genau und sehr fest mit den Seiten des Steins
verbunden werden kann. Zwei einander gegenüber stehende
Seiten des Rahmens sind auf dem größten Theil ihrer
Länge geschlitzt und in diesen Schlitzen können die Füße
der Puntturstifte hin- und hergeschoben werden. Dieselben
haben dorta wo sie auf dem Rahmen stehen, einen Ansatz
und unterhalb, des Rahmens ein Schraubengewinde, so
daß sie mittelst kleiner Flügelmuttern ganz fest gestellt

werden können. Der Rahmen wird in derjenigen Höhe
um den Stein fest gelegt, bei welcher die Punkturspitzen
oben nur etwa 1 Millim. über der Oberfläche des Steines
hervorragen. Man muß mehrere Punkturrahmen für die
gebräuchlichsten Formate haben, damit die Stellschrauben
des Rahmens nicht zu lang sein müssen. Sehr komplicirte
Arbeiten, bei denen es auf die höchste Genauigkeit ankommt, erfordern eine Vorrichtung, um die Punkturspitzen
mit mathematischer Richtigkeit einstellen und so den Bogen
auf dem Steine verschieben zu können. Wir beschreiben
eine solche Vorrichtung nicht, da jeder irgend geschickte
Mechaniker bequem eine solche erfinden wird. Man sieht,
daß hier das Papier allemal größer sein muß, als der
Stein, um die Punkturen zu treffen; dafür erlangt man
aber den Vortheil, daß die Punkturlöcher weit außerhalb
der Zeichnung liegen und allenfalls abgeschnitten werden
können; auch wird das Leder im Deckrahmen, der nun
keines Flügelrahmens bedarf, nicht durchstochen, nur muß
sich der Drucker beim Einschwärzen in Acht nehmen, daß
er die Punkturspitzen nicht verbiege oder sich daran ver-
wunde. Das Papier zum Drucke wird, wie gewöhnlich,
auf den Stein gelegt, und zwar beim Abdrucke der Tonplatten nach den beim ersten Drucke bereits bestimmten
Punkturlöchern.

Ein Uebelstand bei allen Punkturlöchern ist der, daß
wenn man mehr als eine Tonplatte auf ein Blatt zu
drucken hat, die Punkturlöcher sich erweitern und dann ein
genaues Auflegen nicht mehr gestatten. Dieser Uebelstand
hat nicht allein in dem öftern Auflegen seinen Grund,
sondern hauptsächlich darin, daß, während der Reiber über
das Papier geht, dasselbe etwas nach vornhin gezogen
wird, wo dann der Papierzeug, so fest derselbe an und
für sich auch sein mag, der bedeutenden Zugkraft, welche
auf die isolirten Befestigungspunkte von der Größe einer
Nadelspitze ausgeübt wird, unmöglich Widerstand leisten
kann. Bei der großen geognostischen Karte von Frankreich,
welche mit 23 Tonplatten kolorirt gedruckt wurde, half sich
Dufrenoy dadurch, daß er dünn gewalztes Messingblech

16*

in Stücke von 15 Millimeter (etwa 6 Linien) Länge und
5 Millimeter (2⅓ Linien) Breite zerschnitt, dieselben in
der Richtung der Breite umbog und mit dicker Gummiauflösung an die Enden der Papierbogen an der Stelle
festklebte, wo die Punkturen hinkamen. Diese Enden brachte
man beim ersten Abzuge mit den Punkturspitzen des Richt-
rahmens zusammen, welche nun durch den auf seinen beiden
Seiten mit Metallblech belegten Bogen durchgingen und
bleibende Befestigungspunkte abgaben, welche sich selbst
nach 50 Abzügen nicht merklich erweiterten.

Für kleinere Druckformate eignet sich auch besonders
die in meiner **Chromolithographie** angegebene Einpaßvorrichtung, wie solche auf **Taf. III, Fig. 65** und **66,** darstellt.

An den Preßkasten a ist ein eiserner Rahmen b durch
Scharniere angebracht mit den Stützen c. Die an den
Rahmen befindlichen Nadeln d sind verschiebbar, so daß
dieselben in die auf dem Stein angegebenen Punkte e bei
Umlegen des Rahmens auf den Stein genau eingepaßt
werden können.

Die Nadeln werden nun, wie auch der Stein, in
dieser Lage festgeschraubt. Nachdem dies geschehen, wird
der Rahmen wieder zurückgelegt, der Lederrahmen f einge-
hoben, und darauf der Auflegebogen und Abdruck befestigt,
indem letzterer mit seinen Einpaßpunkten in die beiden
durch das Leder stechenden Nadeln eingelegt und mit dem
an dem Lederrahmen angebrachten Blindrahmen g bedeckt
und festgehalten wird; damit der Rahmen f beim Umlegen
genau auf den Stein zu liegen kommt, sind die eisernen
Backen h angebracht, welche in die Vertiefung i des Kastens
präcise eingreifen müssen.

Da bei dieser Vorrichtung das Leder bei verschiedenen
Formaten vielfach durchstochen wird, so kann man, um
dieses zu vermeiden, die Vorrichtung auch auf der entgegengesetzten Seite anbringen, wie in **Fig. 66,** bei welcher
der Rahmen a mit feinem Baumwollen- oder Seidenzeug
überspannt ist.

Sind die Nadeln genau gerichtet, wie oben angegeben, so wird der Rahmen a eingehängt, wo dann die

beiden Nadeln den Zeug durchstechen, der Abdruckbogen in
denselben eingelegt, mit dem Blindrahmen b bedeckt und
nun von der einen Seite dieser Rahmen mit dem Bogen,
von der andern die Lederrahme c auf den Stein kommt.

Welches von allen Registerverfahren man hier anwenden wolle, bleibt dem Ermessen des Künstlers und der
größern oder geringeren Genauigkeit überlassen, welche man
bei der Arbeit verlangt.

Bei dem Farbendruck mittelst der Schnellpresse muß
stets der Stein nach der unveränderlich feststehenden Punkturnadel gerichtet werden, wozu es einer eigenen Manipulation und Vorrichtung bedarf, um den Stein immer
an der richtigen Stelle einrichten zu können. Das Nähere
hierüber enthält das VI. Kapitel.

Man hat sich der Tonplatte vielfach dort bedient,
wo man kein chinesisches Papier haben konnte, oder dessen
Gebrauch zu umständlich war, obgleich man auf den gewünschten Effekt nicht verzichten wollte. Das Verfahren
bei Anfertigung einer solchen chinesischen Papierplatte ist
genau dasselbe, nur muß man bei viereckig eingeschlossenen
Zeichnungen das gefärbte Viereck ringsum etwa einige Millim.
über die Ränder hinausstehen lassen, wie dies auch bei
dem chinesischen Papiere der Fall ist; hat aber die Zeichnung keinen Rand, so muß man das Viereck der Tonplatte so bestimmen, als wollte man dasselbe aus chinesischem Papiere schneiden. Das Auflegen bleibt das oben
beschriebene.

Die für dergleichen Tonplatten passenden Farbentöne
können aus den Farben, welche bei der Erläuterung des
Tonplattendruckes aufgeführt, gemischt werden.

Im Allgemeinen sind lasirende Mineralfarben hierzu
tauglich; so z. B. geben die verschiedenen Ockergattungen
und Terra de Siena im ungebrannten und gebrannten
Zustande gelbliche, röthliche und bräunliche Töne, welche
durch Beimischung von rothem Lack oder Kobaltblau oder
Ruß gebrochen, die mannigfaltigsten Nüancen erzeugen, so
daß nach Bedarf der gegebenen Vorlage der Ton mehr

kälter oder wärmer, mehr ins Grünliche oder Röthliche u. s. w. gemischt werden kann.

In gleicher Weise sind auch Chromgelb, Neapelroth, brauner Lack und viele anderen Farben sehr brauchbar hierzu.

Bei allen diesen Farbentönen welche nur sehr leicht aufgetragen und gewöhnlich auf dem Schwarzdrucke eingedruckt werden, darf kein Weiß beigemischt sein, indem, sobald nach einiger Zeit der Firniß vertrocknet, welcher die Tonfarbe durchsichtig machte, der Abdruck dann mit einer weißlichen Lage bedeckt erscheint, wodurch er seine ganze Frische und Kraft verliert.

Dagegen erhält die Tondruckfarbe durch Beimischung des venetianischen Terpentins mehr Durchsichtigkeit, was aber bei Tonplatten mit Lichtern auf gekörntem Steine nicht wohl anzurathen ist, indem durch den Terpentinzusatz nach und nach auch die Lichter Farbe annehmen würden.

Im Uebrigen ist zur Wahl der Farbentöne ein durch gute Vorlagen fein ausgebildeter Geschmack erforderlich.

Eine Verbesserung oder vielmehr eine Ausdehnung des Gebrauches der Tonplatten sind die aufgehöheten Platten. Diese sind nämlich dazu bestimmt, den Effekt derjenigen Handzeichnungen nachzuahmen, in welchen wir die Inspiration des Malergenies bewundern. Es ist nämlich die Manier, mittelst der sie auf gefärbtem Grunde die Zeichnung mit schwarzer Kreide ausführen und die höchsten Lichter mit weißer Kreide oder weißer Farbe aufsetzen. Die Lithochromie bietet zur Nachbildung solcher Zeichnungen trefflich die Hand. Das weiße Papier giebt in diesem Falle die Lichter, die Tonplatte die Grundfarbe des Papiers und die gezeichnete Platte die Zeichnung selbst. Aus dem oben Gesagten geht hervor, daß man in der Tonplatte diejenigen Stellen reserviren müsse, auf welche die höchsten Lichter kommen, da hier das Papier weiß bleiben muß; man muß deshalb bei Anfertigung der Tonplatte darauf Rücksicht nehmen.

Es giebt verschiedene Manieren diese Tonplatten zu fertigen. In allen Fällen beginnt man damit, daß man eine Kreidezeichnung wie gewöhnlich macht, wobei man blos Sorge trägt die Lichter breiter zu lassen, um auf der zweiten Platte gehobene Details anbringen zu können.

Von diesem ersten Stein macht man sodann einen Gegendruck auf gekörnten oder auf glatten Stein, wobei man die Vorsicht gebraucht, daß dieser Gegendruck genau von derselben Dimension, wie der Originalstein sei, weshalb es gut ist hierbei den Abdruck auf trockenes Papier zu machen.

Hierbei wird der Stein, welcher den Gegendruck empfangen soll, mit Terpentinöl bestrichen, so daß derselbe ganz leicht davon befeuchtet ist; dann legt man den Abdruck verkehrt darauf und bringt ihn unter den Reiber.

Wenn man blos einige Theile der Zeichnung kolorire und kräftige Striche darauf anbringen will, malt man sie auf den Gegendruck mit lithographischer Tinte, wozu man sich eines Pinsels bedient.

Wenn man die ganze Zeichnung mit einem glatten Ton bedecken und nur die lebhaftesten Lichter frei lassen will, malt man diese Lichter auf den Stein, welcher den Umdruck aufgenommen hat, mit Gummi, dem man irgend eine farbige Substanz zugefügt hat. Die Ränder des Steins bedeckt man mit der nämlichen gummirten Farbe.

Wenn die Arbeit trocken ist, läßt man die Walze mit der fetten Farbe darüberlaufen, um den Stein zu schwärzen; man läßt die Farbe ein wenig trocknen und benetzt darauf den Stein, in dem man ihn fortwährend überwalzt; wodurch die Schwärze von den Färbungen mit Gummi in dem Verhältnisse, wie sich dieser auflöst, weggenommen wird.

Nach der gänzlichen Säuberung des Steins läßt man die fette Farbe einen Tag lang trocknen.

Man untersucht dann, ob alle Färbungen gut wiedergegeben sind; wobei das Mangelhafte theils mit dem Schaber, theils mit der lithographischen Tusche verbessert wird.

Man ätzt sodann den Stein sehr stark, um den weißen Stellen eine merkliche Vertiefung mitzutheilen. Das Papier legt sich dann durch den Druck des Reibers hinein und die Lichter erscheinen erhaben, als ob sie mit weißer Farbe aufgetragen worden.

Dieses Verfahren eignet sich da, wo man die Zeichnungen blos durch lebhafte und scharf abgeschnittene Lichter zu heben trachtet; sollen jedoch die Tonplatten durch sanfte Uebergänge von dem Ton der Färbung bis zum vollkommnen Weiß abgestuft werden, so dient hierzu folgendes Mittel:

Man macht nämlich einen Umdruck auf einen etwas stark gekörnten Stein, und zeichnet mittelst eines Krayons die abgestuften Tinten darauf, die man aber sehr stark auflegt und wobei man stets eingedenk ist, daß das reine Schwarz beim Abzuge nur die helle Tinte wiedergiebt, die man zum Abzuge dieser Platte anwendet und daß eine Halbtinte folglich die Hälfte dieses Tons ist.

Nachdem nun alle Töne in dieser Weise abgestuft sind, bedeckt man den ganzen Theil des Steins, welcher beim Abzuge einen glatten Ton hervorbringen soll, mit lithographischer Tinte.

Hierauf wird die Platte etwas stärker wie die Kreidensteine geätzt.

Da das Korn der Kreide sich nur mit sehr heller Farbe abdruckt, so treten die Punkte, die sie bildet, nur sehr wenig heraus, und die Tinten bringen den Effekt eines gewaschenen Tons hervor. Ein anderes Mittel ist bestimmt, Abdrücke hervorzubringen, welche den Effekt der mit der weißen Kreide gehobenen Zeichnungen eben so frei und ungezwungen wiedergeben, als ob der Künstler diese Lichter mit der Kreide selbst gezeichnet hätte.

Man bereitet einen weichen und zähen Firniß aus

7 Theilen Jungfernwachs,
2 „ Mastix,
1 Theil Asphalt,
2 Theilen Kolophonium und
4 „ Talg.

Diese Substanzen, in kleine Stücke zertheilt, bringt man nebst 50 Theilen Terpentinöl in eine Flasche, und setzt sie einer gelinden Wärme aus, bis sich alles aufgelöst hat.

Mit diesem Firniß, dem auch noch etwas Kienruß beigemischt werden kann, wird nun ein grobgekörnter Stein bedeckt.

Zum gleichmäßigen Auftrag des Firnisses bedient man sich entweder eines großen Pinsels, oder eines mit Wolle ausgestopften taffetnen Tampons. Dann läßt man die Platte zwei oder drei Tage lang trocknen.

Man macht hierauf von dem ersten schwarzen Stein einen kräftigen Abdruck auf trockenem Papier, nimmt nun einen Bogen von nicht allzu dunkler Farbe, befeuchtet ihn mit Terpentinöl und legt ihn auf diesen Abdruck.

Man legt sodann den einen wie den andern auf einen Stein und läßt sie unter dem Reiber durchgehen, wobei man starken Druck gebraucht um einen möglichst reinen Umdruck zu erlangen.

Den auf diese Weise hergestellten Umdruck*) legt man auf die mit dem Firniß überzogene Platte, indem man ihn an den Rändern befestigt.

Dann zeichnet man auf diesem Abdruck mit einer harten weißen Kreide die Lichter, die man darauf haben will und welche sehr sichtbar sind, weil der Umdruck auf farbiges Papier abgezogen worden ist.

Je nachdem man nun bei diesen Strichen mehr oder minder stark aufdrückt, befestigt man die Rückseite des Blattes stärker oder schwächer an den auf dem Stein befindlichen Firniß.

Wenn man die Zeichnung beendet hat, nimmt man den Bogen weg, welcher die Theile des Firnisses, über welche die Kreide hingefahren ist, mit sich fortnimmt und diese Stellen auf dem Stein bloßlegt, indem er ein Korn bildet, welches sowohl durch die Rauhheiten des Papiers, als

*) Statt dieses Umdrucks kann auch unmittelbar von dem schwarzen Stein auf transparentes Ueberdruckpapier ein Abdruck gemacht und zu gleichem Zwecke verwendet werden.

durch das Korn des Steins erzeugt wird, und welches vollkommen den mit der weißen Kreide gemachten Strichen
gleicht.

Wenn man an einigen Orten ganz weiße Lichter zu
erhalten wünscht, nimmt man sie mit dem Schaber weg.

Dann ätzt man diese Platte wie die Federzeichnung.

Diese verschiedenen Proceduren können die pikantesten
Wirkungen hervorbringen, wenn sie mit der gehörigen
Geschicklichkeit und vorzüglich von Künstlern angewendet
werden.

Zur Herstellung für derartige Tonplatten mit Lichtern eignet sich auch besonders die Manier mittelst des
Asphalt-Aetzgrundes auf gekörntem Steine, welcher sich
der bekannte Lithograph M. Jullien bediente; wobei auf
einem scharf und nicht zu fein gekörnten Stein eine gleiche
dünne Lage Aetzgrund mittelst einer hierzu bestimmten Druckwalze aufgetragen wird.

Nachdem der Grund vollständig getrocknet, wird
auf demselben der schwarze Abdruck übergedruckt und auf
dem Grunde die hellsten Lichter mittelst des Schabers
herausgenommen, und die minder hellen mit Ossa sepia
strichweise, wie bei einer Kreidezeichnung, überzeichnet, so
daß nach der Stärke des Lichtes durch diese Striche das
Korn des Steins mehr oder weniger bloßgelegt und dann
geätzt wird.

Bei Lufttönen in Landschaften, wo solche mit Ton
gedruckt werden, sowie auch bei vielen anderen Gegenständen, besonders aber für den Farbendruck selbst, wird diese
Manier z. B. beim Lithographiren von Wolken und stark
nüancirter Gewänder ꝛc. mit vielem Vortheil angewendet.

Sowie nun mittelst des Schabers sich verschiedene
Lichteffekte erzeugen lassen, ebenso kann auch ein hellerer
und dunklerer Ton auf derselben Platte dadurch hervorgebracht werden, daß man, bevor der Ueberdruck gemacht
ist, den Grund mit feinem Sande, ähnlich wie beim Körnen des Steins, trocken überschleift, wodurch ein Theil des
Steinkornes zum Vorschein kommt, und dann der dunkelste
Ton durch das Ueberdecken mit der lithographischen Tusche

erzeugt werden kann. Statt des obigen Aetzgrundes kann auch folgende Komposition mit der Walze aufgetragen werden, nämlich:

4 Theile Asphalt aufgelöst in
6 „ Terpentinöl,
4 „ Mastix,
3 „ Terpentinöl,
2 „ Wachs,
2 „ Terpentinöl,
1 „ chemische Kreide,
1 „ Terpentinöl

wird, nachdem jedes gehörig aufgelöst, untereinander ge= mischt.

Vorzugsweise eignet sich aber hierzu die Asphalt= mischung und das Verfahren von Neubürger, und findet deshalb auch die meiste Anwendung.

Hierbei werden

2 Theile syrischer Asphalt,
2 „ weißes Pech,
2 „ venetianische Seife und
2 „ Jungfernwachs,

klein geschnitten, in einer verhältnißmäßigen Quantität Ter= pentinöl aufgelöst.

Dieser Auflösungsproceß, einige Tage dauernd, kann beschleunigt werden, wenn man die Mischung in einer gut verschlossenen Flasche, im Sommer an die Sonne, im Winter in die Nähe eines Ofens bringt.

Diese Asphalt=Komposition ist zum Gebrauche tauglich, wenn sie keine unaufgelösten Stücke enthält und die Stärke des gewöhnlichen Syrups angenommen.

Hiermit wird nun der gekörnte Stein mittelst der Walze in folgender Weise gleichmäßig bedeckt:

Nachdem zuvor ein kräftiger Umdruck, resp. Umklatsch von der Kontouren= oder Hauptplatte gemacht, werden nun jene einzelnen Stellen, welche man auf den Stein unbe= deckt erhalten will, z. B. der Papierrand oder einzelne

Lichter, mittelst der Feder oder des Pinsels mit einer Decke versehen, welche aus einer Mischung in Wasser verdünnter Salzsäure und aufgelöstem Gummi besteht.

Sind dann die auszusparenden Stellen damit abgedeckt, und vollständig getrocknet, so wird der Asphaltauftrag durch folgende Manipulation bewerkstelligt:

Mittelst der Spatel wird ein Theil der Asphalt-Komposition auf die glatte Walze gebracht und dieselbe gleichmäßig auf einem reinen Farbestein verrieben; dies muß jedoch rasch geschehen, da die Mischung schnell trocknet.

Ist die Walze gleichmäßig damit bedeckt, so walzt man den gekörnten Stein schnell ein, indem man abwechselnd gerade aus und seitwärts mit der Walze arbeitet.

Die dadurch entstehende Asphaltschicht muß dem Stein einen hellbraunen gleichmäßigen Ueberzug gewähren, unter welchem man den Umdruck deutlich wahrnehmen kann.

Einzelne ungleichmäßige tiefere Stellen des Asphaltüberzuges können ausgeglichen werden, indem man schnell einige Tropfen Terpentinöl auf den Farbestein oder die Walze, oder auch auf die mit Asphalt zu bedeckende Platte spritzt, und hurtig den Stein von Neuem bearbeitet.

Hierzu gehört aber eine behende Führung der Walze, damit nicht zuletzt der Umdruck verwischt, und das Körnen und Umdrucken nebst Einwalzen aufs Neue begonnen werden muß.

Ist das gleichmäßige Einwalzen aber gelungen, so wird der Stein zum Trocknen an die warme Luft, im Sommer in den Sonnenschein, im Winter in die Nähe des Ofens gebracht.

Nachdem der Stein wirklich trocken, kann nun mit dem Schaben der Töne begonnen werden, wobei der Asphaltüberzug beim Schaben mit dem Messer leicht vom Stein geht und das Abgeschabte wie Pulver abstäubt; wo dieses nicht der Fall ist und das Abschaben schwer von statten geht und sich die abgeschabte Masse unter dem Schaber ballt, da muß dann mit dem Schaben der Töne noch gewartet werden.

Die Manipulation des Schabens besteht darin: daß man von dem gleichmäßigen Asphaltüberzug, je nach dem zarten und kräftigen Schaben mit dem Messer, mehr oder minder zwanglos loslösen kann; wobei dieser Stein in der gewöhnlichen Weise geäzt und gedruckt, an der nicht geschabten Stelle sich dunkel druckt, und das Geschabte in dem Grade lichter, als das Messer kräftig gebraucht wurde.

Man kann auf diese Weise eine ähnliche Tonabstufung erzeugen wie beim Kreidezeichnen, nur mit dem vortheilhaften Unterschiede, daß das Schaben ungleich schneller vor sich geht, und die gut gearbeiteten Platten eine der Aquatinta-Manier ähnliche Wirkung hervorbringen.

Hierbei werden gewöhnlich mittelst des Schabers zuerst die lichteren, dann die Mitteltöne ausgeschabt, während die ganz tiefen Stellen unberührt bleiben.

Eine Vermehrung der Töne kann auch dadurch hervorgebracht werden, daß man die erste Asphaltschichte ein wenig entfernt, wozu man zwei Stückchen Bimsstein aneinander reibt, und mit diesem erzeugten feinen Bimssteinstaub die Asphaltoberfläche mittelst des Handballens sorgfältig abreibt, und so auf diese abgeriebenen Stellen die lithographische Tusche aufsetzt.

b) Vielfarbiger Tondruck. Polychromen. Eine der einfachsten Anwendungen hiervon ist z. B. der Druck von Schriften in zweierlei Farben, wobei die Farbentöne, welche ohne Abstufung dastehen, als satte kräftige Farben hervortreten.

Zu diesem Zwecke muß man die Originalplatte überdrucken, wie wir dies bei dem einfarbigen Tondruck beschrieben haben, so daß man zwei ganz gleiche Platten zum Drucke habe. Dann nimmt man, wenn man z. B. schwarz und roth drucken will, von dem für die schwarze Platte bestimmten Stein, alles das fort, was roth werden soll, indem man dasselbe radirt oder mit Bimsstein wegschleift, äzt und gummirt. Ebenso verfährt man mit der rothen Platte, wo man aber alles das fortnimmt, was schwarz erscheinen soll. Dann druckt man erst die schwarze Platte und nachher die rothe Tonplatte darüber her, so wird, wenn man die Register genau gehalten hat, alles gehörig an seiner Stelle stehen.

Bei den vielfarbigen Tondrücken oder Polychromen kommt es nämlich darauf an, jedem Gegenstande die ihm zugehörige Farbe in einer platten Tinte zu geben, dergestalt, daß die Farben nebeneinander stehen und die Licht= und Schatteneffekte durch eine Feder= oder Kreidezeichnung hervorgebracht werden, welche mit Schwarz oder irgend einer passenden Schattenfarbe übergedruckt wird. Diese Manier ist eigentlich streng genommen nur eine Erweiterung des Tondruckes, indem man nur für jede Farbe eine besondere Tonplatte braucht, welche man, eine nach der andern, auf das zur Aufnahme derselben bestimmte Papier abdruckt, indem man, mittelst der Punktur, das Papier genau in die richtige Lage gebracht hat.

So sehr nun auch das Verfahren mit dem vorigen übereinstimmt, so abweichend ist im Gegentheil die Anfertigung der Tonplatten selbst. Wir wollen dieselbe an einem Beispiele erläutern. Gesetzt man wolle ein Wappen in Farben drucken, in welchem die Farben Blau, Roth, Schwarz, Braun und Gold vorkommen, so wird man folgendermaßen zu verfahren haben:

Man zeichne das Wappen auf dem Steine sorgfältig mit der Feder aus, ohne jedoch die gewöhnlichen heraldischen Schraffirungen dabei anzubringen, sondern gebe nur den Wappenbildern ihre Körperschatten, arbeite die Helme und Helmdecken aus, so daß das Wappen vollendet sei. Diese Vorzeichnung ätze man und ziehe davon auf unpräparirtes chinesisches Papier für jede Tonplatte, welche man zu machen hat, einen Abdruck, der jedoch zugleich die Registerpunkte enthalten muß. Man braucht also eine Platte für Blau, eine für Braun, eine für Gold und eine für das Stahlblau des Helms, die schwarze Farbe läßt man einstweilen außer Acht; es sind also, außer der Haupt= oder Kontourenplatte, noch fünf Tonplatten nothwendig. Die dazu gehörigen Abdrücke drucke man auf in der Wärme vollkommen getrocknetes chinesisches Papier und dann, nachdem man dazu die nöthigen Steine bereitet hat, auf fünf

ganz trockne Steine über. Dann nehme man gute lithographische Tinte und lege mittelst eines Pinsels, auf der
rothen Tonplatte Alles an, was im Drucke roth erscheinen
soll; man verfahre ebenso auf der blauen und auf der
für das Gold bestimmten Tonplatte. Fallen auf die zu
vergoldenden Theile Schraffirungen, so arbeite man, da
dieselben braun werden müssen, diese mit der Feder auf
die für die braune Farbe bestimmte Platte aus, wie der
Ueberdruck sie angiebt, und lege die außerdem noch für
Braun bestimmten Theil mit der Tinte an. Die stahlblaue Platte für den Helm, welcher weiße Glanzlichter
erhalten muß, arbeite man nach Art der aufgehöheten Tonplatten aus. Die so bearbeiteten Platten, welche alle mit
den gehörigen Registerpunkten versehen sein müssen, werden
nun geätzt und gummirt. Aus der Haupt- oder Schraf-
firungsplatte werden nun alle Theile herausgeschabt, welche
nicht schwarz erscheinen sollen, also auch die Schraffirungen
auf den Goldflächen; diejenigen Theile aber, welche ganz
schwarze Flächen darstellen, werden mit dem Pinsel mit
chemischer Tinte angelegt und die Platte dann frisch geätzt
und gummirt. — Sobald alle Platten fertig sind, beginnt
man den Druck mit der Goldplatte, druckt dann nach den
Punkturen die blaue Platte, die stahlblaue und die rothe
Platte, eine nach der andern auf. Nach der Goldplatte
kommt die braune, welche zugleich die Goldschraffirungen
mit aufträgt, und endlich die schwarze Platte, welche das
Ganze vollendet. Alle Platten, welche Schraffirungen enthalten, namentlich die schwarze Platte, bleiben bis zuletzt.
Wie man beim Gold- und Silberdrucke und bei dem Drucke
mit Ultramarin zu verfahren habe, werden wir später, wo
wir vom Drucke überhaupt zu reden haben, nachholen.

Ueber die Art und Weise, wie man die Tonplatten
anwenden soll, in welcher Folge man dieselben eine in die
andere drucken müsse, lassen sich keine bestimmten Regeln
geben, da in diesem Punkte die Umstände und die Beschaffenheit der Zeichnung zu sehr mitsprechen. Wir werden weiter unten noch einmal darauf zurückkommen, wo
es sich um Arbeiten handelt, bei welchen alle Hülfsmittel

der Farbendruckmanier in Anwendung kommen. Uebung und Beobachtung, Erfahrung und Geschmack müssen hier den anordnenden Künstler leiten. Bisweilen kann es auch von Vortheil sein, abgestufte Tonplatten neben denen mit platten Tinten zu verwenden, und überhaupt wird der gewandte Lithograph bald sehen, wie ausnehmend viel man mit den Mitteln leisten könne, welche die Lithochromie, wenn man sie in ihrem ganzen Umfange anwendet, darbietet.

2) Druck mit abgestuften Tinten.

Bedient man sich zu den Tonplatten, statt der glattpolirten, der gekörnten Steine, so kann man die verschiedenen Töne abstufen und so den Effekt derselben bedeutend verstärken und dadurch Meisterstücke der Kunst hervorbringen. Dieser Zweig der Lithochromie gestattet sehr mannigfaltige Anwendungen, indem man einerseits damit die Arbeit mit platten Tinten bedeutend vervollkommnen, andrerseits aber selbstständige Arbeiten in dieser Art darstellen kann. Ein Beispiel davon geben die in Wien erschienenen Facsimile von Handzeichnungen berühmter Künstler. Die Originale befinden sich in der Sammlung Sr. Kaiserl. Hoheit des Erzherzogs Karl, und die Kopien geben die Originale auf das Treueste wieder. Wir finden hier oft mehrere Manieren vereinigt: so liefert z. B. eine Monochrome mit platten Tinten und aufgehöheten Lichtern den grauen, blauen oder grünlichen Ton des Papiers, auf dem das Original gezeichnet ist, und dessen höchste Lichter, welche dort mit weißer Farbe aufgesetzt sind. Eine zweite Platte mit abgestuften Tinten liefert die Zeichnung mit Röthel, und eine dritte schwarze, mit der Feder gezeichnete die Drucker und Schraffirungen, welche der Künstler selbst mit der Feder gezeichnet hatte. So kann man auch durch richtige Behandlung einer schwarzen Zeichnung mittelst einiger geschabten Tonplatten die Wirkung einer Tuschzeichnung geben, wobei man für die hellsten Partien derselben die ganze Zeichnung bis zum höchsten Lichte mit einem durchsichtigen Grau überdruckt, wozu sehr wenig Schwarz dem Firniſſe beigemiſcht wird, während man für die Töne der dunkleren und dunkelſten Partien immer mehr Schwarz dem Firniſſe zuſetzt. Die Beſchränktheit des Raumes, den wir dieſem Abſchnitte widmen können, erlaubt es uns nicht, hier mehrere Anwendungen dieſes Kunſtzweiges aufzuführen, deren der denkende Künſtler aber unzählige finden wird.

Ueber die Anfertigung dieſer Platten ſelbſt brauchen wir hier nur wenig Worte zu ſagen, indem ſie aus dem bis jetzt über Lithochromie Geſagten hervorgeht. Wir bemerken daher hier nur, daß man kein allzufeines Korn wählen darf, daß man die Tonplatte in Kreidemanier oder mit dem Tampon ausführen und ſo ſtark, als möglich ätzen muß, und daß beim Drucke dieſe Tonplatten immer zuerſt gedruckt werden müſſen, da ſie, wenn man ſie über andere drucken will, von den ſtets noch etwas feuchten Abdrücken gern einen Wiederdruck annehmen, der, ſelbſt bei der ſorgfältigſten Behandlung, da er immer wieder auf dieſelbe Stelle kommt, auf der Tonplatte doch endlich ſo viel Fett zurückläßt, daß ſie zuletzt verſchmutzt und gänzlich unbrauchbar wird.

Noch müſſen wir des ſogenannten Frisdrucks erwähnen, mittelſt welchem die ſieben Farben des Regenbogens licht ineinander fließend und duftig mit einmaligem Eintragen gedruckt werden können.

Ebenſo laſſen ſich auch alle anderen Farben in geringerer, wie in mannigfaltiger Zuſammenſetzung auf dieſe Weiſe graphiſch darſtellen; ſo z. B. kann bei Landſchaftbildern das abgeſtufte Blau des Himmels gegen den Horizont in einfachſter Weiſe erzeugt werden.

Die Anwendung dieſer übrigens ziemlich beſchränkten Technik iſt ſehr einfach und beſteht darin, daß man diejenigen Farben, welche man drucken will, in der gewünſchten Entfernung (natürlich in bereits angeriebenem Zuſtande) als kleine Farbehäuschen auf den Farbeſtein bringt und mittelſt der Walze ineinander arbeitet, die man immer nur geradeaus und ohne weder rechts, noch links abzuweichen, handhaben muß.

Weishaupt, Steindruck.   17

Die in der Presse befindliche eigens dazu gearbeitete Platte wird dem entsprechend eingewalzt, wodurch die Platte, sowie die davon gewonnenen Abzüge, dieselben Farben mit den durch ihr Ineinanderfließen entstandenen Nüancen erhalten, wie sie bereits auf dem Farbestein wahrzunehmen waren.

3) Druck mit übergreifenden Tinten.

Während der zart gebrochene Farbenton des einfachen Tondrucks, mittelst glatter und abgestufter Tonplatten die Haltung des schwarz gedruckten Bildes vervollständiget, so beschränkt sich dagegen der vielfarbige Tondruck auf die Erzeugung von Farbenflächen, welche meistens auf glattem Steine mit gebrochenen oder ungebrochenen Tönen gedruckt, und so z. B. bei Landkarten, Flachornamenten, Wappenbildern u. dgl. ihre Anwendung finden.

Erst durch den Druck mit abgestuften Tinten mittelst reiner voller Farben, sowie auch mittelst der gemischten Töne, entwickelte sich der eigentliche Farbendruck indem durch das Uebereinanderdrucken der Farben in solcher Weise die übergreifenden Tinten hervorgebracht, wodurch der malerische Effekt des Kolorits bewirkt, und so die Chromolithographie auf ihrem Höhenpunkte angelangt, durch ihre besseren Erzeugnisse, die Nachahmung und vollständige Wiedergabe des Aquarell- und Oelbildes in höchst überraschender Weise erreichte.

Unter den technischen Mitteln der Chromolithographie erweiset sich besonders die Kreidezeichnung als die primitivste und naturgemäßeste Technik, durch welche die Herstellung der einzelnen Farbeplatten schnell erzielt und auch der Druck derselben die vorzüglichste Gesammtwirkung bietet.

Immerhin ist aber auch, je nach dem zu behandelnden Gegenstande, die Feder- und Gravir-Manier mit Vortheil zu gebrauchen. Zwar ist der Druck der Kreideplatten am schwierigsten, auch kann der Umdruck derselben nicht so leicht und sicher bewerkstelligt werden, wie bei der

Gravir- und Federarbeit, indem die Kreideplatten nur be-
ziehungsweise mangelhafte und oftmals gar keine Umdrücke
gestatten.

Da nun aber gerade das Umdruckverfahren seines
praktischen Nutzens wegen dem industriellen Betriebe der
Chromolithographie unentbehrlich ist, so suchte man die
Manier der Kreideplatten, namentlich bei Bildern kleinen
Formats, durch die Federarbeit zu imitiren, woraus nun
die punktirte Manier entstand.

Diese Technik ist allerdings etwas mühevoller und
geht auch langsamer von Statten, als das Zeichnen mit
der Kreide; jedoch wird der tüchtige Zeichner sehr bald
im Stande sein auch bei dem durch Punkte erzeugten
Bilde, die ähnliche Wirkung des mit der Kreide bearbeiteten Bildes zu erreichen; indem er die Abstufungen
der hellen und dunklen Partien in gehöriger Weise durch
feine und starke Punkte, sowie durch das enger und weiter
Auseinanderhalten der Punkte annähernd der Kreidezeichnung mit künstlerischem Gefühle bearbeitet.

Je nach dem darzustellenden Gegenstande kann auch
hierbei die Strichmanier in Verbindung gebracht werden,
welche bei Gravir- und Federarbeit applikativ und auch
etwas schneller ausführbar ist; wobei jedoch die Strich-
und Kreuzschraffirungen die harmonische Gesammtwirkung
nicht beeinträchtigen dürfen.

Die Farbentöne werden somit erzielt, durch die schwächer
und stärker gezeichneten Tonabstufungen, sowie durch das
Aufeinanderdrucken mehrerer Farben.

Hierbei ist die Aufgabe des Lithographen sich auf
eine möglichst geringe Zahl Druckplatten zu beschränken,
und so auf jeder einzelnen Platte mit wohl berechneter
Vertheilung und durch die gehörigen Tonabstufungen, den
vollständigen Effekt des Originalbildes zu erreichen.

Um nun aber durch diese technischen Mittel zu derartigen Resultaten zu gelangen, bedarf es allerdings des
Farbensinnes und der Farbenkenntnisse eines tüchtigen Zeichners und Malers, dem zugleich die Kenntnisse des lithographischen Druckverfahrens nicht fehlen dürfen.

17*

Da diese Farbeneffekte durch das Aufeinanderdrucken verschiedener Farbenplatten hervorgehen, so ist die Reihenfolge, in welcher die Platten nach= und aufeinander gedruckt werden, sehr wesentlich, weil hiervon die entsprechende Wirkung des Kolorits abhängig ist, und so z. B. ein ganz anderes Grün entsteht, je nachdem das Gelb oder das Blau zuerst gedruckt wird.

Ebenso wird auch die auf dieses Grün gedruckte rothe Lasurfarbe einen helleren oder dunkleren bräunlichen Farbenton hervorbringen, je heller oder dunkler das darauf gedruckte Roth war.

Wenn sich übrigens auch keine eigentliche Anleitung geben läßt, durch welche Farben dieser oder jener Farbenton zu gewinnen ist, so dürfte es doch dem Gefühle des Künstlers sehr bald gelingen durch geschickte Kombination die Mannigfaltigkeit der Farbentöne vielfach zu erweitern, und so durch angeeignete Erfahrungen mit wenigen Platten ein lithographisches Kunstwerk zu erzeugen.

Was nun die Bearbeitung der Platten selbst betrifft, so müssen alle Farbentöne, welche als Lokaltöne, ohne Abstufung gleichsam als Untermalung dastehen, oder die, wie dies bei Wappen, Ornamenten u. dergl. der Fall ist, als satte und kräftige Farben hervortreten sollen, mit dem Pinsel und lithographischer Tinte gleichförmig angelegt werden; während jene Partien, welche Licht und Schatten geben, oder den mehr oder minder prävalirenden Ton irgend einer Farbe in der Mischung andeuten, mit der Kreide oder in Punktir=Manier zu bearbeiten und nach Befinden heller oder dunkler zu halten sind.

Für die Reihenfolge, in welcher man die einzelnen Tonplatten auf das Papier bringen soll, lassen sich eigentlich keine allgemein gültigen Regeln geben, da die Art und Weise der Zeichnung und der Mischung der Farben dabei bedeutend mitspricht, doch dürfen wir als Grundsatz aufstellen, daß wenn nicht dringende Umstände es anders erfordern, stets mit dem Lithographiren und dem Drucke der lichteren Platten zuerst zu beginnen und so zu den dunkleren überzugehen sei.

Bei dem Drucke der Platten werden meistens Lasurfarben in Anwendung gebracht, wobei es nicht immer
gleichgültig ist, welche Farbe man zuerst druckt, wenn es
darauf ankommt, durch übergreifende Tinten gemischte
Farben zu erzeugen. So giebt Roth auf Gelb gedruckt
ein anderes Orange, als wenn man das Gelbe nachdruckt.
In den meisten Fällen, wird diejenige Farbe in der
Mischung prävaliren, welche später gedruckt wird, und kann
man aus technischen Ursachen die Farben nicht in derjenigen Folge drucken, wie sie der Farbeton erheischt, den
man hervorbringen will, so muß man darauf bereits bei
der Zeichnung der Tonplatte Rücksicht nehmen und die
Platte, deren Ton prävaliren soll, die man aber vorzu-
drucken genöthigt ist, an solchen Stellen kräftiger, oder die
nachzudruckende leichter halten. Dies erfordert viel Umsicht und wird darum schwierig, weil solche Tonplatten
nicht harmonisch und gleichmäßig ausgeführt werden können,
sondern in der Zeichnung einen ganz andern Effekt machen
müssen, als im Drucke.

Andere Umstände treten ein, wenn man mit Metallen
und deckenden Farben druckt, wie bei Ornamenten, Wappen u. dergl. Gold- und Silberbronze werden gedruckt,
indem man für erstere mit Gelb, für letztere mit reinem
Firniß unterdruckt und dann die Bronze sogleich mit einem
Pinsel oder einem Baumwollenbäuschchen aufpudert. Grüne
Bronze wird grün, Kupferbronze roth untergedruckt. Ultramarin wird mit Berlinerblau untergedruckt und ebenfalls
aufgepudert. Bei allen wird der Ueberfluß mit einem
Biberhaarpinsel oder einer Rabenfeder abgekehrt und dann
leicht abgewischt, das Papier aber muß vollkommen unge-
feuchtet gedruckt und zuvor sehr gut satinirt werden, sonst
haftet die Pulverfarbe fest. Alle diese aufzupudernden
Farben müssen zuerst gedruckt werden. Sehr oft wird
man die Unterdruckfarbe im Bilde noch als Lokal- oder
Brechungston benutzen können, dann muß man die Pulver
durch eine Patrone auftragen und abstauben. Druckt man
auf eine Goldplatte Zinnober, so erhält man den ersten
Schattenton, oder wenn man einen sattrothen Grund mit

weißer Zeichnung aufdruckt, blanke Goldzeichnung auf
mattem Grunde. Druckt man die Zinnoberplatte auf Ultramarin, so erhält man ein sattes Rothbraun, welches sich
zu einem Lokalton und ebensogut zum tiefen Schatten auf
Roth und Ultramarin eignet. In diesem Falle werden
die Schatten für das Roth auf die Ultramarinplatte und
die für den Ultramarin auf die rothe Platte gezeichnet. Zuweilen wird auch oft dieselbe Farbe doppelt gedruckt, z. B.
um ein tiefes gefälliges Roth zu erzeugen, oder eine ganz
glatte Fläche hervorzubringen. Nebst der vielseitigen Anwendbarkeit bei naturhistorischen Werken, ist auch der
Farbendruck von wesentlichem Nutzen bei geographischen,
topographischen und geognostischen Karten, wo in die
Kartenzeichnung das Wasser blau, die Gebirge braun,
Schrift, Positionen 2c. schwarz und ein bräunlicher Ton über
die ganze Bodenfläche gedruckt, und nur die Schneeberge
der hohen Gebirgsgegenden weiß gelassen werden, während
die flachen und fruchtbaren Ebenen einen grünlichen Ton
erhalten.

Das genaue Einpassen der Platten ist hierbei von
größter Wichtigkeit, daher auch die Anfertigung derselben
die strengste Genauigkeit erfordert.

Gewöhnlich wird das Wassernetz zuerst gravirt und
von dieser Platte ein Ueberdruck auf einen zweiten roth
oder schwarz grundirten Stein gemacht, auf dem die
Schrift, Position 2c. kommen; wobei der Ueberdruck mittelst
des Stangenzirkels gemessen genau mit der Größe der
ersten Platte übereinstimmen muß.

Von diesen beiden Platten werden nun Abdrücke auf
ein und denselben Bogen gemacht, und dieser auf den
dritten Stein übergedruckt, auf welchen das Terrain kommt.
Bei Anwendung von Tonplatten bedarf es blos des hierzu
nöthigen Ueberdruckes.

Solche Beispiele ließen sich viele geben, würden aber
hier zu weit vom Ziele führen; auch genügen diese Andeutungen dem denkenden Praktiker, der dadurch auf den
Weg der Erfahrung geführt werden muß. Nur ein Beispiel wollen wir noch mittheilen; die geologische Karte des
tertiären Pariser Plateaus von Dumoulin zeigt, das

Weiße ungerechnet, 11 Farben, und diese wurden durch
4 successive Abdrücke erreicht. Die Tonplatten waren In=
digblau, Kobaltblau, Gelb und Karminroth. Die sieben
andern Farben wurden durch übergreifende Tinten erzeugt
und zwar das Dunkelgrün durch Indigblau und Gelb, das
Hellgrün durch Kobaltblau und Gelb, das Dunkelblau
durch beide Blau zugleich, das Violett durch Kobaltblau
und Karminroth, das Orange durch Gelb und Karminroth
und das Gelb mit Karminroth punktirt gab ein zweites
Orange; endlich wurde durch dreifachen Druck, Gelb und
beide Blau, ein sehr dunkles Grün erzeugt. Die große
geologische Karte von Frankreich, welche (im Lichten 57
Centim. breit und 52 Centim. hoch) in der ehemaligen
kaiserl. Druckerei in Paris gedruckt wurde, entwickelte mit
23 verschiedenen Tonplatten einen noch größeren Farben=
reichthum.

Zum Drucke selbst muß man sich nur der durchschei=
nenden, möglichst wenig körperlichen Farben bedienen. Mit
Nutzen wird man die verschiedenen für Gelb und Original=
grün dienenden Chromverbindungen, das Berlinerblau, die
rothen Lackfarben aus Krapp und Kochenille, den grünen
Zinnober, den chinesischen rothen Zinnober, das Kobalt=
blau, die verschiedenen Nüancen von Ultramarin (welche
aber zu übergreifenden Tinten nicht angewendet werden
können, sondern nur als kompakte Lokaltinten in Orna=
menten, Wappen 2c. dienen), Chromroth (ebenfalls nur
als deckende Farbe zu brauchen), rohe und gebrannte
Terra de Siena, sowie die rohen und gebrannten Oker
verwenden. Bister wird der ihm innewohnenden Holzsäure
wegen dem Steine leicht nachtheilig.

Hauptregeln der Mischung und Zusammenstellung der Farben.

Obgleich die verschiedenen Färbungen der Gegenstände,
die wir in der Natur sehen, sich auf die drei Stamm=
farben Roth, Gelb und Blau, zurückführen lassen, so
können dennoch nicht alle damit hervorgebracht werden,
indem wir diese drei materiellen Farben nicht in ihrer
idealen Reinheit und Kraft besitzen. So läßt sich z. B.

die Schönheit und Kraft des Karminrothes nicht durch die Mischung von Zinnober und Blau, und ebenso wenig ein reines Dunkelblau durch ein Hellblau und Schwarz hervorbringen.

Zudem brauchen wir nicht blos verschiedene Tinten und Arten von Roth, Blau und Gelb, sondern wir wenden sie auch in ihrer Materie verschieden an, die einen mehr körperlich als Deckfarben, die andern weniger körperlich als Lasurfarben.

Um nun aber bestimmte Regeln für die Mischung der Farben und ihrer Ergänzungen festsetzen zu können, nehmen wir obige drei Farben als ideale Stammfarben an, deren verschiedene Abstufungen, die durch Mischung oder Uebereinanderdrucken hervorgehen, mittelst der **Taf. III, Fig. 67**, anschaulich werden.

Theilen wir nämlich den Kreis für Roth, Gelb und Blau in drei gleiche Theile, und sodann jeden Theil wieder in zwei Theile, so zeigen uns diese dann: Grün, Violett und Orange; denn Roth und Blau gleichzeitig gemischt giebt Violett, Gelb und Blau: Grün, und Roth und Gelb: Orange; werden diese Theile nochmals in zwei Hälften getheilt, so entstehet bei dem zunächst an Roth gegen Blau liegenden Theil, Rothviolett, indem hier in der Mischung die rothe Farbe vorherrscht, während beim vorherrschenden Blau ein Blauviolett hervorgeht; dasselbe Verhältniß zeigt sich auch bei den andern Farben.

Die so dargestellten Farbenabstufungen geben uns zugleich die Ergänzungsfarben an, welches immer die auf einem Durchmesser gegenüberstehenden Farben sind, so z. B. Roth und Grün, Orange und Blau u. s. w.

Betrachtet man nämlich ein kleines Viereck von rother Farbe auf weißem Grunde so erscheint das Viereck von einem schwachen Grün umrandet; ist es gelb, von einem schwachen Blau; ist es grün, von einem blaßrothen Weiß; ist es blau von einem röthlichgelben Weiß, und ist es schwarz von einem lebhaften Weiß.

Richtet man, nach hinlänglicher Anschauung der vorstehenden Erscheinungen, die Augen auf den weißen Grund allein, so zeigt sich dennoch die Gestalt eines farbigen Vierecks, dessen Farbe diejenige ist, mit der es bei der ersten Beobachtung umrandet war.

Wenn also das Auge eine gewisse Zeit Roth betrachtet hat, so erhält es die Neigung Grünes zu sehen; deshalb sagt man: Grün ist die Ergänzungsfarbe von Roth u. s. w.

Bei zwei nebeneinander stehenden Ergänzungsfarben heben sich gegenseitig die farbigen Strahlen auf, mit der jede derselben umrandet war, und beide unterscheiden sich umsomehr voneinander, heben sich gegenseitig. Sind jedoch die beiden Farben ungleich, so erscheint diejenige, welche dunkel ist, dunkler, und jene, welche hell ist, heller.

Die Veränderungen der sich berührenden Farben sind genau diejenigen, die sich ergeben, wenn sich mit jeder von beiden Farben die ergänzende von der sie berührenden vermischt, z. B.:

Roth und Blau. Da Grün die Ergänzung von Roth ist, so macht das Roth das Blaue dunkler, und Blau durch seine Ergänzung Orange macht das Rothe gelblich, ins Orange stechend.

Roth und Gelb. Roth durch seine Ergänzungsfarbe Grün macht Gelb ins Grüne; Gelb durch seine Ergänzungsfarbe Violett macht Roth ins Veilchenblaue spielend.

Gelb und Blau. Gelb durch seine Ergänzungsfarbe Violett macht Blau indigofarbig; Blau durch seine Ergänzungsfarbe Orange macht Gelb orangefarbig u. s. w.

Durch die Berührung mit Weiß gewinnen alle ursprünglichen Farben, indem die Ergänzungsfarben sich mit Weiß mischen und die Farben dadurch glänzender und heller erscheinen, z. B. bei Roth und Weiß, Blau und Weiß, Grün und Weiß, Gelb, namentlich Grünlichgelb und Weiß.

Indessen bringen die helleren Farben, z. B. Hellblau, Rosenfarbe u. dergl. mit Weiß einen angenehmern Eindruck hervor, als wie Dunkelblau, Dunkelroth, welche einen zu starken Kontrast mit Weiß bilden.

Der schwarze Grund eignet sich sowohl zu dunkeln, sowie auch zu hellen und glänzenden Farben. Besonders schön nehmen sich darauf aus: Roth, Rosenroth, Orangenfarbig, Gelb, Hellgrün und Blau, weniger Veilchenblau.

In Verbindung mit dichten Farben, wie Blau und Veilchenblau, deren Ergänzungen orangefarbig und gelbgrünlich glänzend sind, verliert das Schwarze an seiner Kraft. Schwarze Zeichnungen erhalten auf einem Grund von verschiedenen Farben folgende Modifikationen:

Auf rothem Grund erscheinen sie dunkelgrün, auf gelbem sehr schwach veilchenblau, auf orangefarbigem bläulichschwarz, auf grünem röthlichgrau, auf blauem orangefarbiggrau, auf veilchenblauem gelbgrünlichgrau.

Auf grauem Grunde gewinnen die glänzenden Farben mehr als wie die dichten, z. B. Roth, Orangefarbig, Gelb und helles Grün, mehr als Blau und Veilchenblau, am wenigsten Rosenroth.

Wird statt des normalgrauen Grundes irgend ein farbiges Grau hierzu gewählt, so kann dasselbe nur dann eine gute Wirkung hervorbringen, wenn es durch die Ergänzung der auf den Grund gedruckten Farbe gefärbt ist, z. B. bei hellblau orangefarbigem oder kastanienbraunem Grund.

Ein grauer Grund erhält durch Farben folgende Modifikationen:

Durch Roth erscheint er ins Grünliche spielend, durch Gelb ins Veilchenbläuliche, durch Orangefarbe ins Bläuliche, durch Grün ins Röthliche, durch Blau ins Orangefarbige, durch Veilchenblau ins Gelbliche.

Diese, der „Farbenharmonie" von Chevreul entnommenen Beobachtungen können der Lithochromie wesentlichste Dienste leisten; denn da wir nun hieraus ersahen, daß der Eindruck einer Farbe, die man neben einer andern sieht, das Ergebniß der Mischung der ersten mit der Ergänzung der zweiten ist, so haben wir nur den Einfluß dieser Ergänzung zu erwägen, um den vereinigten Eindruck, den wir vor Augen haben, getreulich wiederzugeben.

Ohne Plattenvermehrung mangelnde Farben zu ergänzen.

Durch das sogenannte Aufpudern mit trockner Farbe kann mitunter, ohne Vermehrung einer Platte, je nach Bedarf die Grundfarbe stellenweise oder gänzlich verändert, sowie auch brillanter hervorgehoben werden.

Um z. B. Zinnober und Karminroth zugleich zu erhalten, werden auf dem mit Zinnober gemachten Abdruck die karminrothen Stellen mit einer eigenen trocknen und feinpulverisirten Karminfarbe überfahren, die dann von der frischen Druckfarbe des Abdruckes festgehalten, auf dieser Stelle eine veränderte Grundfarbe erzeugt, wodurch eine unendliche Mannigfaltigkeit der Tinten zu erlangen ist.

Zugleich lassen sich durch dieses einfache Mittel alle gedruckten Farben, z. B. Blau durch Ultramarin, noch mehr erhöhen, indem man auf diejenigen Stellen des Abdrucks, welche man brillanter, kräftiger und glänzender wünscht, eine lebhaftere trockene Auftragfarbe bringt, was bei jenen Gegenständen mit dem besten Erfolge anzuwenden ist, wo ein besonders frisches, lebhaftes Farbenspiel verlangt wird, wie bei Verzierungen, Blumen ꝛc. In ähnlicher Weise lassen sich auch durch verschiedenfarbige Bronze bei Verzierungen schöne Effekte erzeugen.

Selbstverständlich ist dieses Hülfsmittel nur bei besonderen Fällen und da stets mit Umsicht und Geschicklichkeit anzuwenden.

Die hierzu verwendeten Farben sollen die Eigenschaft besitzen, an der angebrachten Stelle hängen zu bleiben, müssen daher sehr fein sein und gehörig decken, ohne das Papier zu beschmutzen.

Farben, welche letztere Eigenschaft nicht von vornherein schon haben, müssen daher zuerst mit etwas schwachem Leimwasser abgerieben, dann getrocknet und wieder zu einem feinen Pulver zerrieben werden. Das Auftragen der Farbe geschieht dann mittelst eines Pinsels oder eines Baumwollbäuschchens.

Viele Farben, als Ultramarin und sämmtliche Anilinfarben, welche sich gewöhnlich mit der Walze nicht gut drucken lassen, können ohne weitere Präparatur in solcher trockenen Weise behandelt werden, wobei sie ihre Brillanz bewahren.

Selbstverständlich müssen jedoch die Platten für derartige Deckfarben stets anfänglich gedruckt werden.

Die Bearbeitung der chromolithographischen Platten.

Da die einzelnen Platten des chromolithographischen Bildes auf das Allergenaueste aufeinander passen müssen, so sind zunächst die genauen Vorzeichnungen auf sämmtlichen Steinen des Bildes durch den sogenannten Umklatsch herzustellen.

Hierzu wird in ähnlicher Weise, wie bereits schon im 4. Kapitel das Uebertragen der Zeichnung auf den Stein für die lithographische Federzeichnung erörtert wurde, mittelst eines gut geölten Pflanzenpapiers eine sorgfältige Pause (Kontourzeichnung) von dem farbigen Originale entnommen; wobei nebst dem Hauptumrisse auch alle Partien auf das Genaueste anzudeuten sind, welche bei der späteren Ausführung der einzelnen Platten mehrfach gearbeitet werden müssen, damit dieselben harmonisch aufeinander stimmen.

Die gewonnene Pause wird dann auf den für die Kontourplatte bestimmten Stein mittelst des Kopirpapiers und der Pausenadel übergetragen, so daß die Kontourzeichnung wie mit zarten Bleistiftstrichen ausgeführt auf der Steinfläche erscheint und nun diese Kontouren mittelst Feder und Tusche lithographirt werden.

Nach sorgfältiger Vollendung der Kontourplatte, sind dann noch die dem Drucker unentbehrlichen Punkturen anzubringen, wodurch ihm ermöglicht wird, scharf und genau aufeinander passende Um- und Abdrücke zu liefern.

In der Regel werden diese Punkturen in Form von vier größeren oder kleineren Kreuzen an vier leeren Stellen der Zeichnung angebracht (siehe **Taf. III, Fig. 68**).

Mittelst dieser Kontourplatte werden nun die Kontour, sowie die Punkturen auf sämmtlichen Steinplatten gewöhnlich in leichter rother Färbung durch den Umklatsch auf das Genaueste übergetragen.

Hierzu wird die Kontourplatte wie gewöhnlich geätzt und mit schwarzer Druckfarbe eingewalzt, dann die Feuchtigkeit des Steins durch Wehen mit der Hand oder mit einem Stück Papier, entfernt, und ein Abdruck auf Porzelanpapier unter leichter Spannung der Presse abgezogen.

Ueber den gewonnenen Abzug schüttelt man dann so lange gut pulverisirten Blutstein, bis alle schwarz gedruckten Theile der Kontourplatte eine rothbraune Färbung angenommen, worauf sogleich der zum Umklatsch bestimmte Stein mit Terpentinöl abgerieben, der geröthete Abzug mit der Bildseite gegen den Stein darauf gelegt und schnell durch die Presse gezogen wird.

In gleicher Weise werden nun alle Platten eines Bildes umgeklatscht, worauf der Lithograph mit der Ausführung derselben beginnen kann.

Nach vollkommener Durcharbeitung einer Platte werden immer die als Punkturen angebrachten Kreuze mittelst der Reißfeder und der Tusche akkurat nachgezogen; worauf die Platte zum Andruck übergeben wird.

Ein derartiger Andruck ist sowohl für den Lithographen als auch für den Drucker nothwendig.

Der Lithograph ersieht sogleich aus diesem ersten Abzuge, welcher mit der für die Platte bestimmten Farbe gemacht wird, ob der in seine Arbeit gelegte Effekt in Wirklichkeit erreicht ist.

Auch erhält er hierdurch einen sicheren Anhalt für die weitere Bearbeitung der nachfolgenden Platten, welche in gleicher Weise, wie beim wirklichen Fortdruck, ihrer Reihenfolge nach aufeinander angedruckt werden.

Mit jeder neugearbeiteten und angedruckten Platte erwächst gleichsam mehr und mehr das farbige Bild, bis dasselbe mit der letzten, der dunkelsten Platte seinen vollständigen Abschluß gefunden hat, wodurch jede gelungene lithographische Nachbildung den Intentionen des Lithographen entsprechend, und dem gegebenen Originale in der beabsichtigten Weise ähnlich sein soll.

Ebenſo iſt dem Drucker ein ſolcher Andruck nothwendig, um hieraus die richtige Farbenmiſchung heraus-
zufinden, welche ſpäter, beim weitern Fortdruck zu ſuchen,
ſehr problematiſch wäre. Auf den Andruck werden dann
die Farbenverhältniſſe aufgeſchrieben, und auch an den
freien unbenutzten Stellen des betreffenden Steines mit
lithographiſcher Tuſche die Reihenfolge des Drucks, die
Farbe der Platte, ſowie die Farbenmiſchung notirt.

Statt der Federzeichnung wird zur Chromolithographie nur in einzelnen Fällen die Gravirmanier benutzt,
und zwar nur bei kleineren Gegenſtänden.

Zu Bildern größeren Formats ſind die gravirten
Platten ſchon deshalb ungeeignet, weil deren Umdruck nur
mittelſt des angefeuchteten Umdruckpapiers zu erhalten iſt,
welches aber während des Umdrucks wegen der entweichen-
den Feuchtigkeit ſich mehr zuſammenzieht, als wie beim
trocknen Umdruck; wodurch die genau zu treffende Bearbeitung der einzelnen Platten gefährdet, was jedoch bei
kleineren Bildern von weit geringerem Einfluſſe iſt.

Zu derartigen kleineren Bildern eignet ſich nun aber
die Gravüre beſonders für die tiefſte Platte, deren Umdruck ſich ganz vorzüglich druckt, und, als Schlußplatte benutzt, eine wirkſame Vollendung bietet. Gewöhnlich wird
alsdann dieſe gravirte Platte gleich anfänglich als Kon-
touren- und als die zuletzt zu druckende Platte, die tiefſte
Platte behandelt, auch wird dieſelbe zugleich ſtatt der
eigentlichen Kontourplatte, deren Anfertigung hier überflüſſig iſt, zum Abklatſch für die einzelnen Platten verwendet.

Eine ſolche Bearbeitung der Platte ſetzt allerdings
voraus, daß die künſtleriſche Gewandtheit des Graveurs
mit der Chromolithographie vollſtändig vertraut ſei.

Vorzugsweiſe eignet ſich auch das Hofmann'ſche
Radirverfahren für Etiquetten in Farbendruck.

Das Umdruckverfahren bei der Chromolithographie.

Der lithographiſche Umdruck greift ſehr bedeutungs-
voll in die Praxis des Farbendrucks ein, da hierdurch die

lithographische Platte ein - oder oftmals (je nachdem das Bedürfniß vorliegt) in fast der nämlichen Schärfe, wie der Originalstein darbietet, auf einen anderen Stein übergetragen und von dieser übergetragenen Platte Abzüge gewonnen werden können.

Zudem geht dieses Umdrucken ziemlich schnell vor sich, und kann z. B. eine Originalplatte, deren Herstellung oft Monate beanspruchte, innerhalb einer halben Stunde viermal auf einen andern Stein übergetragen werden, und zwar auf eine so vollkommen genaue Weise, daß selbst ein Kennerauge den Umdruck von dem Originale kaum zu unterscheiden vermag, wodurch die zumeist theure Originalplatte vor schneller Abnutzung bewahrt bleibt.

Vorzugsweise gewährt dieses Verfahren außerordentliche Vortheile, wenn starke Auflagen von einer Platte gewonnen werden sollen; wo dann die einzelnen Farbendruckbilder, welche mit 5 bis 8 und oft noch mehr einzelne Farbeplatten gedruckt werden müssen, nun je nach der Größe der zu druckenden Platten oft 4 bis 12 mal auf Einen Bogen umgedruckt, und also mit Einem Zuge gedruckt werden können.

Für derartige Umdrücke empfiehlt F. Neubürger in seiner Chromolithographie folgende Umdruckfarbe:

9 Theile weißes Wachs,
2   „   Mastix,
4   „   Schellack,
6   „   venetianische Seife,
2   „   venetianischen Terpentin
$^3/_4$ „   Bilsenkraut.

Man setzt ein Gefäß, welches so groß ist, daß die sämmtlichen Ingredienzien es zum dritten Theile füllen, über eine ruhige Flamme und quirlt den Schellack in ein wenig Terpentin ein, so daß er zu einer flüssigen Masse zusammenschmilzt.

Hierauf wird unter beständigem Umrühren der venetianische Terpentin, dann der Mastix und zuletzt das Bilsenkrautöl beigefügt, worauf das Ganze in eine sprenkelnde Bewegung geräth.

Nachdem diese Mischung eine Zeit lang der Einwirkung des Feuers ausgesetzt, fügt man das in Stückchen
geschnittene Wachs hinzu, und endlich nach dem Ver-
schmelzen desselben, die venetianische Seife, und läßt dann
unter beständigem Umrühren die aufsteigenden Dämpfe
sich entzünden (was durch einen brennenden Holzspan
geschehen kann) und eine Zeit lang brennen, worauf man
von der Federfarbe beiläufig einen gleichen Theil dieser
Komposition beisetzt, und das Ganze gemächlich einschmelzen läßt.

Ebenso kann auch ein geringerer Zusatz von der
Federfarbe beigeschmolzen, dagegen die Komposition beim
Umdruck mit Federfarbe gemischt werden, und zwar dann
gewöhnlich $^1/_3$ Komposition und $^2/_3$ Farbe.

Mittelst dieser Umdruckfarbe lassen sich nun von
Gravüre-, Feder- und Kreideplatten Abzüge erzeugen,
welche auf dem glattgeschliffenen Steine umgedruckt, diesen
zur weitern Druckplatte gestalten.

Bei diesem Verfahren unterscheidet man zwei Arten
von Umdrücken: feuchte und trockene, wovon letztere
die schwierigsten sind und meistens beim Farbendruck vorkommen.

Feuchter Umdruck.

Der Umdruck von gravirten Platten muß gewöhnlich ein feuchter sein, auch eignet sich besonders das
chinesische Papier hierzu, welches dann auf seiner glatten
Seite mit einem Stärküberzug versehen wird.

Zu diesem Zwecke schneidet man die großen Bogen
des chinesischen Papiers in 2 oder 3 Theile, wo dann
diese Papiertheile mit der glatten Seite nach oben gelegt
und mit dünnem Kleister*) mittelst eines reinen Pferde-
schwanzs ganz dünn und möglichst gleichmäßig bestrichen,

---

*) Der Kleister wird aus guter Weizenstärke gekocht, wozu
diese in Wasser aufgelöst und unter beständigem Umrühren heißes
Wasser zugegossen, bis der Kleister die geeignete Konsistenz erhalten hat.

und hierauf zum Trocknen auf Stricke gehängt werden, wenn nicht besondere Trockenvorrichtungen vorhanden sind.

In derselben Weise wird auch zu den trockenen Umdrücken das Papier bereitet, und hierzu gutes weißes Postpapier oder halbgeleimtes Kupferdruckpapier gewählt.

Bei dem Umdruck einer gravirten Platte legt man das bestrichene chinesische Papier in feuchtes Druckpapier ein, damit sich dasselbe mit einem Hauch von Feuchtigkeit durchziehe und nachdem auf der Platte die Umdruckfarbe wie beim Gravirdruck mittelst des Tampons eingetragen ist, wird sodann der Abbruck auf der bestrichenen Seite des Papiers gemacht, wobei man nach dem erstmaligen Durchzug noch einige Mal das Durchziehen mit kräftiger Spannung wiederholt.

Um nun das hierdurch auf den Stein festgeklebte, bedruckte chinesische Papier loszulösen, wird dann eine der Papierecken mit einem Messer losgeschabt, und das Papier von der Platte kräftig abgezogen, worauf dieser Abzug, welcher rein und scharf erscheinen muß, sogleich in feuchtes Makulatur gelegt wird.

In gleicher Weise wird eben die erforderliche Anzahl solcher Abzüge gemacht, und jeder Abzug besonders in feuchtes Makulatur gelegt.

Sollen alsdann mehrere Abzüge zugleich auf einen Stein umgedruckt werden, so nimmt man einen Bogen von geleimtem Druck- oder Schreibpapier in der Größe des zum Druck bestimmten Papiers, bezeichnet genau die Stellen der einzelnen Abzüge darauf und feuchtet ein wenig mit dem Schwamme die Rückseite des Bogens.

Sodann wird derselbe auf ein glattes Brett von weichem Holze gelegt, und die einzelnen Umdruckabzüge darauf befestigt; indem man mit einer stumpfen Gravirnadel auf die weiß bleibenden Stellen des Umdrucks sticht, so daß das entstandene feine Loch durch die beiden Bogen geht.

Hierauf wird dann der Bogen mit den aufgenadelten Abzügen wieder zwischen feuchtes Makulatur gelegt, und

Weishaupt, Steindruck. 18

ber zum Umbruck bestimmte und gut glatt geschliffene
Stein in die Presse genommen, dann wiederholt mit
trocknem Bimsstein durchgeschliffen und sorgfältig der sich
bildende Steinstaub abgewischt.

Nun bringt man den Bogen mit der Seite des aufgenadelten Umbrucks behutsam auf den Stein, breitet
einige glatte Bogen feuchtes Makulatur, sowie den Deckel
darüber, und beginnt unter kräftiger Spannung das Durchziehen des Steins, worauf sogleich der Rahmen geöffnet,
der Aufnadelbogen mit dem Wasserschwamme befeuchtet,
sowie der Stein um ein Geringes verschoben, damit der
Reiber nicht wieder dieselbe Stelle treffe, und der Stein
noch ein paar Mal kräftig durchgezogen wird. Nun hebt
man den Aufnadelbogen ab, und bestreicht mit dem nassen
Wasserschwamme das chinesische Papier, welches das Wasser
sofort einsaugt und nach kurzer Zeit vom Stein gelöst
werden kann.

Hierauf werden mit Wasser mittelst des kleinen Wasserschwammes die auf dem Stein haftenden Kleisterspuren
beseitigt und dieser mit mittelstarkem Gummi überzogen.

Dem in solcher Weise hergestellten Ueberdruck muß
alsdann die nöthige Fettfarbe durch das Anreiben mit
Umbruckfarbe zugeführt werden, um so das Aetzen und
den Druck der Umbruckplatte vorzubereiten.

Dieses Anreiben geschieht mittelst eines reinen weichen,
feinporigen Schwammes, der eigens hierzu bestimmt und
mit der durch einige Tropfen Terpentinöl verdünnten Umbruckfarbe imprägnirt wurde.

Mit diesem Schwamme überstreicht man nun sorgfältig den noch mit feuchtem Gummischleim überzogenen
Ueberdruck, wobei stets sowohl die Gummischicht mit dem
Gummischwamm erneuert, als auch der Anreibeschwamm
von Zeit zu Zeit mit neu aufgelöster Umbruckfarbe versehen werden muß.

Zeigt sich der Umbruck kräftig genug angerieben, so
wird dann der Stein mit dem nassen Wasserschwamme
abgewischt, neu gummirt und zurückgestellt; und nach
einigen Stunden werden die mitunter vorkommenden Schmutz-

stellen je nach Bedarf mittelst Bimsstein oder eines spitzen Hölzchens, das man in Salzsäure taucht, beseitigt.

Erst nachdem der Umdruck einige Zeit gestanden und sich in den Stein eingesogen hat, kann das Aetzen und der Druck desselben vorgenommen werden.

Der Umdruck erträgt nur eine schwache Aetzung, weshalb man seine Widerstandsfähigkeit dadurch zu verstärken suchte, daß man vor dem Aetzen die Umdruckplatte im trockenen Zustande mit fein pulverisirtem Talgstein oder Schwefel einpuderte, damit er eine stärkere Aetzung ertragen könne, was sich jedoch nicht als zuverlässig richtig erprobte. Weit entsprechender ist dagegen das Einpudern mit Kolophonium

Sollen von einer Umdruckplatte eine bedeutende Anzahl Abzüge gewonnen werden, so trägt zur Kräftigung derselben sehr viel bei, wenn diese zuerst schwach geätzt und gummirt, dann nach einigen Tagen die Gummischicht wieder entfernt und die Platte mit Konservirfarbe, welche zuvor mit einigen Tropfen Terpentinöl verdünnt, sorgfältig eingewalzt wird, worauf man dieselbe wieder gummirt und nach angemessener Zwischenzeit noch einmal stark ätzt.

Bei der Herstellung eines trockenen Umdrucks von der gravirten Platte, wird statt des chinesischen Papiers das mit Kleister überzogene halbgeleimte Kupferdruckpapier in feuchtes Makulatur gelegt, und im Uebrigen wie beim feuchten Umdruck der Abzug von der gravirten Platte gemacht, und dann wieder in feuchtes Makulatur gelegt, wobei vorzugsweise darauf zu achten, daß das Papier immer nur die nothdürftigste Feuchtigkeit erhalte.

Nachdem man den aus Schreibpapier bestehenden Format-Bogen genau eingetheilt, werden auf demselben die General-Marken und Punkturen mit Tusche vorgezogen, und die einzelnen Abzüge darauf befestigt.

Zum Befestigen derselben bedient man sich eines Kleisters aus Weizenmehl und kaltem Wasser bereitet.

Hierbei wird nämlich die Rückseite des Umdrucks an einzelnen Stellen ein wenig mit diesem Klebemittel be-

18*

strichen, der Umbruck auf die für ihn bestimmte Stelle des Formatbogens gelegt und mit einer stumpfen Nadel festgedrückt; sodann dieser aufgenadelte Bogen auf ein trockenes Brett gebracht und das Ganze mit feuchten Makulaturbogen bedeckt.

Das Ueberdrucken selbst ist dann zu bewerkstelligen, indem dieser auf den Stein gelegte Bogen mit kräftiger Spannung langsam, jedoch nur einmal durch die Presse gezogen und ohne weitere Anfeuchtung behutsam abgelöst wird.

Die mit Tusche gezeichneten und übergedruckten Marken werden sodann leicht gummirt, die sämmtlichen einzelnen Umdrücke aber mit dem Schwamme befeuchtet, mit Makulatur belegt und noch ein paar Mal durch die Presse gezogen; worauf dieselben tüchtig angefeuchtet, nach einiger Zeit losgelöst und auf die bereits erwähnte Weise behandelt werden.

Gewöhnlich dienen diese Platten als Original- und letzte Druckplatte, weshalb dann die Abzüge derselben zu Aufnadelbogen für die trockenen Umdrücke benutzt werden.

Das dargelegte Verfahren des feuchten Umdrucks von der gravirten Platte unterscheidet sich nur sehr wenig von dem des feuchten Umdrucks der Feder- und Kreideplatte.

Hierbei werden jedoch die Abzüge mit der Walze mittelst strenger Umdruckfarbe auf das mit Kleister bestrichene chinesische Papier gemacht und zugleich ein mit Kleister bestrichenes Postpapier von gleicher Größe des ersteren benutzt, welches gleichzeitig mit diesem in feuchtes Makulatur gelegt, wobei zuerst das chinesische Papier auf die Druckplatte gebracht und mit kräftiger Spannung durchgezogen wird; worauf man gleichfalls das Postpapier mit seiner bestrichenen Seite nach unten auf das chinesische Papier legt und mehrere Mal durchzieht.

Die beiden Papiere, welche nun ein Blatt bilden, werden dann vom Stein gelöst und in gering angefeuchtetes Makulatur gebracht, und so in gleicher Weise die

übrigen Abzüge für den Umbruck hergestellt, welche als=
dann, wie oben bereits erläutert, mittelst des Mehlkleisters
auf den Formatbogen befestigt werden.

Nachdem man nun, wie schon beim nassen Umbruck=
verfahren der gravirten Platte erwähnt, den Lithographie=
stein mit trockenem Bimsstein durchgeschliffen hat, wird
dieser dann mit einem in ganz reinem Wasser getauchten
Schwamme derartig überwischt, daß auf demselben ein
Hauch von Feuchtigkeit kommt, worauf der Aufnadelbogen
auf die Platte gelegt, einige Mal mit kräftiger Spannung
durchgezogen, mäßig mit Wasser benetzt und behutsam
von den auf dem Steine fest aufsitzenden Abzügen ent=
fernt wird.

Diese Abzüge werden nun gleichfalls mäßig benetzt,
mit einem neuen trockenen Bogen bedeckt, und mit ge=
mäßigter Spannung ein bis zwei Mal durchgezogen;
hierauf dann wieder befeuchtet, um das Postpapier von
dem darunter liegenden chinesischen Papier abzuheben,
ohne daß letzteres Blasen oder Falten erhalte.

Dasselbe Verfahren wird auch bei dem chinesischen
Papier angewendet, und dieses zuletzt durch tüchtiges An=
feuchten mit dem Wasserschwamme vom Stein gelöst. Das
weitere Verfahren ist wie bei jedem andern Umbruck.

Im Allgemeinen ist vorzugsweise darauf zu sehen,
daß mit der größten Vorsicht und Reinlichkeit das im
feuchten Zustande befindliche Papier behandelt wird, weil
die geringste Berührung mit dem Finger, die zarteste
Fettsubstanz, die auf die bedruckte Seite des Papiers ge=
bracht, später als schwarzer Fleck auf dem Umbruck er=
scheint, wodurch dieser sehr häufig unbrauchbar wird.

Desgleichen sollen auch die für den Umbruck be=
stimmten Abzüge besonders rein sein, und dürfen über=
haupt nicht mit Farbe überhäuft werden, wodurch stets
ein Quetschen und Verschmieren des Steindrucks entsteht.

Ebenso bedarf aber auch das Anreiben des Um=
drucks der größten Sorgfalt und Geschicklichkeit des
Druckers.

Der trockene Umdruck.

a) Die Herstellung der trockenen Abzüge für den Umdruck.

Um von jeder Original-Farbplatte des Bildes den Umdruck auf trockenem Wege herzustellen, bedürfen wir zuerst einen schwarzen Abzug von der bereits erwähnten umgedruckten Original-Hauptplatte, welcher Abzug auf nicht zu dickem weißen Schreibpapier gedruckt wird, um als Aufnadelbogen zu dienen.

Auf demselben werden nun mit der Reißfeder und Tusche die darauf vorgezeichneten Hauptmarken und Punkturen genau nachgezogen, und sodann die Platten-Abzüge mit nicht ganz strenger Umdruckfarbe auf das mit Kleister dünn bestrichene weiße Postpapier gedruckt.

Hierbei wird, nachdem die Platte eingewalzt, dieselbe vorher trocken geweht, ehe das Papier darauf gebracht, damit es durch die Feuchtigkeit des Steines keine Dehnung erleidet.

Die Abzüge müssen klar und kräftig, ohne verschmiert zu sein, erscheinen; auch dürfen dieselben weder in feuchtes Makulatur noch an einen feuchten Ort gelegt, und ebenso wenig der Wärme ausgesetzt werden, damit sie sich weder dehnen noch zusammenziehen.

b) Das Einpassen der Abzüge auf dem Aufnadelbogen.

Das genaue Einpassen der Punkturen des Aufnadelbogens und der der umzudruckenden Abzüge kann auf zweierlei Weise bewerkstelligt werden, nämlich mit dem Locheisen oder auch mittelst der Glasscheibe.

Die letztere staffeleiartige Vorrichtung besteht aus einem breiten Rahmen von Fichtenholz ca. 50 u. 65 Centim. groß, in dem eine Glasscheibe eingesetzt ist, wobei zur schrägen Aufstellung des Rahmens zwei Füße mittelst zwei Knacken angebracht sind.

Diese Vorrichtung wird auf den Tisch gegen das Licht gestellt und der erwähnte Aufnadelbogen an den Rahmen des Glases mittelst einiger Zeichenstifte befestigt.

Dieser Aufnadelbogen resp. der Abzug von der umgedruckten Original-Hauptplatte, bietet sowohl die Hauptmarken und Punkturen, als auch die Marken und Punkturen der einzelnen umgedruckten Abzüge obiger Hauptplatte, welche hier, sowie auf allen Platten des Bildes an weiß bleibenden Stellen der vier Ecken, in Form von Kreuzen genau übereinstimmend lithographirt sind.

Die Aufgabe ist sonach, die Marken der nun umzu=druckenden Abzüge auf die korrespondirenden Marken dieses Aufnadelbogens ganz genau zu befestigen, so daß überall Marke auf Marke stimmt.

Zu diesem Zwecke wird der umzudruckende Abzug auf seiner Rückseite an einzelnen Stellen mit dem aus Weizenmehl und Wasser bereiteten Kleister bestrichen, und werden hierauf die aufeinander passenden Punkturen des Aufnadelbogens (Umdrucks) und des bestrichenen Abzugs möglichst genau aufeinander gelegt, wobei man denselben nur am Rande angreift und auf den Aufnadelbogen drückt, und mit zwei Gravirnadeln das vollständige Aufeinander=passen durch Hin- und Herschieben zu bewerkstelligen sucht. Ebenso werden nun auch die übrigen Abzüge befestigt.

Das Einpassen der Punkturen mittelst des Locheisens geschieht in folgender Weise: Es wird näm=lich mit dem Locheisen, dessen sich die Schuhmacher zum Durchschlagen der Oesenlöcher bedienen, in jedes der vier Markenkreuze des umzudruckenden Abzuges ein Loch ge=schlagen, welches aber nur so groß sein darf, daß die ein=zelnen Theile des Kreuzes bei jeder Marke noch sichtbar bleiben.

Der durchlochte Abzug wird dann auf der Rückseite stellenweise mit starkem Gummi arabicum betupft und an die bestimmte Stelle des Aufnadelbogens gebracht, wobei die über die ausgeschlagenen Löcher hinausragenden Marken=fragmente sich durch die auf den Aufnadelbogen befind=lichen so ergänzen müssen, daß sie je wie eine Marke erscheinen.

Bei der Anwendung des Locheisens wird zum Aufnadelbogen ein nicht zu starker Kartonbogen gewählt und in der bereits erläuterten Weise die darauf befind= lichen Hauptmarken und Punkturen mit Tusche nachgezogen.

Auch werden die umzudruckenden Abzüge auf halb= geleimtes, mit Stärkekleister gleichmäßig dünn bestrichenes, Kupferdruckpapier gemacht, oder kann auch matt glacirtes starkes Papier hierzu verwendet werden, welches jedoch einen gleichmäßigen Ueberzug von Stärkekleister erhalten muß, wozu man sich eines breiten Pinsels aus. Biber= haaren bedient.

Auch muß dasselbe vor dem Gebrauch im trockenen Zustande so lange mit kräftiger Spannung über eine polirte Steinplatte durch die Presse gezogen werden, bis der Kleisterüberzug einen gewissen Glanz gewonnen hat.

c) Das Ueberdrucken des aufgenadelten Bogens.

Hierbei wird der Umdruckstein mittelst des Wasser= schwammes mit ganz reinem Wasser derartig überstrichen, daß ein Hauch von Feuchtigkeit darauf kommt, und sodann der aufgenadelte Bogen mit der Bildseite darauf gelegt, mit ein paar Bogen trockenen Makulatur bedeckt, und mit kräftiger Spannung einige Mal durchgezogen.

Hierauf wird das trockene Makulatur gegen gering feuchtes vertauscht, der Stein ein wenig verschoben und wieder ein paar Mal durch die Presse gezogen, und nun behutsam der Aufnadelbogen von den an dem Stein klebenden Umdruckabzügen losgelöst.

Letztere werden alsdann mit dem Schwamme befeuch= tet, mit trockenen Makulaturbogen bedeckt und wiederholt durchgezogen, worauf man die umgedruckten, mit Tusche auf dem Einnadelbogen angezeichneten Punkturen mit der Nadel sorgfältig bohrt, den ganzen Stein tüchtig mit Wasser benetzt, und nun langsam die Umdruckabzüge einzeln vom Stein abzieht.

Nachdem der Stein von allem überflüssigen Wasser befreit, wird derselbe gummirt und so weiter nach der schon erörterten Weise behandelt.

Beim Umbruck der Tonplatten, welche meistens breite große schwarze Flächen darbieten, ist dagegen das Befeuchten des Steins vor dem Umbruck nicht zu empfehlen, da sonst beim erneuerten Durchziehen sehr leicht ein Verschieben des Umbrucks erfolgen würde.

Bei dem Verfahren mit dem Locheisen sind gewöhnlich die umzudruckenden Abzüge auf starkes Papier gedruckt, und wird beim Umbruck der aufgenadelte Bogen an zwei weißen Stellen mit dickem Gummi versehen, auf den trocken gebimsten Stein gelegt, einmal, oder, wenn er festklebt, wiederholt durchgezogen und dann losgelöst, worauf man den Stein wie gewöhnlich behandelt.

Die Nachahmung des Aquarell- und Oelbildes durch Chromolithographie.

Die technische Durchführung des Farbendrucks richtet sich im Allgemeinen stets nach dem zu behandelnden Gegenstande. Bei dem mannigfaltigen Kolorite des zu bearbeitenden Gegenstandes, lassen sich aber alle möglicherweise eintretenden Fälle nicht wohl voraussehen, auch kann ebensowenig im Voraus gelehrt werden, wie die gegebenen Effekte der verschiedenen Imitationen von Aquarell- und Oelgemälden zu erreichen sind. Hierbei muß stets die Uebung und die Erfahrung den denkenden Lithographen leiten, wie und wo diese Effekte eben am geeignetsten theils mit der Kreide, sowie durch eintönige glatte Flächen oder durch eintönige körnige Flächen, auf ungekörnten oder gekörnten Steinen mit Tusche u. s. w. zu bewerkstelligen sind.

Die verschiedenen zum Druck zu verwendenden Platten, welche sowohl zur Erzeugung der Aquarell- als auch der Oelfarbendruckbilder dienen, werden theils mit lithographischer Kreide und Tusche gezeichnet, theils auch durch Schaben und Schleifen in einen sehr dünnen Ueberzug des Steins mit präparirtem Asphalt erzeugt, sowie durch Estompiren, Wischen in einen Ueberzug des Steins mit weicher lithographischer Wischkreide hergestellt.

Es sind sonach die Kreideplatten in Verbindung der geschabten und gewischten Tonplatten, die wesentlichsten Mittel dieser Technik.

Da schon vorausgehend die Behandlung der Kreidezeichnung und die der geschabten Asphaltplatte erläutert wurde, so wäre nur noch die obige Wischmanier näher zu erörtern.

Bei derselben wird der gekörnte Stein zuerst erwärmt und dann mit der sogenannten Reibtusche, einer Komposition, welche aus lithographischer Kreide, Wachs und ein wenig Kopalfirniß besteht, so weit die Zeichnung reicht, mittelst eines Flanelllappens eingerieben, bis der ganze Stein einen gleichmäßig bräunlich grauen Ton bekommt.

Auf diesen Ton werden die Umrisse der Zeichnung gepaust, und die dunkelsten Partien derselben mit Tusche oder fetter Kreide, die weniger dunkeln mit härterer Kreide gezeichnet und dann bei den hellen und hellsten Stellen der eingeriebene Grund mit dem Schaber leicht oder ganz weggenommen.

Die dunkeln und dunkelsten Stellen können auch vor Ausführung der Zeichnung mit dem Flanelllappen und der Reibtusche dunkler gerieben werden.

Eine auf diese Weise behandelte Zeichnung hält eine sehr starke Aetzung aus, und läßt ein starkes Auftragen der Farbe zu.

Will man bei Platten einzelne Stellen unbedeckt erhalten, z. B. den Papierrand oder einzelne Lichter, so werden ähnlich wie bei der Asphaltplatte, solche Stellen mittelst der Feder oder des Pinsels mit einer Mischung von Salzsäure und Gummi bedeckt, und darauf erst die Manipulation mit der Reibtusche vorgenommen.

Mit diesen nun angedeuteten Mitteln verfährt man folgendermaßen: Aehnlich wie beim Pausen einer Zeichnung überhaupt, wird auch hier zuerst auf geöltem Pflanzenpapiere die genaue Durchzeichnung der Kontouren des wiederzugebenden Originals vorgenommen, und diese Durchzeichnung alsdann auf einen Stein übertragen.

Nachdem der Stein, die Kontourplatte, druckfertig präparirt ist, macht man von demselben soviel Abdrücke als man Platten zur Herstellung des Bildes zu verwenden gedenkt, und überträgt diese Abdrücke durch Umklatsch auf die andern Steinplatten mittelst Durchziehens durch die Presse. Die Anzahl der anzufertigenden Platten kann nicht immer im Voraus schon bestimmt werden, und sind meistens oft 20 bis 25, ja selbst gegen 40 Steine hierzu erforderlich.

An dem Rand des Kontoursteins werden noch sogenannte Registerkreuze angebracht, die sich natürlicherweise auf jeden Stein mit übertragen und zum Aufeinanderpassen der verschiedenen Platten dienen, indem der Schneidepunkt des Kreuzes auf dem Abdruck mit einer feinen Nadel durchstochen wird und diese durch das Loch des Papiers gesteckte Nadel auf den korrespondirenden Punkt des Steins trifft.

Auf der Kontourplatte sind gewöhnlich auch noch Punkte angebracht (siehe **Taf. III, Fig. 68**), wobei die Punktenzahl sich nach der Zahl der Platten richtet, da der Drucker in der Regel am geeignetsten jede neue Platte neu einzunadeln pflegt.

Diese Punkturen, in Form von Kreuzen und Punkten, welche sich ganz genau auf allen Platten wiederholen, drucken sich auf dem weißen Rande des Bildes ab, der später abgeschnitten wird.

Bekanntlich erzeugen übereinander gedruckte Farben, ganz dieselben Mischungen, wie zusammengemischte flüssige Farben auf der Palette: also Gelb und Blau übereinander gedruckt geben Grün, Roth und Blau, Violett u. s. f.

Sollte nun eine Farbe zu Stimmungen in großen Flächen verwendet werden, so überzieht man den Stein entweder mit dem vorerwähnten Asphalt oder mit der Reibtusche.

In diesen Flächen werden nun mit der Estompe (Wischer) bei der Reibtusche, bei dem Asphalt mit einem Stahlschaber und durch Schleifen mit Ossa sepia, Töne,

z. B. lichter Horizont, lichte Wolken, mattfeine Stimmungen ꝛc. angebracht.

Mit der lithographischen Kreide und Tusche werden alle kräftigen und zarten Details dem Bilde eingefügt.

Würde man den mit Asphalt oder Reibtusche überzogenen Stein zum Abdruck bringen, so würde man eine geschlossene, volle Farbenfläche erhalten; durch die angegebenen Mittel aber kann man diese Fläche moduliren und geschlossene Töne von unendlicher Weichheit und Zartheit erzielen. Feine Details werden mit der Kreide und dem spitzen Pinsel auf besondere Platten gezeichnet und in die Töne hineingedruckt.

Im Uebrigen wird meistens mit den helleren Untermalungs-Platten begonnen und nach Vollendung derselben der Andruck in der gehörigen Farbe gemacht, und stets bei der Weiterarbeitung sowohl das gegebene Original als auch der bisherige Andruck im Auge behalten.

Ueberraschend ist die Wirkung, welche dieselbe Farbe von der geschlossenen Fläche bis zum zartesten Verlauf aufweist.

Scheinbar ändert dieselbe den Charakter zugleich, wie z. B. Dunkelroth verlaufend in zartestes Rosa übergeht, und man wäre zunächst versucht zu glauben, daß nur eine Mischung mit Weiß zu solchem Effekt hätte führen können.

Selbstverständlich ergeben sich aber diese Effekte in ähnlicher Weise wie bei jedem Schwarzdruck, wo mit derselben Farbe sammtartige Tiefe und die allerfeinste weiche Modulation des Fleischtons erzeugt wird.

Würde man nun die Abstufungen mit Zahlen bezeichnen und nach mäßigster Annahme in einer Farbe zehn Grade feststellen, so würde man bei zwanzig Farben (durchschnittlich kommen dieselben bei jedem Bilde zur Anwendung) schon zweihundert verschiedene Töne haben, die sich aber noch ins Unendliche durch den Uebereinanderdruck steigern, weil z. B. ein leichter, mittlerer oder starker Ton in einer Farbe in umgekehrter Folge die Töne in einer andern Farbe decken kann.

Druckt man z. B. ein leichtes Gelb auf ein kräftiges
Blau, so würde Blaugrün, umgekehrt Gelbgrün entstehen.

Zum Drucken selbst werden die trockenen Farben, wie
man sie zum Malen gebraucht, in gebleichtem Leinölfirniß
fein abgerieben.

Durch auf solche Weise ausgeführte Platten entsteht
nun das wiederzugebende Bild, indem man zunächst die
allgemein stimmenden Töne, der Untermalung vergleichbar,
druckt, alsdann die Lokalfarben, danach die Details und
schließlich die spezielle Abtonung und die Luftlichter lasirt,
auch wo es nöthig ist, durch eine Platte größere Tiefen
anbringt.

Bei Nachahmung des Aquarellbildes wird manchmal
auch dem vollendeten Abdrucke ein Korn gegeben, nämlich
der fertige Abdruck auf einem rauh gekörnten Steine durch
die Presse gezogen, wodurch das Bild einen eigenthümlichen Effekt erhält.

Zur Vollendung des Oelbildes empfiehlt sich dagegen
der Pinselauftrag resp. die Leinwandtextur nachzuahmen,
da oft große plastische Wirkungen mit dem pastosen Auftrag der Farben erzielt werden und bei einer glatten Behandlung die gemusterte Leinwandfläche von wohlthuender
Wirkung werden kann.

Aus diesen Gründen mußte nun die Nachbildung
unumgänglich auch hierauf Bedacht nehmen, und es können
diese Wirkungen auf die natürlichste und einfachste Weise
leicht erreicht werden.

Ein Stück Malleinwand wird mittelst einer Walze
mit fetter Farbe eingewalzt und durch die Presse auf den
Stein abgedruckt. Durch scharfes Aetzen mit Salpetersäure erhält man eine vertiefte Prägeplatte, welche die
Oberfläche der Leinwand bis in das kleinste Detail
wiedergiebt.

Ein Abdruck von der Kontourplatte auf diese Prägeplatte ist nöthig, um durch Schleifen der Fläche diejenigen
Stellen zu mildern, wo die Erhabenheiten stören könnten,
wie z. B. im Fleisch, in glatten, glänzenden Flächen, oder
um mit dem Grabstichel da mehr Erhabenheit zu erzeugen,

wo z. B. in dem Gemälde die Lichter hoch aufgeſetzt oder
ſtoffliche Wirkung durch kräftigeren Farbenauftrag erzielt
wurde.

Das im Druck vollendete Bild wird nun durch die
Preſſe mit dieſer Prägung verſehen, gefirnißt und auf
mit Leinen überzogene Blendrahmen geſpannt.

An Dauerhaftigkeit kann der Oelfarbendruck das Oel-
bild übertreffen, da z. B. an die Stelle des kreideartigen
Ueberzugs der Malleinwand, der ſo häufig die Urſache
des Verderbens eines Bildes geworden, das aus den
allerbeſten Stoffen angefertigte Papier tritt, das durch
ſolide Bindemittel mit der unterlegten Leinwand vereinigt
iſt. Durch den Druck mit einer größeren Anzahl von
Farben erhält das Papier eine geſättigte Oeltränkung,
wodurch die Dauerhaftigkeit weſentlich erhöht wird.

Die Farben, welche zum Malen verwendet werden,
ſind meiſtens auch für den Farbendruck anwendbar.

In Anbetracht der Mittel, mit denen man die Wiedergabe eines Bildes durch den lithographiſchen Farbendruck
erzielt, iſt wohl ſelbſtverſtändlich, daß der Erfolg einzig
und allein von der geſchickten künſtleriſchen Behandlung
abhängt.

Ohne künſtleriſches Verſtändniß und die richtige Anwendung der Technik werden die Ausübenden, Lithographen
ſowohl als Drucker, niemals auch nur leidliche Erfolge
erzielen, und deshalb werden gute Leiſtungen im Farbendruck auch nur da anzutreffen ſein, wo die ausübenden
Kräfte durch eine tüchtige, künſtleriſch gebildete Direktion
zuſammengehalten und geleitet werden.

Die Reproduktion eines Bildes nimmt oft über
Jahresfriſt in Anſpruch, der Druck deſſelben erfordert eine
äußerſt penible Behandlung und Ueberwachung; man ſollte
daher grundſätzlich nur die beſten Originale reproduciren.

Der lithographiſche Farbendruck hat aber nicht allein
ſich zur ſelbſtſtändigen Kunſt-Technik erſchwungen, als auch
in dieſer künſtleriſchen Richtung zur Veredlung mancher
induſtrieller Zweige in erfolgreichſter Weiſe beigetragen.
Wir nennen hier nur:

Die Chromolithographie auf Porzellan und Glas
(Aus dem Hamb. Gew.-Blatt.)

Aus dem uns vorliegenden ziemlich ausführlichen Reisebericht des Steindruckers Jul. Süß, eines der auf Kosten der Stadt Leipzig nach Paris geschickten Arbeiters, entnehmen wir Folgendes:

In fertigen Steindrucksachen ist das Wichtigste der Steindruck auf Porzellan, den selbst ein Sachverständiger kaum von der feinsten Porzellanmalerei unterscheiden kann. Die Herren Thorwanger, Zeichner und Lithographen für Buntdruck in Paris, gaben dem Verfasser darüber nähere Auskunft.

Das Verfahren des Porzellandruckes ist ähnlich der Metachromatypie, d. h. die Drucke werden auf gestrichenes Papier gedruckt, welches durch Feuchtigkeit den Druck losläßt. Doch ist die Hauptsache, daß dazu keine Firniß-, sondern nur Metallfarben verwendet werden dürfen, weil beim Brennen des Porzellans die Firnißfarben zersetzt werden würden.

Zum Druck nimmt man nur ätherische Oele, welche beim Brennen weder Dunst noch Rauch hinterlassen, wodurch die Farben schmutzig würden. Die leichtesten Töne, als Fleischton, Grau re. kann man mit der Walze drucken, alle übrigen aber müssen gepudert werden; dies ist unvermeidlich, wenn man brillante Farben erreichen will.

Was das Decken der Farben übereinander anbelangt, so muß man vorzüglich Folgendes vermeiden: Rosa mit Gelb und Fleischton, Rosa mit Vermeillon und Roth, Gelb mit Grün re. Bistre (leichtbrauner Ton) kann man über alle Farben legen. Flächen müssen wo möglich ganz vermieden werden, und ist etwas Gutes nur in Strichen und Punkten herzustellen.

Zwei bis drei Farben übereinander können nur bei gleichen Farben angewendet werden; so kann man, da es gut ist, daß zu jeder Farbe ein besonderer Stein verwendet wird, z. B. drei bis vier Blau übereinander, auch einmal eine andere Farbe darauf drucken, doch müssen die unteren so schwer sein, daß die obere sie beim Brennen nicht vernichten, d. h. verändern kann. Das Drucken geschieht, wie erwähnt, auf präparirtes Papier. Der Druck wird wie Metachromatypie behandelt, abgezogen und gebrannt, wie jede Porzellanmalerei.

Auch in Glasmalerei hatte man sehr täuschende Nachahmungen von Engelmann und Kraff in Paris. Dieser Druck ist gleich allen übrigen Buntdrucken, nur müssen selbige in Feder ausgeführt sein. Der größte Theil der Farbe wird gepudert, und in diesem Zustande macht das Bild einen nicht besondern Eindruck. Nachdem dasselbe fertig gedruckt, wird es in durchsichtigem Firniß gekocht. Die Farben bekommen dadurch ein unbeschreibliches Feuer.

Nach der Oelung wird das Bild auf Glas gezogen, ist durchsichtig wie Glas, und kann jeder Witterung, ohne Schaden zu leiden, ausgesetzt werden.

Steindrucke auf Blech, Buntdrucke bis zu 11 bis 12 Farben, werden viel angewendet zu Plakaten in Restaurants, Kafés 2c., nur werden zu solchen Sachen alle Ansichten, Schriften 2c. in Farben ausgeführt; dieselben sind sehr sauber und gewiß bedeutend billiger als auf Blech gemalte. Das Blech ist ganz gleich gewalzt, weiß lackirt, dann sind die Farben einzeln nacheinander darauf abgezogen; die Hauptfarben werden gepudert und dann mit Kopalfirniß überzogen.

Diese Drucke sind haltbar und können ebenfalls ohne Schaden jeder Witterung ausgesetzt werden. Diese Manier wird auch auf starkem Glas ausgeführt.

Sehr beachtenswerth ist auch die Erfindung

der Email-Imitation durch Lithographie,

welche die Wochenschrift „Kunst und Gewerbe" zur Mittheilung bringt. Der Chemiker der ehemaligen k. k. Porzellanfabrik in Wien, Fr. Kosch hat nämlich durch fortgesetzte Versuche jene Schwierigkeiten überwunden, die

bei der Anwendung der Lithographie zum Einbrennen auf
Glas, Porzellan und Metall das Vermeiden größerer
Flächen erfordern. Bei den Franzosen und Engländern
sind diese Stellen stets unrein und auf unsolide Weise
durch nachträgliches Bemalen vertuscht, selbst da, wo
Schattirungen vorkommen. Der Vorzug der Lithographien
von Kosch ist allgemein anerkannt, und wir können bereits von einer neuen Richtung sprechen, welche die einzelnen Fabrikanten durch dieselben eingeschlagen haben.

Im Porzellan kultivirt in hervorragender Weise
Wahliß in Wien diese Email-Imitationen. Auf email-
lirtem Metall und zum Theil auch direkt auf demselben
kann man dieselben Ornamente einschmelzen, ebenfalls
auf Fayence und auf gewöhnlicher Ziegelerde. Für gewisse Farben ist es jedoch nothwendig, daß eine weiße
Unterlage gegeben wird, wenn dieselben brillant wirken
sollen.

Diese chemischen Lithographien sind für das gesammte Kunstgewerbe, sowie für die Architektur von Bedeutung.

Einestheils gewinnt die Flachornamentik ihre alte
Bedeutung wieder bei Gegenständen, welche wegen der
leichteren Herstellung der Plastik sie vernachlässigten; andern-
theils haben wir es mit einem monumentalen Materiale
zu thun, da die eingebrannte Farbe unzerstörbar an den
Gegenstand haftet. Die Billigkeit der Vervielfältigung in
Tausenden von Exemplaren und die Leichtigkeit mit der
jeder Dekorirende solche Lithographien nebst Gebrauchsanweisung fertig beziehen kann, erklärt außerdem die umfassende Verwendbarkeit derselben. Bereits ist höhern
Orts der Auftrag gegeben worden, den Chor der Fünf-
hauser Kirche in Wien, anstatt mit Teppichmalereien, mit
lithographisch eingebrannten Fayenceplatten zu dekoriren.
In der Architektur dürfte die Verwendung der lithographisch
eingebrannten und glasirten Thonplatten zur Façaden-
dekoration ebenfalls eine neue Epoche einführen.

Was das Verfahren beim Druck anbetrifft, so werden
die chemischen Farben auf ein gefirnißtes Papier gedruckt,

Weishaupt, Steindruck.   19

welches die Eigenschaft hat, daß es den Firniß sammt
der Farbe auf dem gleichfalls mit einem Firniß bestrichenen Gegenstande haften läßt. Diese Firnißsubstanzen
enthalten so wenig organische Stoffe, daß kein Rauch entsteht, welcher die Farben schwärzen könnte.

Jede Farbe wird einzeln aufgedruckt, nachdem die
vorhergehende vollständig trocken geworden ist, was bei
der schwarzen Farbe oft fünf bis sechs Tage dauert.
Außer dem Gold- und Silberdruck sind mehrere Metall-
legirungen im Gebrauch, die einen reüssirenden Schimmer
geben. Auch der Perlmutterglanz, welcher dem Porzellan
gegeben wird, ist von äußerster Eleganz.

Nicht zu stark gewellte Flächen sind zur Anwendung
der Kosch'schen Lithographien am besten, und es bleibt
der Handarbeit vorbehalten, die ergänzenden Linien auf
der Scheibe zu ziehen, und gewisse Details zur Vollendung
beizufügen.

Zum Schlusse sei noch eine Erfindung der Neuzeit
erwähnt, welche von ihrem Erfinder Julius Greth,
Stenochromie genannt wird*).

Durch diese Erfindung eines neuen Farbendrucks,
d. h. die Kunst, eine unbegrenzte Anzahl von Farben mit
einmaligem Druckabzug herzustellen, ist ein Publikations-
mittel geschaffen, welches gegen alle bisherigen Verfahren
durch seine Schnelligkeit und Billigkeit einen wesentlichen
Einfluß auf die Kunstindustrie ausüben wird.

Die Farbe ist in der Kunstindustrie unentbehrlich,
die Kunst einer harmonischen Farbenzusammenstellung
aber nur begabten Koloristen eigen und der bisherige
Farbendruck ein enorm kostspieliger. Daher sind die
Werke, aus denen die Industrie Belehrung und Anregung
für ihre farbigen Produkte sucht, zu theuer für den Ge-

*) Aus Troschel's Monatsblätter für Zeichenkunst und
Zeichenunterricht 1874, dem Vortrag über Stenochromie des
Julius Greth, entnommen. Bei diesem, im Verein zur
Förderung des Zeichenunterrichts zu Berlin am 13. Dez. 1873
gehaltenen Vortrag, legte Greth zugleich Druckproben seines
erfundenen Farbendruck-Verfahrens vor.

ſammtbedarf, und deshalb nur in den großen Bibliotheken und Muſeen zu finden, und auch da nicht immer dem Gewerbsmann zugänglich. Dieſer fühlbare Mangel hindert das Beſtreben, den Sinn für eine harmouiſche Farben=zuſammenſtellung zu beleben und Geſchmack dafür in den weiteſten Kreiſen zu bilden. Dazu kann und wird nun die Stenochromie beitragen.

Man hat bis jetzt die bekannten Mittel des Farben=drucks in der Lithographie, iu Aquatinten=Buch=, und Walzendruck bis zu einer großen Vollkommenheit gebracht, was Niemand beſtreiten wird; alle Verfahrungsarten beruhen jedoch entweder auf dem Ueberdruck von mehreren, 2—30 à 40 Platten oder ſechs bis acht Walzen, und es kann auf dieſem Wege kaum ein höheres Stadium erreicht werden.

Dieſem Syſtem nun ganz entgegengeſetzt, werden bei der Stenochromie, ſämmtliche Farben und Töne von einer einzigen Platte gedruckt, und es wird ſomit mittelſt eines einmaligen Druckabzuges ein Abdruck aller Far=ben zu gleicher Zeit erzielt. Es liegt auf der Hand, daß dadurch in jeder Beziehung eine enorme Erſparniß an Zeit und Koſten gewonnen wird. Begreiflich wird die Möglichkeit, wenn man ſich die neue Druckplatte als eine paſtöſe Farbenſubſtanz denkt, von welcher das Bild auf ſaugfähiges Papier, Zeug, Leder ꝛc. unter einer dazu geeigueten, höchſt einfachen Preſſe übertragen wird. Die ſämmtlichen Farben und Töne können in der Platte be=liebig gemiſcht werden, und daher iſt die Anzahl der Farben für den einmaligen Druckabzug eine unbegrenzte. Das, was der Maler mit ſeinem Pinſel erreicht, wird in der Stenochromie mit einer einzigen Platte erzielt.

Die Herſtellung der ſtenochromiſchen Druckplatte ge=ſchieht in verhältnißmäßig kurzer Zeit, je nach der Art des Originals: es iſt eine paſtöſe Materie, bei welcher ſtatt des Pinſels ein Meſſer mit ſtorchſchnabelähnlicher Einrichtung gebraucht wird, um die Zeichnung herzuſtellen; bei ſich wiederholenden mathematiſchen Figuren werden dieſen analoge Formen angewendet.

19*

Jeder Durchzug der Platte in der Presse nimmt höchstens 30 Sekunden in Anspruch. Und da die Farben in der Platte selbst gegeben sind, so ist der Abdruck auch nicht mehr vom Drucker abhängig. Die Harmonie der Farben unter sich, die in der Lithographie bekanntlich durch das Uebereinanderdrucken und das mehr oder weniger Auftragen der Farben mittelst der Walzen von Abdruck zu Abdruck leidet, ist in der Stenochromie für ein- und allemal gesichert. Hier bleibt ein Abzug dem andern vollkommen gleich ohne Rücksicht auf die Höhe der Auflage; ob Hundert oder Hunderttausend Exemplare von der Platte abgedruckt werden, das ist ganz gleichgültig.

Ein zweiter photographischer Ueberdruck giebt die Feinheit und Treue der besten Photographie, ohne die Farbe irgendwie zu beeinträchtigen.

Die Farben sind die bisher gebräuchlichen Wasser- und Oelfarben, wie sie in der Lithographie, dem Buch-druck oder auch in den Fächern des Zeugdruckes oder bei Glas, Porzellan ꝛc. in Anwendung gebracht werden.

Auch bedarf es keiner besondern Geschicklichkeit, wie sie in der Lithographie erforderlich ist: jeder, der die Farben richtig sehen, mischen und eine gegebene Kontour nachzeichnen, oder mit dem Stifte nachfahren kann, ist im Stande sich sofort zu orientiren und in wenigen Stun-den selbständig zu arbeiten.

Die Druckproben des Erfinders vergegenwärtigen eine Uebersicht der Abzüge, wie selbe im Verlaufe der Entwickelung und Ausbildung der Technik gewonnen wurden, sowohl bei der Herstellung von Flachmustern wie auch bei den Versuchen, ältere und neuere Gemälde aller Gat-tungen mittelst dieser Erfindung zu vervielfältigen; hieraus geht hervor, daß es sich nicht mehr um Versuche, sondern um ein ausgebildetes Verfahren handelt, das lebensfähig ist, und somit als ein neues praktisches Element in der Kunstindustrie eine vorzügliche Verwerthung finden dürfte.

Sechstes Kapitel.

Von den lithographischen und anderen in einer Steindruckerei nöthigen Pressen.

Jede Steindruckerei, wenn sie vollständig sein und jeder Forderung Genüge leisten soll, bedarf, da die mechanischen Einrichtungen und mit ihnen auch die Leistungen der lithographischen Pressen sehr verschieden sind, und manche bei dieser, manche bei jener Manier mit Vortheil anzuwenden ist, mehrere Arten von Pressen, nämlich wenigstens zwei Arten zum Abdrucken der in verschiedenen Manieren lithographirten Zeichnungen selbst und eine oder mehrere zum Pressen des gefeuchteten Papiers und der vollendeten Abdrücke, um dem Papiere, welches durch das Feuchten seinen Glanz verloren hat, diesen zu ersetzen, und überhaupt dem Ganzen eine Art Politur und schöneres Ansehen zu geben.

Wir wollen diese Pressen unter vier, ihre Wesenheit bestimmenden, Arten aufführen und jede Art mit ihren Eigenthümlichkeiten genauer beschreiben.

Sie sind: A. Reiberpressen; B. Walzen- oder Cylinderpressen; C. Rollpressen, oder solche, die sich dem Wesen beider nähern, also vermischte, auch vielleicht verbesserte Pressen genannt werden könnten; und endlich: D. Papierpreſſen, und dieſe wieder a) gewöhnliche Preſſen, b) Glätt- oder Satinirpreſſen.

A. Reiberpreſſen,

darunter verſteht man ſolche, in denen der Abdruck durch ein Holz, Reiber genannt, hervorgebracht wird, das, unten wohl geglättet und der Größe der jedesmaligen Zeichnung angepaßt, mit einer großen, durch verſchieden angebrachte mechaniſche Verbindungen entſtandenen Druckkraft, langſam über die bezeichnete Steinplatte, oder dieſe unter dem Reiber durchgezogen wird.

Die erſte lithographiſche Preſſe, die ſich Senefelder zu ſeinem eigenen Gebrauche ſelbſt ſchuf, und die mit wenigen Abänderungen und Verbeſſerungen noch heute eine der gangbarſten bleibt, iſt eine ſolche Reiberpreſſe und zwar unter dem Namen Galgen = oder Stangenpreſſe bekannt.

Eine Stangenpreſſe iſt nun diejenige, bei welcher der Abdruck durch einen Reiber geſchieht, der vermöge einer Stange, die zwiſchen der Steinplatte und einer an der Decke der Preſſe angebrachten hölzernen Feder eingezwängt iſt, ſeine Druckkraft als Spannung erhält und, unter dieſer Spannung langſam über die Platte hinbewegt, den Abdruck bewirkt.

Eine derartige Preſſe ſoll jedoch nie weniger als 3½ Meter Höhe haben, wobei dann die Stange einen ſehr flachen Bogen beſchreibt, der ſich mehr der geraden Linie nähert, wodurch die Druckkraft gleichmäßiger wirkt, während eine kurze Stange ſchwerer zu handhaben iſt und den Drucker ermüdet, wobei denn auch, beſonders bei einer großen Platte, beim Ein = und Ausſetzen zu wenig und in der Mitte zu viel Spannung iſt, und ſonach kein gleichförmiger Abdruck erfolgt.

Aber auch die Breite dieſer Preſſe, welche nie unter 1⅗ Meter betragen ſoll, trägt weſentlich dazu bei, ſie brauchbarer oder untauglicher zu machen, weil die Länge der Feder ihr die Elaſticität verleiht, durch welche die ungleiche Wirkung der kreisförmigen Bewegung der Stange ausgeglichen wird.

Tafel III, Fig. 69 und **70,** zeigen die Vorder- und Seitenansicht einer solchen Stangenpresse.

Sie besteht zunächst aus dem Gerüste A und der Tafel B, auf welcher die zu druckende Steinplatte ruht.

Diese Tafel, welche sich gewöhnlich in einer Höhe von 78 Centim. befindet, muß, um sich nicht bei der Spannung zu biegen, oder sich mit der Zeit wohl gar zu werfen, von hartem Holze und von gehöriger Stärke sein, auch sind die beiden Wände und die oberen Querriegel A' des Gerüstes A durch die Schrägebänder a verbunden, um dasselbe in einem gehörigen Rechteck zu erhalten.

An der obern Verbindung der beiden Wände, welche wir die Decke nennen wollen, ist nach Verhältniß der Länge der ganzen Presse in einer Entfernung von 44 bis 58 Centim. von der einen Wand, bei c eine hölzerne Feder d mittelst zwei Schrauben befestigt, so daß sie in einer Entfernung von 8 bis 10 Centim. mit der Decke parallel läuft.

Bei andern Stangenpressen findet sich auch häufig diese Feder, statt wie hier über der Decke, unterhalb derselben angebracht.

An dem langen Ende dieser Feder, das durch eine Oeffnung in der Wand A noch 12 Centim. hinausgeht, ist eine Stange e außerhalb der Wand senkrecht an die Feder gehängt, durch welche, vermöge eines Doppelhebels f, der stellbaren Zugstange g und des Trittes h, die Feder beim Drucken heruntergezogen wird.

Diese Feder muß übrigens aus einer guten, zähen und viele Federkraft enthaltenden, ungefähr 5 Centim. starken und 20 Centim. breiten Bohle von tannenem, oder noch besser hartem Holze bestehen.

Letzteres ist vorzuziehen, da diese Feder nicht nur die Beugung von dem Anheftpunkte c bis zur Stange e, wenn sie von dieser heruntergezogen wird, auszuhalten, sondern auch noch in der Mitte zwischen den Punkten c und e', während der Biegung, die durch das Einzwängen der Stange l verurfacht wird, bis zu 3 Centim. und mehr, nachgeben muß.

Noch geeigneter ift es, diefelbe, wie bei **Fig. 69** erfichtlich, aus zwei Brettern zu machen, welche durch Holz= fchrauben verbunden werden, wobei das obere von 3 Centim. Dicke aus hartem Holze, das untere fürzere, von 2 Centim. Dicke, aber aus weichem Holze fein muß.

Die Stange oder der Schaft l ift an die Feder d durch ein doppeltes Scharnier befeftigt, fo daß diefer Schaft, um den Abzug zu machen, vor= und rückwärts bewegt werden kann, und ebenfo auch feitwärts, um ihn während des jedesmaligen Einfchwärzens einftweilen nach dem Theile v zu bringen, wie dies durch die punktirten Linien angedeutet ift.

In kurzer, ungefähr 36 Centim. Entfernung über der Steinplatte ift der Schaft gebrochen, nämlich mit einem Gelenke o verfehen, ganz nach Art des Gelenkes, wie es an einer Reißfeder ift, die als Zirkelfchenkel gebraucht wird. Durch diefes Gelenk entfteht eine Art Knie, wodurch es ermöglicht wird, den unter demfelben befeftigten Reiber p vorwärts zu ziehen, und auf den Stein zu bringen; wobei man dann das Knie wieder gerade richtet, indem man den Schaft zurückftößt, welches fchon einen Anfang der Preffung macht.

Wefentlich ift es hierbei, daß man, wie aus **Taf. III**, **Fig. 71**, erfichtlich, den Schraubenbolzen des Gelenkes o außerhalb der Mitte des Schaftes fetzt, indem fonft das Knie gerne umfchlägt.

Der Reiber p ift von hartem Birnbaum=, Ahorn=, Buchsbaum= oder dergleichen Holze und muß durchgängig fehr fleißig gearbeitet fein, befonders feine untere Fläche, mit der er über das die Zeichnung deckende Leder rutfcht. Ift diefe nicht glatt, fo verurfacht fie einen fchweren Zug, und ift fie uneben, fo kann, da die Platte völlig eben ift, ein vollkommener Abdruck erreicht werden.

Diefer Reiber wird oben, wo er an den Schaft ge= fchraubt ift, und überhaupt durchgängig 2½ Centim. ftark gefertigt, unten aber nach der Mitte hin, in der ganzen

Länge von beiden Seiten bis zu 2 Millim. Stärke zuge=
schärft und etwas abgerundet, um beim Ziehen so wenig
Reibung als möglich auf einmal überwinden zu müssen.
Seine Größe ist nach der Größe und Stärke der Platten
zu proportioniren, daher man immer mehr Reiber vorräthig
haben muß, die durch eine Schraube r an den untern
Schafttheil mit sammt der Handhabe q, an welcher der
Arbeiter den Reiber fortzieht, befestigt werden, wie bei
Fig. 69 und **71** ersichtlich ist.

Auf der oben erwähnten Tafel B ist ein Rahmen s
befestigt, in welchen man den Stein legt und nach dem
Einschwärzen mit dem Lederrahmen t bedeckt, um das
Druckpapier vor dem Verschieben oder Zerreißen durch
den darübergehenden Reiber zu schützen.

In **Fig. 69** zeigt t' diesen Lederrahmen geöffnet
und mit einem schwachen Rahmen u versehen, der dazu
dient, das Druckpapier an dem Leder in der Richtung
festzuhalten, wie es auf die bezeichnete Platte treffen soll,
wenn der Rahmen t' über dieselbe gedeckt wird; und
zwar geschieht dies durch wohl angespannte Schnüre oder
Bänder, oder auch durch schwache Stahlfedern, die an dem
Rähmchen u hin und wieder geschoben werden können.

Zugleich dienen auch, besonders bei Tabellendruck,
die bei z angebrachten Punkturnadeln zum genauen Ein=
legen des Papiers.

Das Papier, wie das Leder, müssen immer gegen
1 ¼ Centim. über der Platte schweben; nur die Stelle,
über die eben der Reiber geht, wird fest angedrückt und
hebt sich dann sogleich wieder in die Höhe, wodurch vieler
Schmutz, der sonst durch das unvermeidliche Verrücken des
Papiers entsteht, verhindert wird.

Es ist daher und überhaupt, weil die Stärke der Plat=
ten sehr verschieden ist, nöthig, daß dieser Rahmen höher
und niedriger gestellt werden kann, wozu die beiden Schar=
niere v, sowie auch die beiden auf der den Scharnieren
entgegengesetzten Seite angebrachten Schrauben w dien=
lich sind.

Um aber auch bei den verschiedenen Steindicken dem Schaft l immer die entsprechende Länge geben zu können, ist, wie bei der Durchschnittzeichnung auf **Taf. III, Fig.** 72a, zu ersehen, mittelst der Schraube y der untere Schafttheil nach Bedarf zu verlängern oder zu verkürzen, nachdem zuvor der Bolzen x entfernt wurde.

Das Leder, welches aus dem Kerne einer gesunden Rindshaut zu schneiden ist, wird an einer Seite des Rahmens (siehe **Taf. III, Fig.** 73) mittelst einer eisernen Schiene t" durch Schrauben befestigt, und auf der entgegengesetzten durch eine in das Leder querüber eingenähte Schiene und solche Haken, welche nach außen mit Schrauben versehen sind, an den Rahmen geschraubt und hierdurch fest angespannt, damit es beim Uebergehen des Reibers nirgends Falten werfen und so das darunter liegende Papier verrücken oder beschädigen, also einen schlechten Abdruck verursachen könne.

Auf der äußern Seite des Rahmens, wie sie in **Fig.** 73 vorgestellt ist, sind noch vier Leisten so in den Rahmen eingefalzt, daß sie ein Rechteck bilden, was sich hin und wieder schieben und bald zu einem Oblongum, bald zu einem Quadrate bilden läßt.

Diese Leisten dienen dazu, dem Reiber seine Bahn vorzuschreiben und den Punkt des Ein= und Aussetzens desselben zu bestimmen. Beim Einlegen einer Steinplatte in die Presse werden sie jederzeit nach dem Flächenumfange der Zeichnung gestellt und in dieser Stellung durch Schrauben so befestigt, daß sie der Gewalt des Reibers völlig widerstehen.

Besonders fest aber muß die Leiste stehen, die den Lauf des Reibers aufhält, weil derselbe sonst leicht weiter, wohl über das Ende des Steines herunterrutschen und so, bei starker Spannung das Leder leicht verletzen, vielleicht völlig zerreißen könnte.

Statt dieser vier Leisten bedient man sich jedoch gewöhnlich nur dreier Leisten, welche eingezahnt oder durch Schrauben befestigt, die Richtung, sowie den Anfang und das Ende des Reiberlaufes bestimmen. Manche Drucker

wenden nur die beiden Leisten a' und b' an, um die
Richtung und den Anfang des Zuges zu haben, und ziehen
statt der Leiste c' eine Schnur über das Leder, welche
ebensogut den Reiber aufhält. —

Die Stange e endlich, welche auch aus Eisen konstruirt
werden könnte, und welche die Feder d mit dem Fuß-
tritte h in Verbindung bringt, ist unten nicht unmittelbar
an dem letztern, sondern an dem Hebel f bei k befestigt,
der hinten an die Pressenwand mittelst des Bolzens i an-
geheftet, vorn aber durch eine schwache eiserne Schiene mit
mehreren Löchern mit dem Tritte h, dessen eines Ende
an dem Fußboden befestigt ist, in Verbindung steht.

Derjenige, welcher die Presse zieht, d. h. die beweg-
liche Reiberstange l mit dem Reiber p über die Zeichnung
wegzieht, tritt zugleich den Tritt h bis auf den Boden
nieder und verursacht so die Spannung und den Druck
zwischen dem Reiber und der Feder, der um so größer
wird, je tiefer man den Hebel f an der eisernen Schiene g,
wozu eben die Löcher darin angebracht sind, stellt. —

Da nun die Reiberstange mit dem Reiber eine per-
pendikuläre Bewegung über den horizontalen Stein macht,
denselben also eigentlich nur auf einem einzigen Punkte
berührt und der Druck über das Ganze nur dadurch mög-
licht wird, daß diese Stange schon beim Einsetzen so fest
zwischen Feder und Steinplatte steht, wie sie eigentlich
erst am Mittel- oder natürlichen Berührungspunkte stehen
würde, und da nun dieser Mittelpunkt nur durch die Nach-
giebigkeit der Feder und den dabei nöthigen großen Kraft-
aufwand von Seiten des Arbeiters überwunden werden
kann, wobei auch noch das Rutschen des Reibers über
das Leder viele Friktion verursacht, welche man aber, durch
öfteres Schmieren des Leders mit Fett etwas mindern
kann: so ist von selbst einzusehen, daß dergleichen Pressen
bei großen Platten fast unbrauchbar sind, oder doch bei
dem größten Kraftaufwande einen an den Enden immer
nur schwachen Druck liefern: und daß sie darum um so
brauchbarer werden, je elastischer die Feder und je länger
die Reiberstange ist, weil bei letzterer der Bogen, den sie

beschreibt, immer flacher und mithin sich der horizontalen Linie der Steinplatte immer mehr annähern wird. Aus diesem Grunde ist es auch nothwendig, daß das Lokal einer Steindruckerei möglichst hoch sei, damit diese Stangenpressen gehörigen Platz finden können.

Diese Presse, welche gegenwärtig nur für den gewöhnlichen Schrift- oder Tabellendruck verwendet wird, hat jedoch das Uebel, daß sie durch das Brechen der Stange einen häßlichen Lärm macht, zudem muß dieselbe beim Gebrauche, wenn ihr Gerüst nicht besonders gut konstruirt ist, zwischen der Decke des Lokals und ihrem Schlußstück festgekeilt werden, damit sie feststehe. Indessen verdient sie immerhin den Namen einer Schnellpresse, indem auf ihr 14—1500 Abdrücke pr. Tag von Kanzleiformat geliefert werden können.

Dieselbe kann zwar, wenn sie gut konstruirt ist, von einem Arbeiter gehandhabt werden, gewöhnlich werden aber hierzu zwei verwendet, wo dann der eine auf der Seite des Fußtrittes, der andere dem erstern gegenüber hinter der Presse steht.

Dieser letztere ist der eigentliche Drucker, und er trägt die Farbe auf den Stein auf. Der Gehilfe legt das Papier auf, der Drucker schließt dann den Rahmen t; der Gehilfe faßt den Schaft l, beugt das Knie o und setzt den Reiber auf den mit dem Rahmen bedeckten Stein auf jene Seite, wo der Drucker steht.

Dann tritt er auf den Fußtritt, um den Druck zu geben, faßt mit beiden Händen die Handhabe q und zieht den Reiber an sich, während der Drucker ihn ebenfalls mit beiden Händen von sich stößt. Sobald als der Reiber an das andere Ende des Steins gelangt ist, läßt der Gehilfe den Fußtritt gehen, welcher in die Höhe steigt; er zieht das Knie o an sich, um es zu krümmen und bringt es hinter den Theil n. Der Drucker öffnet den Rahmen, und während er die Walze aufs Neue versieht, nimmt der Gehilfe das Blatt weg und befeuchtet den Stein.

Da alle diese Bewegungen sich schnell und mit Leichtigkeit ausführen lassen, weil alles den Druckern zur Hand

und die Arbeit ganz gleich zwischen zwei Arbeitern ge=
theilt ist, so daß sie beständig beschäftigt sind, so ist auch
eine große Schnelligkeit im Drucken leicht erklärlich, welche
in dieser Beziehung durch eine andere Presse, mit Aus=
nahme der neu konstruirten Schnellpresse, wohl nicht erreich=
bar sein dürfte. Zugleich hat dieselbe große Vortheile
für den Tabellendruck, wo beide Bogenseiten bedruckt
werden müssen, worin sie mittelst der angebrachten Punk=
turen eine Genauigkeit des Einpassens darbietet, welche
nichts zu wünschen übrig läßt.

Eine andere Reiberpresse hat der um das Gewerbs=
wesen hochverdiente Dingler in seinem polytechni=
schen Journale beschrieben. Sie ward von einem fran=
zösischen Officier beim See=Geniekorps, Namens de la
Morinière, erfunden und scheint die Vorzüge der Stan=
genpresse zu besitzen, ohne deren Fehler zu haben, da ihr
Reiber nicht im Bogen, sondern, der Steinplatte ange=
messen, völlig horizontal über dieselbe geht, auch nicht
unmittelbar durch die Hand des Arbeiters, sondern durch
eine, dies Geschäft gar sehr erleichternde Kurbel gezogen
wird.

Wir wollen diese Presse, welche unseres Wissens in
Deutschland nie eingeführt wurde, mit allen Details hier
abbilden und beschreiben. Dieselbe hat zwar unbestreit=
bare Vorzüge, aber auch ihre Uebelstände, die wir noch
näher bezeichnen werden, indessen dürfte sich wohl schwer=
lich eine Presse finden, welche so wenig Raum einnimmt,
als diese.

Die Presse ist auf **Taf. IV u. V, Fig. 74—83,**
dargestellt. Der Stein Q liegt unbeweglich auf dem
Träger B und der Reiber F wird, wie gewöhnlich, durch
einen Bolzen q gehalten; da er aber, wenn er auf den
Stein herabgelassen wird, die ganze Länge des Rahmens
C zu durchlaufen hat, so ist er mit einem sehr starken
Wagen E verbunden, der an einer starken, mit Eisen be=
schlagenen Stange D hinläuft. Er wird von dem Riemen
G gezogen, der sich auf eine Drehwalze H aufwindet,
welche mit der Kurbel I versehen ist. Die Stange D ist

so eingerichtet, daß ihre untere auf dem Wagen aufliegende Fläche immer parallel mit der Oberfläche des Steines ist. Sie wird an ihren Enden von zwei Bügeln J und K festgehalten, auf welche sich zwei Hebel L und M stützen, deren längere Arme mittelst zwei eiserner Schienen O, O, die an dem Tretschemel P befestigt sind, niedergezogen werden. Da man den Stützpunkt der Hebel L und M auf den Schienen N, N und die Länge der Schienen O, O, welche sie niederziehen, nach Belieben ändern kann, so wird es leicht, den Reiber selbst um die kleinsten Differenzen dem Steine zu nähern oder von demselben zu entfernen.

Beim Arbeiten bringt man zuerst die Stange und den mit Leder überzogenen Rahmen in die Lage **Fig. 76.** Zu dieser Absicht dreht sich die Stange um den Bolzen s des hintern Bügels K; das Aufsteigen erleichtert ein Gegengewicht an der Schnur f. Ist eingeschwärzt und aufgelegt, so deckt man zu und hält die Stange mittelst eines kleinen, am Bügel J befestigten Vorsprunges a. Hierauf giebt man den Druck, indem man auf den Tretschemel P tritt, und indem man die Kurbel I dreht, zieht man den Reiber über den Stein. **Fig. 74** Seitenanriß der Presse. **Fig. 75** Ansicht von oben. **Fig. 76** Aufriß vor der Arbeit. **Fig. 77** Grundriß nach der Linie A B. **Fig. 78** Aufriß von vorn. **Fig. 79** obere und Seitenansicht der Stange, welche den Reiber führt. **Fig. 80** Wagen des Reibers von der Seite und von oben. **Fig. 81** der Wagen mit dem Reiber verbunden, von oben und von vorn. **Fig. 82** vorderer Bügel von vorn und von der Seite. **Fig. 83** hinterer Bügel von vorn und von der Seite. — Dieselben Buchstaben bedeuten in allen Figuren dieselben Gegenstände.

A das Gestell der Presse. B Träger. C mit Leder überzogener Rahmen, der eine Schraubenvorrichtung zum Spannen des Leders hat. D eine starke, an allen Seiten mit Eisen beschlagene Stange zum Wagen. E Wagen, der an der Stange läuft und am Ende aufgehalten wird. F Reiber. G Riemen für den Reiber. H Drehwalze,

auf welcher sich der Zugriemen G des Reibers F aufrollt.
I Kurbel. J Bügel, welcher die Stange D hält. K hinterer Bügel, in welchem sich die genannte Stange dreht.
L Hebel, der diesen Bügel niederdrückt. M Hebel für
den Bügel J. N, N Schienen mit Löchern, um den Stützpunkt der Hebel zu verändern. O, O andere Schienen,
um die Stärke des Druckes zu regeln. P Tretschemel. Q
Stein.

a Vorsprung des Bügels J. b, b Rollen der Schnur
c für das Gewicht d, um den Tretschemel in der Höhe
zu halten. e Schnur, welche den Rahmen C und die
Stange D verbindet. f Schnur zum Gegengewicht der
Stange D. g, g Friktionsrollen des Wagens E. h, h
Mittelpunkte der Bewegung der Schienen N, N. i Bolzen,
der die Stangen O, O mit dem Tretschemel verbindet.
k, k eiserne Stifte, die auf den Schienen den Grad des
Druckes bestimmen, den man verlangt. l Ringschraube,
an der die Schnur f befestigt ist. m Loch in der Stange
D, in welches der Vorsprung a paßt. n Schraube, welche
die Höhe des Leders über dem Steine bestimmt. o, o
Schrauben zur Spannung des Felles. p Mittelpunkt der
Bewegung des Tretschemels P. q Bolzen, der den Reiber
in dem Wagen E befestigt. r Mittelpunkt der Bewegung
des Rahmens C. s Mittelpunkt der Bewegung der
Stange D. t Sperre, um die Bewegung des Tretschemels
zu hemmen. Unter **Fig.** 79 sieht man den Aufhälter u,
den man in die Löcher der Stange D führt, um den
Lauf des Wagens E aufzuhalten und ihn nach der Länge
des Steines einzurichten. Ein ähnlicher Aufhälter befindet
sich an jeder Seite der Stange. Beide sind mit einer
Stellschraube zum genauen Reguliren versehen.

Was allenfalls an dieser Presse auszusetzen wäre, ist,
daß die Stange sich, wenn sie nicht sehr stark oder sehr
schwer beschlagen ist, werfen oder durchschlagen kann, und
daß alsdann der Druck in der Mitte des Steines, wenn
es sich um große Steine handelt, schwächer ist, als an den
Enden. Ebenso erlaubt die Komplicirtheit des Hebelwerkes kein schnelles Verändern des Druckes, da dasselbe

nicht ganz bequem zu verstellen ist. — Der Zug des Rei=
bers wird etwas schwerer, wenn die Gurtenwalze durch
das Aufwinden an Umfang zunimmt, und endlich ist der
Stein im Steinkasten nur in einigen Punkten unterstützt,
wodurch derselbe, hohlliegend, leicht gebrochen werden kann,
ein Uebelstand, der noch bedenklicher wird, wenn der Stein=
kasten sich etwa, wenn er nicht von Gußeisen ist, werfen
sollte.

Man kann mit dieser Presse beinahe so schnell ar=
beiten, wie mit der Stangenpresse, und zwar mit größerer
Kraft, weil diese Kraft schon durch die gleiche Vertheilung
weit mehr wirken kann, als dies bei der Stangenpresse
möglich ist, daher die größten Platten darauf ebenso gut
abgedruckt werden können, wie die kleinern. Berücksichtigt
man dabei noch, daß sie keines so großen, besonders keines
hohen Raumes bedarf, so könnte sie wohl der Stangen=
presse gar sehr vorzuziehen sein, nur muß sie wegen der
vielen Schrauben, Eisenbeschläge, der Kurbel u. s. w. in
der Herstellung theurer sein.

In Paris ist sie in mehreren lithographischen An=
stalten eingeführt und im Ministerium des Seewesens in so
großem Maßstabe erbaut, daß man Zeichnungen, Pläne rc.
von einem Meter im Quadrat darauf abdruckt.

Wir übergehen hier eine große Anzahl von Einrich=
tungen lithographischer Pressen, da dieselben theils nur zu
kleinern Arbeiten geeignet, theils veraltet und durch bessere
ersetzt sind.

B. Walzenpressen

sind solche, bei denen der Abdruck nicht durch einen Reiber,
wie bei den Reiberpressen, sondern durch eine Walze ge=
schieht, die durch irgend eine mechanische Vorrichtung mit
großer Druckkraft über die Steinplatte rollt, oder wo
zwei Walzen einander korrespondiren, zwischen welchen die
Steinplatte durchgezogen und dadurch der Abdruck be=
wirkt wird.

Eine reine Walzenpresse ist die von Steiner in Wien erfundene, bei welcher die Steinplatte mit dem nöthigen Druckrahmen, der aber hier nicht mit Leder, sondern mit feinem Filz überzogen ist, auf einem starken Tische ruht und beim Drucken eine 20 Centim. Durchmesser haltende, messingene Walze über die Platte gerollt wird. An den Zapfen, mit denen die Walze in Falzen oder Gewinden geht, sind zwei eiserne Stangen angebracht, an welchen, des nöthigen größern Druckes halber, unter dem Tische ein Kasten mit Gewichten hängt. Diese Gewichte kann man vermindern oder vermehren, jenachdem wenig oder viel Druck nöthig ist, und so bis zu einem sehr großen Drucke verstärken, wenn besonders die Tischplatte hoch steht, oder durch irgend eine andere Vorrichtung unter derselben für eine große Menge Gewicht Raum genug da ist. Sie liefert übrigens, aus Gründen, welche wir weiter unten angeben werden, nur dann brauchbare Abdrücke, wenn man viel Ueberlage anwendet, und ist aus eben diesem Grunde für vertiefte Manieren gänzlich unbrauchbar. Es ist überhaupt diese Presse, wegen des großen Zeitverlustes bei der Arbeit und wegen ihrer doch immer noch mangelhaften Resultate, nur noch in wenig Officinen, und dort nur als Rarität zu finden, — im Gebrauche haben wir sie nicht gefunden, da alle andern Pressen bessere Wirkungen geben.

Eine Walzenpresse, dieser sehr ähnlich, ist die von André in Offenbach. Auch bei dieser wird eine Walze über den Stein gerollt, nur ist diese weit schwächer, und ihren großen Druck erhält sie nicht durch Gewichte, sondern durch eine andere ihr korrespondirende Walze unter dem Tische. Jemehr beide Walzen durch Schrauben einander genähert werden, desto größer ist ihr Druck.

Auch eine gewöhnliche Kupferdruckpresse hat uns Senefelder gelehrt, nutzbar für den Steindruck anzuwenden. Die Arbeit daran ist zeitraubend, die Resultate kaum genügend, weshalb wir diese Presse hier nicht näher beschreiben; dagegen müssen wir der Walzenpresse des Trentsensky in Wien erwähnen, welche für ordi-

näre Arbeiten, die keine große Eleganz erfordern, Wein-
und Tabaks-Etiquetten ıc. sehr vortheilhaft ist. Sie gewährt eine ziemlich schnelle Arbeit und erfordert keine große
Anstrengung bei der Bedienung. Ihr Princip ist in einfachen Linien auf **Taf. V** in **Fig. 84** dargestellt.

Auf einem soliden Unterbaue sind drei Eisenbahnen
d, d', d" (siehe den Grundriß über der Hauptfigur) angebracht, auf welchen die Räder b und c des Preßwagens
laufen. Die Eisenbahnen d und d" haben an einem Ende
einen Stoß k und am andern Ende einen Ablauf, welcher
die Walzen auf den Stein f leitet. Auf der Achse des
Preßwagens ruht der Gewichtkasten a, der mit etwa
600 Kilogrm. belastet und mit Handgriffen l versehen ist.
Unter der Achse ist das Gestell für die Walze e, welche
über den Stein rollt und auf welche das Gewicht von a
wirkt, sobald die Räder b an den Bahnen d und d" frei
werden. Die Walze geht zweimal, einmal vor und einmal zurück über den Stein.

Der Deckelrahmen g muß eine eigenthümliche Einrichtung erhalten, damit er der Walze beim Auslaufen kein
Hinderniß in den Weg stelle. Zu dem Zwecke erhalten
die Seitenleisten h (siehe Figur unten) einen dicken Kopf,
unterhalb dessen das Querstück i mit der Spannung für
das Leder dergestalt angebracht wird, daß dessen Oberkante
nicht höher liegt, als die Oberfläche des Leders.

Vorzüglich brauchbar ist diese Presse, sobald man genöthigt ist, auf sehr ordinäres Papier zu drucken, dessen
Knoten und Ungleichheiten den Reiber einer Stangen-
oder anderen Presse sehr bald ruiniren würden.

In die Reihe der reinen Walzenpressen könnte man
ferner auch die zunächst zu beschreibenden Roll- oder
Sternpressen stellen, wenn sie anstatt des Reibers eine
Walze hätten, die ebenso, wie dieser, angebracht wäre.
Dergleichen Pressen können jedoch nie zur Ausführung
kommen, da es selbst bei der größtmöglichen anzuwendenden Sorgfalt im Schleifen der Steine nicht möglich ist,
beide Flächen ganz parallel und eben zu bearbeiten, was
bei einer reinen Walzenpresse durchaus nothwendig ist.

Selbst die Kupferplatten, welche doch selbst auf Walzwerken erzeugt werden, lassen hier oft noch viel zu wünschen übrig, und der Kupferdrucker hat seine Noth damit, durch verschiedene Auflagen ꝛc. immer nachzuhelfen. Der Reiber, bei dem stets dieselben Punkte mit denselben Stellen des Steins wieder in Berührung kommen, und bei welchem überhaupt nur die geringe Fläche des Raums in Betracht zu ziehen ist, fügt sich sehr bald, schon nach den ersten Abdrücken, in die kleinen Ungleichheiten des Steins, was eine Walze nie thut und thun kann, und man erhält auf einer Reiberpresse so untadelhafte Abdrücke, wie sie eine Walzenpresse nie liefern kann.

C. Rollpressen,

oder solche, die Walze und Reiber vereinen, sind Pressen, bei denen der Abdruck zwar durch einen Reiber geschieht, dieser aber nicht über die Steinplatte geführt wird, sondern fest steht und die Platte in und mit dem Druckrahmen durch Walzen, auf denen sie ruht, fortbewegt und unter dem Reiber durchgezogen wird.

Die erste derartige Presse wurde von Professor Mitterer in München konstruirt, und das neue System, welches sich im Steindruck mittelst derselben bildete, hat die vortheilhaftesten Folgen für diese Kunst gehabt.

Diese Mitterer'sche Presse ist eine der ältesten, indem die Erfindung derselben bald auf die der Stangenpresse folgte.

Ihr Prinzip, welches sich gleich von vornherein als das Zweckdienlichste für den Steindruck zeigte, ist auch im Ganzen genommen noch gegenwärtig dasselbe geblieben; nur hat man an den einzelnen Theilen dieser Presse große Verbesserungen angebracht, welche ihre Dauerhaftigkeit und Präcision bedeutend vermehrt haben.

Wir geben hier auf Taf. V in Fig. 85 die erste derartiger Pressen als etwas Geschichtliches in ihrer ursprünglichen Gestalt; dieselbe verräth in allen ihren Theilen, daß sie zu einer Zeit erfunden wurde, wo die Litho-

20*

graphie noch in ihrer Kindheit stand, in ihrer gegenwärtig vervollkommneten Umgestaltung werden wir sie später noch als sogenannte Sternpresse kennen lernen.

A (**Fig. 85**) Gerüst der Presse; B hölzerner Cylinder mit eiserner Achse, bestimmt, den Karren C zu tragen; D Rahmen oder Preßdeckel; E leichter Rahmen, welcher dient, das Blatt Papier, welches man auf das Leder des eigentlichen Rahmens legt, mittelst der auf denselben gespannten Fäden festzuhalten. Diese Vorrichtung ist sehr vortheilhaft, wenn zwei Arbeiter an dieser Presse beschäftigt sind, weil sie dem Gehilfen gestattet, das Papier auf den Rahmen zu legen, während der Drucker den Stein einschwärzt. G Gurt, mit einem Ende an den Karren C befestigt, indem das andere sich auf die an der Welle I befestigte Scheibe H aufrollt.

Diese Welle, welche durch die Querhölzer K, K geht, hat an dem einen Ende den Hebel L.

Ist die Presse für zwei Arbeiter bestimmt, so befindet sich an dem andern Ende ein ähnlicher Hebel. Derselbe muß so eingerichtet sein, daß der Lauf des Karrens in dem Augenblicke endet, wo der Hebel seine vertikale Richtung erhält, die er in keinem Falle sehr überschreiten darf, da sonst die von dem Drucker zu machende Bewegung zu groß und zu ermüdend sein würde. M Schnellbalken, an der Welle N befestigt, die sich in den beiden Säulen O, O herumdreht. Dieser Schnellbalken trägt den Reiber P, und an dem entgegengesetzten Ende befindet sich das Gegengewicht Q, welches dient, ihn emporzuschnellen, wenn er sich selbst überlassen ist. Wenn man den Druck bewirken will, schlägt man den Schnellbalken herunter und dann trifft der Reiber auf den Stein auf. Das äußere Ende R wird von dem Haken S erfaßt, welcher durch ein an dem Hebel T angebrachtes Loch geht und darin durch einen Bolzen befestigt ist. Dieser Hebel T bewegt sich um den Bolzen Y und steht mit dem Fußtritt U vermittelst der Stange W in Verbindung, welche letztere von mehreren Löchern durchbohrt ist, daß man den Druck nach Willkür vermehren oder vermindern kann.

X Gegengewicht, bestimmt den Hebel und den Fußtritt aufzuheben und zu halten, während der Stein eingeschwärzt wird.

Die Walzen= und Rollpressen haben im Allgemeinen,
gegen die Stangenpressen gehalten, den Nachtheil, daß sie
einen größern Zeitaufwand erheischen und deshalb in einem
bestimmten Zeitraume eine geringere Anzahl von Abdrücken
liefern; dagegen aber werden diese Abdrücke bedeutend
besser, als die auf jenen erzeugten, weshalb man die
Stangenpressen bis jetzt nur zu leichteren Druckarbeiten zu
verwenden im Stande war, und sich dabei fast allein auf
Schrift= und Pinselzeichnungen beschränken mußte. Für
den Kreidedruck können die Stangenpressen niemals angewendet werden, da selbst bei der größten Aufmerksamkeit
und unter den vortheilhaftesten Umständen in Bezug auf
die Konstruktion der Presse, immer ein ungleichmäßiger
Druck entstehen muß, der in der Mitte des Steins am
stärksten und an beiden Enden bedeutend schwächer sein
wird. Ebensowenig wird man gute Abdrücke von vertieft
gearbeiteten Steinen erhalten können, da diese Manier
eine stetige, sehr kräftige Pressung erheischt. Es ist deshalb das Bestreben der denkenden Lithographen gewesen,
eine Presse zu bauen, welche für alle Manieren gleich anwendbar wäre, ohne darum bei der einen oder der andern
einen größern Zeitaufwand erforderlich zu machen. Die
im Nachfolgenden beschriebene Presse, eine verbesserte Schnellbalkenpresse (presse à bascule), ist vielleicht diejenige,
die diesen Bedürfnissen am meisten entspricht, und gewährt
außerdem die Vortheile, daß sie, ganz von Eisen erbaut,
eine große Haltbarkeit zeigt, und daß sie, bei ihrer einfachen Konstruktion, auch von minder geübten Arbeitern
verfertigt und von minder geübten Druckern bedient werden kann.

Taf. V, Fig. 86 bis 93 zeigt, die eben erwähnte
Presse in allen ihren Theilen und zwar Fig. 86 die
Seitenansicht, Fig. 87 die vordere Ansicht und Fig. 88
bis 93 die hauptsächlichsten Details derselben. Die Ansichten sind nach dem dabei befindlichen Maßstabe, die

Details nach einem doppelt so großen gezeichnet worden. In allen Figuren bedeuten dieselben Buchstaben dieselben Theile.

Das eigentliche Preßgestell besteht aus zwei Seitenwänden A und A' **Fig. 86** und **87**, von denen jede zwei kurze Pfeiler a, a und einen längern b bildet, welche unten durch das Fundament, welches zugleich eine größere Metallstärke hat, miteinander verbunden werden. Diese beiden Wände werden durch die Riegelbolzen c zusammengehalten und zu einem soliden Ganzen verbunden.

An den obern Theilen der Stützen a sind die beiden Rahmenstücke B **Fig. 86, 87** und **88** mittelst der Schrauben bei d befestigt. Diese Rahmenstücke haben in der Gegend der Stützenköpfe, nach unten hin, einen Vorsprung, um die dritte Schraube aufnehmen zu können. Was die Konstruktion der Rahmenstücke anbelangt, so haben dieselben, außer dem Zwecke der Verbindung, noch den, dem Fundamente des Preßwagens die zu durchlaufende Bahn zu bestimmen und ihn leicht und sicher zwischen Reiber und Walze zu führen. Zu diesem Ende ist der ganzen Länge der Rahmenstücke nach eine Verstärkung angegossen, auf welcher sich der Wagen bewegt, und durch sechs Paar in derselben angebrachte Rollen die Erleichterung dieser Bewegung bezweckt worden. Die Bahn ist da, wo die Walze C gegen dieselbe anstößt, dergestalt ausgeschnitten daß die beiden Enden der Walze gegen die eigentliche Rahmenwand stoßen, welche zugleich hier einen Fortsatz nach unten hin hat, in welchem sich die Lager für die Zapfen der Walze C befinden, welche jedoch noch bis in den Ständer b hineinreichen. Außerdem enthalten diese Rahmenwände noch die Zapfenlager für die Zugwalze D und die beiden Gurtwalzen E und E" und die Rasten g für den Aufhalter oder Fänger F, welcher die Bewegung des Wages abschließt.

Der Wagen selbst, in welchem der zum Drucke bestimmte Stein mit dem Papier 2c. zwischen Walzen und Reiber durchgezogen wird, besteht aus dem Fundamente G und dem Rahmen K, welcher auf seinen vorderen und hinteren Stützen H und J liegt.

Das Fundament G ist eine genau abgeglichene Tafel, welche ringsumher mit einem starken Rahmen eingefaßt ist. Es ist nothwendig, diese Tafel sehr genau abzurichten, da einerseits von ihrer untern Ebene die nothwendige, überall gleichmäßige, Berührung mit der Preßwalze C, also der gleichmäßige Druck, andererseits von der obern Ebene die Dauer des Steines abhängt, da eine hier statt-findende, wenn auch geringe, Erhebung sehr leicht ein Brechen des Steines nach sich ziehen kann. Diese Tafel kann allerdings aus Gußeißen und mit dem Rahmen zu-gleich gegossen, oder durch Schrauben mit demselben ver-bunden sein, doch bietet dann ihre Anfertigung ziemliche Schwierigkeiten dar, wiewohl eine große Dauer erzielt wird. Andererseis kann man aber auch die Tafel aus hartem Holze machen lassen, indem man in einem Rahmen (nach Art der parketirten Fußböden) durch einen Kreuzverband vier Füllungen bildet und so nach der Skizze bei x eine Platte erzeugt, die man nachher auf beiden Seiten parallel abgleicht, durch heiße Oelanstriche und nachherigen Ueber-trag einer guten Oelfarbe gegen die Einwirkung der Feuch-tigkeit sichert und mittelst Schrauben unter dem eisernen Fundamentrahmen G befestigt. Diese hölzernen Funda-mentböden dürften den eisernen vorzuziehen sein, da sie mit dem Vortheile der größern Wohlfeilheit auch noch den verbinden, daß sie eine gewisse Elasticität besitzen, welche auf die Schönheit und Gleichmäßigkeit des Abdruckes von sehr günstigem Einflusse ist, und durch die bei den eisernen Böden anzuwendenden Tuch- und Filzunterlagen nicht so vollkommen erzweckt werden kann. An den Fundament-rahmen befinden sich zugleich vorn und hinten die vier Bügel h, welche dazu bestimmt sind, die Zuggurte i und k aufzunehmen, von denen wir sogleich sprechen werden.

Der Druckrahmen K ist von Schmiedeeisen gefertigt und dient, wie bei den übrigen Pressen, zur Aufnahme des Druckleders. Dasselbe wird an dem hintern Kopf-stücke mittelst einer Schraubenleiste unterhalb befestigt, von der man bei **Fig. 92a** den Durchschnitt im vergrößerten Maßstabe sieht. Diese Leiste hat vier starke Spitzen y, welche gleichmäßig auf ihrer ganzen Länge zwischen den fünf Schrauben f vertheilt sind und in Vertiefungen des Rahmens K eingreifen. Beim Aufziehen des Leders wird die Leiste l abgenommen, das Leder z mit der hintern Rahmenkante bündig gelegt, die Leiste genau wieder auf= gepaßt, daß ihre Spitzen in die Vertiefungen des Rahmens passen, und mittelst der fünf Schrauben fest gegen den Rahmen angezogen. An der vordern Seite wird das Leder mittelst der Spannschrauben m angespannt. Diese Schrauben haben an ihrem hinteren Ende Oesen n, wie bei **Fig. 91** zu ersehen ist, durch welche eine Stange o läuft, um welche das vordere Ende des Leders p umgeschlagen und festgemacht ist. Der Rahmen K ist mit dem Funda= mente G durch die Rahmenstützen J verbunden und ruht vorn auf den Rahmenstützen H. Da, je nach der Dicke der zu verwendenden Steine, der Rahmen K höher oder tiefer liegen muß, um das Leder nicht zu sprengen, so er= halten die Rahmenstützen H und J eine Stellvorrichtung. Die Stützen H, deren zwei vorhanden sind, erblickt man **Fig. 91** in der Border= und Seitenansicht. Sie werden mittelst der Schrauben q auf dem Fundamentrahmen G befestigt und tragen den Schieber r, der sich in einem Schlitze der Stütze auf= und abbewegen und mittelst einer Preßschraube in jeder zu bestimmenden Höhe feststellen läßt. Auf diesen beiden Schiebern r ruht die Borderseite von K. Die hinteren Stützen, deren vier sind, findet man in **Fig. 92** in der Seiten= und obern Ansicht dargestellt. Im Wesentlichen ist ihre Einrichtung mit der eben be= schriebenen bei H übereinstimmend, nur hat der Schieber r eine veränderte, aus der Zeichnung leicht ersichtliche Be= schaffenheit, da er dazu bestimmt ist, zugleich das Gewerbe des Rahmens aufzunehmen und eine konstante Verbindung mit dem Fundament zu bilden. Zu bemerken ist, daß bei den Schiebern der beiden Mittelstützen, welche auf die Länge des hintern Rahmenstückes gleichmäßig vertheilt sind, die Einrichtung in Etwas zu ändern ist, da die Stütze hier nicht zur Seite des Rahmens steht, sondern hinter demselben. Die Abänderung ist aber so einfach, daß wir hier kein Wort darüber zu verlieren brauchen.

An der vordern und hintern Seite des Fundament=rahmens befinden sich, wie schon oben erwähnt, die Gurt=bügel h. In diese Bügel werden die Vordergurte i und die Hintergurte k festgemacht, welche dazu dienen, dem Wagen die vor= und rückgängige Bewegung zu geben. Die Vordergurte i laufen über die Gurtwalze E, unter der Druckwalze C durch, auf die Zugwalze D, wo sie von hinten her aufgeschlagen und befestigt werden; die Hin=tergurte k gehen über die Gurtwalze E' auf die Zugwalze D und werden daselbst von vorn her aufgelegt und be=festigt. Auf diese Weise werden bei der mittelst der Kur=bel L bewirkten Umdrehung der Zugwalze D sich die ver=schiedenen Gurte gleichzeitig auf= und abwinden und die vor= und rückgängige Bewegung des Wagens bewirken. Bei der verschiedenen Länge der Steine muß diese Be=wegung nach hinten hin auch verschiedenartig gehemmt werden. Hierzu dient der Fänger F. Derselbe wird, nach Erforderniß der Umstände, in einen oder den andern der von 10 zu 10 Centim. in den Rahmenstücken B an=gebrachten Rasten g gelegt, und da das Aufhalten oft auf sehr genau bestimmten Punkten stattfinden muß, sind auf der Länge des Fängers drei Schrauben t **Fig. 93** ange=bracht, durch deren Stellung sich der Schlußpunkt des Zuges genau reguliren läßt, da das hintere Rahmenstück des Fundaments G bei Beendigung des Zuges gegen diese Schrauben sich anlehnen wird.

Die **Pressung**, oder der eigentliche Druck wird bei der in Rede stehenden Presse auf folgende Weise bewirkt:

Der Schwungrahmen M ist um eine Welle N beweg=lich, in der Art, daß er nicht allein die Stellung M' **Fig. 86**, sondern auch jede andere beliebige Stellung annehmen kann, in welcher derselbe allemal verharren wird, da das obere Gegengewicht R so abzugleichen ist, daß zwischen den oberhalb der Welle N und den unterhalb derselben ge=legenen Theilen des Schwungrahmens vollständiges Gleichgewicht herrscht. Ihr Zapfenlager findet die Welle N in den beiden Hauptstützen b, doch ist dies Zapfenlager so angeordnet, daß die Zapfen, nach oben hin, noch einen nicht unbedeutenden Spielraum haben. Man bemerkt diese Erweiterung des Zapfenlagers in **Fig. 86,** wo dieselbe punktirt angedeutet ist. Das Hin- und Herwanken der Welle zwischen den Stützen ist durch die Büchsen s, s **Fig. 89** verhindert. Die verlängerten Wellzapfen O, O tragen die Hängschienen P, P, welche bis zum untern Theile des Gestelles reichen und dort den Gewichtkasten Q tragen. Mittelst der nach Belieben zu vermehrenden Last wird mithin die Welle N und durch sie der Schwungrahmen M stets in der möglichst niedrigen Lage gehalten, und zwar dergestalt, daß, wenn kein Hinderniß vorhanden ist, die Welle N in ihren Zapfenlagern bei O ruht.

Den untern Theil des Schwungrahmens bildet der Reiberkasten S. In dessen innerer Höhlung ist mittelst der Schraube u der Block w auf und ab beweglich, wie diese Vorrichtung in **Fig. 90** deutlich dargestellt ist. In den Block w wird der Reiber v, der am besten aus Weißbuchen- oder aus Ahornholz gemacht wird, mittelst einer schwalbenschwanzförmigen Feder und Nuth eingeschoben und kann also hinsichtlich seiner Lage gegen die Oberfläche des Steins in jeder beliebigen Stellung regulirt werden.

Wir wenden uns nun zur Operation der Pressung selbst, welche die Haupteigenthümlichkeit dieser Presse ausmacht.

Sobald der Preßrahmen die Stellung M' annimmt, welche er während der Manipulation des Abdrucks haben soll, wird der Reiber v in v' anlangen. Man sieht aber, daß er alsdann mit seiner untern Schärfe unterhalb der Oberkante des Steins T fallen würde. Deshalb muß sich auf der Bahn v v' ein Punkt finden, wo der Reiber mit seiner Schärfe die Oberfläche des Steins T trifft. Dieser Punkt ist v''. Sobald nach dem vollendeten Einschwärzen des Steins und Zuschlagen des Druckrahmens K, der sich unterdessen gegen den Schwungrahmen M, welcher in die Höhe geschlagen war, so daß der Reiberkasten S

nach oben stand, anlehnte, dieser Schwungrahmen umge-
dreht wird, und der Reiber v in v'' ankommt, setzt der
Drucker seine linke Hand gegen den Reiberkasten, um dessen
Zurückweichen zu hindern, ergreift mit der rechten die
Kurbel L und zieht dieselbe nach sich zu, wodurch der
Wagen sich nach der Richtung der Gurtwalze E' bewegt.
Der Schwungrahmen M setzt nun seine Bewegung nach M'
fort; da aber v'' nun nicht mehr nach v' hinabsteigen,
sondern in horizontaler Richtung sich fortbewegen muß,
so wird, da die Länge v O unveränderlich ist, der Punkt O,
also mit ihm auch die Welle N, die Lage verändern müssen.
Dies geschieht nun natürlich nach oben hin, wo die Oeffnung des Zapfenlagers diese Bewegung gestattet. Die
Welle N also hebt sich, und mit ihr nicht allein der ganze
Schwungrahmen, sondern auch der, mittelst der Hänge-
schienen P, P daran aufgehängte Gewichtskasten Q, und es
ruht nun die ganze zusammengesetzte Last von Welle,
Schwungrahmen, Hängschienen und Gewichten nicht mehr
auf dem Zapfenlager, sondern auf dem Punkte v'' und
folglich auf dem Steine. Indem nun der Schwungrahmen
M die senkrechte Stellung M' eingenommen hat, wird er
durch den Aufhalter, welcher am Hauptgestelle angebracht
ist, verhindert sich durchzuschlagen und steht fest. Dann
dreht der Arbeiter mit beiden Händen die Kurbel L, wobei,
wenn die Steine sehr groß sind, der Aufleger an einer
zweiten am andern Ende der Walze D anzubringenden
Kurbel mitdreht, und der Stein passirt zwischen dem be-
lasteten Reiber und der Druckwalze C durch, bis er von
dem Fänger F aufgehalten wird. Dann ist der Druck
vollendet und der Drucker dreht die Kurbel jetzt in entgegengesetzter Richtung, wodurch der Wagen sich nach der
Gurtwalze E zu bewegen anfängt und den Reiber bis zu
dem Punkte v'' mitnimmt, wo der Druck begann. Hier
endet derselbe auch wieder, die Welle N ist in ihrem ursprünglichen Zapfenlager angelangt, der Schwungrahmen
wird frei und kann durch den Aufleger leicht umgeschlagen
werden, während der Drucker den Wagen bis an den Anfang der Presse vorführt und die eben beschriebene Ope-

ration von Neuem beginnen kann, nachdem der vollendete
Abdruck beseitigt und der Stein neu eingeschwärzt ist.

Eine Presse, welche mit einigen Modifikationen ganz
nach diesem Principe konstruirt wurde, ist die von Schra-
der und Böttger in Nürnberg neu erfundene Schnellpresse. Dieselbe verrichtet das Netzen, Druckgeben und
Durchführen des Blattes selbständig, erfordert aber dennoch
einen Drucker und einen Aufleger. Das System des Ein-
und Ausfahrens und des Druckgebens ist ganz nach Art
der vorbeschriebenen Presse, das Feuchten des Steins erfolgt mechanisch von einem quer über dem Stein liegenden
Troge aus, welcher unterhalb eine mit Schwämmen aus-
gefüllte Oeffnung hat; die vorstehende Schwammlinie bestreicht die ganze Breite des Steins bei seinem Heraus-
gange, beim Durchgange unter der Presse, also nach dem
Einschwärzen wird sie durch ein Hebelwerk soviel gehoben,
daß der Deckrahmen nicht von ihr berührt wird. — Das
Leder ist einerseits am Kasten befestigt und steht andererseits mit Gewichtschnüren in Verbindung, welche es beim
Ausfahren des Kastens vertikal in die Höhe ziehen und
zwar zwischen dem Reiber und dem Troge; beim Ein-
fahren des Kastens wird es durch ersteren mitgenommen.
Das Papier wird auf das Leder gelegt und daselbst durch
Leitbänder festgehalten. Man sieht, daß hier der Deckelrahmen fortfällt, aber wir können kaum glauben, daß wir
es hier mit einer wirklichen Verbesserung zu thun haben,
da häufig Umstände eintreten können, welche einen schiefen
Zug des Leders oder gar Falten in demselben herbeiführen, welche den Abdruck verderben, mindestens Verschiebung verursachen müssen. Alle bisherigen Erfahrungen
haben gezeigt, daß das Deckleder möglichst scharf gespannt
sein muß, um gute Abdrücke zu erhalten und hier ist jede
Spannung desselben aufgehoben. Auch die mechanische
Netzung des Steins scheint uns etwas problematisch, da
jeder Drucker weiß, daß das Feuchten mit Bedacht geschehen muß und selbst auf ein und demselben Stein nicht
immer ganz gleichförmig bei einem Abdrucke so wie beim
andern sein darf.

Eine zweite Presse ist die auf **Taf. V, Fig. 94** in der Seitenansicht und **Fig.** 95 in der vordern Ansicht dargestellte, welche sich nicht allein durch ihre große Einfachheit, sondern auch durch die Güte der Abdrücke auszeichnet, die auf derselben hervorgebracht werden, nur hat sie den Nachtheil, daß die Arbeit auf derselben etwas langsamer geht und sie nicht für vertieft gearbeitete Steine brauchbar ist. Sie ist eigentlich eine Vereinfachung der Schlicht'schen Presse; aber viel kompendiöser, als diese.

Auf einem ganz gewöhnlichen, nur etwas massiv gearbeiteten Tische A, **Fig.** 94 und **95**, sind mittelst starker Schrauben a, a die beiden Ständer B befestigt. Jeder derselben enthält ein Zapfenlager b von Glockengut für die Preßwalze C. Diese Walze ist von Eisen gegossen und ihre Zapfen von Schmiedeeisen mit eingegossen. Die Walze selbst wird genau abgedreht und nachher der Länge nach gerauht oder geriefelt, da sie allein durch ihre Friktion am Fundamente des Wagens denselben unter dem Reiber durchführt. An den verlängerten Zapfen der Walze befindet sich bei kleinen Pressen, an der Seite des Druckers, an größeren aber an beiden Seiten eine Kurbel D, mittelst deren die Druckwalze C in Bewegung gesetzt wird.

Der Wagen dieser Presse besteht aus dem Fundamente E mit dessen Rahmen und Rollen J und aus dem Druckrahmen F mit seinen Stützen G und H.

Das Fundament c des Wagens wird nach Art der parketirten Fußböden in Füllungen und von hartem Holze ebenso bearbeitet, wie wir dies oben bei den hölzernen Fundamenten für die dort beschriebene Presse näher auseinandergesetzt haben und durch Schrauben dauerhaft mit dem Rahmen d verbunden, auch durch Oelfarbenanstrich vor den nachtheiligen Wirkungen der Feuchtigkeit und Säuren gesichert. An der untern Fläche des Fundaments sind die Rollen J, J angebracht und zwar deren vier, zu jeder Seite zwei. Dieselben sind so abgeglichen, daß sie, wenn die untere Fläche des Wagens E auf der Walze C ruht, und der Wagen selbst genau im Gleichgewichte und in der Wage schwebt, von der Fläche des Tisches A etwa

2 Millim. entfernt sind. Bei jeder Bewegung des Wagens wird sich dieser dann entweder auf die vorderen oder hinteren Rollen und auf die Walze stützen, und dadurch beständig mit letzterer in Berührung bleiben, was außerdem sehr schwer zu bezwecken ist. Um jede Verschiebung des Wagens auf der Walze, oder vielmehr dessen schiefen Gang zu verhüten, sind auf der Fläche des Tisches neben den Rollen die Leisten e e angebracht, welche für jene die festen Bahnen bilden.

Auf dem Fundamentrahmen d stehen die Träger G und H für den Druckrahmen F. Die vordern Träger G, deren zwei sind, werden nur durch einfache, sehr tief geschnittene Schrauben gebildet, auf deren etwas vergrößerten Muttern die vordere Seite des Rahmens ruht. Die hintern Träger H, deren fünf auf die ganze Breite des Rahmens vertheilt sind, erscheinen nur insofern von den andern verschieden, daß sie statt einer Mutter, deren zwei f, f haben, zwischen denen die Lappen g des hintern Rahmenstücks, welche das Gewerbe des Rahmens bilden, fest eingeschlossen werden. Es ist leicht einzusehen, daß durch ein passendes Höher- oder Tieferstellen der verschiedenen Muttern der Druckrahmen F immer in der gehörigen Entfernung von der Oberfläche des Steins, je nach der verschiedenen Dicke desselben, gehalten werden kann.

Der Druckrahmen F hat ganz dieselbe Einrichtung wie sie bereits oben beschrieben wurde.

Wir wenden uns jetzt zur Preßvorrichtung. Genau über der Achse der Druckwalze C befindet sich der Rücken des Reibers L, damit die Pressung durchaus senkrecht stattfinde und keine Quetschung entstehen könne. Der Reiber L ist in einer Nuth des Reiberklotzes M mittelst der Stifte h h befestigt, und man kann, je nach der Breite des Steins, längere oder kürzere Reiber einsetzen, da der eigentliche Druck immer von der Mitte ausgeht. Der Reiberklotz bewegt sich mittelst zweier, an demselben befindlichen Federn q, q, in den Nuthen i, i der Ständer B, B bequem, doch nicht schlotternd, auf- und abwärts und diese Bewegung wird mittelst der Preßschraube O bewirkt; in dem Preßbalken Q befindet sich nämlich die metallene Mutter der Schraube O, so daß letztere, sobald die Wrange P gedreht wird, auf- oder absteigt, eine Bewegung, welche durch die Schwunggewichte an den Enden der Wrange beschleunigt wird. Die Verbindung zwischen der Schraube und dem Reiberkloße M geht aus **Fig. 95** hervor. l ist die eiserne Unterplatte, welche durch Schrauben an dem Reiberkloße befestigt ist. Die Oberplatte n besteht aus zwei Theilen und umfaßt den Hals p der Schraube O dergestalt, daß diese sich allerdings frei umdrehen, aber bei jeder Bewegung, da die Oberplatte n mit der Unter=platte l durch vier Schrauben o, o verbunden ist, den Reiberkloß mit fortführen muß; m ist eine Filzplatte, die dann und wann angebracht wird, um einen mehr elastischen Druck zu erlangen.

Die Operation an dieser Presse bedarf keiner weitern Erklärung, sie ist so einfach, als die Presse selbst.

Unter den zahllosen Verbesserungen, welche die Pressen in der neueren Zeit erfahren haben, dürfen wir diejenigen nicht unerwähnt lassen, welche Engelmann und Grimpé in Paris an ihren Pressen angebracht haben, und deren Beschreibung wir aus der von Kretschmar und Papst veranstalteten Uebersetzung des Engelmann'schen Werkes über den Steindruck entlehnen. **Taf. VI und VII, Fig. 96 bis 100. Fig. 96** stellt die perspektivische Ansicht der Presse, **Fig. 97** deren hintere Ansicht, **Fig. 98** deren Durchschnitt nach A B **Fig. 97, Fig. 99** spätere Ver=besserung der Presse und **Fig. 100** den Reiber allein dar.

A A ist ein eisernes Gerüst, das durch die Bolzen B, C, D und den Querbalken E verbunden ist. Der letzte hat in der Mitte einen Bauch F, welcher der zur Regu=lirung des Druckes bestimmten Schraube G zur Mutter dient. An ihrem oberen Ende hat diese die Kurbel H, und der untere Theil endet in einen runden Knopf, der in der Nuß I eingeschlossen ist, welche einen Theil des Reiberhalters K ausmacht. Diese Vorrichtung dient zu=gleich, um den Reiberträger zu halten und ihm eine schau=telnde Bewegung um seinen Mittelpunkt, ähnlich der eines

Wagebalkens um seine Achse, zu gestatten. Seine beiden äußern Enden L L sind gerundet und bewegen sich an länglichen, in dem Gestelle A angebrachten Oeffnungen. M (**Fig. 100**) Reiber aus vier Stahlklingen, welche eine die andere immer um eine Linie überragen. Sie sind mittelst zweier Stifte N, N befestigt. Die untere Klinge, welche allein die Platte berührt, muß vollkommen abgerichtet und die Schneide so stark abgerundet sein, als ihre Dicke erlaubt, damit sie das Leder nicht durchschneide. Um die Reibung sanfter zu machen, bringt man einen Lederstreifen O darunter an. Solche Reiber muß man mehre haben, deren Größe sich nach den oft vorkommenden Formaten richtet.

Der Reiber wird zwischen dem Reiberhalter und einer eisernen Schiene P, welche mittelst vier Schrauben Q, Q, Q, Q angeschlossen ist, festgehalten. Die Reiber haben die Ausschnitte R, R, welche in diese Schrauben fassen, so daß man letztere nur ein wenig aufzudrehen braucht, um die Reiber auswechseln zu können.

S, Karren, dessen Boden aus sechs hölzernen Brettchen besteht, welche vollkommen parallel zugerichtet und von gleicher Stärke sein müssen. Sie sind durch Schrauben mit den eisernen Querschienen T, T verbunden. Wir halten diese Einrichtung für besser, als einen Boden aus einem einzigen Stück, welcher sich bei großer Sorgfalt immer noch werfen wird, während, wenn auch eins dieser Brettchen sich würfe, der dadurch hervorgebrachte Widerstand immer noch nicht stark genug sein wird, um den Bruch des Stein zu veranlassen. Die Seitenwände des Karrens bestehen aus gegossenen Schienen U, U, mit Ausschnitten, welche die Quertheile V, V, aufnehmen, die bestimmt sind, den Stein festzuhalten. Der vordere hat zwei Schrauben W, W, welche dienen, den Stein in der richtigen Lage zu halten. An dem hintern Ende des Karrens befinden sich zwei Haken X, X, die eine, in dem Saum des Leders Z angebrachte Stange fassen. Dieses Leder rollt sich über den Cylinder Y, vermöge des Gewichts a, welches an einer Schnur hängt, die über die Rollen b, b

geführt ift und fich dann auf die Rolle c windet, welche
an der Verlängerung des Zapfens der Walze Y fich befindet. Diefes Gewicht hat nicht allein den Zweck, das
Leder aufzurollen und ftraff zu halten, fondern auch den
Karren, nachdem er an das Ende feines Laufes gelangt
ift, und nachdem der Druck aufgehört hat, an feinen Platz
zurückzuführen. 18, kleiner Cylinder, deffen Stützen an
der Schiene P, P befeftigt find. Er ift etwa 12 Millim.
über der Oberfläche des Steins angebracht, und beftimmt,
dem Leder, ehe es mit dem Stein in Berührung kommt,
eine beinahe horizontale Lage zu geben. Diefe Vorrichtung ift nöthig, um zu verhindern, daß das Leder und
folglich auch die Abdrücke, Falten bekommen. d, eifernes
Lineal mit dem Riegel e, der fich in einem in diefem
Lineal angebrachten Schlitze bewegt, und den man mittelft
der Schraube f feftftellt. Diefer Riegel ift beftimmt, den
Karren, aufzuhalten, wenn man ihn unter den Reiber an den
Ort ftößt, wo der Druck beginnen foll. Das Linial d ftützt
fich auf die Walze g und hebt fich mit diefer, wenn man
den Druck beginnt, fo daß es den Karren paffiren läßt.

g, gegoffener Cylinder, welcher den Karren während
des Druckes ftützt. Seine Fläche ift, der Länge nach, leicht
gefurcht, um ihn rauh zu machen, wodurch er, wenn man
ihn dreht, den Karren herbeizieht. Er wird durch den
Hebel h gehalten, welcher fich um den Bolzen i dreht und
fich bei k in eine Vorrichtung endet, welche die Stange l
trägt. Diefe Stange ift an das untere Ende des Theils
m befeftigt, welcher fich um den Bolzen n dreht. Das
obere Ende diefes Theils trägt die Stange o, die an das
Pedal p befeftigt ift. Dies zufammengenommen bildet
ein Hebelfyftem mit drehender Bewegung, welche die Kraft
des Druckes bedeutend vermehrt und zwar in dem Augenblicke, wo diefer fein Ziel erreicht. q, Gegengewicht, an
dem Theile m befeftigt und beftimmt, das Pedal und das
Ende des Hebels h emporzuheben. r, Bügel, durch Bolzen
s, s an die Hauptwände befeftigt. Er hat an feinem
oberen Theil einen Vorfprung t, welcher in die Scheibe u
eingreift.

Weishaupt, Steindruck. 21

Wenn man das Pedal niedertritt, wird der Bügel durch die beiden an dem Bolzen n befestigten Federn v, v vorwärts gestoßen. Das obere Ende dieses Bügels ist nach vorn hin gekrümmt und hat ein Sperrrad w, auf welches sich der an dem Karren an der Stelle y angebrachte Riemen x aufrollt. Diesen Riemen wickelt man so, daß er nur lang genug bleibt, um sich in dem Augenblicke anzuspannen, wo der Karren an das Ende seines Laufes gelangt, und daß er dann, durch das Rückwärtsziehen des Bügels, den Vorsprung t von seiner Stütze a herabbringe und somit der Vorrichtung k erlaube, aufzusteigen, wodurch die Walze g sich senkt und der Druck aufhört.

z, z, z, z sind Rollen, auf welchen die zwei Seitenleisten U, U, laufen die den Karren tragen. Da derselbe auf diesen Rollen beweglich sein würde, um dem Drucker zu erlauben, den Stein gehörig einzuschwärzen, wird er während dieser Operation durch die Klammer 1 festgehalten. An der Verlängerung der Achse der Walze g ist ein Sternrad 2 mit 22 Zähnen angebracht, welches in ein Getriebe von 12 Stecken eingreift. Dieses letzte bildet einen Theil des hohlen Cylinders 4, der sich um die Welle 5. dreht und den gegossen Drehstern 6 hält.

7 und 8, Tafeln zum Auflegen des Papiers, der Abdrücke und der Makulatur bestimmt. 9, Zähler, welcher durch die Stange 10 mit dem Lineale d in Verbindung steht. Auf dieser Stange befindet sich der Haken 11, welcher, so oft sich das Lineal hebt und senkt, das Rad 12 um einen Zahn weiter bewegt. Dieses Rad hat 50 Zähne, und ein an seiner Achse befestigter Zeiger 13 deutet auf einem, dem Drucker gegenüber angebrachten, Zifferblatte die Zahl der gemachten Abzüge an. Wenn der Zeiger an die Zahl 50 kommt, stößt ein an der Peripherie des Rades angebrachter Stift 14 an den Hammer 15 und läßt diesen einen Schlag auf die Glocke 16 thun, um den Drucker aufmerksam zu machen. Dieser legt dann die gemachten 50 Abdrücke bei Seite, und er braucht am Ende des Tagewerkes nur die Paquete zu zählen, welche

er kreuzweis aufeinander gelegt hat, um die genaue An=
zahl der gemachten Abzüge zu wissen.

17, Lampenträger. Da diese Presse keinen Rahmen
hat, so kann die Lampe, ganz nahe an den Stein gebracht
werden, ohne der Bewegung desselben hinderlich zu sein
und ohne ausgeblasen zu werden, wie dies bei gewöhnlichen
Lampen durch die Bewegung des Rahmens geschieht. Eine
kleine Lampe wird daher diese Presse mehr erleuchten, als
eine große eine Rahmenpresse, weil man sie bei dieser nur
in großer Entfernung aufstellen kann. 19, Kapsel für
den Schwamm zur Befeuchtung. 20, ein Gefäß mit
Wasser. 21, die Oelflasche. 22, andere Gegenstände,
welche der Drucker bei der Hand haben muß.

Zum Drucke legt der Drucker den Stein in den
Karren und befestigt ihn mittelst der Quertheile V, V und
durch Anziehen der Schrauben W, W. Damit der Stein
nicht beschädigt werde, thut man gut, hier einen kleinen
hölzernen Klotz vorzulegen. Dann hebt der Arbeiter die
Stange aus den Haken X, X, und das äußere Ende des
Leders, welches dadurch frei gelassen wird, steigt vermöge
des Gewichts a empor. Der Arbeiter stößt den Karren
unter den Reiber bis an den Punkt, wo der Druck be=
ginnen soll, und stellt den Riegel e. Indem er sodann
das Pedal ein wenig niederdrückt, hebt er diesen Riegel
und stößt den Karren weiter, bis an den Punkt, wo der
Druck aufhören soll. Hierauf dreht er das Sperrrad w,
um den Gurt x anzuspannen, welcher den Vorfall oder
Ausheber beseitigt, wenn der Karren an das Ende seines
Laufes gelangt ist. Sodann führt er den Karren an
seine Stelle zurück und bringt die Stange wieder in die
Haken X, X. Wenn dies geschehen ist, nimmt er das Ein=
schwärzen vor, legt Papier und Makulatur auf, hebt die
Schiene 1 aus, stößt den Karren so weit vor, bis er durch
den Riegel 2 gehalten wird und tritt auf das Pedal.
Dieses drückt das Ende k des Hebels h nieder, und
dieser, der sich um die Achse i dreht, hebt die Walze g
und mit dieser den Karren und den Stein empor, welcher
letztere dadurch scharf an den Reiber gedrückt wird. Der

Arbeiter setzt nun mittelst des Drehsternes die Walze g in Bewegung, und diese nimmt den Karren bis zur Stelle mit, wo er an der Grenze seines Laufs angelangt, den Ausheber wegdrückt, welcher den Hebel zurückhielt. Jetzt senkt sich die Walze g, der Karren wird frei und das Leder zieht, mittelst des Gewichts a, denselben an seine frühere Stelle, zurück, wo die Schiene 1 ihn festhält.

Diese Presse gewährt eine nicht unbedeutende Zeit- und Raumersparniß und liefert sehr gute Abdrücke. Da indessen der Erfinder selbst bemerkte, daß nicht allein der Gegendruck des Aushebers und der beim Ausheben statt- findende Schlag unangenehm, sondern daß auch der Druck nicht elastisch genug war, indem letztere Eigenschaft vom Reiber nur mangelhaft erreicht wurde, und daß endlich bei nur einigermaßen ungleichen Steinen die Abdrücke mangelhaft wurden, brachte er folgende Verbesserungen (**Fig. 99** zeigt den veränderten Theil der Presse) an der- selben an.

Es wurde der Bügel r und alles was auf denselben und auf den Ausheber Bezug hat, beseitigt. Das Pedal wurde auf die Seite der Presse bei 23 gesetzt und be- wegt sich um den Bolzen 24. 25 ist ein Zapfen, um welchen der eiserne Hebel 26 sich dreht, der mittelst der Hakenstange 27 mit dem Pedal in Verbindung steht. l, Stange, am Ende des Hebels h angebracht. Sie ist an der Stelle 28 gekrümmt und durch den Bolzen 29 an den Hebel 26 befestigt. 30, Gegengewicht, an einer Stange angebracht, welche die Verlängerung des Hebels h bildet und das zum Emporheben des Hebels 26 und mit diesem des Pedals 23 dient. Um den Gang des Karrens auf- zuhalten, wurde der Riegel 31 angebracht, den man auf der Leiste U aufrichtet und durch die Schraube 32 be- festigt. Die Schraube 33 trifft an der Stelle 34 an die Wand des Gestelles A und hält den Lauf des Karrens auf.

Durch diese Abänderung hat die Presse an Einfach- heit und Leichtigkeit bei der Regulirung gewonnen. Der Schlag, welchen der Ausheber gab, ist beseitigt und durch die Bewegung des Hebels 26 und des Pedals 23 hat die Preſſung hinreichende Elaſticität erlangt, um ſelbſt etwas ungleiche Steine abdrucken zu können.

Die Preſſen haben im Einzelnen noch verſchiedene mehr oder weniger zweckmäßige Einrichtungen und Veränderungen erfahren: ſo hat man, z. B. den Druckrahmen mit der Steinplatte, anſtatt durch Walzen, durch ein Getriebe mit Kammrädern und Kurbel auf eine ſehr leichte Weiſe in Bewegung geſetzt, und dieſe Einrichtung ſcheint, obgleich die Arbeit, dem mechaniſchen Geſetze zufolge, daß, wenn man durch mechaniſche Potenzen eine Kraftvermehrung erzeugt, man einen Verluſt an der Schnelligkeit erleidet, auch hier durch die Räderbewegung verzögert wird, von großen Vortheilen zu ſein, allein die erſte Preſſe dieſer Art hatte irgend einen mechaniſchen Fehler, wodurch ſie keine reinen Abdrücke lieferte und ſo ward ſie vor der Hand bei Seite geſetzt.

Eine Preſſe, welche ebenfalls in die Klaſſe der Rollpreſſen gehört, iſt diejenige, auf welche ſich Ignaz Wiedermann ein Patent geben ließ, das indeſſen bereits längere Zeit erloſchen iſt. Für die verſchiedenen Zweige der Arbeiten ſind auch zwei verſchiedenen Preſſen konſtruirt und zwar eine Kunſtpreſſe, für Kreide und feinere Feder- und Gravirarbeiten und eine Schnellpreſſe für gewöhnlichere Schriftarbeiten.

Das Neue und Eigenthümliche dieſer Preſſe beſteht in einem kombinirten Reiber mit einem Wagen und Walzen und in dem, nach Erfordern mit Federn, Hebeln und Gewichten herzuſtellenden Druck. Die Bewegung kann durch Kurbeln oder den Stern bewirkt werden.

Der einfache Bau dieſer Preſſen, ihre leichte und ſichere Bewegung, der gleichförmige Druck, die Bequemlichkeit beim Einſchwärzen und Durchziehen des Steins, die Schnelligkeit der Arbeit, der kleine Raum, den ſie einnehmen und dennoch freien Raum zur Aufbewahrung von Utenſilien gewähren, die ſichere Lage des Steins, die bequeme Manipulation und die Möglichkeit eines leichten Transports der Preſſe ſind Vorzüge, welche an der Preſſe gerühmt werden.

Wenden wir uns zuerst zur **Kunstpresse**, **Taf. VI**
u. **VII**, **Fig.** 101 bis 104, so stellt **Fig.** 101 die Seitenansicht, **Fig.** 102 die hintere Ansicht, **Fig.** 103 aber den
halben horizontalen Durchschnitt dar. a' a' zeigt den
Wagen im Stande der Ruhe, a'' a'' den Durchschnitt
desselben, wenn der Wagen über dem Steine steht. b, b
sind die Walzen, c der Reiberklotz, d die Zahnstange, in
welche ein Getriebe a greift, mittelst dessen Umdrehung der
Wagen fortbewegt und der Reiber über den Stein gezogen wird. f sind Stellschrauben an jeder Seite,
um den Druck der Feder zu reguliren und zugleich die
Stellung für die verschiedenen Steindicken zu bestimmen.
g ist die Auslösung des Getriebes aus der Zahnstange,
h sind Stahlfedern nach dem Systeme der Druckfedern
eingerichtet (s. **Fig.** 104) und man kann deren mehr oder
weniger und schwächere oder stärkere, je nachdem man den
Druck haben will, statt der Hebel oder Gewichte anwenden.
i ist das Gestell der Presse, k eine Schublade in demselben, um deren leeren Raum zu benutzen. l zeigt den
Stein, m den liegenden, n den stehenden Rahmen, letzteres,
wenn man den Stein einschwärzen will. o ist die Form
der Steinunterlage. p die Kurbel am Getriebe, statt
deren man auch Hebel oder einen Stern anbringen kann.
q ist ein Stellkeil zum Spannen oder Nachlassen der Federn. Er wirkt mit der Schraube f gemeinschaftlich. Der
Reiberklotz steht, wenn die Presse im Stande der Ruhe
ist, schief gegen die Längenachse des Steins. Letzterer
liegt auf seinem Bette fest und wird daselbst eingeschwärzt,
das Papier aufgelegt, der Rahmen zugeklappt, und unterdessen steht der gesammte Preßapparat an der rechten Seite,
wie dies die Zeichnung zeigt. Ist der Stein druckfertig
gemacht, so fährt man mittelst des Getriebes e den Wagen,
mit liegendem Reiber, bis zu dem Punkte, wo der Druck
beginnen soll, also ganz über die Zeichnung hin. Dann
richtet man den Reiber auf und er wird sich, wie bei der
Presse à bascule senkrecht stellen, sobald man anfängt, den
Wagen wieder nach seiner ersten Stelle zurückzuführen,
und damit beginnt die Wirkung der Druckfedern und hält

so lange an, bis man über die ganze Zeichnung hingefahren ist. Bei einer kleinen Rückwärtsbewegung des Wagens legt sich der Reiberklotz wieder um, und man kann nun den Wagen vollends an seine erste Stelle zurückfahren und den Rahmen öffnen, um den Druck abzunehmen und den Stein wieder zu schwärzen 2c.

Die sogenannte Schnellpresse für tabellarische oder solche Gegenstände, die einen minder starken und sorgfältigen Druck erheischen, ist **Fig.** 105 in der Seitenansicht und **Fig.** 106 in der hintern Ansicht auf **Taf. VI** dargestellt. Im Allgemeinen gleicht diese Presse der früher beschriebenen, doch ist sie bedeutend einfacher, indem die Zahnstange mit dem Getriebe fehlt und die Bewegung des Reiberwagens durch den Doppelhebel d mit der Zugstange e bewirkt wird. Ebenso zeigt sich der Deckrahmen n hier an der andern Seite des Steines, der Papierrahmen g mit den Leitbändern ist hier aufgeschlagen gezeichnet und in f ist eine sehr einfache und bequem stellbare Punkturvorrichtung angegeben, die in der Genauigkeit für die auf solchen Pressen zu druckenden Gegenstände vollständig genügt. Allem Anscheine nach ist übrigens die Lage der Zugstange e keine zweckmäßige, sondern letztere muß jedenfalls viel tiefer liegen, etwa so, daß die Zugstange zwar parallel mit der hier gezeichneten Richtung, aber ohngefähr in der Gegend der Achsen der Walzen an den Wagen und also auch viel tiefer an den Hebel d trifft. Dadurch wird die schiefe Richtung des Zuges, die bei der hier gezeichneten Lage stattfindet, vermieden und die Arbeit selbst, in Folge eines richtigeren Verhältnisses der Hebelarme, erleichtert.

D. Schnellpressen.

Wir gehen jetzt zu einer Haupterfindung über, mit welcher die neuere Zeit die Lithographie beschenkt hat, nämlich zu Smart's Schnellpresse, deren Haupteigenthümlichkeit darin besteht, daß alle Arbeiten in dem Abdrucke, mit Ausnahme des Auflegens und Abnehmens des Papiers, wozu ein Arbeiter erforderlich ist, durch die Maschine selbst mittelst einer Anzahl von Bewegungen bewirkt werden, welche aus der ersten Bewegung der Maschine resultiren, die derselben durch irgend einen Motor, sei es Dampf oder ein Schwungrad, oder eine andere Potenz gegeben wird. Dadurch wird nicht allein Hand= arbeit erspart, sondern die Presse leistet auch vielmehr und ebenso gute Arbeit, als die gewöhnliche Handpresse.

Taf. **VII** u. **VIII**, **Fig. 107—114**. **Fig. 107** ist die rechte Seitenansicht der Presse, **Fig. 108** ein verti= kaler Längendurchschnitt, Taf. **VII**, **Fig. 109** ist ein ver= tikaler Durchschnitt der Druckwalze M in **Fig. 108** mit ihren anliegenden Theilen, **Fig. 110** eine Hinteransicht der Maschine, **Fig. 111** die obere Ansicht derselben, oder vielmehr ein horizontaler Durchschnitt in der Höhe des Punktes y in **Fig. 107**. Gleiche Theile haben in allen Figuren dieselbe Bezeichnung.

A A¹ ist das Gestell der Maschine, S¹ der Stein, welcher nach der gewöhnlichen Art auf der Unterlage S² befestigt wird. Diese Unterlage ist ihrerseits wieder auf einem Fundamente W befestigt, das, aus Holz gefertigt, in dem gußeisernen Laufrahmen Y angebracht ist, in dessen Mitte unterhalb die Zahnstange R sich befindet. A² ist ein zweites Gestell, welches, auf A¹ gestellt, den Schwärz= und Feuchteapparat enthält, während diesem gegenüber auf der andern Seite des Steins ein Gestell sich befindet, das für die Aufnahme des Druckleders und des Reibers vorgerichtet ist. Behufs der Arbeit wird der Stein auf den Laufrahmen Y befestigt und zuerst nach der rechten Seite geführt, wo er gefeuchtet und geschwärzt wird; darauf bewegt er sich bis zur Mitte, wo das Papier aufgelegt wird, und endlich geht er zur linken Seite unter dem Reiber durch und wieder zurück nach der Mitte, wo der Druck abgenommen wird. Die einzelnen Bewegungen der Maschine sind so abgeglichen, daß zu dem gehörigen Zeit= punkte die nöthigen Pausen in denselben eintreten, um die erforderliche Handarbeit zu vollbringen.

A ist die Hauptwelle und wird durch Dampf oder auch durch animalische Kraft getrieben und von ihr aus geht die Bewegung auf alle Theile der Maschine über. An den beiden Enden dieser Welle sind Getriebe aufge= zogen, deren eines in das Rad B greift, welches seiner= seits wieder das an der Welle M befindliche Rad C be= wegt, wo dann die Bewegung auf ein größeres Rad D übertragen wird, welches das Rad E bewegt, an dem endlich das Getriebe F und das Hauptrad H^2 in Umlauf gesetzt werden, von denen letzteres in die Zahnstange des Laufrahmens Y greift. Von der Welle des Rades E wird auch mittelst der Riemen i^1 und i^2 dem Rade i^3 des Schwärzapparates, wie wir dies weiter unten näher beschreiben werden, die Bewegung mitgetheilt. — Das andere Getriebe an der Hauptwelle, nämlich A^2, treibt ein Rad B^2 (**Fig.** 108 und 109), welches in ein Rad C greift, das an der Achse der Druckwalze M aufgezogen ist, zwischen welcher und dem Reiber hindurch der Stein gezogen wird und die nöthige Pressung erhält, während die Walze sich in der, durch den Pfeil angedeuteten Rich= tung dreht. Das Getriebe F, welches seine Bewegung durch das Rad E erhält, ist auf eine Spindel gezogen, welche in die Schiene a im Gabelstück a″ eingefügt ist, dessen Schaft mit seinem innern Ende in einem gefurch= ten Führungsstücke G ruht und in Getriebe G^1 führt, das in das Rad G^2 greift, welches mit dem Hauptrade H″ gemeinschaftlich auf die Welle I gezogen ist. Das Rad H″ läuft dergestalt lose auf seiner Welle, daß es in oder außer Eingriff gesetzt werden kann, wenn es nöthig ist. Dies geschieht durch vier vorragende Zapfen p, welche in gleichen Entfernungen an der Seite des Radkranzes angebracht sind und bei jedem Viertel des Umlaufs in die Löcher q des Ringes K^1 greifen, welcher an der Welle I festgekeilt ist und so bei dem Rade H″ die Stelle des sogenannten Mitnehmers versieht. Der Ring K^1 hat eine Feder, mittelst welcher er auf den Schaft I festgestellt oder ausgerückt werden kann, und diese Feder greift mit ihrem äußern Ende in die Flansche k″. J ist ein Hebel, welcher sich um den Stützpunkt k''' dreht und mittelst einer Gabel und Federschluß in die Flansche k'' greift, zugleich aber auch durch ein Kammrad I, welches von dem Getriebe H seine Umdrehung erhält, gesenkt durch das Gewicht J' aber stets angedrückt wird. Das Getriebe I' sitzt auf der Welle H der Räder C und D. Wenn die Feder des Ringes k' vom Schaft lose ist, so wird I durch das Steigen des Hebels J, indem zugleich der Federschluß der Gabel des Hebels frei wird, ebenfalls lose, zieht den Ring K auswärts von dem Rade H'' ab und läßt ihm die Freiheit, die Zahnstange R des Laufrahmens Y zu bewegen. Wenn aber der Hebel J' sich senkt, so wird die Feder des Ringes K^1 an den Schaft I gedrückt, der Federschluß wirkt in entgegengesetzter Art auf den Ring k', indem er ihn einwärts nach dem Rade H'' drückt und die Nasen p p in die Gruben q q drückt, und somit Ring und Rad verbindet.

An der Welle H des Kammrades I ist an einem Ende das Winkelrad b' aufgezogen, welches in ein anderes Winkelrad b'' greift, dessen Welle in der Richtung der Länge gegen das andere Ende der Maschine geht, und dort abermals ein Winkelrad d trägt, das in ein zweites Winkelrad d'' greift, welches sich an der Querwelle e befindet, an deren beiden Enden sich zwei Hebescheiben c, c befinden, mittelst deren zwei senkrechte Hebel e' e'', auf welchen der Feuchtapparat B ruht, abwechselnd gehoben und gesenkt werden.

Der Apparat ruht, wie früher erwähnt wurde, auf einem zweiten Rahmen A''. i^3 ist eine Trommel mit Laufrolle an der Seite, welche durch den Treibriemen i^2 und die Rolle i^1 von der Welle des Rades E ihre Bewegung erhalten. 1 ist die Aufnehmewalze, 2, 3 und 4 sind die Vertheilungswalzen, 5, 6 und 7 die Schwärzwalzen, 1a, 2a, 3a und 4a aber die kleinen Vertheilungswalzen. Die Hauptwalze 1 ist mit der Trommel i dergestalt verbunden, daß sie von derselben in Umdrehung versetzt wird, indem die Trommel schraubenförmig gerieft ist, und ihre Farbe auf die, rechtwinklig auf ihre Achse gerich-

teten erſten Vertheilungswalzen abgiebt. Die großen Schwärzwalzen 5, 6 und 7 werden durch Druckfedern ſtets mit
der Vertheilungswalze in Berührung gehalten. Die Walzen 3 und 6 werden von den Walzen 4 und 7 durch
Vermittelung von 3a und die Walzen 2 und 5 von 3
und 6 durch Vermittelung von 2a geſpeiſt. Die ganze
Verbindung geht darauf hinaus, daß die Walze 5 als
letzte geſpeiſt wird, um als die Klärwalze von 3 zu dienen.
g, g ſind Friktionsrollen für die Bogenſtützen f, f. W T iſt
der Waſſertrog, der an der Maſchine ſteht, und t′ iſt
eine von den Röhren, deren eine ganze Reihe dicht aneinander die Länge des Troges ausfüllen. Dieſe Röhren
reichen bis über den Waſſerſpiegel des Troges und ſind
oben und unten offen und mit feinem Docht ausgefüllt,
deſſen Enden oben bis tief in das Waſſer überhängen
und dort mittelſt der Kapillarattraktion das Waſſer auf-
ſaugen und abwärts in die Schwammbüchſe S B führen,
welche unten offen iſt und hier eine lange freie Schwamm-
reihe darbietet. Wenn nun der Stein zu dem Schwärz-
apparate geführt werden ſoll, ſo geht er in unmittelbarer
Berührung mit den Schwämmen unter dieſen durch und
wird dabei gereinigt und gefeuchtet, bei der Rückkehr aber
wird der Feuchtapparat durch die Hebeſcheiben c, c gehoben
und läßt den Stein frei durchgehen. Die Hauptwalze 1
und die Vertheilungswalzen 2, 3 und 4 ſind von Guttapercha oder vulkaniſirtem Kautſchuk (wie dies in **Fig.** 112
dargeſtellt iſt) gemacht. m iſt die Achſe, welche einen
Kanal s hat, der durch das eine Ende geht, wo er den
Hahn n hat. o, o ſind zwei Holzſcheiben, welche nahe an
den Enden auf die Achſe geſchraubt ſind; p aber iſt ein
nahtloſer Ueberzug von Guttapercha oder vulkaniſirtem
Kautſchuk, welcher auf die Scheiben mittelſt der Ringe q
und der Nägel r befeſtigt iſt. Dadurch entſteht eine hohle,
geſchloſſene Walze, welche mit kaltem Waſſer durch den
Hahn gefüllt und dadurch beſtändig geſpannt und kühl gehalten wird. Man kann auch Walzen von Meſſingblech
nehmen (ſ. **Fig.** 113), muß ihnen dann aber ebenfalls

die Kühlvorrichtung geben und sie mit einer Kautschuk- oder Guttaperchaschicht überziehen.

Das Leder und der Reiber und die übrigen damit verbundenen Theile des Druckapparates zeigen sich am deutlichsten in den **Fig. 108, 109** und **110.** A³ ist der Nebenrahmen, der auf dem Hauptgestell A¹ steht, a² ist die Stellschraube, welche durch den gußeisernen Querbalken b² geht und etwas beweglich auf dem Reiberkasten c² befestigt ist, welcher den Reiber o enthält und sich in Falzen in den Seitenständern des Druckgestelles auf- und abbewegt, so daß die Stellung durch die Schraube a² nach der Dicke des Steins und dem erforderlichen Drucke genau regulirt werden kann. h² ist das Leder, welches mit dem einen Ende an dem Stabe g² befestigt und mit dem andern auf die Trommel d² gerollt ist. f, f sind Halter, welche am Ende des Laufrahmens ausgehen und dem Stabe g zur Befestigung dienen, der durch die Lenker i², i² an seiner Stelle gehalten wird. e², e² sind Rollen am Ende der Ledertrommel und z, z sind Schnüre, welche von den Rollen e², e² über andere Rollen e³, e³ gehen und mittelst derselben die Gewichte J² in der Schwebe erhalten. Wenn der Stab g durch den Laufrahmen Y fortgeschoben wird, windet sich das Leder von der Trommel d² ab, während die Seile z, z, durch die Gewichte J³ gespannt, sich auf die Rollen e², e² aufwinden und dabei das Leder straff halten; ist aber der Zug des Rahmens vollendet, so findet die entgegengesetzte Bewegung statt, indem die Gewichte J² bei ihrem Absteigen die Lenker f, f des Stabes g frei machen und der Laufrahmen für sich nach der Mitte des Gestelles zurückgeht. M ist die Druckwalze, welche in Gemeinschaft mit dem Reiber o den Abdruck bewerkstelligt. H (**Fig. 110**) ist die Welle der Räder C und D² und nimmt nur gelegentlich an deren Umlauf statt. F, F sind zwei Hebescheiben, welche an den Enden dieser Wellen befindlich sind und auf denen die Stützpfosten der Druckwalze ruhen. Die Vorragungen dieser Hebescheiben wirken gegen stählerne Friktionsrollen D, D, die sich an einem

Blocke von Gußeisen B B befinden, der bronzene Träger G, G hat.

Anstatt des Leders kann man auch die in **Fig. 114** dargestellte Vorrichtung anwenden. O ist eine Walze von Guttapercha oder vulkanisirtem Kautschuk, genau wie die früher beschriebene Schwärzwalze gemacht, und dreht sich in Lagern, die sich in den Schiebern g¹ befinden, welche mit dem untern Ende der Schraubenspindel a² in Verbindung stehen. Dadurch, daß Wasser oder Luft unter einem großen Druck in diese Trommel gebracht wird, erhält dieselbe eine feste und dennoch elastische Oberfläche, die sich für den Stein und das Papier eignet. Nachdem die Trommel d ausgelöst ist, werden die Seile z, z an die Rollen befestigt, die sich an den Enden der Schieber g¹ befinden.

C ist ein Hebel, welcher den Laufrahmen aufhält, wenn dieser durch die Gewichte J² gezogen, seinen Rücklauf macht. Er wird an einem Ende durch den Zapfen N, welcher sich an der Rolle der Welle H¹ des Kammrades I befindet verschoben und hat ein Gewicht W², welches an seinem andern Ende befestigt ist. C² ist eine Spiralfeder, mit welcher der Hebel an seinem freistehenden Ende in Verbindung steht und dient dazu, den Stoß aufzuheben, welcher durch den Laufrahmen hier hervorgebracht werden könnte.

Die Art und Weise der Arbeit an der Maschine ist nun folgende: Das Rad H², wenn dasselbe mit dem Ringe K¹, wie oben beschrieben, gekuppelt ist und also mit der Zahnstange des Laufrahmens in Eingriff steht, erhält, durch die Verbindung der Räder B, C, D, E, F und G, sobald die Triebkraft wirkt, seine Bewegung und führt dem Rahmen Y mit dem Steine unter den Feuchtapparat und demnächst unter die Schwärzwalzen. Sobald der Stein gefeuchtet und dann geschwärzt ist, wird durch die fortdauernde Bewegung der Räder und das Spiel des Kammrades I der Hebel J in Bewegung gesetzt und rückt den Ring K¹ und das Rad H¹ aus, wodurch dieses für einen Augenblick mit der Zahnstange R außer Eingriff kommt, so daß der Rahmen eben lange genug stehen bleibt, um dem Arbeiter Zeit zu lassen, das Papier aufzulegen. Die nach und nach eintretende Wirkung des Gewichtes J^1 auf den Hebel J bewirkt, daß diese wieder den Ring K^1 und das Rad H^2 kuppelt, wodurch dieses wieder mit der Zahnstange R in Eingriff kommt und nun mittelst dieser den Stein unter den Reiber O führt. Unmittelbar in dem Augenblicke, wo der Stein unter dem Reiber anlangt, wird die Druckwalze M durch die Hebescheiben F,F gehoben und drückt den Stein gegen den Reiber O so lange an, als die Länge des Reiberganges erfordert, während gleichzeitig die Lenker f, f den Lederhalter g festhalten, wodurch das Leder nach und nach, während der Bewegung des Rahmens sich auf den Stein legt, wobei mittelst der Seile z, z die Gewichte J^1, J^2 gehoben werden. Während so die Druckwalze gehoben ist, werden der Ring K^1 und das Rad H^2 ausgerückt, mithin auch die Verbindung zwischen letzterem und den Zahnstangen durch die Wirkung des Kammrades I und des Hebels J aufgehoben, so daß also der Laufrahmen stehen bleiben würde, wenn nicht die Druckwalze den auf seinem Fundamente ruhenden Stein ergriffe und unter dem Reiber durchführte, indem sie ihre Umdrehung macht. Nachdem aber der Stein an sein Ziel gelangt ist, hört, wie aus dem früher Gesagten hervorgeht, der Druck der Walze auf, und Alles würde stehen bleiben, wenn nicht jetzt die Seile z, z und die Gewichte J'' J'', ins Spiel träten und den Laufrahmen mit dem Steine nach dem Mittelpunkte der Maschine zurückführten, wo er durch das Ansteigen des Hebels L aufgehalten wird, indem die Nase N auf der Welle des Kammrades I ihren Effekt macht, wobei der Stein eben lange genug aufgehalten wird, daß der Arbeiter Zeit hat, den vollendeten Abdruck abzunehmen.

Wenn auch diese Presse für den Kreidedruck, wo das Einschwärzen des Steins und fast jede einzelne Operation des Druckers eine große Sorgfalt und Einsicht erfordert, welche eine Maschine nicht anwenden kann, nicht, und selbst kaum für den Druck der Gravirung anwendbar sein dürfte, so kommen doch in der Lithographie eine große Menge von Arbeiten vor, welche einen fabrikmäßigen Druck gestatten, und für solche und namentlich für alle Arbeiten im Fache des Ueberdruckes wird diese Presse von großer Wichtigkeit sein, da ihre Resultate so befriedigend sein sollen, daß der Erfinder auf seiner Presse in einem Tage 2—3000 Abbrücke eines Bogensteins mit Tabellendruck 2c. geliefert hat.

Eine derartige Schnellpresse wurde auch von G. Sigl in Berlin konstruirt, deren Leistungen allgemein als vorzüglich anerkannt werden, und welche sowohl für Steindruck als Buchdruck sich eignet. —

Dieselbe besteht aus einem Farbewerk und der Karrenbewegung, ähnlich denen der bekannten Buchdruck-Schnellpressen, ferner einem Wischer, welcher zum Befeuchten und Reinigen des Steins dient, und einem Reiber, durch den der Druck hervorgebracht wird.

Diese Maschine druckt per Stunde 700—800 Bogen vollkommen rein und gut, also das 9—10fache einer gewöhnlichen Steindruckerpresse, wird von einem Manne in Bewegung gesetzt, und bedarf zu ihrer Bedienung eines Knaben zum Anlegen und eines anderen zum Abnehmen der Bogen.

Ein eigenthümlicher Vorzug der Schnellpresse besteht darin, daß die Steinplatten weit weniger dem Zerspringen unterliegen als wie bei der gewöhnlichen Handpresse; und ein nicht hoch genug anzuschlagender Vortheil ist auch der, daß bei dem stets gleichmäßigen Auftragen der Farbe, der Stein bei weitem nicht so angegriffen wird, wie beim Einschwärzen mit der Hand, weshalb auch derselbe mehr Abbrücke aushält, als wie auf der Handpresse.

Von erfahrenen Fachmännern werden die Steindruck-Schnellpressen von G. Sigl in Berlin und Wien für die besten gehalten, dem allerdings in diesem Pressenbaue zwanzigjährige Erfahrungen zur Seite stehen.

Dieselben sind konstruirt a) mit Tischfärbung für Bunt- und guten Schwarzdruck in Kreide- oder Federmanier, Taf. X, Fig. 115, und b) mit Cylinderfärbung für einfachen Druck, **Taf. XI, Fig. 116.** Diese letztere liefert an Druckzahl ⅓ mehr als alle jetzt bestehenden Tischfärbungsmaschinen.

Empfehlenswerth sind auch die lithographischen Schnellpressen für Schwarz- und Farbendruck aus der Maschinenfabrik von **König** und **Bauer** in Zell bei Würzburg, und von **Ph. Swiderski** in Leipzig, sowie auch die neu konstruirten Schnellpressen von **Schmiers, Werner** und **Stein** in Leipzig, und noch mancher anderer Fabriken.

Der interessanten Abhandlung des G. F. **Krauß** über die **Schnellpressen** entnehmen wir Folgendes:

Ueber die verschiedenen Systeme der deutschen und französischen Schnellpressen.

(Aus der Stuttgarter Gewerbehalle.)

Es ist wohl 15 bis 20 Jahre her, seitdem in Deutschland (besonders von **Sigl** in Wien) lithographische Schnellpressen gebaut werden, ohne daß sich dieselben allgemein hätten einbürgern können. In der neuesten Zeit erst haben sich auch die Franzosen an den Bau und die Einführung von Schnellpressen gemacht, und ihrer Verbreitung nach zu urtheilen, läuft das französische System dem deutschen den Rang ab.

Die **deutsche Schnellpresse** hat Reiberdruck; die französische Cylinderdruck, was vollkommen neu ist.

Der Druckkörper an der deutschen Presse stellt eine große Walze dar, die aus dünnen Längsrollen gebildet ist; über diese Rollen läuft das Leder, im inneren Raum dieser Walze ist der Reiber angebracht, er stellt sich immer am gleichen Orte (Ansatz) auf und gleitet beim Absetzen über den Stein herunter. Das Farbewerk ist den König und **Bauer**'schen Schnellpressen nachgebildet, die Vertreibwalzen gehen in einer Schnecke hin und her, zwei Walzen, die dicker als gewöhnliche Druckwalzen sind, tragen auf.

Die Feuchtwalze bedarf, wie bei allen Schnellpressen, der Nachhülfe. Zwei Radtreiber, ein Aufleger und ein Maschinenmeister sind zur Bedienung nöthig; letzterer hat zugleich die Abdrücke wegzunehmen, da die Presse nicht selbst auslegt.

Die französische Presse hat einen Druckcylinder genau wie die Buchdruckerpresse. Ein Wollfilz ist darüber gezogen, über diesen eine Schirtinglage, und darauf die Oberlage (starkes Papier). Siehe **Taf. XII, Fig.** 137, Presse von Boirin.

Dieses System haben Boirin, Huguet, Alauzet, Dupuis, Marinoni und Chaudré konform angewendet.

Ein Radtreiber genügt bei allen diesen Pressen; sie drucken sämmtlich gut, selbst Kreide- und prachtvolle Farbendrucke werden darauf hergestellt.

Das Farbwerk besteht bei Boirin und Alauzet aus sechs Auftragwalzen, bei den Andern aus vier, was vollständig genügt, da man durch Auflegen von dünneren Walzen auf die Auftragwalzen das Absetzen von Farbe befördern kann.

Die Huguet'sche Presse spannt durch fingerdicke Ringelfedern, die andern haben fixe Spannung; die von Dupuis ermangelt des Farbkastens und eines Duktors (Farbzubringer); seine Feuchtwalze sättigt sich auf einem ebenen Brett. Sämmtliche andere Pressen haben Tischfärbung mit schrägliegenden Vertreibwalzen.

Alauzet hat eine Feuchtbüchse angebracht, durch welche der Feuchtwalze Wasser zugeführt werden kann.

Alle Pressen sind hinten offen zum Einschieben des Steins, bei Alauzet kann der hintere Theil des Rahmens heruntergeschlagen werden, was das Einheben erleichtert. Seine Presse ist am schönsten gearbeitet.

Marinoni und Chaudré haben ihre Pressen hinten geschlossen und einen Ausleger angebracht; dies ist ein großer Vortheil, da hierdurch der Maschinenmeister seine ganze Aufmerksamkeit auf den Stein richten kann; an den deutschen Pressen muß er noch das Ausfangen besorgen, und die französischen, mit Ausnahme der eben genannten, erfordern noch einen Knaben zum Ausfangen.

Weishaupt, Steindruck. 22

Die Preise variiren von 4000 bis 10,000 Frcs. = 3200 bis 8000 Mrk. je nach der Arbeit und dem Format.

Diejenigen von Marinoni und Chaudré sind die wohlfeilsten. Es ist alle luxuriöse Ausstattung vermieden, dagegen sind die maßgebenden Theile mit großer Präzision gearbeitet.

Eine Schnellpresse leistet ungefähr soviel als acht Handpressen; die Zahl der Abdrücke hängt von der Art der Arbeit ab; bei präzisen Arbeiten muß sie langsam gehen und man erlangt oft nur 1500 Abdrücke per Tag, wobei dieselben Arbeiten auf der Handpresse auch nicht mehr als 200 Abdrücke zulassen.

Das französische System hat vor dem deutschen den großen Vorzug, daß man durch Zurichten (Aufkleben und Ausschneiden) der Oberlage einzelne Stellen (Vorgründe) heben oder zurückdrängen kann, dies ist bei der deutschen geradezu unmöglich.

Das Einrichten und Spannen muß bei deutschen und französischen Maschinen durch Unterlegen des Steins geschehen; Marinoni und Chaudré aber haben das Karrenfundament auf vier Schrauben gelegt, vermittelst deren dasselbe beliebig gehoben und gesenkt werden kann; dies ist ein großer Vorzug.

Herr Krauß hat eine solche Maschine seit zwei Jahren im Gang und hält dafür, daß sie nach Preis und Leistung die empfehlenswertheste sei.

Derselbe erwähnt noch eines Systemes, welches von Zoller und Kleemann angewendet worden ist; es ist Druck vermittelst Walzen aus lithographischem Stein, ähnlich wie bei der Tapeten- und Kattundruckerei.

Der Ueberdruck wird auf die Steinwalze (die hier zugleich den Druckcylinder abgiebt) gemacht; auf der Stirne der Walze ist das Farbwerk angebracht.

Diese Presse, welche einen beträchtlich kleineren Raum einnimmt als alle andern, soll hübsch drucken und sehr leicht gehen.

Einfache Vorrichtung zum genauen Einrichten der Steine für Farbendruck bei lithographischen Schnellpressen.

Erfunden von H. Hofmann, Lithograph in Würzburg.

Obschon selbst die früheren lithographischen Schnellpressen von König und Bauer in Zell in jeder Beziehung sehr befriedigten, so war doch anfänglich hierbei keinerlei Art von Vorrichtung angebracht, um den Stein genau in die richtige Lage im Karren zu bringen, was doch zum Passen unbedingt nothwendig ist, denn die Punkturnadel am Cylinder steht unveränderlich fest, man kann nicht die Nadel nach dem Steine, sondern muß den Stein nach der Punkturnadel richten.

Herr Hofmann, im Besitze einer solchen Presse, erdachte sich hierzu ein Instrument, dessen System seiner erprobten Zweckmäßigkeit halber nun auch bei den neuen Schnellpressen von König und Bauer in Anwendung gebracht ist, und bei allen Lithographen sehr vielen Anklang fand. Unverkennbar wird hierdurch ein sehr schnelles Einrichten des Steines möglich. Man bringt denselben oft schon beim ersten, aber immer beim zweiten oder dritten Abdrucke zum Passen, und da nach einem genau auf die Mitte der ganzen Maschine gerichteten und in numerirte Grade abgetheilten Lineale eingerichtet wird, so braucht man nur die Nummer zu notiren, an welcher gerade die Marke der betreffenden Arbeit liegt um die verschiedensten Arbeiten durcheinander vorzunehmen, und doch die Steine im Augenblicke an der richtigen Stelle im Karren einrichten zu können.

Mögen übrigens auch andere Lithographen bei Ermangelung einer derartigen Maschinenkonstruktion, sich schon ähnliche Einrichtungen erdacht haben, so kann es doch ein kürzeres, genaueres Verfahren als dieses nicht wohl geben.

Bekanntlich nimmt das Einrichten der Steine auf der Schnellpresse mehr Zeit in Anspruch als bei den Handpressen, was beim Druck kleinerer Auflagen eine mißliche

Sache ist, und deren Herstellung auf der Schnellpresse als unvortheilhaft erscheinen läßt. Namentlich ist dies beim Farbendrucke der Fall, wo der Probedrücke wegen, die man machen muß bis der Stein zum Passen kommt, Zeit und Papier verloren geht.

Eine Art und Weise nun, die es möglich macht, schneller als bisher einzurichten, ist doppelter Gewinn, denn nicht nur allein daß Zeit und Papier erspart wird, es ist auch durch das schnellere Einrichten möglich kleinere Auflagen mit Vortheil zu drucken.

Die Vorrichtung nach **Hofmann's** System zum Einrichten der Steine besteht nun aus einem in Millimeter getheilten und numerirten Lineale wie auf **Taf. XII, Fig. 138** und **139a**, an dessen linken Ende ein zweites rechtwinklig angenietet ist, welches an den beiden Enden bei A mit Zapfen versehen ist, welche genau in zwei Löcher passen, die in die Seitenwände des Karren eingebohrt sind.

Hat man nun eine Arbeit von mehreren Farben, so richte man die Marken oder Punkturen des ersten Steines genau nach der Kante D des Lineales, welche so gerichtet ist, daß sie mit der Punkturnadel am Druckcylinder genau in gleicher Linie liegt.

Bei der Marke aber, oder dem Punkte auf der linken Seite des Steines bei E, notire man sich noch genau die Zahl der Millimeter und schraube dann den Stein genau in dieser Lage fest.

(Auf der **Fig. 139a** steht z. B. die Marke E bei Nr. 5.) Das Lineal bleibt natürlich so lange liegen bis der Stein ganz fest eingeschraubt ist.

Alle folgenden Steine werden nun haargenau ebenso eingerichtet und müssen nun also auch mit der Punktur am Cylinder ebenso übereinstimmen wie der erste.

Um nun auch für den Druck der zweiten Farbe, bei welchem doch auch die Marke E des Steines auf dem Abdrucke, oben auf der Punktur des Auflagbrettes eingenadelt werden muß, das Suchen und Probiren mit dieser Punkturnadel zu ersparen, wurde auf der oberen Punktur ebenfalls ein kleines in Millimeter eingetheiltes Lineal angebracht, deffen Kante gleichfalls mit der Punkturnadel des Druckcylinders in gleicher Linie liegt, an welcher Kante nun die Punkturnadel auf= oder abgeschoben wird, um die Nadel bei der betreffenden Nummer feftzuschrauben.

Die Richtung und Numerirung des Lineals ist nämlich so getroffen, daß die Zahlen des oberen Lineals genau mit denen des unteren korrespondiren, so daß z. B., wenn die Marke oder Punktur E auf dem Steine, beim unteren Lineal 80 Millimeter zeigt, man die Punkturnadel oben auf dem Auflagebrette ebenfalls nur an 80 hinzuschieben braucht, um sofort die richtige Stellung der Nadel zu haben.

Auf diese Weise kann man binnen wenigen Minuten Stein und Punktur genau richten, kann auch leicht, was besonders beim Druck der erften Platte rathsam ift, von Zeit zu Zeit das Lineal einlegen und kontroliren, ob sich der Stein durch den Druck nicht vielleicht etwas verrückt habe.

Jedenfalls ist dieses obere kleinere Lineal sehr zweck= mäßig, denn: wenn man auch durch Heraufziehen eines Abdruckes auf das Auflagebrett, so lange derselbe noch von den Greifern gehalten wird, ohne viele Proben die richtige Stellung der Nadel finden kann, so hat man doch mit einem solchen Lineale diese ganze Manipulation nicht nöthig und kann gewiß in der allerkürzeften Zeit dieser Nadel die richtige Stellung geben, so daß durch die ge= wonnene Zeit die Herftellungskoften dieser kleinen Ein= richtung sich gewiß bald bezahlt machen.

Was nun die bei **Fig. 138** und **139a** angedeuteten Buchstaben B und C betrifft, so bezeichnet der kräftig im Lineale eingravirte Strich B die äußerfte Grenze, wie weit nämlich der Stein im Karren vorragen darf, ohne daß noch die Greifer am Druckcylinder beim Durchgange des Steines den Stein berühren.

Der Stift C aber, der in das Lineal angenietet und auf der Wand des Karrens aufsteht, ist ebenso wie die Stifte bei A so regulirt, daß sie zusammen dem Lineale die genaue Höhe geben, bis zu welcher der Stein gebracht werden muß, um die richtige Spannung zu bekommen.

Die Vorrichtungen nun, die am Karren sowohl als auch am Lineale angebracht werden, um es genau auf die Mitte zu legen, können auf verschiedene Weise gemacht werden, da der Karren verschiedene Punkte bietet, die zu diesem Zwecke verwendbar sind.

Bei den Maschinen von König und Bauer findet sich auch dies auf verschiedene Weise ausgeführt, wobei auch eigene Theile am Karren angebracht sind, in welche Lineal eingelegt wird.

Immer aber bleibt das Lineal mit seinen Nummern und seiner Richtung auf die Mitte, das Wesentlichste der Sache, welche es z. B. auch so leicht möglich macht, die verschiedensten Arbeiten durcheinander vorzunehmen und würden dieselben auch die verschiedenste Einrichtung erfordern, denn die Einrichtung einer jeden Arbeit ist ja notirt, kann also mit Leichtigkeit wieder hergestellt werden.

E. Die Handpressen neuerer Konstruktion.

Betreffs der lithographischen Druckpressen im Allgemeinen ist zur Genüge bekannt, daß die Vollkommenheit der Abdrücke weit mehr von der Gewandtheit des Zeichners und vorzüglich von der des Druckers abhängt, als wie von der Presse, und wenn man sich gut konstruirte Pressen zu verschaffen sucht, so geschieht dies weniger um gute Abdrücke zu erhalten, als vielmehr, die möglichst größte Anzahl in einer bestimmten Zeit abzuziehen, um die Gefahren des Zerbrechens der Steine zu vermeiden, und eine solide Maschine zu haben, die nicht beständigen Reparaturen unterworfen werden muß. Eine gut konstruirte Presse soll:

1) eine tüchtige Spannung zulassen, ohne den Arbeiter zu ermüden,

2) einen elastischen Druck haben, und

3) einen möglichst kleinen Raum einnehmen.

Was die Schnelligkeit ihrer Bewegung betrifft, so weiß jeder praktische Drucker, daß die Zahl der zu machen-

ben Abbrücke, nicht sehr erhöht werden kann durch besseren
Mechanismus, indem die unerläßlichen Funktionen des
Wischens, Einwalzens 2c., besonders bei Kunstgegenständen
zwei und drei Mal mehr Zeit in Anspruch nehmen, als
das Schließen und Oeffnen des Rahmens und der
Durchzug.

Unter den verschiedenartig konstruirten Pressen fürs
Kunstfach in großen Formaten, dürfte wohl die in meiner
Chromolithographie bereits mitgetheilte Sternpresse eine
der zweckdienlichsten sein, und findet sich auf Taf. VIII,
Fig. 117 bis 120, dargestellt.

a das Gerüst von Holz. b Karren oder Kasten,
dessen beide innere Seitenwände Einschnitte haben, welche
die Quertheile aufnehmen, wodurch der Stein befestigt
werden kann. c eiserne Hauptwalze, deren Achse in messingenen Pfannen läuft, und d Hülfsrollen, worauf der
Kasten sich bewegt. An diesem ist der eiserne Lederrahmen
e an den Theilen f beweglich, welche bei g befestigt, und
in der richtigen Höhe durch Schraubenbolzen gehalten
werden.

Diese Bolzen befinden sich in länglichen Einschnitten,
weshalb man den Rahmen nach der Stärke des Steins
höher oder tiefer stellen kann. h Schrauben, um die
Höhe des Rahmens zu regeln. i Stellschrauben zur
Firirung des Kastenlaufes. k Rollen, über welche die
Gurten l, die stark und nicht elastisch sein sollen, laufen,
und sich auf die an der Achse m befindliche Welle n
aufrollen, worauf die Gurten auch befestigt sind.

An der Achse m, die sich in messingenen Pfannen
dreht, befindet sich der Drehstern o zum Durchziehen des
Kastens. Zugleich ist an der Welle n der zum Retourzug
nöthige Strick befestigt, welcher unter der Hauptwalze
über die Rolle p geht, und an einem eisernen Haken bei
q an den Kasten angemacht ist.

r der Reiberhalter, in dessen Mitte die Schraube s
ist, vermittelst welcher der Reiber immer in gleicher Höhe
aus dem Halter gestellt werden kann. Ueber dem Reiber
ist das eiserne Stück t angebracht, worauf die Schraube

drückt, und an den innern Seitenwänden des Reiberhalters eine Feder u und Schraube v, damit der Reiber nicht herunterfallen kann.

An beiden Seiten der Presse laufen zwei eiserne Bügel w in den Eisenschienen x und hängen durch eine Stellschraube y mit zwei entgegengesetzten Gewinden zusammen. Durch diese Stellschrauben kann der Reiberhalter bei dicken oder dünneren Steinen höher oder niedriger gestellt werden.

An jedem untern Bügel ist z die Verbindung mit einem kurzen eisernen Hebel 1, und diese an beiden Seiten angebrachten Hebel 1 sind durch 2 mit dem großen Hebel 3 verbunden, worauf das Gewicht 4 ruht, das durch die Kurbel 5 auf- und niedergelassen werden kann. Der Reiberhalter ist an dem Bügel durch den Bolzen 6 befestigt und bewegt sich zugleich um denselben.

An dem vordern Bügel ist der Haken 7 mit Scharnieren angebracht, in welchen der Theil 8 des Reiberhalters, einfällt. Die Feder g hindert diesen Haken vorwärts zu fallen und stößt ihn gegen den Theil 8 des Reiberhalters, damit er von selbst einschnappt. 10, Vorrichtung, den Lederrahmen in jeder beliebigen Lage zu stützen.

Ist der Stein in den Kasten befestigt, so wird der Reiberhalter auf denselben gesenkt und durch die beiden Stellschrauben y in die passende Höhe gestellt. Gleichfalls wird auch die Höhe des Lederrahmens gerichtet, der Anfang und das Ende des Kastenlaufes durch die beiden Stellschrauben i bestimmt, das Gewicht auf dem Hebel geregelt, das nach der erforderlichen Kraft des Druckes und nach dem Formate des Steins verhältnißmäßig leichter oder schwerer genommen werden muß.

Nachdem man den Stein eingewalzt und Papier darauf gebracht, schließt man den Lederrahmen, läßt den Reiberhalter in den Haken einfallen, und senkt denselben mit der Kurbel des Gewichts nieder, welches seine Kraft auf den mit den Hebeln in Verbindung gebrachten Reiberhalter (eigentlich Reiber) übt. Man bringt nun den Drehstern in Bewegung und hebt nach Vollendung des

Zuges das Gewicht mit der Kurbel wieder auf, worauf der Reiberhalter umgelegt und der Drehstern zurückbewegt wird, wodurch der Kasten auf seine erste Stelle zurückkommt.

Zu den vorzüglichsten derartigen Pressen gehört auch die von Joh. Manhardt in München verbesserte Druckpresse, welche großen Eingang gefunden und deren Zweckmäßigkeit vielseitig von erfahrenen Praktikern gerühmt wird.

Auf Taf. IX, Fig. 121 und 122, ist selbe in einer Seiten- und Stirnansicht genau dargestellt.

Die an ihr gemachten Verbesserungen umfassen:

1) ein ganz neu angebrachtes Hebelwerk und

2) eine Höher- und Niederstellung des Reiberhauses, durch welche nachfolgende wesentliche Vortheile gegen alle zur Zeit bestehenden ältern Konstruktionen erzielt werden.

a) Wird die Bedienung der Presse vereinfacht, die Arbeit erleichtert und an Zeit erspart, wodurch die Arbeit bei gleicher Qualität in quantitativer Beziehung erhöht wird.

b) Zugleich geht die Bewegung in ruhiger und sanfter Weise vor sich, während der Druck ein verstärkter ist, und man bedarf auch eines geringeren Gewichtes zum Drucke der Maschine.

Wesentliche Theile des Hebelwerkes.

A eine durch die langen Seitentheile a^1, a^1, a^2, a^2 des Bodengestelles durchlaufende Achse, gelagert in dieser bei a^1, a^2.

B zwei Scharnierglieder in der Mitte und getragen von A und in Verbindung mit C^1 und C^2 als zwei Stelzen, in Verbindung mit α als eine Achse, welche in D als ein oberes Scharnierstück eingreift, welches mit dem langen Hebel c verbunden ist.

E^1 E^2 ist ein mit der Achse A in fester Verbindung stehender Hebel, welcher an seinem Ende E^1 mit einer Handhabe (Hefte) versehen ist und durch welchen, indem er bis F gedrückt wird, das ganze Hebelwerk mit dem

Reiberhause d auf höchst bequeme Weise in kürzester Zeit gehoben und durch Zurückführen des Hebels in seine erste Lage E¹ E² wieder an seine frühere Stelle gebracht wird; während diese Arbeit bei den älteren Pressen entweder durch eine Kurbel, welche oben am Gestelle angebracht ist, oder durch einen Stern mit Rollen und Bändern bei großem Verlust an Zeit und mit Anstrengung verrichtet wird.

Wesentliche Theile zum Höher = und Niederstellen des Reiberhauses.

Bei dieser Konstruktion ist charakteristisch, daß das Höher= und Niederstellen des Reiberhauses nur von einer Seite geschieht und zwar in folgender Art:

G ist eine Kurbel, angebracht und in fester Verbindung mit H als einer durchlaufenden Achse, welche an beiden Enden bei I¹ und I² ein Gewinde trägt, in deren jedes eingreift.

K¹ und K² Zahnrädchen (Gewinde ohne Ende), welche in fester Verbindung stehen mit β^1 und β^2 als zwei senkrechten Schrauben, mittels welcher in Folge der durch die Kurbel G bewirkten rottirenden Bewegung das Reiberhaus d parallel zu seiner ersten Lage in kürzester Zeit und mit kleinster Kraft senkrecht auf= und abgeführt wird, während bei den Pressen älterer Konstruktion das Reiberhaus nur durch abwechselndes Schrauben bald auf der einen, bald auf der andern Seite ruckweise und ungleichförmig mit großem Zeitverluste verstellt werden kann.

L¹ L² die obern Hebel sind hier von Schmiedeeisen, gehen in der Mitte durch die Gestellsäulen, so daß das ganze System in einer senkrechten Ebene ist und bleibt, zufolge dessen durch ein geringeres Gewicht dergleichen Druck erreicht und alle Spannung aufgehoben wird, während bei den älteren Pressen die Hebel L¹ und L² an der innern Seite eines circa 10 Centim. starken Holzes angebracht wurden.

Da sich bei obiger Konstruktion die Hängschrauben auf der Mitte befinden, die Einhängung des Reiberhauses von oben außerhalb der Gestellsäulen geschieht, so bewegen sich die senkrechten Schieber in den Gestellsäulen mit leichter Reibung, wodurch in Folge der Schwebe des Hebelwerkes mit einem bestimmten Gewichte ein sanfter Druck bewirkt wird.

Für kleinere Druckformate, wobei nicht allein blos auf Schönheit und Reinheit der Abdrücke, sondern auch auf Leichtigkeit und Schnelligkeit des Abzuges gesehen werden soll, eignet sich vorzüglich die von meinem Bruder Ferdinand Weishaupt konstruirte Presse, welche auf Taf. **IX, Fig**. **123** und **124**, abgebildet ist.

a das Gerüst; b Kasten, in welchen bei dünneren Steinen ein Brett oder Pappendeckel untergelegt wird, um ihnen die erforderliche Höhe zu geben; c der Lederrahmen ist durch dieselben Scharniere, wie bei der großen Presse (**Taf. VIII, Fig. 117**) mit dem Kasten verbunden; d Haupt = und e Hülfswalzen; f Kurbelachse, woran die Wellen g sind, auf welchen sich die am Kasten b angebrachten Gurten aufrollen. Der am Kasten befestigte und über die Hauptwalze laufende Strick mit Gewicht h bewerkstelligt den Retourzug. i der Reiberhalter, in dessen Mitte die Stellschraube k und über dem Reiber der eiserne Theil l befindlich ist, sowie auch die Feder m und Schraube n zum Festhalten des Reibers.

An der mittlern Stütze des Gerüstes ist der Reiberhalter durch den Bolzen o angemacht und bewegt sich zugleich um denselben. Die Schraube p befestigt den eisernen Hebel q, woran das Gewicht r und der Haken s sich befindet. Dieser Hebel wird durch den bei t befestigten Winkelhebel u unterstützt.

Nach dem Schließen des Rahmens c läßt man den Reiberhalter in den Haken s einfallen, stellt den Winkelhebel u aufwärts, wodurch der Hebel q seine Kraft auf den Reiber äußert, und nach dem Durchziehen des Kastens b mittelst der Kurbel wird der Hebel u wieder in seine wagerechte Richtung gebracht und der Reiberhalter zurückgelegt.

Unter den Pressen auf **Taf. X, Fig. 125** bis **128**, welche häufig in Nord = und Mittel = Deutschland, sowie auch in vielen entfernten Ländern eingeführt sind, empfiehlt sich besonders wegen ihrer vielseitigen Brauchbarkeit, die nach englischer Art aus Eisen konstruirte **Handhebelpresse, Fig. 125** und **125 a**, von **Erasmus Sutter**.

Die **Handhebelpresse** vereinigt eine Leichtigkeit der Bewegung mit der Kraft des Druckes, sie eignet sich vorzugsweise für Schriftsachen, und läßt in Bezug auf Schnelligkeit und guten Druck nichts zu wünschen übrig; auch können mittelst dreier verschiedener Preßrahmen die kleinsten, sowie die größten Formate darauf gedruckt werden.

Das zur Presse gehörende **Gitter**, ein durch ineinander gefügte Querhölzer akkurat gearbeitetes Brett, hat zur Aufgabe eine elastische Unterlage zwischen dem Stein und dem Pressenkarren zu bilden, über welches dann noch ein die Größe des Pressenformats ausfüllendes **Filztuch** von entsprechender Stärke gelegt wird.

Die Spannung wird hierbei durch ein in dem feststehenden Reiberbalken a befindliches Excentrikum, welches durch den Hebel b in Bewegung gesetzt wird, bewirkt. Die Walze, auf welcher der Karren ruht, wird durch Uebersetzung mittelst Zahnrädern mit der Kurbel c gedreht und dadurch der Durchzug bewerkstelligt.

Durch die Kartons d ist der Presse eine hinreichende Elasticität gesichert; ihr Gang ist äußerst solid und behende, und die Spannung durch eine sinnreiche Einrichtung des Excentrikums bedeutend stärker, als solche dieser Art von Pressen sonst eigen ist. Auch hat dieselbe einen durchaus stillen Gang, und nimmt bei gleichem Formate die Hälfte des Raumes der gewöhnlichen Sternpresse ein.

Der **Lederüberzug (das Pressenleder)** des erwähnten eisernen Preßrahmens, muß auf seiner äußeren Seite, über welche der Reiber geht, beim Gebrauche stets mit Talg geschmeidig erhalten werden.

Statt des Leders in den Rahmen, kann man sich dafür auch der **Glanzpappen** bedienen. Eine Art von Pappen die aus altem Segeltuch fabricirt werden.

Will man diese benutzen, so wird der Lederdeckel (Rahmen) überflüssig, und deshalb abgeschraubt; auch wird, wie beim Gebrauch des Leders, die äußere Seite der Pappe mit Talg bestrichen.

Indeß müssen die Glanzpappen nach einigen Monaten fleißigen Gebrauchs erneuert werden; während das Leder, bei guter Behandlung, eine geraume Reihe von Jahren vorhält.

Mit vorzüglich günstigem Erfolge gebrauchte mein Bruder Ferd. Weishaupt auf dem Rahmen ganz dünnes Zinkblech, statt des Leders und der Glanzpappen.

Ein wesentlicher Vorzug des Zinkblechs besteht darin, daß hierdurch die Dehnung des Papiers beim Durchziehen in der Presse weit minderer ist, als bei dem Gebrauch des Leders, was besonders beim Farbendruck von Vortheil ist.

Vom Reiber ist zu bemerken, daß derselbe bei jeder Platte frisch abgerichtet werden muß, wobei auf einem guten Doppelhobel zuerst die beiden Gehrungen geschärft und dann auf der gebildeten Kante ca. 2 Millimeter breit weggenommen wird. Der geradgehobelte Reiber muß dann nach den vorkommenden Unebenheiten des Steins abgerichtet werden, wozu die Kante des Reibers auf den Stein gehalten und wenn das Licht durchfällt, mit einem Glasscherben an den hohen Stellen geschabt werden muß, bis kein Licht zwischen Reiber und Stein durchfällt. Immerhin soll aber die Mitte des Reibers eine kleine Lücke gegen den Stein zeigen.

Hierauf wird, nachdem die scharfen Ecken des Reibers abgerundet und mit Bimsstein abgeschliffen, die Kante desselben mit einem Lederstreifen von der Qualität des Pressenleders überzogen, indem man den ca. 3 Centim. breiten Lederstreifen auf den beiden schmalen Seiten des Reibers mit Stiftchen befestigt. Durch diese Maßregel wird der Zug sehr erleichtert, da die Reibung zwischen Leder und Leder geringer ist, als zwischen Holz und Leder, überdies halten die Rahmenleder viel länger.

Gewöhnlich wird zu diesen Reibern Birnbaum=, Linden= oder Ahornholz verwendet. Besonders eignet sich hierzu das Holz vom weißen Ahorn, da es am besten stehen bleibt (die Kante nicht umlegt). Die Länge des Reibers richtet sich nach der Breite der gangbarsten Steingrößen, seine Stärke beträgt ca. 2½ Centim. und seine Höhe etwa 14 Centim.

Betreff der Friktionstheile der Presse bleibt noch zu erwähnen, daß dieselben fortwährend gut geölt und diese geölten Theile von Zeit zu Zeit gereinigt werden müssen, da sonst die leichte Bewegung der Presse gehemmt und ihre einzelnen Theile geschädigt würden.

Die eiserne Kunstdruckpresse, **Fig. 126**, für den Druck der größten Formate anwendbar, unterscheidet sich von der gewöhnlichen Sternpresse vorzugsweise durch die Einrichtung des Reiberbalkens a, welcher nicht aufgestellt, sondern um seine Achse gedreht wird, wenn die Presse geöffnet oder geschlossen werden soll; nicht minder sinnreich ist das Hebelwerk, welches eine große Spannung zuläßt, ohne das Gepolter der gewöhnlichen Hebelspannwerke zu verursachen.

b Stange, welche an der Stelle c den Reiberbalken faßt, und unten mit den Rollen d, d versehen ist.

Zwischen diesen beiden Rollen geht der Hebel e durch, welcher in f ein Knie und in g seinen Stützpunkt hat.

h Tritt mit dem Winkel i, welcher an k mit dem Hebel e verbunden ist.

Wenn der Rahmen geschlossen, der Reiberbalken herübergezogen und eingefallen ist, so bewirkt das Heruntertreten des Trittes folgende Bewegung: Der Winkel i schiebt den Hebel e vorwärts, das Knie f zwingt ihn niederwärts zu gehen; bei dieser Bewegung drehen sich die Rollen d, d und es wird auf die untere dieser Rollen ein keilförmiger Druck ausgeübt.

Die Konstruktion der Tischpresse von Hindersinn, **Fig. 127**, ist höchst einfach und nimmt wenig Raum ein, jedoch nur für Gegenstände anwendbar, welche keiner starken Spannung bedürfen. Was aber die Schnelligkeit betrifft, welche diese Presse zuläßt, so geht sie so schnell, wo nicht schneller, als die Stangenpresse, **Fig. 69**, indem bei ihr mehrere Bewegungen ausfallen, welche der Arbeiter an der Stangenpresse zu machen hat, z. B. das Auf = und Absetzen des Reibers und das lästige Brechen der Stange.

Ueberdies ist der Druck gleichmäßig, während der Druck der Stangenpresse in einem Bogen, dessen Mittelpunkt das obere Ende der Stange ist, über den Stein geht.

Wie bei der Stangenpresse und der Presse von de la Morinière, **Fig. 74**, liegt auch hier der Stein unbeweglich, wobei der Reiber die Bewegung über denselben macht. Diese Tischpresse dürfte aber nicht allein der Stangenpresse, sondern auch der letztgenannten vorzuziehen sein, welche die Führung des Reiberhauses in der Mitte, während bei der Tischpresse dasselbe zu beiden Seiten je Bahn hat.

a Rahmen; b b Reiberhaus mit vier Griffen c, c, c, c versehen; d, d Bahnen für das Reiberhaus, e Stellung für den Reiber; e' Scharniere des Rahmens; f, f Gegengewichte, um das Oeffnen des Rahmens sammt Reiberhaus zu erleichtern.

g, g, g Haken, vermittelst welcher das Hebelwerk seine Kraft auf die Bahn äußert; h oberer Hebel; i Tritthebel; k, k Ohren vermittelst deren der Tritthebel an den Boden befestigt ist.

l, l Feder zum Emporheben des Hebelwerks; m Verbindungsstange zwischen dem oberen und dem Tritthebel, dieselbe ist zum Höher = und Niedrigerstellen mit Löchern versehen.

Nachdem eingewalzt, aufgelegt und der Rahmen geschlossen ist, wird durch Niedertreten des Hebels i die Spannung gegeben. Der Drucker und sein Gehilfe ziehen bei den Handhaben c, c, c, c das Reiberhaus über die Fläche, worauf der Drucker den Tritthebel herausläßt und den Rahmen sammt Reiberhaus zurückschlägt.

In der mechanischen Werkstätte des Erasmus Sutter in Berlin, in welcher, wenn auch nicht die wohlfeilsten, jedenfalls vorzüglich gut konstruirte Pressen gefertigt weerdn, kostet eine Tischpresse, **Fig. 127**, zu einem Stein

52 Centim. breit, 66 Centim. lang — 130 Thlr. = 390 Mrk.;

eine **Kunstdruckpresse**, **Fig. 126**, zu einem Stein 70 Centim. breit, 94 Centim. lang — 225 Thlr. = 675 Mrk.; und

eine **Handhebelpresse**, **Fig. 125**, zu einem Stein 70 Centim. breit, 90 Centim. lang — 180 Thlr. = 540 Mrk.

In den meisten Maschinenfabriken wird diese Presse nach folgenden Formatgrößen gefertigt und der Preis darnach berechnet:

Nr. 1	Karrenformat	45	Centim.	breit,	54	Centim.	lang.
„ 2	„	52	„	„	66	„	„
„ 3	„	60	„	„	78	„	„
„ 4	„	64	„	„	90	„	„
„ 5	„	73	„	„	94	„	„
„ 6	„	78	„	„	99	„	„

Die **Walzenpresse**, **Fig. 128**, mit Holzuntergestell und einem Druckraum 54 Centim. breit, 80 Centim. lang, aus der Maschinenfabrik von H. Queva u. Comp. in Erfurt, kostet 90 Thlr. = 270 Mrk.

Dieselbe nach Art der englischen Presse konstruirt, kommt bei ihrer einfachen Handhabung an Schnelligkeit der Stangenpresse zunächst und liefert zugleich einen sehr guten Druck.

Wenn der Stein zum Durchziehen parat ist, so schiebt der Drucker den Karren soweit unter den Reiber, bis dieser über der Stelle steht, wo der Druck beginnen soll. Nun schlägt der Arbeiter den Hebel a nieder, wodurch die Walze b emporsteigt, wobei durch diese Bewegung der Karren gehoben und der Stein gegen den Reiber c gedrückt, und dann durch Drehung der Walze b mittelst der Kurbel d das Durchziehen des Karrens unter dem Reiber bewirkt wird, worauf man die Spannung durch Zurückdrehen des Hebels a aufhebt und den Karren zurückführt.

Diese Fabrik fertigt auch eine eiserne Presse von fast gleicher Konstruktion der ersteren, jedoch mit beweglichem

Preßbalken und mehr elaſtiſchem Drucke, welche bei gleichem Druckraum 130 Thlr. = 390 Mrk. koſtet.

Erwähnenswerth iſt auch die Steindruck=Schnell=preſſe für Ueberdruck, Feder= und Gravirdruck, von A. Schierwater in Hamburg.

Dieſelbe vereinigt die Vorzüge der Handpreſſe mit denen der Schnellpreſſe. Da bei dieſer Preſſe das An=feuchten des Steins und das ſchwierige Auftragen der Farbe durch den Apparat bewerkſtelligt wird, ſo dürfte ſelbſt dem minder geübten Drucker ermöglicht ſein, mit dieſer Preſſe vorzügliche Arbeiten zu liefern.

Der Apparat iſt zugleich von der Preſſe vollſtändig unabhängig und läßt ſich an jeder in Gebrauch befind=lichen Handpreſſe anbringen.

Außer dieſen bereits angeführten Preſſen exiſtiren noch mehrere mit anderen Konſtruktionsweiſen, welche je=doch ganz oder theilweiſe mit dem Principe der obigen übereinſtimmen und ſich nur durch veränderte Konſtruk=tionen ihrer einzelnen Theile mehr oder weniger von den erwähnten Preſſen unterſcheiden, daher auch eine Beſchrei=bung derſelben als überflüſſig erachtet wird.

Was nun die Bezugsquellen gut konſtruirter Preſſen betrifft, ſo werden dieſelben für die verſchiedenen Bedürf=niſſe des Lithographen von mehreren Mechanikern in beſter Qualität geliefert, wie z. B. von Groß in Stuttgart, G. Sigl und Erasmus Sutter in Berlin, Berg=müller in Karlsruhe, ſowie auch von der Maſchinenfabrik L. A. Raabe in Berlin, G. Daniel Heim in Offen=bach a. M. und noch vielen Andern.

Daß im Jahre 1846 ein Maler Wenng in Stutt=gart die lithographiſche und Kupferdruckpreſſe ganz beſeiti=gen und einen ſogenannten Kunſtdruck ohne Preſſe er=funden haben wollte, erwähnen wir hier nur beiläufig. Die von demſelben nach ſeinem Verfahren erzeugten Drucke ſind von einer Kommiſſion der Kunſtſchule in Stuttgart ebenſo wie das ganze, ſtreng geheim gehaltene Verfahren, geprüft und genügend gefunden worden; indeſſen ſcheinen ſich doch die Langſamkeit des Verfahrens und andere Um=

Weishaupt, Steindruck. 23

stände der ausgedehnten Anwendung entgegenzustellen, mindestens ist seit der ersten Anzeige dieser Erfindung weder etwas Weiteres über dieselbe veröffentlicht worden, noch hat über eine Ausübung des Verfahrens im Großen irgend Etwas verlautet.

F. Die Papierpressen.

Diese können zwei verschiedene Zwecke erfüllen; einmal können sie das Papier lediglich pressen und gerade machen, dann aber können sie auch demselben eine besondere Glätte mittheilen. Den ersten Zweck erfüllen die gewöhnlichen Papierpressen, den zweiten die Glätt- oder Satinirpressen.

A. Die gewöhnlichen Papierpressen.

Davon besitzt man, je nach dem Grade der zu gebenden Pressung, zwei Arten, und zwar:

a) Große, sogenannte Stockpressen, die man zum Pressen des gefeuchteten Papieres, hauptsächlich aber zum Pressen der auf den Schnuren wohlgetrockneten Abdrücke gebraucht, um letzteren neuen Glanz und schöneres Ansehen zu geben.

Man kann diese Pressen sehr verschieden anordnen, doch wird das Grundprincip bei allen dasselbe sein. Da die Papierpressen allgemein bekannt sind, so theilen wir unseren Lesern hier nur zwei Zeichnungen solcher Maschinen mit, von welchen die eine, welche dieselbe in ihrer einfachsten Gestalt auf Taf. IX, **Fig. 129**, dargestellt, ohne weitere Erklärung durchaus verständlich ist. Statt daß in **Fig. 129** die Drehung der Schraube oben bei a bewerkstelligt wird, kann dieses auch unten bei b geschehen, wobei dann durch den durchlochten Theil b' (**Fig. 129a**) die eiserne Drehstange gesteckt wird, was für die Handhabung der Presse bequemer ist. Die andere zusammengesetztere und von vorzüglicher Wirksamkeit ist Taf. IX, **Fig. 130** und **131** in allen Details gezeichnet, und zwar stellt **Fig. 130** den Aufriß, **Fig. 131** aber den horizon-

talen Durchschnitt nach der Linie A, B in **Fig. 130** dar.
Gleiche Buchstaben bezeichnen in beiden Figuren gleiche
Theile.

Die beiden vertikalen Pfosten C, C′ sind unten durch
die Schwelle D, oben durch den Riegel E, miteinander
verbunden. Zur Vervollständigung der Verbindung dienen
oben die Doppelkeile F und unten die Keile G. Auf der
Schwelle D liegt die durch die Rippen H verstärkte Funda-
mentplatte I von Gußeisen, auf welche die zu pressenden
Papiere gelegt werden. Die durch die Rippen K verstärkte,
ebenfalls gußeiserne Preßplatte L trägt den Ansatz M,
welcher mittelst des Bolzens a mit der eisernen Spindel N
dergestalt verbunden ist, daß die vertikale Stellung der
Spindel keine Beeinträchtigung erleidet, wenn die Preßplatte nicht ganz genau horizontal liegt.

Die bronzene Schraubenmutter O ist mittelst eines
Halsgewerbes b und der Platte c mit dem Riegel E dergestalt verbunden, daß die Mutter sich zwar um ihre Achse
drehen, aber den Riegel nicht verlassen kann, durch welche
Konstruktion daher, bei Umdrehung der Mutter O, die
Spindel N und mit ihr die Preßplatte L nach Maßgabe
der Drehung auf- und absteigen muß. Diese Umdrehung
aber erhält die Schraubenmutter durch ein Hebelwerk mit
Klinken. An dem Riegel E nämlich ist der Zapfen S befestigt, welcher unterhalb in den, an den Pfosten C ange-
schraubten Teller T greift. Um diesen Zapfen dreht sich
der Hebel U, welcher mittelst des Handgriffs Z hin- und
herbewegt werden kann. Dieser Hebel U ist nach seiner
ganzen Länge bis zum Handgriffe hin geschlitzt, um die
Klinken V und W aufnehmen zu können, welche mit demselben durch den Bolzen d verbunden sind, und deren
Stellung durch die Reservelöcher e, e, e regulirt werden
kann, je nachdem man die Kraft verstärken will. Die
Klinke W ruht auf der Schleifschiene X. — Die Schraubenmutter O ist mittelst des Anlaufes P mit einem Teller
verbunden, welcher das Stirnrad Q und das Kronrad R
trägt. Läßt man nun die Klinke V einwirken und hebt
W aus, so greift V in die Zähne des Kronrades R und

23 *

die Spindel steigt. Läßt man aber W einwirken und hebt V aus, so greift W in die Zähne des Stirnrades Q und die Spindel N geht abwärts. Durch eine beliebig anzubringende Sperrklinke kann der Hebel U in jeder beliebigen Stellung festgehalten werden.

Statt der hier beschriebenen Hebelvorrichtung, welche indessen ihre Vorzüge stets behalten wird, hat man auch noch eine Einrichtung an der Presse angebracht, mittelst deren man ebenfalls mit geringer Kraftäußerung einen sehr großen Effekt hervorbringen kann, nämlich die Anwendung des Schraubenrades. Dieselbe ist, wenn wir an die Beschreibung der vorigen Presse anknüpfen, ohne Zeichnung verständlich. Das eigentliche Preßgestell bleibt hier gänzlich ungeändert und es sind nur an dem Preßbrette L Friktionsrollen angebracht, um dessen Fortbewegung am Gestelle sicherer und leichter zu machen; bisweilen sind auch Kopf- und Fußstücke unter einander gleich groß und etwas größer als I und L gemacht und in den vier Ecken des Fußstückes Säulen errichtet, auf deren oberen das Kopfstück ruht und mit dem es mittelst durchgehender, sehr starker Schrauben verbunden ist. In diesem Falle ist die Preßtafel L an den vier Ecken ausgerundet und greift um einen Theil der vier Säulen, an denselben sich mittelst Friktionsrollen schiebend, wodurch allerdings die Sicherheit der Bewegung sehr gefördert wird. Die Preßschraube hat an solchen Pressen gewöhnlich 10 bis 15 Centim. im Durchmesser und ihre Mutter liegt im Oberstücke fest. Statt der oberen Vorrichtung mit den Zahnrädern, die hier wegfällt, befindet sich dann aber an dem Theile M eine Scheibe, welche mit der Spindel der Schraube verbunden und deren Durchmesser um etwa 24 Centim. kürzer ist, als der Durchmesser der Preßplatte. Der Rand dieser Scheibe ist mit dem Gewinde einer Schraubenmutter ohne Ende versehen und neben der Scheibe stehen zwei Böcke, in welchen sich in bronzenen Lagern die Welle bewegt, um welche ein bis zwei Gewinde einer Schraube ohne Ende gelegt sind. Diese Gewinde stehen mit dem geschnittenen Umfange der oben erwähnten Scheibe in Eingriff und es ist klar, daß wenn die Welle gedreht wird, die Schraube jene Scheibe und also auch die Schraubenspindel drehen und in der Mutter auf= und abwärts bewegen wird, worauf also die mit der Schraube verbundene Preßplatte ebenfalls auf= und absteigen und in letzterem Falle die Pressung bewirkt wird. Durch eine leicht anzubringende Sperrklinke kann aber die erlangte Pressung festgehalten werden. Die Bewegung der Welle für die Schraube ohne Ende geschieht bei kleinen Pressen durch eine Kurbel, bei größeren durch eine Kreuzhaspel. Der Vortheil dieser ganzen Vorrichtung beruht darin, daß man einerseits weit stärker pressen kann, andererseits aber der Drehapparat nicht, wie bei **Fig.** 130 hoch oben, sondern unmittelbar auf der Preßplatte, also mehr zur Hand liegt.

B. Die Satinir= oder Glättpressen.

Die Pressen gleichen den allgemein bekannten Kupferdruckpressen vollkommen und werden auch statt dieser angewendet, indessen sind sie meistens kleiner und es mangelt ihnen die Vorrichtung mit den Pappblättern, durch welche dem Kupferdruck eine gewisse Elasticität gegeben wird, die beim Satiniren des Papiers nachtheilig sein würde.

Demnach liegen in dem gußeisernen Gestelle der Satinirpresse zwei massive, sehr genau abgedrehte hartgegossene eiserne Walzen über einander. Die untere dreht sich in festen Lagern, die obere aber in sogenannten Hängelagern, so daß die obere Walze mehr oder minder weit von der untern entfernt werden kann. Dies muß natürlich stattfinden, ohne daß die gegenseitige parallele Lage der Walze gestört werde, und dies wird auf folgende Weise bewirkt. Das eiserne Kopfstück des Gestelles, welches sehr stark ist und die beiden Seitenwände fest mit anderen verbindet, ist an beiden Enden durchbohrt und nimmt zwei Schraubenmuttern in dieser Durchbohrung dergestalt auf, daß sich dieselben zwar in dem Kopfstücke drehen, aber weder nach oben noch nach unten ausweichen können. Durch diese Muttern ziehen sich die in Scheiben ausgehenden Enden der Lager für die obere Walze und

werden natürlich, ohne sich um ihre Achse zu drehen, auf-
und absteigen, je nachdem die Muttern gedreht werden.
Diese Muttern haben nach oben eine viereckige Verlängerung, auf welcher ein Stirnrad aufgezogen wird, und
beide Stirnräder greifen in ein drittes, auf der Mitte des
Kopfstückes liegendes Stirnrad, das mittelst der Kurbel
gedreht werden kann. Da nun alle drei Räder unter sich
und die beiden Schrauben mit mathematischer Genauigkeit gleichmäßig gearbeitet sind, so ist es klar, daß bei der
Umdrehung der Kurbel, wenn gleich anfänglich beide
Walzen genau parallel eingestellt waren, die Oberwalze
auch, sie mag so nahe oder so weit von der Unterwalze
abgestellt sein, als es die Vorrichtung erlaubt, letzterer stets
parallel bleiben muß.

An der Unterwalze sind die Zapfen verlängert und
es werden darauf Kurbeln gesteckt, um die Walze umdrehen zu können. Bei besseren Pressen, mit denen man
einen sehr großen Druck bei geringer Kraft (also mit
einem Arbeiter) erlangen will, ist nur ein Zapfen verlängert und an demselben ein großes Zahnrad aufgezogen,
in welches ein kleines Getriebe greift, bisweilen sogar
noch mit einem Zwischenrade, und an dem Zapfen des
Getriebes ist die Kurbel für den Arbeiter aufgeschoben.

Das Durchziehen der zu satinirenden Arbeiten findet
dergestalt statt, daß dieselben bei gewöhnlichen Abdrücken
einzeln zwischen je zwei glatt gemachten Zinkplatten liegen
und so durch die enggestellten Walzen gehen, bei besonders
kostbaren Arbeiten aber ist nur die untere Platte Zink,
die obere aber eine schwarz polirte Stahlplatte.

Man kann diese Presse auch zum Kupfer- und namentlich Zinkdruck anwenden, wo man dann die Platte auf
ein hölzernes Laufbrett legt und mit der gewöhnlichen
Ueberlage druckt, nachdem die Walzen weit genug gestellt
sind.

Statt der Räder- und Schraubenstellung hat man
auch Pressen mit Keilstellung und andere ähnliche zweckmäßige Stellapparate und nur in diesen ruht die Ver-

schiedenheit der gebräuchlichen Satinirpressen; das Grundprincip ist in Allem dasselbe.

b) **Kleine Papierpressen** sind die, wie sie jeder
Buchbinder und Kartenmacher in größerer Menge besitzt,
und die selbst in Gastwirthschaften zum Pressen der Ser-
vietten und in Familien zu verschiedenem Behuf gebraucht
werden.

Siebentes Kapitel.

Von den beim Steindrucke nöthigen und brauchbaren Papieren, und dem Netzen derselben.

———

Nöthig sind beim Steindruck überhaupt drei Arten Papiere, nämlich für den Zeichner erstlich ein dünnes, durchsichtiges Papier, um die Zeichnungen in genauer Kopie auf den Stein zu bringen und daselbst ausführen zu können; dann für den Drucker Makulatur zu Unterlagen zum Reinigen und Abreiben der Platten und zu verschiedenen andern Zwecken: endlich drittens dasjenige Papier, worauf die Abdrücke gemacht werden sollen, das Druckpapier.

1) Das Pauspapier.

Da der Zeichner nur in seltenen Fällen seine Zeichnung gleich auf den Stein entwerfen wird, sondern im Gegentheile fast immer nach einem vorliegenden Originale arbeitet, so bedarf es einer genauen Kopie des Originals auf dem Steine. Da diese Kopie verkehrt stehen muß, kann man das Original selbst nur dazu brauchen, wenn es auf sehr durchsichtiges Papier gezeichnet ist, oder man dasselbe durch Bestreichen mit Oel durchsichtig machen kann.

Die Fälle, wo dies geschehen darf, gehören indessen zu den Ausnahmen, und man bedient sich zum Kopiren in der Regel des sehr dünnen, unter dem Namen Pauspapier, Strohpapier (Papier végétal) bekannten Papiers, welches man auf das Original legt, die Züge des letzteren darauf durchzeichnet, dasselbe umkehrt und dann die Zeichnung, wie bereits schon früher erläutert wurde, auf den Stein bringt.

Dieses Pflanzenpapier wird aus Hanf= oder Flachs= heben gemacht und grün verarbeitet, d. h. man läßt die= selben nicht in Fäulniß übergehen, wodurch das in den Fasern enthaltene Gluten (Leimstoff) zerstört würde, wel= ches das Papier durchsichtig und auch das Leimen desselben überflüssig macht.

Durch das Bestreichen mit Balsam copaive gewinnt dasselbe an Durchsichtigkeit und ist auch weniger dem Ver= ziehen unterworfen, weshalb derartiges Pauspapier im vollkommen trocknen Zustande ohne Nachtheil verwendet werden kann. Beide Sorten dieses Papiers erhält man überall käuflich und sind zu diesem Gebrauche am ge= eignetsten.

Das sogenannte Oelpapier, durch Mohn= oder Nußöl, oder Dammarfirniß mit Beisatz von Terpentinöl bereitet, ist jedoch, selbst wenn es vollständig trocken ist, nur mit der größten Vorsicht zu gebrauchen, und soll nie unmittel= bar mit dem gekörnten Stein in Berührung kommen.

Bei Verwendung des Oelpapiers zum Durchzeichnen mit der Feder und chinesischer Tusche muß die Tusche mit etwas Ochsengalle versetzt werden, weil sie sonst auf dem Oelpapier nicht haften würde.

In neuerer Zeit wurde auch derartiges Durchzeichen= papier durch das Ueberstreichen mit Petroleum erzeugt, und ebenso das Riciniusöl mit absolutem Alkohol verdünnt hierzu verwendet; wobei man, je nach der Dicke des Papiers, das Oel mit der ein=, zwei= oder dreifachen Menge absoluten Alkohol vermischt, und das Papier mittelst eines Schwammes mit dieser Mischung ein Mal bestreicht.

Nach wenigen Minuten ist der Alkohol verdunstet und das Papier ist — bei richtigem Verhältniß der Mischung — vollständig durchsichtig, trocken und dabei geruchlos, und kann sofort benutzt werden, um mit Bleistift oder Tusche darauf zu zeichnen.

2) Makulaturpapier

ist in einer Steindruckerei immer in großem Vorrathe nöthig, und zwar zu verschiedenen Zwecken. Man kann daher auch besseres und schlechteres benutzen; am rath=samsten aber ist immer das reine, weiße Makulatur= oder ordinäre Druckpapier, wie es zum Bücherdruck gebraucht wird. Nur nehme man kein sogenanntes graues Lösch=papier, weil dies zu viele Unreinigkeiten und Knoten ent=hält, die der Zeichnung, der Platte, dem Leder oder Reiber nachtheilig werden können, was auch bei anderem unreinem Papiere mit starken Unebenheiten u. dergl. der Fall ist. Makulatur vom Buchhändler ist ebenfalls brauchbar, nur darf die Druckschrift darauf nicht mehr neu sein, sonst könnte sie sich durch den heftigen Druck, wenn solches Papier beim Steindruck als Auf= oder Ueberlage gebraucht wird, leicht überdrucken und Schmutz verursachen, und wenn man es zum Abreiben irgend einer Materie von der Steinplatte benutzt, letztere leicht verunreinigen.

3) Das Druckpapier

oder dasjenige Papier, auf welches der Abdruck gemacht wird. Man wendet es von sehr verschiedener Güte und Größe, in ganzen und getheilten Bogen an, wie es eben die Arbeit erfordert. Die feinsten Velin= und holländischen Postpapiere, die stärksten Schweizerpapiere, Schreibpapiere aller Art, auch ungeleimte, sogenannte Druckpapiere und selbst gefärbte Papiere werden angewendet. Doch sind nicht alle Papiere gleich tauglich für den Steindruck.

Man kann annehmen, daß ein kerniges, mit einer feinen Oberfläche versehenes, gut und egal geleimtes, besser aber noch ungeleimtes, oder halbgeleimtes Papier das beste für den Steindruck ist. Zu Kunstgegenständen ist jederzeit ein ungeleimtes oder halbgeleimtes Papier rathsam, doch die Federschriftmanier hat es meist mit solchen Arbeiten zu thun, worauf dann noch mit gewöhnlicher Tinte geschrieben werden muß, daher fast nur geleimte Papiere dabei anzuwenden sind.

Ob ein Papier mehr oder minder, und ob es gleichmäßig geleimt sei, erkennt man, sobald man dasselbe netzt, an dem Durchschlagen. Ungeleimtes Papier wird beim Feuchten durchsichtig; enthält es Spuren von Leim, so bleiben einzelne Stellen wolkig, und solches Papier, ebenso wie das ungleichmäßig geleimte, ist zum Drucke womöglich zu vermeiden, da es die Farbe auch ungleichmäßig annimmt und gern graue Stellen im Druck erhält.

In der Art des Leimes und in der Anwendung desselben bei der Papierfabrikation liegt eine große Verschiedenheit der mehr oder minderen Tauglichkeit eines solchen Papieres zum Steindrucke. Manche solche Papiere nehmen fast gar keine Druckschwärze an, manche nur dann, wenn sie wenig, manche wieder, wenn sie mehr gefeuchtet sind. Es ist daher bei Einkauf größerer Quantitäten Papiers sehr rathsam, dasselbe vorher auf verschiedene Weise zu probiren, denn vom Ansehen allein kann man nur wenig urtheilen, doch erhält man auch darin bei einiger Aufmerksamkeit bald einen ziemlich sicheren Blick. — Aber es giebt gewisse Papiere, die für den Steindruck völlig untauglich sind, nämlich solche, die sich durch einen süßlichen, aber zugleich urinösen Geruch ankündigen; sie haben gewöhnlich chemische und in der Fabrik nicht gehörig abgestumpfte oder neutralisirte Bleiche, und bei dieser werden Substanzen angewendet, die theils die Steinplatte oder ihre Präparatur, wie dies z. B. Alaun thut, theils die mit Fett oder Oel gemachte, oder eingeschwärzte Zeichnung, wie durch Salzsäure u. dergl., angreifen und verursachen, daß die Platten bald Schaden leiden, und daher nur wenig gute Abdrücke liefern können. Gewöhnlich wird bei einem solchen chemisch, d. h. mit Chlor gebleichten Papiere, der Stein schon beim dreißigsten oder vierzigsten Abdrucke fettig, und es ist durchaus unmöglich, denselben wieder brauchbar zu machen. Von größter Wichtigkeit muß es daher für den Lithographen sein, sich schon im Voraus zu überzeugen, ob das Papier, das er zum Abdrucke seiner Arbeiten bestimmt, etwa mit Chlor gebleicht, oder ob beim Leimen Alaun, dessen überschüssige Schwefelsäure die im Wasser unlösliche Gummischicht der Präparatur zerstört, im Uebermaß angewendet wurde. Dazu bietet sich ihm folgendes einfache Mittel dar:

Man pülvere 1 Gewichtstheil Lackmus im Mörser, gieße dann 5 Theile Wasser darauf, und wenn die Auflösung vollendet ist, so seihe man sie durch feine reine Leinwand und bewahre sie zum Gebrauche in einem wohl zugestöpselten Fläschchen auf. Hat man nun ein verdächtiges Papier, so mache man mit einem in jene Auflösung getauchten Pinsel einen Strich auf demselben. Bleibt der Strich blau, so enthält das Papier keine Säure, im entgegengesetzten Falle aber wird er mehr oder minder intensiv roth. Von der Anwesenheit des Chlors in einem Papiere kann man sich überzeugen, wenn man das zu prüfende Papier mit einem Gemisch aus Stärkekleister und etwas Jodkalium benetzt. Ist auch nur eine Spur von Chlor in dem Papier vorhanden, so wird dasselbe sich mehr oder minder blau oder dunkelviolett färben.

Man ist jedoch nicht immer genöthigt, ein solches Papier zu verwerfen, sondern man kann die Säure in demselben neutralisiren, indem man sich zum Netzen desselben eines schwach ammoniakalisch gemachten Wassers bedient. Noch leichter kommt man dazu, wenn man ein saures Papier, oder auch solches, das durch Zufälligkeiten, vielleicht schon in der Masse, sauer geworden ist, in einer dünnen Kalkmilch netzt, die man dadurch erzeugt, daß man in das zum Netzen bestimmte Wasser ein Stück ungelöschten Kalk wirft und darin zergehen läßt, das Wasser aber beim Netzen oft umrührt.

Solche Mittel sind indessen immer nur Auskunftsmittel und nur im Nothfalle zu gebrauchen, da sie umständlich sind; am besten thut man immer saure Papiere zurückzustoßen.

Die Papierfabrikanten pflegen übrigens gern, wenn sie ihr Papier mit Chlor bleichen, die Säure in demselben mit Alkali zu sättigen. Dadurch hört allerdings die saure Reaktion des Papiers auf, das Papier wird aber dabei brüchig und leicht vergänglich. Man prüfe daher ein solches verdächtiges Papier dadurch, daß man dasselbe öfters einbiegt und faltet, wo sich die Brüche bald zeigen werden.

Uebrigens sind es nicht immer die eben erwähnten Umstände, welche Uebelstände beim Druck herbeiführen, sondern dergleichen entstehen auch oft durch das Leimen, besonders wenn dasselbe stark und mit Harzseife und Alaun geschieht und die Uebelstände wachsen, jemehr das beim Drucke und Feuchten angewendete Wasser Kalktheile enthält. Selbst der gewöhnliche thierische Leim ist nachtheilig, wenn er noch zu viele Fetttheilchen enthält, d. h. nicht gehörig abgeschäumt wurde. Die Steine werden durch solches Papier nicht angegriffen, wohl aber die Zeichnung, welche endlich ganz verschwindet. Auch nehmen die unbezeichneten Stellen des Steins bald Farbe an. — Ein Papier welches von der Harzseife durch und durch mit Harz durchzogen ist und oft auch Oel (fettes und Terpentinöl) enthält, wird an der Zeichnung kleben und diese losreißen, oder dem Steine Harz oder Fett mittheilen und ihn zum Verschmutzen geeignet machen. Diese Uebelstände treten deutlich hervor, wenn das Papier 1) mit weichem, terpentinhaltigem Harz geleimt wurde, 2) wenn mehr Alaun zugegeben wurde, als zur Zersetzung der Harzseife nöthig war, 3) wenn man, zur Beseitigung des Schäumens, Oel auf den Holländer giebt, 4) wenn nach der Leimung die Masse im Holländer nicht gehörig durchgearbeitet wurde, was namentlich der Fall sein muß, wenn der Alaun, in wenig Wasser gelöst, auf drei bis vier Mal zugegeben wurde, wobei das Harz dort, wo eben der Alaun hinkam, als Harzsäure abgeschieden wird und erst durch langes Durcharbeiten wieder in Harzseife verwandelt werden kann, wenn

nicht zu viel Alaun vorhanden ist. Der Alaun hat mehr
Schwefelsäure, als zur Lösung der Thonerde nöthig ist;
wenn nun des Kalis der Seife zu wenig für die Menge
des Alauns ist, so wird von letzterer nur soviel Schwefel=
säure gesättigt, daß der Alaun noch löslich bleibt. In
diesem Zustande giebt er an die Harzsäure keine Thonerde
ab und die Säure wird dann beim Trocknen des Papiers
wasserfrei und klebend.

Ferner ist auch darauf zu sehen, daß die Druckpapiere
nicht sehr rauh oder grobkörnig sind, oder wohl gar Un=
reinigkeiten, als unverarbeitete Massen, Sand oder andere
Körnchen u. dergl. enthalten, denn diese bewirken unreine
Abdrücke, oder Verletzung des Leders, des Reibers, auch
wohl gar des Steines, weil die horizontale Fläche der
Steinplatte und des Reibers, die scharf aufeinander passen,
dadurch unterbrochen wird, das Hinderniß sich dann irgendwo
eindrückt oder fortschiebt und so die genannten Verletzungen
oder Unreinigkeiten hervorbringt.

Uebrigens haben in neuerer Zeit die meisten Papier=
fabrikanten diesen oben angedeuteten Uebelständen zu be=
gegnen gelernt, sollte man aber dennoch genöthigt sein,
ein solches dem Steine nachtheiliges Papier gebrauchen zu
müssen, so kann man am leichtesten seine schädliche Ein=
wirkung dadurch verhindern, wenn man beim Drucken zum
Befeuchten des Steins statt Wasser einen dünnen Stärke=
kleister nimmt, welches zweckdienlicher ist als wie das in
Vorschlag gebrachte Feuchten des Papiers mit Kalkwasser,
Sodalösung u. dergl. und durchaus nicht störend auf die
Operation des Druckens einwirkt.

Auch bunte Papiere sind beim Steindrucke gebräuch=
lich, doch hat man sich bei ihrer Anwendung wohl zu
hüten, daß man nicht solche nehme, deren Farben beim
Feuchten ausgehen, oder deren Bestandtheile ebenfalls nach=
theilig auf die Druckschwärze oder die Präparatur der
Steine wirken, wie dies die Alkalien, Alaun oder die in
der Fettigkeit sich auflösenden und dadurch die Zeichnung
verschmutzenden Bleioxyde thun. Es sind daher nur solche
gefärbte Papiere brauchbar, die in der Masse gefärbt und

unter dem Namen bunter französischer, oder gefärbter Postpapiere im Handel sind.

Muß man sich der gewöhnlichen, nur auf einer oder auch auf beiden Seiten angestrichenen Kattunpapiere zum Drucke bedienen, so muß man dieselben ganz trocken verdrucken, oder sie doch nur einige Minuten zwischen mäßig gefeuchteten Makulatur liegen lassen, wodurch sie allerdings besser annehmen, aber ihren Glanz verlieren und, wenn sie zu feucht sind, den Stein verschmutzen. Ebenso muß man mit den satinirten und geglätteten gefärbten Papieren verfahren, welche man, da sie meistens mit Seife geglättet sind, nicht allein trocken drucken, sondern bei denen selbst die Feuchtigkeit des Steines verdunsten muß, ehe man das Papier auflegt.

Eines Umstandes müssen wir noch erwähnen, nämlich des sogenannten Anlaufens des Papiers, indem einerseits durch solches Papier die Steine und die Zeichnungen angegriffen werden, andererseits aber dieses Anlaufen bereits ein angehendes Verstocken ist und bald den Ruin des Papiers nach sich zieht.

Dieses Anlaufen wird dann herbeigeführt, wenn, namentlich im Sommer, gefeuchtetes Papier lange steht, ehe es bedruckt und getrocknet wird. Das Anlaufen geschieht indessen nicht bei allen Papiersorten gleich früh und hängt namentlich von dem Umstande ab, ob etwa salziges Wasser bei der Fabrikation verwendet worden ist.

Das Anlaufen zeigt sich, indem sich auf dem Papiere Flecken von gelber, rother und grüner Farbe (die Anfänge der Pilzvegetation) zeigen, welche sehr schnell an Umfang und Zahl zunehmen und erscheint sehr oft am vierten Tage, namentlich bei ziemlich warmer Witterung. Chlorwasser und verdünnter Salmiakgeist machen hier keinen Effekt und das Papier ohnehin zum Steindruck untauglich. Sicher aber gelangt man zum Ziele, wenn man 1 Theil Salzsäure mit 18 Theilen Brunnenwasser mengt und das Papier damit von Neuem, jeden Bogen einzeln, feuchtet und wieder trocknen läßt, dasselbe aber später zum Druck von Neuem, wie gewöhnlich, mit reinem Wasser feuchtet.

Doch muß man solches Papier mit Vorsicht drucken, namentlich den Stein gut in der Farbe halten und dann und wann mit Konservirfarbe einschwärzen und ein Paar Stunden ruhen lassen.

Das für Kunstgegenstände, besonders beim Kreidedrucke verwendete ungeleimte Papier soll gehörig markig sein, und sich vollkommen an die Platte anschmiegen, um die aufgetragene Druckfarbe gut aufnehmen zu können, dabei soll es auch eine gehörige Dicke haben, sich beim Drucke nicht zu stark ausdehnen, und von reinem Weiß und ohne Flecken sein.

Die Güte desselben hängt theils von der Wahl des Stoffes ab, aus dem es bereitet wird, theils kommt es auch auf den richtigen Grad der erlangten Fäulniß seines Teiges an, wodurch es weich und schwammig wird, und sich den Körpern anschmiegt, mit denen es bedruckt werden soll. Durch die Verwendung eines zu sehr gebleichten oder zu sehr in Fäulniß übergegangenen Teiges, wird das Papier weich und zerreißbar.

Unter allen ungeleimten Druckpapieren eignet sich vorzugsweise das französische für den lithographischen Druck und erhält daher immer noch den Vorzug, obgleich auch das in Deutschland fabricirte Papier demselben ziemlich nahe kommt.

4) Das chinesische Papier.

Dieses Papier, dessen hoher Preis und die Schwierigkeit, sich dasselbe ächt und in der gehörigen Menge zu verschaffen, noch vor einigen Jahren dem ausgedehnteren Gebrauche desselben große Schwierigkeiten in den Weg legten, wird jetzt durch ein Papier von demselben Farbentone, das in den deutschen, französischen und englischen Fabriken bereitet wird, fast ganz ersetzt.

Das chinesische Papier ist nicht nur durch seine Feinheit und seine große Empfänglichkeit für die Druckfarbe, sondern auch durch seinen eigenen Farbenton dem Lithographen sehr nützlich, indem dasselbe die Harmonie der

Zeichnung in den kräftigsten Theilen derselben nicht nur
sehr begünstigt, sondern auch die Schwere der sehr be=
wölkten Lüfte mäßigt und selbst die Härten mildert, welche
dadurch entstehen, daß, sei es nun durch die Aetzung, sei
es durch die Menge der Abdrücke, einige Halbtinten ver=
loren gehen, oder daß der Zeichner die Uebergänge der
Schatten und den Abstand des Schattens gegen das höchste
Licht nicht weich genug gehalten hat.

Wir können uns hier nicht weiter darauf einlassen,
ob das Papier, das unsere europäischen Fabriken uns un=
ter dem Namen des chinesischen liefern, alle Eigenschaften
besitze, welche das ächte so höchst vortheilhaft machen, aber
wir wollen hier die Operationen mittheilen, welche mit
beiden unternommen werden müssen, um dasselbe zu ver=
wenden.

Ein gutes chinesisches Papier muß fein sein, einen
graulich gelben, ins Weiße ziehenden Farbenton, eine gleich=
mäßige Oberfläche ohne Knöpfe und Knoten und möglichst
wenige wollige Theile haben. Dies Papier hat eine rechte
und eine linke Seite, welche sich dadurch von einander
unterscheiden, daß die rechte glatter ist, während die linke
seidenartig und faserig ist und mehrere kleine, krumme,
theils erhabene, theils vertiefte Linien hat.

Um dies Papier auf dem weißen Blatte, das ihm
als Unterlage und Einfassung dient und so den Effekt der
Zeichnung noch vermehrt, dauerhaft zu befestigen, über=
zieht man dasselbe auf seiner ganzen hintern Fläche mit
einer sehr dünnen Lage von durch Leinwand getriebenem
Stärkekleister mittelst eines feinen Schwammes. Dann hängt
man die ganzen Bogen auf eine Leine zum Trocknen auf,
wobei man sich zu hüten hat, daß die Vorderseite nicht
von dem Kleister befleckt werde, indem sie außerdem später
beim Druck am Steine festkleben und so ebensowohl den
Stein, als den Abdruck ruiniren würde. Ist das Papier
trocken, so wiederholt man die Operation noch einmal,
worauf man die Bogen zum Gebrauche lange Zeit aufbe=
wahren kann.

Weishaupt, Steindruck.   24

Will man das Papier brauchen, so schneidet man aus dem ganzen Bogen Blätter von der nöthigen Größe, wobei man jedoch immer, nach Maßgabe der Größe, ringsherum zugeben muß, da das Papier sich, wenn es feucht wird, zusammenzieht. Dann revidirt man die einzelnen Blätter, um die etwa darauf befindlichen fremden Körper, welche der Harmonie und Schönheit des Abdruckes schaden würden, zu entfernen, und legt die Blätter hiermit, etwa eine halbe Stunde vor dem Beginnen des Druckes, einzeln zwischen das zum Druck bestimmte weiße Papier; doch darf man es mit demselben nicht in die Papierpresse bringen.

5) Das Glacépapier*).

So nennt man ein künstlich bereitetes Papier, dessen man sich zum Drucke der Visiten- und Adreßkarten bedient, das im Ankauf ziemlich theuer ist, das aber in jeder Anstalt, wo dergleichen Arbeiten oft vorkommen, mit Vortheil selbst bereitet werden kann, weshalb wir dessen Bereitungsart hier mittheilen wollen.

Dieses Papier besteht aus einem starken Doppelpapier, das man entweder aus der Fabrik beziehen oder durch Aufeinanderkleben von zwei bis drei Bogen ordinären Papieres erzeugen kann, und auf welches ein gypsartiger Ueberzug gestrichen wird, welcher die Druckfarbe sehr gut annimmt und durch Satiniren und Moiriren ein eigenthümliches Lüstre erhält.

Zu diesem Ueberzuge nehme man ½ Kilogrm. Pergamentschnitzel, ⅛ Kilogrm. Hausenblasenspäne und ⅛ Kilogrm. Gummiarabicum, koche die Masse mit $6^2/_5$ Kilogr. Wasser bis auf $3^1/_5$ Kilogrm. ein und theile dieselbe, wenn man sie noch heiß abgeseiht hat, in drei gleiche Theile. Dem ersten Theile setzt man 5 Kilogrm. des besten, zuvor fein abgeriebenen chemischen Bleiweißes, dem

*) Es wird fälschlicher Weise auch Gypspapier genannt, obschon der Gyps demselben sehr fern bleibt.

zweiten 4 Kilogrm., dem dritten 3 Kilogrm. dieser Farbe
zu, so erhält man drei Anstrichfarben von der verschiedenen
nöthigen Konsistenz.

Nun breite man das zu bestreichende Papier flach
aus und trage darauf mit einem großen Pinsel recht gleichmäßig eine Lage von der ersten Mischung auf, lasse die
Bogen trocknen und gebe ihnen auf dieselbe Weise nach
24 Stunden eine Lage von der zweiten Mischung und
abermals nach 24 Stunden eine Lage von der dritten
Mischung. Noch schöner wird das Papier, wenn man noch
eine zweite Lage von der dritten Mischung giebt. — Ist
das Papier völlig trocken, so lasse man es auf einem fein
polirten Steine unter starkem Drucke, mit der bestrichenen
Seite nach dem Steine zu, durch die Presse gehen und
bewahre es dann zum Gebrauch auf.

Eine bessere und elegantere Sorte dieses Papiers erhält man, wenn man, nachdem die Vorderseite fertig und
gehörig ausgetrocknet ist, auch die Hinterseite mit einer
Lage von Nr. 1 und nach dem Trocknen mit einer zweiten
von Nr. 2 überzieht.

Nimmt man statt des Bleiweißes Schwerspath (schwefelsaure Schwererde), so wird die Farbe noch schöner und
schwärzt sich auch nicht beim Zutritte von Schwefelwasser-
stoffgas.

Soll das Papier gefärbt werden, so muß man den
Farbestoff dem Bleiweiß bereits beim ersten Abreiben, ehe
der Leim dazu geschüttet wird, in der gehörigen Nüance
zusetzen.

Beim Drucke darf auch dies Papier nicht genetzt werden; sondern man legt die Blätter einige Minuten zwischen
mäßig gefeuchtete Makulatur.

Das unter der Benennung Porzellanpapier bekannte Papier wird verfertigt, indem man mehrere sehr
dünne Schichten von einer Farbe aufträgt, die aus Kremserweiß und einer kleinen Quantität Leim und Alaun
besteht.

24*

6) Gefärbte Papiere.

Dieselben sind entweder von der Hand gefärbt und dann nichts anderes, als gewöhnliche geleimte Papiere, über deren Behandlung beim Feuchten zum Drucke bereits gesprochen wurde. Diese Papiere können aber auch in der Masse gefärbt, sogenannte Naturpapiere, sein. Man hat sie in allen Farben und Größen und verwendet sie zu Umschlägen, Anschlagzetteln 2c. Ihre Behandlung ist ganz die des gewöhnlichen Papieres, da sie sich in Nichts, als der Farbe, von demselben unterscheiden. Ob dieselben auf eine oder die andere Weise sauer reagiren, beim Gebrauch also schädlich auf den Stein wirken möchten, erkennt man durch die Probe, welche wir oben mittheilten. Man muß solche Papiere entweder dadurch entsäuren, daß man in das zum Feuchten bestimmte Wasser ein Stück ungelöschten Kalk legt, oder etwas Kalkmilch zugießt und oft umrührt, oder man muß sie verwerfen, sobald die Kalkmilch deren Farbe verändern kann, sie also nicht entsäuert werden können.

Außer dem Papier, als Material zum Abdrucke, kann man auch noch andere Stoffe benutzen, und man hat daher, besonders in neuern Zeiten, den Steindruck mit großem Vortheile zum Musterdruck auf Wachstaffet, Wachsleinwand, seidene Zeuge, Mousseline, Kattun u. s. w., auf Bänder, Kantenkleider, zu Tapeten u. dergl. m. anzuwenden gelernt.

Ueber das Feuchten des Papiers.

Das Netzen oder Feuchten des zum Abdrucke bestimmten Papiers ist das erste Geschäft des Druckers oder dessen, der ihm zu Hülfe gestellt ist. Es ist erst zu berücksichtigen, in welchem Formate die Abdrücke gemacht werden sollen, um darnach das Papier zu schneiden; doch kommt es oft vor, daß man dieselbe Schrift oder dasselbe Muster mehrmals nebeneinander zu drucken hat, um schnell eine große Anzahl Abdrücke liefern zu können, oder bei Tabellen u. dergl., wo größeres Format gebraucht wird; dann ist natürlich das Schneiden des Papiers nicht erst nöthig. Auch ist es rathsam, das Papier zu der verlangten Menge Abdrücke vor dem Feuchten zu zählen und, wo möglich, immer einige Blätter auf zufällige Fehldrücke zu berechnen, damit es dem Besteller nicht an der verlangten Menge fehle, oder einzelne Blätter nachgefeuchtet werden müssen.

Das Anfeuchten oder Netzen geschieht folgendermaßen: Hat man ungeleimtes Papier zu feuchten, so legt man auf ein Feuchtbrett einige Bogen Makulatur, dann ein Blatt des zu befeuchtenden Papiers, das man mittelst eines Schwammes gleichmäßig mit Wasser befeuchtet, und auf welches man dann 8—10 Blätter, je nach der Stärke des zu netzenden Papieres, trocken legt. Auf dieses kommt ein einzelnes Blatt, das man wieder mit dem feuchten Schwamme stark netzt, dann wieder 8 bis 10 trockene, wieder ein feuchtes, und so fort, bis die Auflage voll ist. Den Schluß macht wieder Makulatur und ein Feuchtbrett. Soll man dagegen geleimtes Papier netzen, so nimmt man 12 Bogen trockenes, legt sie auf das Feuchtbrett, dann zieht man 12 Bogen mit einem Male durch reines Wasser, jedoch so, daß alle gehörig feucht werden, legt sie auf die vorigen, dann wieder trockenes, dann feuchtes Papier, und so fort, bis alles Papier aufgesetzt ist. Dann beschwert man einen jeden solchen Stoß mit einem Steine oder Gewichte, bis das Papier durch und durch angezogen hat; stellt es darauf mit den Brettern in eine Papierpresse, die man mehr und mehr anzieht, damit das trocken eingelegte Papier die überflüssige Feuchtigkeit des genetzten an sich ziehe, und mit diesem gleich feucht werde.

Das vorgängige Beschweren des Papiers mit Gewichten ist unerläßlich, da außerdem die Feuchtigkeit nicht schnell und gleichmäßig das Papier durchdringt, sondern wenn dasselbe zu früh in die Presse kommt, das Netzen nur unregelmäßig und mit viel größerem Zeitaufwande vollbracht werden kann.

Dabei ist zu bemerken, daß man erstlich nicht zu viel Papier auf einen Haufen lege, weil es so nicht ganz gleichförmig anziehen kann und daher sehr faltig wird, was leicht gequetschte Abdrücke verursacht; alsdann, daß man die Art des Papiers wohl berücksichtige, weil eine mehr, die andere weniger Feuchtigkeit bedarf, indem der Zweck des Netzens, eine zum Drucken nöthige Weichheit des Papieres an diesem zu erhalten, natürlich schon mehr oder weniger erreicht ist, je weicher oder härter das Papier selbst ist. Man feuchte ferner nur immer soviel, als man an einem Tage bedarf, denn das Papier wird sonst leicht an den Rändern zu trocken und liefert dann ungleiche Abdrücke, oder wenn es sehr feucht war, auch wohl feucht steht, verursacht der darin enthaltene Leim leicht Schimmel-(Moder-) Flecke. Diese Flecke von verschiedener Farbe zeigen sich gewöhnlich am vierten oder fünften Tag und machen das Papier zum Drucke gänzlich unbrauchbar, da es bei demselben die Zeichnung rettungslos verdirbt. Ein Mittel, solches Papier wieder brauchbar zu machen, haben wir oben mitgetheilt.

Halb- oder ungeleimtes Papier hat man nur sehr wenig, oder gar nicht zu feuchten. Im Winter setze man ferner das genetzte Papier nicht zu großer Kälte aus, weil es sonst zusammenfriert; im Sommer netze man etwas mehr, vermeide zu große Hitze, welche die Ränder schnell trocknet, und lasse es aus dieser Ursache überhaupt nicht zu lange außer stärkerer Pressung stehen. Sehr harte, starke und vielgeleimte Papiere muß man zuweilen umschlagen, oder gar zweimal feuchten, indem man sie nach mehreren Stunden aus der Presse nimmt, auf einer dazu bestimmten Tafel jede früher genetzte Lage auseinander schlägt, dann eine trockene ebenso behandelt und nun die innere Seite der letzteren auf die der ersteren legt, oder einzelne Bogen oder schwache Lagen frisch genetztes Papier dazwischen bringt. Endlich hat man noch zu berücksichtigen, in welcher Manier die Zeichnung gearbeitet ist und gedruckt wird, und darnach das Papier mehr oder weniger zu netzen.

Im Allgemeinen ist zu berücksichtigen, daß das Papier durchgängig Feuchtigkeit angezogen hat, und überhaupt jedes Blatt und auf jeder Stelle gleich feucht sein muß, wenn es schöne und gleiche Abdrücke liefern soll.

Für die Kreide- oder Tamponirmanier muß man das Papier so trocken als möglich verwenden, denn der Druck wird dann um so brillanter, doch wird das Papier, wenn es allzu trocken ist, hart. Zuviel Feuchtigkeit verhindert, daß die Schwärze gehörig an das Papier gehe, und ist dieselbe gar etwas hart, so bleibt gern ein Theil der Oberfläche des Papiers an dem Steine hängen, und der Abdruck ist makulirt, und was noch mehr ist, selbst die Zeichnung auf dem Steine wird dadurch verdorben.

Man kann die Papiere schon verwenden, wenn sie drei bis vier Stunden in der Presse standen, doch thut man besser, am Abend vorher das Papier für den folgenden Tag zu netzen.

Abreßkarten aus starkem, geleimtem, gewöhnlichem Doppelpapier feuchtet man, indem man jedesmal etwa 1 Dutzend in die Hand nimmt, an einer Ecke zusammenhält, unter das Wasser bringt und dort mit der andern Hand scharf über den Schnitt fährt, daß sie sich aufblättern und das Wasser dazwischen trete. Dann nimmt man die gefeuchtete Ecke in die Hand und wiederholt die Operation an dem Theile, der bis dahin noch trocken war. Dann kommen die Karten in die Presse, wie das Papier. Wie man mit Karten zu verfahren habe, welche auf Glacé- oder Porzellanpapier gedruckt werden sollen, wurde anderwärts gelehrt.

Eine vorzügliche Berücksichtigung erheischt beim Farbendruck das Papier, welches bekanntlich sich nicht allein durch das Feuchten in die Länge und Breite ausdehnt, sondern auch während der Druckoperation selbst, eine mehr oder minder große, von seiner Dichtigkeit und Dicke abhängende Verlängerung erleidet.

Diese Erscheinung müßte nun bei dem Farbendrucke, wo es darauf ankommt, daß die Farben beim nachmaligen Abdrucke bis auf Haarbreite genau an ihrer Stelle stehen, ein vollkommenes Mißlingen des ganzen Verfahrens nach sich ziehen, mindestens im glücklichsten Falle eine Menge von Korrekturen, die mit freier Hand und dem Pinsel in die Abdrücke gemacht werden, nach sich ziehen.

Um dem Allen vorzukommen, wählt man zu den zu machenden Abdrücken Maschinen- und kein Büttenpapier, da jenes schon an und für sich spröder und durch die Fabrikation selbst gedehnt ist.

Ferner wendet man nur ziemlich dickes Papier an und läßt dasselbe vor dem Drucke mehrmals mit sehr scharfer Spannung durch die Satinirmaschine gehen, wodurch das Papier den möglichsten Grad der Dehnung erhält und zugleich recht glatt und zur Annahme der Farbe ebenso geeignet wird, als wenn es gefeuchtet wäre.

Das Papier zum lithographischen Farbendrucke wird daher gar nicht gefeuchtet, im Gegentheil womöglich durch erhöhete Temperatur noch mehr getrocknet.

Auch wird dasselbe während des Drucks der verschiedenen Platten immer einer möglich gleichmäßigen Temperatur ausgesetzt, so daß es weder durch Feuchtigkeit noch durch Wärme vergrößert oder verkleinert werde.

Indessen ist es doch, besonders bei weichen Papieren manchmal nothwendig, um das Ein- und Ausgehen zu vermeiden, dasselbe vor dem Druck der Farbeplatten, zu feuchten und mit starkem Druck auf einem reinen glatten Stein ein oder zwei Mal durch die Presse zu ziehen.

Achtes Kapitel.

Von den zum Drucken nöthigen Materialien.

———

Hierher gehört vor allen andern:

1) Die Druckfarbe,

die freilich zu den verschiedenen Zwecken sehr verschieden bereitet werden muß, doch immer aus denselben Materialien besteht. Man bereitet sie aus Oelfirniß und Ruß, oder einer andern Farbe, welche miteinander auf einer glatten Platte oder Reibestein gut abgerieben und zu einer dicken Masse gestaltet werden müssen.

a. Der Oelfirniß.

Die Firnisse sind dazu berufen, in der Lithographie einen sehr bedeutenden Einfluß auszuüben, und dennoch giebt es fast keinen Zweig dieser Kunst, der in den meisten Anstalten mehr vernachlässigt würde, als gerade die so höchst wichtige Fabrikation des Firnisses. Diese ist meistens sehr ungebildeten Leuten und oft sehr ungeschickten Händen anvertraut und wird so oberflächlich behandelt, daß das

Mißlingen oder Gerathen der Operation eigentlich oft Sache des Zufalles ist. Vorzüglich vernachlässigt ist das Entfetten, und große Schwierigkeiten bietet das Eindicken des Oeles zum Firniß dar, indem dasselbe durchaus nicht jene klebrige Beschaffenheit annehmen darf, welche die Oele bei langer Kochung so gern anzunehmen pflegen. Außerdem erheischen die verschiedenen Gefahren beim Brennen des Oeles und die leicht mögliche Explosion die besondere Aufmerksamkeit des Verfertigers.

Die bei der Firnißfabrikation gewöhnlich ins Mittel tretenden Gegenstände sind: Oel, Brod und Zwiebeln.

1) Die Oele.

Man hat bis dahin nur zwei Arten von Oel gefunden, welche zur Bereitung des lithographischen Firnisses taugen, nämlich das Nußöl und das Leinöl. Da aber das erstere in verhältnißmäßig hohem Werthe steht, bedient man sich jetzt allgemein und ausschließlich des Leinöles.

Man wähle, wenn man Firniß kochen will, ein sehr durchsichtiges gelbes Oel, das wo möglich schon zwei Jahre alt ist; indessen kann man mit gewissen Vorsichts= maßregeln auch junges Oel verwenden. Letzteres erscheint trübe und von grünlicher Farbe. — Das alte Oel ent= hält weniger wässerige Theile, entfettet sich daher leichter, dickt schneller ein und spritzt beim Kochen nicht. Kann man indessen kein altes Oel haben, so kann man sich auch des jungen bedienen, nur muß man es dann durch Wolle oder Haartuch klären.

2) Das Brod.

Als den Zweck, welchen man durch das Einlegen von Brodschnitten in das kochende Oel erreichen will, giebt man an, daß das Brod den überschüssigen Wärmestoff, der sich sonst im Innern der Oelmasse unregelmäßig ansammeln und Gelegenheit zu Unglücksfällen geben würde, vertheilen und, ehe derselbe einen gewaltsamen Ausbruch verursacht — wegschaffen solle. Die ersten Brodschnitte, welche man in das siedende Oel wirft, nehmen einen unerträglichen Ge=

schmack und Geruch an; doch nimmt diese Erscheinung nach und nach ab, jemehr man Schnitte einwirft und je reiner das Oel wird. Ueber die Menge des zu verwendeten Brodes ist man noch nicht ganz einig. Jedenfalls spricht hierbei die Reinheit, der mehr oder minder starke Gehalt an wässerigen Bestandtheilen und die übrige Beschaffenheit des Oeles bedeutend mit. Gewöhnlich giebt man an, daß man auf 7½ Kilogrm. 2 Kilogrm. Brod verwenden solle; Lemercier aber, von dessen Firnißbereitung wir weiter unten sprechen werden, rechnet auf das ½ Kilogrm. Oel nur 66²₃ Gramm, also etwa 1 Kilogrm. Brod auf 7½ Kilogrm. Oel. Geruch und Geschmack des gerösteten Brodes werden hier den besten Maßstab an die Hand geben.

3) Die Zwiebeln.

Wegen ihrer schleimigen Theile und der Säuren, welche die Zwiebeln enthalten, sind sie vorzüglich geeignet, das Oel zu entfetten und ihm jene Dichtigkeit zu geben, zufolge deren der Firniß leicht trocknet. Knoblauch, dem kochenden Oele zugesetzt, thut letzteres auch, macht aber das Oel klebrig und trübe, ohne es zu entfetten. Wir müssen hier bemerken, daß der Ausdruck „entfetten" nicht etwa heißt, dem Oele seinen ganzen Fettgehalt nehmen, denn ohne diesen würde der Steindruck nicht möglich sein, sondern die bis jetzt erwähnten Operationen bezwecken das Neutralisiren der Fettsäure, also eigentlich die Darstellung eines ganz reinen, nicht sauer wirkenden Fettes.

Um das Oel in Firniß zu verwandeln, bedient man sich einer sogenannten Blase*) von Kupfer oder Gußeisen,

---

*) Nach einem früheren Verfahren hatte man bei der Bereitung des Buchdruckerfirnisses die außerordentlich gefährliche Gewohnheit die Blase, nachdem Brod und Zwiebeln herausgenommen, luftdicht zu verschließen, wobei der Deckel mittelst einer Stange, welche durch den Henkel gesteckt, befestigt und alle Zwischenräume mit Thonerde verschmiert wurden; so daß der durch eine hohe Temperatur erzeugte Dampf keinen Ausweg hatte, und das Zerspringen des Gefäßes häufig Unglücksfälle herbeiführte.

welche 10 Kilogrm. Oel hält, in die man aber nur 6 bis
7½ Kilogrm. giebt, da die Masse während des Siedens
stark aufwallt und, wenn das Gefäß zu voll ist, der Firniß leicht überläuft. Diese Blase verschließt man mit
einem gut passenden, aber lose aufliegenden Deckel über
einem Holzfeuer, das man nie stärker werden läßt, als
daß es das Oel nach und nach und ohne Uebereilung erhitzt. Sobald das Oel zu sieden beginnt, schneidet man
die bestimmte Menge altbackenen Brodes in sehr dünne
Scheiben und wirft deren immer 3 oder 4 zugleich in das
siedende Oel, um dasselbe zu entfetten. Sowie nach und
nach diese Brodschnitte sich rösten, ohne jedoch zu verbrennen (man übersehe dieses sichere Zeichen des zum
Firnißsieden geeigneten Hitzegrades nicht), nimmt man sie
mit einer eisernen Schaumkelle heraus und ersetzt sie durch
neue, bis das bestimmte Brod verbraucht ist. Man muß
hierbei sehr genau sein, um den rechten Hitzegrad des
Oeles zu bestimmen; denn ist das Oel zu kalt, so rösten die
Schnitte langsam oder unvollkommen, ist es zu heiß, so
verkohlen die Schnitte. Hier muß man dann entweder
mehr oder minder stark feuern. Ist die Hitze zu groß, so
wallt das Oel gern auf, dann muß man immer kaltes
Oel in Reserve haben und etwas davon in die wallende
Masse gießen, welche dann augenblicklich wieder ruhig wird
und in sich zusammenfällt.

Ist das Brod verbraucht, so werfe man die aufge-
schnittenen Zwiebeln, deren man nach Maßgabe ihrer Größe
eine bis zwei auf das ½ Kilogr. Oel rechnet, nach und nach
hinein, die man, sobald sie gebraten sind, wieder herausnimmt.

Ist diese Operation vollendet, so muß das Oel so
heiß sein, daß es der Entzündung nahe ist. Wäre dies
etwa nicht der Fall, so muß man es zudecken und auf diesen Hitzegrad bringen. Ist er erreicht, so entzünde man
das Oel mit einem, an dessen Oberfläche gehaltenen, rothglühenden Eisen; den Moment der Selbstentzündung ab-
zuwarten, ist nicht rathsam, da man dann nicht Meister
des Feuers ist. Anfangs ist die Flamme des brennenden

Oeles bläulich, dann aber wird sie weiß und endlich gelblich. Ehe dieses der Fall ist, nehme man die Blase ab
und rühre das Oel um. Bleibt die Flamme rein weiß,
so decke man die Blase mit einem mit Haartuch überzogenen passenden Deckel zu und ersticke dadurch das Feuer,
hebe dann die Blase ab, entferne den Deckel und lasse die
Dämpfe entweichen. Dies Verfahren wird man namentlich
dann anwenden müssen, wenn man mit jungem Oel arbeitet, das viel wässerige Theile enthält und stark auf-
bläht. Dies muß man wechselsweise auslöschen, abdampfen
lassen und dann wieder anzünden, und so fort bis die
Wassertheile in Dampfgestalt entwichen sind. Das Oel
muß so lange brennen, bis die Flamme gelb wird, wozu
bei 6 Kilogrm. Oel etwa eine halbe Stunde Zeit gehört.
Dann lösche man es mit dem Haartuchdeckel, der überhaupt stets zur Hand sein muß, um auch eine etwa
freiwillig eintretende, Entzündung des Oeles sogleich dämpfen
zu können.

Wenn man während der Operation bemerkt, daß das
Feuer sich an die Wände der Blase anhängt, so muß man
dieselbe sogleich luftdicht verschließen, vom Feuer abnehmen,
in ein zu diesem Zwecke in die Erde gegrabenes Loch setzen
und im Nothfalle sogar oben mit Erde bedecken, um den
Zutritt der äußeren Luft abzusperren und die Flamme zu
ersticken. Wäre man dabei nicht rasch genug, oder schlösse
der Deckel nicht fest genug, so würde eine Explosion entstehen und das ganze Oel aus der Blase geschleudert
werden. Uebrigens ist es gesetzliche Vorschrift, daß
das Firnißkochen stets im Freien und entfernt von Ge-
bäuden ꝛc. geschehen muß.

Eine Viertelstunde nach dem Abheben der Blase vom
Feuer, deckt man sie wieder auf, nimmt mit einem Spatel
einen Tropfen des Oeles heraus und läßt ihn auf eine
Glastafel oder einen glasirten Teller fallen. Wenn nach
einigen Augenblicken die freie Luft denselben abgekühlt hat,
kann man sich von der Beschaffenheit des Firnisses überzeugen. Hat er die gehörige Konsistenz für die Schrift
und die Federzeichnung, so gießt man einen Theil davon

in das zu deſſen Aufbewahrung beſtimmte Gefäß und
nennt ihn Firniß Nr. 1. Soll derſelbe aber zum Druck
von Kreidezeichnung verwendet werden, ſo muß er ſtärker
ſein. Man ſucht alſo den Reſt des Firniſſes noch einmal
anzuzünden. Fängt er, wenn man das rothglühende Eiſen
daran bringt, nicht ſogleich Feuer, ſo muß man ihn aufs
Neue über das Feuer bringen und erhitzen, bis er ſich
anzünden läßt, worauf man ihn abermals 15 Minuten
brennen läßt. Dieſer Finiß wird als Firniß Nr. 2 aufbewahrt.

Man unterſcheidet für den Steindruck durchſchnittlich
drei Firnißſorten: ganz ſtarken, mittelſtarken und
ſchwachen Firniß.

Guter Firniß muß hell und klar ſein, und an den
Fingern Fäden von 6 bis 9 Centim. Länge ziehen, welche,
wenn ſie reißen, als leichte und trockene Körper durch die
Luft ſchweben. Reibt man ihn zwiſchen den Fingerſpitzen,
ſo muß er, wenn man die Finger wieder öffnet, etwas
kniſtern und lange, durchſichtige hellbraune Fäden ſpinnen.

Firniß, den man für den Sommergebrauch ſiedet, muß
bedeutend ſtärker ſein, als der, welchen man für den Gebrauch in den übrigen Jahreszeiten beſtimmt, da ihn die
Hitze des Sommers ohnehin weicher hält. Solchen Som-
merfirniß muß man immer einige Minuten länger ſieden
und brennen laſſen.

Bleioxyde oder dergleichen in den Firniß zu thun,
wie man dies in der Bereitung der Firniſſe zum Malen
und Anſtreichen gewöhnlich thut, iſt nicht anzurathen.
Dieſer Firniß trocknet dem Drucker unter der Hand ein
und verurſacht dann beim Einſchwärzen, außer ſchwerer
Arbeit, eine Reibung auf der Zeichnung, wodurch die feinen
Striche leicht verloren gehen. — Iſt ein Firniß zu ſtreng,
oder will man ihn etwas ſchneller trocknen machen, ſo ſetze
man auf der Schwärztafel einige Tropfen Terpentinöl zu,
doch muß ſelbſt dies mit Vorſicht geſchehen.

Lemercier, deſſen Verdienſte um die Lithographie
allgemeine Anerkennung gefunden haben, hat ſich auch die
Verbeſſerung der Firnißfabrikation angelegen ſein laſſen,

namentlich hat er sich mit den eben erwähnten Bleioxyd-
zusätzen vielfältig beschäftigt und sich von deren Nachtheilig-
keit überzeugt. Ebenso unzweckmäßig fand er aber auch
die Zusätze von schwefelsaurem Kalk und schwefelsaurem
Kali, welche man hie und da in Anwendung gebracht
hatte. Alle lieferten ihm ungenügende Resultate, dagegen
fand er, daß ein Zusatz von Harz alles Gewünschte leiste,
indem die Harze trocken, zerreiblich und amalgamationsfähig
sind. Als das beste Harz in dieser Hinsicht stellte sich ihm
das Pechharz dar, welches, gut mit dem Firniß durcheinander gearbeitet, diesem ein Mark und eine Konsistenz
gab, welche der gewöhnliche Firniß nicht besitzt. Der letztgenannte ist, wenn er nicht höchst sorgfältig bereitet wurde,
schmierig und der Widerstand und die Zähigkeit desselben
lassen selbst dem besten und kräftigsten Arbeiter nicht zu,
demselben mit der gehörigen Gleichförmigkeit hinreichende
Schwärze beizufügen, ein Umstand, aus welchem nothwendig ungleiche und schmierige Abdrücke entstehen müssen.
Harzfirniß macht den Stein nicht fettig und verkleistert ihn
nicht, er läßt leicht vom Stein los und geht vollständig
und bequem an das Papier. Der Drucker ist auch, da
seine Schwärze Elasticität genug besitzt, vollständig Herr
seiner Walze, die Abdrücke erhalten einen kräftigen Ton,
die tiefsten Tinten werden durchsichtiger und anmuthiger
und die Harmonie reiner. Auch ist die Fabrikation des
Firnisses erleichtert und weniger gefahrvoll, weil keine so
große Eindickung erfordert wird. Man braucht nämlich
nur schwachen Firniß zu bereiten und mehr oder weniger
Harz zuzusetzen, um die verschiedenen Nummern der Firnisse mit einem Sude zu erhalten. Man kann sogar
den gewöhnlichen käuflichen Firniß, vorausgesetzt, daß er
keine Bleioxyde rc. enthält, erwärmen und durch Harz-
zusatz modificiren, doch darf man den Firniß dann nicht
sieden lassen und muß das Harz in kleinen Partien zusetzen.

Lemercier bereitet seinen Firniß ganz nach der Art,
wie wir oben beschrieben haben, nur macht er denselben
so dünn, daß er zwischen den Fingern nur eben etwas

klebt, worauf er das gröblich zerschlagene Harz in kleinen
Mengen zusetzt. Dabei bildet sich ein bedeutender Schaum,
welchen man anzündet und abbrennen läßt. Sollte aber
der Firniß sich mit dem rothglühenden Eisen nicht mehr entzünden wollen, so muß man denselben mit der Schaumkelle
abschäumen, dann wieder gelind über dem Feuer erhitzen,
viel umrühren und in das gehörige Gefäß bringen.

Hinsichtlich der Mischungsverhältnisse hat Lemercier
folgende Zahlen als die besten gefunden: 24 Theile Oel,
4 Theile Brod und 4 Theile Zwiebeln, und an Harz,
von dem er sich für das gelbe Pechharz ausspricht, müssen
für den Firniß Nr. 1 die oben erwähnten 24 Theile Oel
3 Theile, für Nr. 2 6 Theile und für Nr. 3 9 Theile
Pech erhalten.

Engelmann spricht sich in seinem Traité de Lithographie nicht ganz vortheilhaft über diesen Firniß aus,
indem er behauptet, daß bei Anwendung desselben zwar
die Güte der Abdrücke befördert, aber die Zahl derselben
sehr vermindert werde, indem der Stein durch den Firniß
angegriffen, nicht so viele Abdrücke liefere, als mit gewöhnlichem Firniß. In den meisten lithographischen Anstalten wird auch dem reinen Firniß ohne Beisatz von
Harz der Vorzug gegeben, indem dieser Harzfirniß gerne
Verschmierungen des Steines herbeiführt.

Von vielen wird auch bei der Firnißbereitung statt
der Blase ein eiserner Kessel benutzt, und das Brennen
des Oels im offenen Gefäße vorgenommen, wobei man
das Oel mehr in seiner Gewalt hat.

Um ein möglichst ruhiges Brennen des Feuers zu
befördern, bedient man sich eines tragbaren Oefchens zum
Einsetzen des Kessels, oder stellt in Ermangelung dieses
den Kessel auf einen Dreifuß und sucht durch Steine den
Luftzug abzuhalten.

Der Kessel darf nur bis zur Hälfte mit Oel gefüllt
sein, um beim Steigen desselben dem Ueberlaufen gehörig
begegnen zu können.

Statt der in das kochende Oel eingetauchten Brodschnitte und Zwiebel, welche durch ihre Feuchtigkeit und

Schärfe der Zwiebeln das Verdicken des Oels beschleunigen
sollen, kann dieses auch durch Einspritzung des Wassers erreicht werden, wobei man dasselbe mittelst eines feinen
Besens oder Bürsters nach und nach in kleinen Tropfen
in das brennende Oel spritzt, und damit so fortsetzt, bis
die Flamme erlöscht ist.

Selbstverständlich darf bei dieser Operation die Flamme
nicht schon den höchsten Hitzgrad erreicht haben, sondern
muß vorgenommen werden, nachdem der aufsteigende Dampf
des erhitzten Oeles mit einem brennenden Span entzündet
und der Kessel vom Feuer entfernt worden ist.

Das ins brennende Oel gebrachte Wasser zersetzt sich
durch die Hitze in Sauer- und Wasserstoffgas, wodurch
das Leinöl oxydirt, somit das Trocknen und Entfetten
des Oels herbeigeführt, und eine schnellere Erzeugung des
Firnisses bezweckt wird.

Indessen wird auch häufig der Firniß ohne obige
Operation bereitet, und das Brennen des Oels mit gehöriger Umsicht so lange fortgesetzt, bis dasselbe die erforderliche Firnißkonsistenz erhalten hat; ohne daß hierdurch
ein merklicher Unterschied beim Drucken wahrzunehmen
wäre. *)

Es mag nun bei der Firnißbereitung Brod und
Zwiebel oder das Wasserspritzen in Anwendung kommen
oder nicht, so ist immer anzurathen, nachdem das Oel zu
sieden beginnt, etwa den zehnten Theil hiervon in einem
besonderen Gefäße bei Seite zu stellen, um nöthigenfalls
damit die möglicherweise zu sehr gesteigerte Hitze des Oels
herabdrücken zu können.

Bei jungem Oele, welches gerne steigt, ist die Feue-
rung so lange zu mäßigen, bis es wieder ruhig wird; zu-

*) Lominger, ein erfahrener Praktiker, sagt in seinem
Werkchen über das Firnißsieden, Nürnberg 1817, „daß die aben-
teuerlichen Proceduren des Hineinwerfens von Zwiebel, Brod ꝛc.
durchaus unnöthig seien".
Vielseitige Erfahrungen haben auch bestätigt, daß der Firniß ohne dergleichen Zusätze gesotten, sich in keinerlei Weise von
dem andern Firniß unterscheidet, und sich im Drucke ganz gleich
verhalte, daher dieses Verfahren überflüssig sein dürfte.

Weishaupt, Steindruck. 25

gleich soll mittelst eines eisernen Löffels mit langem Stiele, das Oel in einiger Bewegung erhalten werden.

Das Verdicken des Oels nimmt seinen Anfang, sobald die Hitze die feinen fetten Theile desselben in brennendes Gas verwandelt, welches sich in weißen Dämpfen entwickelt, wobei man gewöhnlich dem Selbstentzünden durch Darüberhalten eines brennenden Spanes zuvorkommt. Sobald sich die Gase entzünden lassen, so lege man ein Stückchen Korkholz in das Oel, um die Flamme zu erhalten.

Wird dann die bläuliche Flamme des Gases durch die Hitze bis zur gelben Farbe gebracht, so findet gleichsam eine theilweise Verkohlung statt, wobei es rathsam ist den Kessel vom Feuer zu nehmen und bei fortwährend steigender Hitze dieselbe durch Zugießen des zurückgestellten Oeles zu mindern, oder mittelst des Deckels die Flamme zu ersticken; wobei der darauf gebrachte Deckel sogleich wieder abgehoben werden muß, indem bei einem gewissen Hitzgrade durch das Ersticken der Flamme sich ein gelbbrauner Schaum erzeugt, der fortwährend steigt und sich auch durch den Deckel nicht verhalten läßt, daher das Auf- und Zudecken so lange fortzusetzen ist, bis die Flamme vollständig erstickt ist.

Nach dem Erlöschen wird der Kessel wieder über das Feuer gesetzt, wobei man jedoch nur eine mäßige Hitze anwendet, indem nun die fortzusetzende Verdickung des Firnisses viel schneller von statten geht, als wie anfangs.

b) Die Farben.

Des reinen Firnisses bedient man sich nur in sehr seltenen Fällen, welche wir später anführen werden, zum Drucke; derselbe wird vielmehr mechanisch, durch Abreiben mit einem oder dem andern färbenden Stoffe, vermischt. Der gewöhnliche Beisatz ist:

a. Die Rußschwärze.

Diese ist entweder Kohle oder Ruß. Zu ersterer gehören die aus animalischen Stoffen, Knochen und Elfenbein, oder aus vegetabilischen Stoffen, Weinreben, Pfirsichkernen oder Kork erzeugten Kohlen. Diese sind aber sämmtlich für die Lithographie zu substantiös, sie gehen sehr schwierig an den Firniß und liefern eine viel zu kompakte Farbe. Die Abdrücke werden stets etwas körnig, sie erhalten nie einen sammetartigen Schein, und die Farbe selbst hängt sich, zufolge der Härte der Kohle nicht gehörig an das Papier an, ein Theil derselben bleibt auf dem Stein zurück, und zieht eine große Menge unverbesserlicher Nachtheile nach sich, namentlich versaugen und verschmutzen die Steine hier leicht oder bekommen einen Flor. —

Der Ruß aber, welcher aus der Verbrennung harziger Stoffe entsteht, entspricht allen Anforderungen der Lithographie vollkommen. Er hat meistens eine schöne und weiche Schwärze, ist leicht und flockig und mischt sich bequem mit dem Firniß. Man findet ihn im Handel vorräthig, doch ist er in diesem Zustande für bessere Arbeiten noch nicht brauchbar, sondern muß kalcinirt werden. Die Erzeugung und Kalcinirung desselben ist im dritten Kapitel erläutert.

Einen anderen Ruß, der ganz vorzüglich brauchbar ist, und dessen ausschließlichem Gebrauche sich nur die Kostspieligkeit desselben entgegensetzt, den man jedoch zu werthvollen Arbeiten ausschließlich verwenden sollte, kann man sich durch Verbrennung des Terpentinöls selbst erzeugen.

Man nehme ein Gefäß von Blech oder dergleichen, das etwa 1/2 Kilogrm. Terpentinöl faßt, fülle dasselbe an und setze auf dasselbe einen Schwimmer mit einem baumwollenen Docht, worauf man über das Ganze einen passenden Deckel stürzt, der ein Loch hat, durch das die Flamme des Dochtes hindurchschlagen kann. Sobald man nun die auf einem sehr großen Bogen Papier stehende Lampe angezündet hat, stellt man über dieselbe eine cylindrische

25*

Büchse von sehr glattem Kartenpapier oder feinpolirtem Messingblech von 60 Centim. Höhe und etwa 45 Centim. im Durchmesser, den Boden nach oben, so daß die Lampe ganz von diesem Cylinder, der am Fuße einige Löcher zum Lufteintritte haben muß, bedeckt ist. Der sich bei diesem Verbrennungsproceß entwickelnde Ruß setzt sich nun oben an den Boden und an die Wände der Büchse, und sobald das Terpentinöl vollständig verbrannt ist, hebt man den Cylinder leise auf, nimmt die Lampe darunter hinweg und schlägt einige Mal leicht an den Cylinder, worauf der sämmtliche Ruß auf das untergebreitete Papier fällt und zum Gebrauche fertig ist. Derselbe wird dann wie der Kienruß kalcinirt.

Der Gravirfarbe setzen einige Drucker Frankfurter-schwärze oder auch schwarzen Lack bei, und bedienen sich zuweilen einer Beimischung von Mennige, um das Trocknen der Schwärze zu befördern. Dieses Trocknen kann auch durch den Beisatz einiger Tropfen des im Handel vorkom-menden Siccatif- oder Trockenöls*) befördert werden, nur darf dieses Trocknungsmittel nicht mit der Druckwalze in Be-rührung kommen, indem sonst diese durch das schnelle Ver-härten der Farbe sehr bald unbrauchbar würde.

Durch einen Beisatz von Indigo oder Pariserblau werden die Abdrücke bedeutend schwärzer, bedient man sich aber statt des blauen eines Beisatzes von etwas Rothbraun oder Krapplack, so erhalten die Abdrücke einen wärmeren Ton, der ihnen eine große Annehmlichkeit verleiht. Man muß jedoch alle diese Farben zuvor in Terpentinöl sehr fein abreiben und wieder trocknen lassen, ehe man sie der Schwärze zusetzt.

Statt des Leinölfirnisses wird die Gravirfarbe zuweilen auch mit Nußölfirniß bereitet, welchen man, wie den von Leinöl behandelt, ausgenommen, daß man das Oel nur soweit erhitzt, bis es anfängt sich zu ent-zünden. Man läßt es nur einige Minuten lang brennen

*) Demselben Zwecke dient auch das ächte weiße bleifreie Siccatifpulver.

und löſcht es dann aus, um einen flüſſigeren Firniß als für die Feder- und Krayonzeichnungen zu erhalten. Das Nußöl iſt darum vorzuziehen, weil es einen markigern und geſchmeidigern Firniß liefert, als das Leinöl.

Die Farbe reibt man aus 3 Theilen kalcinirtem Ruß und 1 Theil feinem Frankfurterſchwarz, Prima-Qualität, wodurch ein leichteres Wiſchen der Farbe erzielt wird.

Während noch vor einigen Jahren jede Druckerei ſich ihre Druckfarbe ſelbſt bereitete, wird jetzt allgemein dieſelbe von Fabriken bezogen, wo ſie durch Maſchinen fein gerieben zum Gebrauche des Feder-, Kreiden- und Gravirdruckes bearbeitet wird.

Zudem kann auch der kalcinirte Ruß, ſowie der Druckfirniß in jeder gewünſchten Qualität dorther bezogen werden.

Da indeß die Maſchinenfarbe, wenn ſie ſtark eingerieben wird, weniger Struktur zeigt, als die von der Hand geriebene, ſo wird meiſtens zu feineren Arbeiten dieſelbe in den Druckereien bereitet; das Verfahren hierbei iſt folgendes: 1 1/2 Theil ſtarker Firniß werden mit 2 Theilen kalcinirtem Ruß untereinander gemengt, wodurch man eine faſt trockene Maſſe erhält.

Hiervon wird nun nie mehr als einer welſchen Nuß groß unter den Farbeläufer gebracht, und nachdem man ſie mittelſt der Kante des Farbeläufers zertheilt, und mit demſelben fein gerieben hat, wird ſie abgeſpachtelt und mit einer neuen Portion ebenſo verfahren. Je länger und mit je mehr Kraft dieſes Reiben geſchieht, deſto feiner wird die Farbe.

Leichte Farbeläufer ſind hierzu nicht tauglich, am geeignetſten ſind die kegelförmigen Läufer von 20 Centim. Höhe, deren untere Fläche etwa 10 Ctm. Durchmeſſer hat.

Eine feingeriebene Farbe iſt nicht nur vortheilhaft, weil man keinen Abgang hat, ſondern ſie iſt auch zu einer guten Arbeit unerläßlich; mit einem Worte, die Grundbedingung eines ſchönen Druckes iſt eine feine Farbe.

Zu gravirten Arbeiten kann etwas unkalcinirter Ruß genommen werden, indem der zu ſtark kalcinirte zur Abmagerung der Platten beiträgt und in vielen Fällen keine fetten Abdrücke zuläßt; während ein zu großer Beisatz des unkalcinirten Rußes unreine Abdrücke zur Folge hat, indem sich diese Farbe gerne verhängt. Hierzu wird auch gewöhnlich leichter Firniß verwendet, während die Druckfarbe für Federarbeiten mit mittlerem und zu Kreidezeichnungen mit festem Firnisse bereitet wird.

Da die Selbstbereitung des Firnisses und der Farbe ziemlich gefahrvolle und schwere Manipulationen sind, wogegen die Massenerzeugung ein billigeres und besseres Material zu erzielen im Stande ist, so empfehlen sich von selbst die Erzeugnisse der Fabriken, aus welchen sämmtliche Druckfarben und Firnisse in meist vorzüglicher Qualität zu beziehen sind.

Aehnlich wie der Firniß ist auch die in den Fabriken zum Gebrauch des Steindrucks gefertigte schwarze Druckfarbe in die drei Sorten: Gravir-, Feder- und Kreidefarbe unterschieden.

Fein kalcinirten Ruß, Firniß und Druckfarbe liefern: K. Oehler und J. Brönner in Frankfurt am Main, C. Schramm in Offenbach, E. T. Gleitsmann in Dresden, Th. v. Amelungen in Biebrich a. Rh. u. v. a.

Nebst diesem sind auch z. B. aus der Fabrik von C. Herdegen in Stuttgart und vielen andern Orten alle übrigen Bedürfnisse der Lithographie, als: bunte Farben, Bronze, Tusche, Kreide, Aetzgrund, autographisches und Glaspapier, nebst allen vorkommenden Utensilien, Maschinen, Pressen, Walzen u. s. w. in vollständigster Weise zu beziehen.

b. Bunte Farben.

Deren bedient sich der Lithograph zum Buntdrucken, wie in dem fünften Kapitel über den Farbendruck bereits erwähnt wurde; die hierzu verwendbaren Farben sind entweder Erdfarben, die schon in der Natur vorkommen, oder solche, welche die Chemie erzeugt hat.

Die Erdfarben sind die Verbindung der Metalloxyde mit Erden, sie werden durch das Schlemmen gereinigt und erhalten durch das Brennen (Ausglühen) eine veränderte dunklere Farbe.

Nachdem sie in Wasser gehörig fein gerieben, sind die meisten Erdfarben zum Drucke sehr brauchbar, und werden auch durch das Licht nicht gebleicht; während bei vielen chemischen, besonders bei Lackfarben das Licht einen Einfluß übt.

Zudem haben die chemisch bereiteten Farben oft mehr oder minder eine Einwirkung auf den Stein, manche heben durch die mit sich führende Säure die Präparatur des Steines auf und die Druckfarbe setzt sich an allen Stellen desselben an, andere verbinden sich nicht gerne mit dem Firniß und treten ins Wasser über; auch lassen sich mehrere nicht kräftig deckend, sondern nur lasirend auftragen oder können nicht ohne Nachtheil mit andern Farben vermischt werden.

Besonders Lackfarben dürfen nicht in zu großen Quantitäten vorräthig in Firniß gerieben werden, indem sie sich verflüchtigen und ihr ganzes Feuer verlieren; ebenso wenig darf dies bei Mineralfarben stattfinden, welche ein schnelles Trocknen des Firnisses herbeiführen, und denselben nach einiger Zeit ranzig machen, was nachtheilig auf die Präparatur des Steins einwirkt und zu Verschmierung Anlaß giebt.

Die zweckdienlichsten zum Drucke sind:

Zur gelben Farbe. Neapelgelb, Mineralgelb, Indischgelb, gelber Lack, Chromgelb, Hell- und Goldocker.

Das Neapelgelb ins Grünliche spielend, giebt mit Berlinerblau eine schöne hellgrüne Farbe und wird auch dazu verwendet, dem rothen Ocker u. dergl. eine hellere Farbe zu geben.

Das Indischgelb und der gelbe Lack eignen sich besonders um Neapelgelb und Ocker glänzender hervorzuheben.

Das Chromgelb in seinen verschiedenen Nüancen, länzend und goldfarbig, läßt sich gut zur Erzeugung des

Grün verwenden, wobei felbes auf die zuerst gedruckte und getrocknete blaue Farbe kommen muß.

Diese Mineralfarbe wird durch die Verbindung der Chromsäure mit Bleioxyd erzeugt, und hat die schnell trocknende Eigenschaft der Bleipräparate.

Sämmtliche Ockergattungen sind eisenhaltige Erdfarben; durch Brennen giebt besonders der Goldocker eine schöne dunkelrothe Farbe. Der Hellocker mehr in das Röthliche als Grünliche spielend läßt sich mit allen Farben vermischen. Der Goldocker giebt mit Berlinerblau ein warmes Grün.

Die rothen Farben liefern: chinesischer und auch gewöhnlicher Zinnober, Chromroth, die rothen Lackfarben, als Karmin- und Krapplack, Neapelroth, rother und braunrother Ocker.

Der Zinnober ist eine durch Glühen erfolgte Verbindung des Schwefels mit Quecksilber, kommt aber auch als Naturprodukt vor.

Der mit Mennige verfälschte Zinnober ist durch seine gelbliche Farbe erkennbar und wird durch Uebergießen mit Salpetersäure augenblicklich schwarzbraun, während reiner Zinnober unverändert bleibt. Durch Beimischung von Karmin- oder Krapplack wird seine Farbe lebhafter.

Das Chromroth, eine schöne deckende Farbe, gewöhnlich aus Chromsäure und schwefelsaurem Salze bereitet, kann auch durch heftige Glühhitze in Chromgrün verwandelt werden. Letzteres kommt aber auch in der Natur gebildet als Chromocker vor, und wird häufig auch durch eine Mischung von Chromgelb und Blau fabricirt.

Die rothen Lacke kommen im Handel in allen Nüancen vor, und sind zum Drucke leichter durchsichtiger Töne sehr anwendbar, decken jedoch weniger und bleichen mit der Zeit.

Der aus dem Kochenilleroth (welches aus der Schildlaus einer Cacteenart Brasiliens bereitet wird) mit Alaun, Zinnsalz und Natron erzeugte Karmin ist etwas kostspielig, daher gewöhnlich eine mindere Sorte desselben, der sogenannte Karminlack zum Drucke verwendet wird.

Der Krapplack, weniger dem Bleichen unterworfen als wie ersterer, findet sich im Handel in kleinen Körnern und in verschiedenen Nüancen vor; wovon der dunkelrothe zum Drucke besonders tauglich ist. Dieser Lack wird aus dem Holze der Wurzel Rubia tinctorum gewonnen, welche am schönsten in Kleinasien vorkommt.

Der rothe und braunrothe Ocker findet sich in der Natur vor, kann aber auch durch Brennen des Hell- und Goldockers erzeugt werden. Ersterer eignet sich besonders zu braunen Tönen, letzterer für dunkle lebhafte Schattirungen, wozu derselbe auch eine Beimischung von Zinnober oder Krapplack erhält.

Die blauen Farben sind: Pariser- und Berlinerblau, Indigo, Mineralblau, Kobaltblau und Ultramarin.

Das Pariser- und Berlinerblau ist blausaures Eisenoxyd, gebildet aus Blutlaugensalz und Eisenvitriol, wovon die dunklere Nüance (das Pariserblau) die feinere, während die hellere (das Berlinerblau) die geringere Sorte gilt.

Das sogenannte Miloriblau, eine etwas hellere Sorte Pariserblau, eignet sich vorzugsweise zum Druck, indessen haben alle Sorten dieser schnell trocknenden Farbe häufig noch Säure bei sich, welche man durch Auslaugen entfernen kann, wozu man die Farbe mit Wasser abreibt, öfters warmes Wasser darauf gießt und selbes wieder durch ein Filtrum absondert, bis durch den Geschmack keine Säure mehr bemerkbar, und dieses filtrirte Wasser das Lackmuspapier nicht mehr röthet.

Die dunkelblaue Indigofarbe wird aus einer Pflanze gewonnen, welche vorzugsweise auf St. Domingo und in Amerika gebaut wird.

Das Mineralblau kommt im Handel als Hochblau, Mittelblau und Bergasche vor, und besteht aus dem Niederschlag des salpetersauren Kupfers mit Kalkmilch.

Das Kobaltblau, aus Kobaltoxyd-Thonerde bestehend, ist eine schöne Lasurfarbe für Lüfte und giebt mit rothem Lack ein schönes Violett, während obige blaue Farben sich mehr für Grün eignen.

Das sogenannte Nürnberger Ultramarinblau, aus Kieselerde, Thonerde, Schwefel und Natron erzeugt, ist in verschiedenen Nüancen zu haben; dasselbe kann jedoch nicht mit dem Firnisse gemischt werden, und wird nur als trockene Auftragfarbe gebraucht, wobei mit Berlinerblau unterdruckt, und mittelst eines weichen Pinsels oder Baumwollbänschchens dieselbe auf den noch feuchten Druck eingerieben wird, wozu jedoch das Papier satinirt und trocken sein muß.

Außer der Mischung von Gelb und blauer Farbe, kann auch zum Grün der grüne Lack, oder die beiden Nüancen des grünen Zinnobers, welche ein etwas gebrochenes Grün geben, verwendet werden und zur braunen Farbe der braune Lack, gebrannte und ungebrannte Terra de Siena, Caput mortuum, oder eine Mischung von Dunkelblau, Krapplack und Goldocker u. dergl. in Anwendung kommen.

Ein sehr schönes sattes Rothbraun erhält man auch, wenn man Ultramarin aufgestaubt unterdruckt, und mit der zweiten Platte Zinnober aufdruckt.

Auch der Kaffee ist als Lasurfarbe zum Drucke zu gebrauchen, und kann durch ein mehr oder minderes Rösten vom leichten Tongelb bis zur Schwärze hergestellt werden. Letzteres dient besonders als trockene Auftragfarbe, wobei zur Beförderung der Bohnenverkohlung etwa eine Bohne groß Butter auf ½ Kilogramm Kaffee zugesetzt wird.

Die weiße Farbe kommt in der Mischung mit andern Farben vor, um dieselben heller zu machen. Man bedient sich hierzu des Zinkweißes.

Diese Deckfarbe muß jedoch zum Abtönen anderer Farben mit Vorsicht gebraucht und ein entsprechender Firnißzusatz beigefügt werden, damit nicht die mit ihm vermischten Farben ihre Eigenschaft als Lasurfarbe verlieren. Minder tauglich ist hierzu das Bleiweiß (Kremserweiß) durch Essigdämpfe oxydirtes (durchrostetes) Blei*).

*) Dasselbe muß zum Gebrauch in der Druckerei stets vorher durch öfteres Ausgießen von Wasser ausgesüßt werden.

Zu jenen Farben, welche zuweilen ins Wasser übertreten, gehören namentlich das Pariser- und Berlinerblau und die Lackfarben, welche daher immer zuvor mit Terpentinöl fein abgerieben und getrocknet sein müssen, ehe man sie mit Firniß vermischt.

Außer den bereits aufgeführten Farben giebt es noch viele andere, welche gleichfalls zum Farbendruck verwendbar sind, allein schon die genannten dürften mehr als zureichen; indem selbst nöthigenfalls folgende Farben vollständig genügen werden, um hieraus durch Mischungen all die erforderlichen Farbennüancen zu erhalten.

Nämlich: **Roth** in einigen Nüancen, als Lack und Zinnober;

Blau (Kobalt, Milori-, Pariserblau, Ultramarin);

Gelb (Chromgelb, hell und dunkel, Neapelgelb);

Braun (Terra de Siena, Caput mortuum, Ocker in verschiedenen Nüancen);

Schwarz (gute Feder- und Kreidefarbe);

Weiß (Zinkweiß).

Sämmtliche Farben sollen immer in feinster Präparatur und geschlemmt in Hütchen (säurefrei — ein wesentliches Erforderniß zum Druck) bezogen werden.

Zur weiteren Bereitung des chromolithographischen Druckes werden nun diese trocknen und theilweise pulverisirten Farben auf dem reinen Farbestein mit dem Läufer zerrieben und mit dem nöthigen Zusatz eines mittelstarken Firnisses vermengt.

Zeigt sich anfänglich, daß die Farbe wegen zu geringen Firnißzusatzes unter dem Läufer sich ballt, so muß

---

damit die in demselben enthaltenen Essigtheile entfernt, welche die Gummipräparatur des Steins auflösen und die Zeichnung desselben zerstören würden.

Dieser schnell trocknende Metallkalk aus Kohlensäure und Bleioxyd bestehend, wird sehr häufig mit Schwerspath verfälscht.

Derartige Verfälschungen werden entdeckt, wenn man zerriebenes Bleiweiß mit verdünnter Salpeter- oder Essigsäure übergießt, wodurch das Bleiweiß aufgelöst wird und der Schwerspath zurückbleibt.

noch Firrniß beigefügt werden. Jedenfalls kann aber die Farbe um so leichter fein gerieben werden, je weniger Firniß dazu genommen wird.

Nachdem die Farbe mittelst des Läufers mit dem Firnisse vollkommen vermischt, reibt man dieselbe dann in einzelnen kleinen Portionen so lange bis sie ganz fein ist.

Die Feinheit der Farbe ist erkennbar, wenn sie, mit dem Farbemesser ein wenig auseinander gestrichen, keine körnigen Theilchen mehr zeigt, sondern als gleichmäßige dicke Oelfarbe erscheint.

Diese Feinheit der Farbe trägt nicht allein zur Erleichterung des Druckes bei, als auch die Farbe selbst durch das Verreiben viel leuchtender und feuriger wird; weshalb der größte Fleiß auf das Feinreiben der Farben verwendet werden muß.

Die in solcher Weise fein geriebene Farbe wird dann erst beim Drucken mit Firniß verdünnt; wobei gewöhnlich die stark ausgeführten Kreideplatten, Feder- und Umdruckplatten einer strengeren Farbe bedürfen, während Ton- und Asphaltplatten mit dünnerer Farbe gedruckt werden.

Die meisten Erdfarben lassen sich, in Firniß gerieben, einige Zeit ohne Nachtheil in kleinen Gefäßen mit gut schließendem Deckel aufbewahren, wozu sich besonders niedere cylinderförmige porcellanene Geschirre eignen. Um das Häutigwerden der Farbe abzuhalten, wird dieselbe mit einer dünnen Schichte von leichtem Firniß überdeckt.

Sollte die Druckfarbe durch Zusammensetzung mehrerer Farben gemischt werden, so ist vor allem zu untersuchen, ob dieselbe rein brillant oder gebrochen, oder in einem kälteren oder wärmeren Tone herzustellen sei, um darnach die geeigneten Grundfarben wählen zu können; wobei dann der vorherrschenden Grundfarbe die zweite beigemischt, und diese Mischung nach Umständen mit einer dritten Farbe gebrochen wird.

Guichard schlägt folgende Mischung zu Oeldruckfarben vor, nämlich:

13 Theile fetten Firniß,
5   „   Terpentinöl,

1 Theil gelbes oder weißes Wachs und
1 „ Kolophonium,

wodurch die Farben eine bessere Wirkung erhalten sollen,
als bei dem gewöhnlichen Leinölfirniß.

2) Die Aetzfarbe oder Konservationsschwärze.

Dies ist eine Farbe, welche, sobald man einen Stein
damit einschwärzt, vermöge ihres größeren Fettgehaltes,
den Einwirkungen der Säuren kräftiger widersteht, als die
gewöhnliche Druckfarbe. Man bedient sich derselben, wenn
Zeichnungen, Ueberdrücke u. dergl., die nur ein schwaches
Aetzen vertragen, nachgeätzt werden sollen, um dann eine
größere Menge reiner Abdrücke liefern zu können, oder
wenn man unrein gewordene Stellen der Druckplatte gereinigt hat und scharf nachätzen will. Ebenso bedarf man
dieser Farbe auch, wenn ein Stein für den Augenblick
ausgedruckt ist und für längere Zeit, behufs später noch
zu machender Abdrücke aufbewahrt werden soll.

Eine gute Konservationsfarbe soll daher nicht
nur allein die Zeichnung scharf stellen, sondern dieselbe
auch so lange konserviren, bis der Stein wieder zum
Druck kommt, und sollten darüber Jahrzehnte vergehen.
Dieselbe darf nie trocknen, muß sich leicht durch Terpentinöl wieder vom Stein entfernen lassen, und die Zeichnung muß nicht nur ihr früheres Aussehen wieder erhalten, sondern sie muß noch klarer und lebhafter erscheinen.

Ihre Bestandtheile sind:

4 Theile Unschlitt,
2 „ dicker Leinölfirniß,
1 „ Wachs,
1 „ venetianischer Terpentin.

Diese schmelzt man gut durcheinander und reibt sie
dann mit 4 Theilen Kienruß wohl ab, worauf man sie,
am besten in einer verschlossenen blechernen Büchse, aufbe-

wahrt. Wann und wo sie benutzt werden muß oder kann, wird in der Folge gelehrt werden.

Einige sehr gute Kompositionen dieser Art sind auch noch:

8 Theile gelbes Wachs,
2 „ Talg,
4 „ venetianischer Terpentin,
1½ „ Ruß

wird auf gelindem Feuer zusammengeschmolzen und der Ruß eingerührt.

4 Theile gelbes Wachs,
1½ „ Talg,
2 „ venetianischer Terpentin,
2 „ Druckfarbe

wird gleichfalls warm gemischt, und in einer Blechbüchse aufbewahrt.

10 Theile Wachs,
10 „ Asphalt,
4 „ Talg,
2 „ Kienruß.

Man bricht die einzelnen Bestandtheile in kleine Stücke und gießt dann nach und nach Terpentinöl zu, bis sich, wozu einige Tage nöthig sind, aus denselben eine klebrige Masse in der Konsistenz der Wachssalbe gebildet hat, welche man mit dem Kienruß vermischt und dann in einer wohlverschlossenen Blechbüchse aufbewahrt.

Lemercier giebt folgende Konservationsfarbe, welche den Vortheil hat, ohne Terpentinöl, also ganz, wie die gewöhnliche Druckfarbe, gemacht zu werden.

8 Theile weißes Wachs,
8 „ gelbes Pechharz,
8 „ Firniß Nr. 1,
2 „ weiße Seife,
Kienruß, soviel zum Färben nöthig ist.

Wenn Wachs und Seife über gelindem Feuer in Fluß gebracht sind, setzt man nach und nach das Harz zu, und ebenso endlich den Firniß und die Farbe, worauf man die Masse erkalten läßt und in wohlverschlossenen Gefäßen zum Gebrauch aufbewahrt.

Neubürger's Wachs= oder Konservationsfarbe besteht aus folgender Zusammensetzung:

3 Theile weißes Wachs,
4   „   venetianischer Terpentin und
3   „   venetianische Seife, werden zusammengeschmolzen und mit 16 Theile guter Federfarbe vermengt.

3) Die Retouchirschwärze oder Annehmefarbe.

Annehmefarbe ist diejenige Farbe, deren man sich bedient, wenn durch das Aetzen oder Verreiben beim Drucken u. s. w. feine Linien verloren gehen, oder nicht mehr Kraft genug haben, die ihnen mitgetheilte Druckerschwärze anzunehmen, und somit beim Drucken ausbleiben.

Man nimmt dazu dünnen Oelfirniß, in welchem man durch so große Hitze, daß der Firniß zu brennen anfängt, irgend ein Bleioxyd, wie Silberglätte, Mennige oder dergleichen aufgelöst hat, und mischt ihn mit der gehörigen Menge Kienruß, woraus eine schmierige Farbe entsteht, die sich leicht an die fast verlornen Stellen der Zeichnung anhängt und sie zur Annahme der Druckerschwärze wieder geneigt macht. Auch kann man eine Farbe zu gleichem Zweck auf folgende Weise bereiten:

2 Theile fein geriebener Mennige,
2   „   Unschlitt und
16   „   dünner Firniß,
werden zusammengeschmolzen, und soviel Ruß als zur Färbung nöthig ist, beigemischt.

In diese Annehmfarbe wird dann ein Anreiblappen getaucht und beim Gebrauche eine Stelle des Lappens mit Terpentinöl erweicht und der mangelhafte Theil der Platte damit eingerieben, wie es im 11. Kapitel ausführlich erläutert ist.

Neuntes Kapitel.

Vom Aetzen und Präpariren der bezeichneten Steine.

———

Das Aetzen ist von allen lithographischen Operationen eine der wichtigsten; und dennoch wird gerade diesem Verfahren oft die geringste Aufmerksamkeit gewidmet, und es befindet sich meistens in ziemlich ungeschickten Händen. Alle bis jetzt über das Aetzen angestellten Versuche haben zur Genüge bewiesen, daß zu demselben die Salpetersäure allen andern Säuren, selbst der Salzsäure, deren sich noch viele Lithographen bedienen, vorzuziehen sei. Der Essig, die Aepfelsäure, die Sauerkleesäure können zwar allerdings auch sehr gut zum Aetzen verwendet werden, doch haben die Salpetersäure und die Salzsäure bis dahin noch den Vortheil der Wohlfeilheit für sich gehabt. Es ist allerdings nicht in Abrede zu stellen, daß die Salzsäure die Mitteltinten nicht so sehr angreift, aber sie greift auch den Stein nicht so gleichförmig an, als die Salpetersäure, welcher man überdem durch einen Zusatz von mehr oder weniger Wasser jeden beliebigen Grad von Stärke geben kann. Stark mit Wasser verdünnte Schwefelsäure wird, wo es nur auf eine schwache Aetzung ankommt, ebenfalls zum Ziele führen; sobald man aber eine stärkere

Aetzung verfuchen will, verwandelt sich die Oberfläche des Steins in schwefelsauren Kalk (Gyps), wird brüchig und blättert sich ab. Ueberdem dringen diese Säuren auch nicht gleichmäßig in den Stein ein, — sie greifen den= selben an solchen Stellen an, die vielleicht etwas weicher sind, als die andern, und nach einem Aufbraufen von etlichen Minuten scheinen sie todt zu sein, während sie doch, auf einen andern Stein gebracht, aufs Neue aufbrausen und also noch nicht gesättigt sind.

Die Gummiauflösung kann in gewissen Fällen eben= falls ein Aetzmittel werden, namentlich wenn man sie in der Sommerzeit hat fauer werden laffen. Man muß sich daher, wenn man eine Zeichnung, nach dem Aetzen, mit der gewöhnlichen Gummilage überziehen will, sehr wohl überzeugen, ob die Gummiauflösung nicht etwa fauer geworden ist, indem außerdem die Zeichnung sehr leicht verdorben werden kann, namentlich wenn dieselbe nicht mit Konfervirfarbe eingeschwärzt ist. In diesem Falle wirkt das faure Gummi wie ein schwaches Aetzwaffer und wenn es die Zeichnung auch nicht gänzlich zerstören sollte, so werden dennoch die, nach längerem Stehen unter der fauern Gummidecke gezogenen Abdrücke matt und an den= jenigen Stellen um so matter, auf die man das Gummi dick auftrug. — Eigentlich aber hat das Gummi, wie wir schon früher bemerkt haben, in der Lithographie eine andere Bestimmung. Seine Auflösung im Waffer, auf den Stein gestrichen, bildet einen schützenden Firniß, welcher die luft= förmigen Säuren, den Staub und die fettigen Körper, welche zufällig mit dem Steine in Berührung kommen könnten, verhindert, nachtheilig auf die Substanzen zu wirken, aus denen die lithographische Zeichnung besteht, und der zu schnellen Austrocknung der letzteren und ihrer Beschädigung vorbeugt; mit einem Worte, sie bildet ein Hilfsmittel in der Lithographie, das von unschätzbarem Werthe ist.

Wenn man sich der Salzsäure in der Lithographie bedienen will, so muß sie rein sein. Erscheint sie gelblich, so ist sie meistens mit Schwefelsäure verunreinigt oder ge=

fälscht. Eine solche Fälschung entdeckt man sehr leicht, wenn man einen Tropfen dieser verdächtigen Säure in ein Glas Wasser fallen läßt, in welchem salzsaurer Baryt aufgelöst ist. Wird die Auflösung trübe oder milchig, so ist die Salzsäure mit Schwefelsäure vermischt, und dieser Zusatz macht sie aus Gründen, welche wir oben bereits erwähnt haben, zur Lithographie untauglich. Auch die Salpetersäure muß zum Gebrauche rein sein, und man thut gut, sich von dem Grade ihrer Stärke vor ihrer Anwendung zu überzeugen.

Besonders darf auch beim Aetzen der Kreidezeichnung noch folgende Vorsichtsmaßregel nicht unbeachtet bleiben.

Wenn der Stein kalt ist, verdickt sich der Athem und selbst der in der Luft eines geheizten Zimmers enthaltene Dunst auf demselben, und die Oberfläche wird davon sehr bald feucht.

Das auf diese Weise niedergeschlagene Wasser löst die Kreide auf, welche sich dann ausbreitet und die weißen Zwischenräume zwischen dem Korn ausfüllt, weshalb eine dunkle Zeichnung, die auf solche Art befeuchtet wird, beim Abzuge nur plumpe und schmierige Töne darbietet.

Diese Stellen sind sehr leicht daran zu erkennen, daß sie nach dem Trocknen einen rothen Ton behalten, und solche Steine müssen dann stärker geätzt werden, als andere.

Um diesen Unfällen vorzubeugen, muß man, ehe man die Arbeit beginnt, dem Steine einen lauen Grad von Wärme mittheilen und ihn zu diesem Zwecke mit Vorsicht in die Nähe eines Ofens bringen, damit er sich gleichmäßig erwärme und nicht etwa springe.

Wenn ein neuer mit der Kreide gezeichneter Stein in kalter Witterung transportirt worden ist, muß man sich hüten, ihn sogleich in ein geheiztes Zimmer zu bringen. Es ist besser, ihn zuerst an einem leicht temperirten Orte niederzulegen, dann an einem wärmern und so fort, bis man ihn endlich in das bestimmte Zimmer bringt. Ohne diese Vorsicht bedeckt er sich schnell mit Feuchtigkeit, woraus der so eben bezeichnete schädliche Uebelstand entsteht. Wenn nichts mehr an demselben zu thun ist, thut man am besten, ihn bei der Ankunft zu ätzen oder ihn an einem kalten Orte liegen zu lassen, bis diese Operation vorgenommen werden kann.

Einige Lithographen haben die Gewohnheit, die gezeichneten kalten Steine, die man ihnen bringt, unmittelbar an einen Ofen und zwar mit der bezeichneten Fläche gegen das Feuer zu stellen. Wenn dieser Ofen hinreichend heiß ist, verhindern der Luftzug, den er verursacht, und die Hitze, die er der bezeichneten Fläche mittheilt, daß diese letztere die Feuchtigkeit anzieht und wenn der Stein ein wenig schwitzt, trocknet er sehr schnell.

Wenn man dieses Mittel anwendet, muß man den Stein wohl bewachen und ihn wegnehmen, sobald er eine mäßige Temperatur erlangt hat, denn wenn man ihn zu lange stehen ließe, könnte ihn die Hitze zersprengen.

Das Aetzen der lithographischen Steine hat folgende Zwecke:

1) Es soll den Stein reinigen, indem es die unmerklichen Spuren von Fett abhebt, welche zufällig auf den Stein gekommen sind, und verhindern würden, daß derselbe sich gleichförmig anfeuchten ließe, zugleich aber auch die Ursache eines spätern Verschmutzens des Steines werden könnten.

2) Es soll die Zwischenräume des Kornes dem Präparirmittel öffnen und dadurch die Transparenz der Zeichnung befördern.

3) Es soll die Zeichnung selbst, durch Vertiefung der nicht bezeichneten Stellen, etwas höher legen.

4) Es soll die chemische Beschaffenheit der Zeichnung verändern, indem es letztere mit dem Steine eine im Wasser unlösliche chemische Verbindung — den oleomargarinsauren Kalk — bilden läßt.

Hierbei richtet sich die Stärke des anzuwendenden Aetzwassers nach dem zum Lithographiren verwendeten Materiale. Die kräftigste Aetze erträgt die Tusche, eine minder

26*

kräftigere die Kreide, und am schwächsten will der Umdruck geäßt sein.

Stets wird auch jene Lithographie, welche eine Zeit
lang in ungeäßtem Zustande auf dem Stein ruht, wodurch
die Fettschichte der Zeichnung sich gehörig mit dem kohlensauren Kalk verbindet, der Aeßung einen um so kräftigeren
Widerstand leisten.

Erfahrungsgemäß gestatten auch die kräftig geäßten
Steine die meisten Abzüge; daher es hier die Aufgabe
sein dürfte, stets gemäß des Zustandes der Platte, die geeignet kräftige Aeßung anzuwenden, ohne daß jedoch hierdurch die Zeichnung angegriffen werde.

Um sich von der Stärke des Aeßwassers zu überzeugen, bedient man sich der gewöhnlichen Säurewagen,
wie man dieselben käuflich bekommt. Man nimmt nämlich
ein Gefäß mit reinem Wasser, setzt die Wage hinein und
gießt so lange, unter stetem Umrühren, Säure hinzu, bis
die Wage bis zu dem verlangten Grade einsinkt. Für
Federzeichnungen paßt im Allgemeinen ein Aeßwasser von
3 Grad, doch sprechen die Umstände dabei sehr mit. So
kann z. B. ein harter Stein eine weit stärkere Aeßung
vertragen, als ein weicher; eine einfache, leicht gezeichnete
Arbeit erfordert eine geringere Aeßung, als eine kräftig
ausgeführte, mit engen Schraffirungen versehene u. s. w. —
Kreidezeichnungen erfordern nur 2 Grad Stärke. — Auch
hier muß der Aeßer die Beschaffenheit der Kreide kennen,
mit der die Zeichnung gemacht wurde. Man erkennt
übrigens auch ohne Säurewage bald die Stärke des Aeßwassers, wenn man sich erst eine gewisse Erfahrung erworben hat, am Geschmacke, welcher für Kreidezeichnungen
eine schwache Citronensäure, für Tintezeichnungen etwas
schärfer sein muß. Auch ein Tropfen Aeßwasser, auf eine
unbezeichnete Stelle des Steines gethan, giebt eine, und
vielleicht die beste und untrüglichste Probe ab. Das Aeßwasser für Kreide ist gut, wenn die Luftbläschen, welche
dessen Wirkung anzeigen, erst nach vier bis fünf Sekunden
sich zeigen. Für Tintezeichnungen reichen drei Sekunden hin.

Hat man es mit einer sehr kostbaren Kreidezeichnung zu thun, so kann man auch 3grädiges Aetzwasser mit gleichen Theilen ziemlich dünner Gummiauflösung innig mischen und damit ätzen.

Die Operation des Aetzens selbst kann auf doppelte Weise geschehen, entweder durch Begießen, — oder im Aetzkasten.

1) Aetzen durch Begießen. Diese Operation findet auf dem Aetztische statt. — **Taf. I, Fig. 9**, stellt einen solchen Tisch dar, der früher bereits beschrieben wurde. Auf diesem Tische wird der bezeichnete Stein in horizontaler Lage mit dem Aetzwasser in der Weise übergossen, daß er durch einen einzigen Guß bedeckt ist, oder es wird der Stein so gelegt, daß die eine Seite desselben durch eine Unterlage sich höher befindet, als die andere, damit das Aetzwasser leichter abfließen könne. Ist der Stein so aufgestellt, so gießt man das Aetzwasser mittelst eines Topfes an der höher liegenden Kante in der ganzen Breite desselben gleichmäßig über den Stein. Das Abfließende fängt man in dem unter dem Tische stehenden Eimer auf und läßt es abermals über den Stein gehen. Darauf gießt man reines Wasser über den Stein, und die Aetzung ist vollendet; sie darf nicht länger, als 2—3 Minuten dauern.

Man muß Sorge tragen, den Stein so zu stellen, daß diejenigen Partien, welche am kräftigsten gezeichnet sind, stets nach unten hin kommen, da hier das Aetzwasser am längsten verweilt, also die Aetzung am kräftigsten ist.

Aus dem letzterwähnten Umstande geht zugleich hervor, daß die Aetzung durch Begießen stets ungleichförmig ist, was sehr nachtheilig auf die Zeichnung einwirken kann; es wird daher von Manchen

2) das Aetzen im Kasten vorgezogen. Allerdings ist dies Verfahren etwas kostspieliger, es ist aber auch um so viel sicherer, daß der Verlust von ein Paar Gramm Salpetersäure, — denn nur in einer größeren Menge Aetzwasser, das erforderlich ist, besteht der größere Kostenaufwand, — gegen das Risiko, dem eine kostbare Zeich-

nung beim Begießen ausgesetzt ist, nicht in Anschlag kommen dürfte.

Zum Aetzen im Kasten bedarf man eines sogenannten Aetzkastens, der von weichem Holze gefertigt und im Innern durchgängig, hauptsächlich sorgfältig aber in den Fugen mit heißem Pech ausgegossen ist. In einer Ecke des Bodens befindet sich ein Loch zum Ablaufen des Aetzwassers. Dies Loch ist natürlich während der Operation verstopft. Der Aetzkasten muß ringsum etwas größer sein, als der zu ätzende Stein; um nicht unnütz Aetzwasser zu verschwenden, muß man diesen Aetzkasten von verschiedener Größe, etwa nach den drei oder vier Hauptformaten, haben.

Hat man den passenden Aetzkasten für einen zu ätzenden Stein bestimmt, so legt man auf den Boden des Kastens ein Paar flache etwa ½ Centim. dicke bleierne Stäbe oder solche von Schriftgut, die man sich aus den Schriftgießereien (ungeschnittene Azurélinien) in den nöthigen Längen leicht verschaffen kann, denn diese Unterlagen werden von dem Aetzwasser nicht angegriffen. Die genannten Stäbe legt man auf den Boden des Kastens so, daß sie weiter auseinander liegen, als der bezeichnete Raum des Steines angiebt. Dann gießt man etwa 1½ Centim. hoch Aetzwasser in der gehörigen Stärke in den Kasten, legt nun den Stein, mit der bezeichneten Fläche nach unten, auf die obenerwähnten Stäbe und läßt die Aetzung beginnen. Nach Verlauf von 2—3 Minuten hebt man den Stein aus dem Wasser, spült ihn rein ab, und die Aetzung ist vollendet. Sehr gut ist es, mitten unter den Aetzkasten ein dünnes, rundes Stäbchen zu legen um, dasselbe als Hypomochlium betrachtend, dem Kasten während der Aetzung eine wiegende Bewegung zu geben. Dadurch geräth das Aetzwasser ins Schwanken und spült so die sich bildenden Luftbläschen fort, was die Aetzung fördert und gleichmäßig macht. — Die Vorzüge dieses Aetzverfahrens bedürfen wohl keiner weiteren Auseinandersetzung. Das gebrauchte Aetzwasser wird dann aus dem Kasten abgezapft, und kann durch Zusatz von etwas neuer Säure zu ordinären Arbeiten wieder brauch-

bar gemacht werden. Doch muß man es dann allemal
etwas stärker machen, da durch die Steinparcellen, welche
das Aetzwasser während der ersten Operation aufnahm,
dasselbe etwas schwerer geworden ist, man also, wenn man
die Säurewage nur bis zu dem bestimmten Grad einsenken würde, jedenfalls ein zu schwaches Aetzwasser erhalten würde. Sind indessen die zu ätzenden Zeichnungen
nur einigermaßen werthvoll, so sollte man nie altes Aetzwasser verwenden.

Es versteht sich von selbst, daß vor Beginn der
Aetzung alle Kreide- und Federproben und sonstige Ver-
unreinigungen der Ränder des Steines mit Bimsstein rein
abgeschliffen werden müssen.

Ist die Aetzung vollendet und der Stein rein mit
Wasser abgespült, so trägt man auf denselben eine Schicht
frischer, ja nicht saurer, Gummiauflösung, von der Stärke
des Honigs oder des Syrups, gleichmäßig auf, und
trachtet dahin, daß sich dieselbe nicht während des Eintrocknens von etlichen Stellen zurückziehe. Man kann zu
diesem Zwecke etwa ein Zwanzigstel des Gewichts der
Gummiauflösung, Kandiszucker zusetzen, welcher zugleich
das Blasenwerfen der Gummiauflösung hindert.

Eilt die Arbeit, so kann man eine Stunde nach dem
Aetzen den Druck beginnen lassen; außerdem thut man besser, den Stein vierundzwanzig Stunden ruhen zu lassen.

Ein anderes Aetzverfahren, welches besonders bei
wichtigen Kreidezeichnungen zweckdienlich ist, besteht darin,
daß man den Stein mit Klebwachs*) oder Mehlteig ein-
rändert, damit eine größere Quantität des darauf gegossenen Aetzwassers gleichmäßig auf der Oberfläche desselben
verweilt und dieses gleichförmig auf den Stein wirkt, was
namentlich bei dunkel, und mit fetter Kreide gezeichneten

---

*) Dasselbe wird aus gleichen Theilen Wachs und Pech zu-
sammengeschmolzen und etwa der zwanzigste Gewichtstheil venetianischer Terpentin und Unschlitt beigesetzt. Die Masse muß
sich in der Händewärme durch kräftiges Drücken zu $1\frac{1}{2}$ Centim.
breiten Bändern formen lassen, ohne die Finger zu beschmutzen.

Platten, so wie auch bei Tonplatten mit geschabten Lichtern auf Asphaltgrund sehr vortheilhaft ist.

Im Allgemeinen sollte das gesäuerte Wasser mit einem Säuremesser gemessen 1½ bis 2 Grade betragen. Bei großer Hitze und auch auf weichere Steine ist die Wirkung der Säure etwas stärker, weshalb auch das Aetzwasser ein wenig schwächer sein kann. Jedoch bei solchen Steinen, wo ein über die Zeichnung sich hinziehender röthlicher Ton anzeigt, daß derselbe geschwitzt hat, und ein Theil der in der Kreide enthaltenen Seife sich aufgelöst und in die Zwischenräume des Korns geflossen ist, darf das Aetzwasser bis zu 2½ Grad erhöht werden.

Hierbei müssen auch die sich bildenden Luftbläschen, welche die Wirkung der Säure schwächen würden, dadurch zerstört werden, daß man mit einem großen Pinsel leicht über die Zeichnung hinfährt, wodurch ein gleichmäßiges Angreifen der Säure erzielt wird.

Sobald nun die Wirkung des Aetzwassers aufgehört, läßt man dasselbe vom Steine ablaufen; und bringt auf die Mitte des Steins ein wenig Gummiwasser, welches, 1 Theil Gummi in 5 Theilen Wasser aufgelöst, die Dicke des leichten Firnisses hat.

Dasselbe wird dann mit der flachen Hand über die ganze Oberfläche sanft ausgebreitet, indem man kleine Kreise beschreibt, die nach und nach erweitert werden, bis der ganze Stein bedeckt ist.

Bei sehr dunkel gezeichneten Platten ist es gut, dem Gummi, den man nach dem Aetzen darauf bringt, Gallusabsud beizumischen, der die Wirkung des ersteren verstärkt.

Zu diesem Zwecke werden 15 Gramm Galläpfel gröblich zerstoßen und in ½ Kilogrm. Wasser beiläufig eine Stunde gekocht und durch ein Tuch geseihet.

Beim Gebrauche vermengt man 3 Theile Gummiwasser mit 1 Theil Gallusabsud.

Steine in Federmanier gezeichnet werden entweder durch das Uebergießen mit etwas stärker gesäuertem Wasser geätzt, oder auch durch eine Mischung von etwa 10 Theilen Gummiwasser, welches die Konsistenz des Oels hat, und

1 Theil Salzsäure, die mittelst eines breiten Pinsels auf=
gestrichen wird.

In Folge der Wirkung, welche die Entbindung der
Kohlensäure veranlaßt, wird die Mischung weiß; sobald
diese Wirkung aufgehört, wird der Stein mit Wasser ab=
gewaschen und gummirt.

Bei Kreidezeichnungen von größerem Formate ist das
Ueberstreichen mittelst des Pinsels weniger zweckdienlich,
dagegen aber bei Detailzeichnungen anwendbar, wozu man
dann etwa 20 Theile Gummiwasser mit 1 Theil Salz=
säure vermengt.

Will man hierzu den Säuregrad mittelst des Säure=
messers bestimmen, so gieße man die zum Aetzen be=
stimmte Gummiauflösung in einen Glaschlinder und tauche
den Säuremesser ein, der die Schwere der Flüssigkeit an=
zeigt. Würde z. B. die Gummiauflösung 8 Grade be=
tragen, so gieße man reine Salzsäure langsam tropfen=
weise zu, bis sie 2 Grad höher zeigt, wodurch man dann
zweigradige Säure erhält.

Auch der Gallusextrakt mit Salzsäure vermischt, wird
sowohl beim Aetzen der Kreideplatten, so wie bei der Gra=
virmanier mit Vortheil angewendet, und hierzu verschieden
bereitet.

Für Zeichnungen mit magerer (Schellack) Kreide
eignet sich diese Präparatur sehr gut, wozu $^3/_8$ Kilogrm.
gestoßene (weiße) Galläpfel mit $6^2/_5$ Kilogrm. Wasser in
einem irdenen Gefäße gekocht, und bis auf $4^1/_5$ Kilogrm.
eingesotten und dann 6 — 8 Tropfen Salzsäure zugegossen
werden. In einem eisernen Gefäße würde die Flüssigkeit
durch die Verbindung mit Eisen an Gerbsäure verlieren
und schwarz werden. Sollte nach einiger Zeit dieser Ex=
trakt an Stärke abnehmen, so gießt man einige Säure
hinzu.

Mit diesem Präparate wird die gezeichnete Platte
auf dem gewöhnlichen Aetztische 6 bis 10 Mal, je nach=
dem die Zeichnung leichter oder kräftiger gehalten ist,
übergossen, dann der Stein mit Wasser abgeschwemmt und
gummirt.

Dieser Gallus kann auch mit Säure auf kaltem Wege
extrahirt, dann mit Gummi vermischt und mit dem Pinsel
behandelt werden; wozu man 1 Kilogrm. $1\frac{1}{2}$ grädige
Säure über $\frac{1}{4}$ Kilogrm. schwarzen, gestoßenen Gallus
gießt, welche Flüssigkeit nach 8 Tagen geklärt ist, und um
$3\frac{1}{2}$ Grad zugenommen hat, was jedoch keineswegs lauter
Säuregehalt ist, sondern größtentheils von den gummihaltigen Bestandtheilen des Gallus herrührt. Dieser Extrakt wird dann nach Erforderniß der Zeichnung mit der
geeigneten Quantität dickem Gummi vermischt.

Die Galluspräparatur, welche bei Steinen in Anwendung kommt, die für Gravirarbeit bestimmt sind, bereitet man in folgender Weise:

$\frac{1}{4}$ Kilogramm gestoßener Gallus und 1 Kilogramm
Wasser, welches mit einigen Tropfen Salzsäure vermischt
worden ist, werden in einer verschlossenen Flasche der
Sonne oder gemäßigten Ofenwärme ausgesetzt; wobei nach
24 Stunden eine starke Trübung entsteht, und nach 3—4
Tagen eine vollständige Klärung erfolgt, worauf diese herb-
schmeckende, durchsichtige Flüssigkeit von goldbrauner Farbe
abgegossen wird.

Wir wenden uns nun noch, ehe wir dies Kapitel
schließen, zu zwei abweichenden Aetzmethoden*), welche
früher sehr angepriesen, jedoch selten im Gebrauche sind.

Die verdünnte Salpetersäure, deren man sich beim
Aetzen bedient, greift leicht die feinsten Tinten der Kreidezeichnung an, und man hat vorgeschlagen, um dies zu
verhüten, eine Auflösung von vollkommen neutralisirtem,
verdünntem salpetersauren Kalk anzuwenden. Diese Aetzung
macht nur die Kreidezeichnung unauflöslich, greift aber den
Stein selbst durchaus nicht an, kann also auch die feinen
Tinten nicht abheben. Man erhält diese Mischung, indem
man die käufliche Salpetersäure oder das gemeine Scheidewasser mit gepulvertem, lithographischem Steine sättigt.
Nachdem alles Aufbrausen aufgehört hat, verdünnt man

*) Im Jahre 1828 von Chevalier und Langlumé ver-
öffentlicht.

die Auflösung mit reinem Wasser, filtrirt sie und hebt sie, luftdicht verschlossen, zum Gebrauch auf. — Uebrigens muß man höchst vorsichtig zeichnen, damit kein Hauch von ungehöriger Fettigkeit auf den Stein komme; denn da die Säure durchaus nichts mit sich fortnimmt, so würden später beim Druck auch die geringsten Spuren von Fett Farbe annehmen und schwarze Flecken geben.

Das zweite verbesserte Aetzverfahren ist dem obenerwähnten analog, nur ist das Reagens ein anderes, und zwar saurer, kochsalzsaurer Kalk, welchen man auf folgende Weise erzeugt:

Man nimmt 1 ½ Kilogrm. reine Salzsäure, gießt sie in ein sehr reines, glasirtes irdenes Gefäß und setzt derselben soviel weißen Marmor zu, bis die Säure damit gesättigt ist und kein Aufbrausen mehr erfolgt. Nach vollkommener Sättigung, so zwar, daß noch überschüssiger Marmor in der Flüssigkeit bleibt, filtrirt man die Auflösung, wäscht das Filtrum mehrmals mit 1 ½ Kilogramm Wasser, gießt die Flüssigkeit und die Auswaschwasser zusammen und läßt darin 360 Gramm weißes gepulvertes Gummiarabicum zergehen. Nach geschehener Auflösung setzt man noch 90 Gramm reine Salzsäure zu und bewahrt das Ganze zum Gebrauch in wohlverstopften Gefäßen auf. — Man soll die Auflösung mittelst eines weichen Dachshaarpinsels auf den zu ätzenden Stein auftragen, doch dürfte eine Aetzung im Aetzkasten zweckmäßiger sein. Nach dem Abwaschen wird der Stein gummirt, wie gewöhnlich. — Um sich zu überzeugen, daß das Kalkhydrochlorat hinreichend gesättigt sei, taucht man blaues Lackmuspapier hinein, welches sich nicht röthen darf. Uns scheint jedoch die Sättigung der Säure zwecklos zu sein, indem hierdurch der Säure nur ihre Wirkung auf den Stein benommen wird, und dann der nachherige Zusatz von reiner Säure die erste Operation unnöthig macht; eine Mischung von 28 Theilen Wasser, 4 Theilen Gummi und 1 Theil Salzsäure wäre einfacher und ebenso zweckdienlich.

In den meisten Steindruckereien wird gewöhnlich zum Aetzen dem reinen Wasser etwas Gummiauflösung und einige Tropfen chemisch reine Salzsäure beigemischt, und diese Aetzflüssigkeit dann bei kleineren Feder- und Kreideplatten mittelst eines Schwammes, der in dieselbe getaucht, gleichmäßig auf den wagrecht liegenden Stein verbreitet, wobei man mit dem Schwamm schnell ein paar Mal über die Platte wischt.

Stark lithographirte Stellen können auch dadurch stärker geätzt werden, daß man sie wiederholt mit dem Aetzschwamme betupft oder einige Tropfen Aetze vorsichtig darauf träufelt. —

Hat der Stein abgeschäumt, somit die sichtliche Wirkung der Aetze aufgehört, so wird derselbe mittelst des Gummischwammes mit einer leichten Gummischichte bedeckt und bei Seite gestellt.

Größere Platten werden in ähnlicher Weise mit dem Aetzpinsel*) behandelt. Hierbei wird nämlich der Pinsel seiner Breite nach in die Aetzflüssigkeit getaucht und zunächst die weißen Ränder der lithographischen Platte damit bestrichen, worauf man dann auf einen der weißen Randflecke die Aetze in zureichender Menge gießt und diese mit dem Pinsel schnell über das Lithographirte verbreitet, und so auch nach Bedarf das Uebergießen der Aetze wiederholt werden kann; wobei das weitere Verfahren des Gummirens wie bei dem kleineren Steine ist.

In dem Falle, daß der Stein nicht sogleich nach einigen Stunden angedruckt wird, muß dann die Aetz- und Gummischichte mittelst eines zarten Wasserschwammes beseitigt, und der Stein hierauf wieder gummirt werden.

In Betreff des anzuwendenden Stärkegrades der Säure, kann, wie bereits erwähnt, dieser zwar durch den Säuremesser ermittelt werden, jedoch ist hierbei immer noch die Hauptsache, zunächst jenen Säuregrad zu erhalten, welchem eben das verwendete lithographischen Materiale gehörig widersteht.

---

*) Dieser Pinsel von feinen Biberhaaren, ca. 3 Centim. breit, hat platt geschnittene Haare, ähnlich wie **Fig. 62** auf **Taf. III.**

Wenn übrigens auch der erfahrene Praktiker, dem dieses Material genau bekannt, schon aus dem Brausen der auf den Stein gebrachten Aetze erkennen wird, ob diese zu schwach oder zu stark hierfür ist, so kann immerhin auch der richtige Säuregrad in folgender praktischer Weise ermittelt werden:

Es werden nämlich auf einen Stein mit Kreide oder Tusche starke und feine Striche gezeichnet, dieselben abtheilungsweise beziffert und jede Abtheilung mit verschiedenem Stärkegrad der Säure behandelt; wobei man bei der ersten Abtheilung mit einer schwachen Aetzung beginnt und so stufenweise bei jeder Abtheilung eine etwas stärkere Aetzung anwendet, jedoch stets die hierzu beigemischte Tropfenzahl der Säure genau notirt.

Aus dem Andruck dieser Aetzproben läßt sich alsdann genau erkennen, welcher Aetzung das zum Lithographiren verwendete Material zu widerstehen vermag, und welche dann auch zum Aetzen der Platten verwendet werden soll.

Es dürfte hier am Orte sein, von einem Verfahren zu sprechen, welches man nicht füglich unter die Manieren des Steindrucks zählen könnte, da die dadurch erzeugten Platten nicht als solche abgedruckt werden sollen, und bei denselben die Aetzung die Hauptrolle spielt. Wir meinen

das Hochätzen auf Stein.

Die Hochätzung auf Stein ist eigentlich die Mutter der Lithographie überhaupt, denn die ersten Versuche Senefelder's bezogen sich hauptsächlich auf eine Hochätzung und die jetzt gebräuchlichen Manieren sind alle jünger. Die Hochätzung auf lithographischen Stein, obschon nicht für den Zweck des Abdrucks unternommen, ist übrigens schon sehr alt, denn man hat in Bayern sehr viel alte Hochätzbilder (Erdhalbkugeln, Himmelskugeln ꝛc.) und der historische Verein in Regensburg besitzt eine sehr große Platte dieser Art, auf welcher Zeichnung und Schrift sehr schön erhaben stehen, und die aus dem 16ten Jahrhundert stammt. Derartige hochgeätzte Steine sind schon c. 1300 bekannt und kommen vorzüglich seit c. 1500 sehr häufig vor. Hier fehlte nur noch ein Schritt, das Verkehrtzeichnen — und der Hochdruck vom Stein war erfunden.

Es sind nach Senefelder's Zeit viele Versuche gemacht worden, das von ihm erfundene Verfahren, das durch die obigen Manieren bald in den Hintergrund gedrängt wurde, zu verbessern. Dem Ziele am nächsten ist Girardet in Paris gekommen, der für seine Leistungen eine bedeutende Prämie erhielt. Wir lassen sein Verfahren hier folgen:

Bei demselben wird die Zeichnung auf dem Steine mit der Feder oder dem Pinsel mit lithographischer Tinte gemacht. Dann wird der Stein, wie gewöhnlich, präparirt, aber statt denselben zum Abdrucke mit gewöhnlicher Druckfarbe einzuschwärzen, wird er mit folgender Farbe eingewalzt: 4 Theile Jungfernwachs, 1 Theil schwarzes Pech, 1 Theil burgundisches Pech werden zusammengeschmolzen und nach und nach 4 Theile griechisches Pech, oder sehr fein gepülvertes Erd- oder Judenpech zugesetzt. Ist alles wohlgemischt, so läßt man es etwas abkühlen, gießt es dann in lauwarmes Wasser und macht Kugeln daraus, welche man zum Gebrauch mit Terpentinöl zu einem Druckfirnisse bildet. Diesen trägt man mit einer Walze mehrmals auf, macht dann rings um den Stein einen hohen Wachsrand und gießt ein Aetzwasser von ziemlich stark verdünnter Salpetersäure auf, das man fünf Minuten wirken läßt und dann abgießt. Darauf wäscht man den Stein, trocknet ihn, walzt abermals ein, ätzt wieder, nach und nach selbst mit stärkerer Säure, und so drei bis vier Mal. Dann bildet der Firniß, der sehr fest an dem Steine klebt, in Verbindung mit dem hochgeätzten Theile des Steines, hinlänglich erhabene Züge, um trockne Abzüge von dem Steine machen zu können. Will man aber von demselben selbst mit gewöhnlicher Druckfarbe Abzüge machen, so muß der aufgetragene Aetzgrund mit Terpentinöl aufgelöst und rein abgewischt werden. Durch gelindes Erwärmen des Steins, vor der Anwendung des Terpentinöls, wird die Auflösung beschleunigt und man braucht nicht soviel zu wischen.

Nach einem anderen Verfahren besteht die chemische Tinte für das Zeichnen auf Stein aus 3½ Theilen Unschlitt, 6 Theilen weißem Wachs, 6 Theilen Seife, 1½ Theil Schellack, 3 Theilen Mastix, 1 Theil frischer Butter, ½ Theil in Lavendelöl aufgelöstem Federharz und 2½ Theilen Lampenruß.

Man schabe Unschlitt, Seife und Wachs fein, pulverisire Schellack und Mastix, und lasse Alles in einem eisernen Tiegel über gelindem Feuer zergehen, gebe dann die Butter und das Federharz zu und rühre Alles gut um. Dann entzünde man es und lasse es 2 Minuten brennen, worauf man die Flamme mit dem Deckel erstickt. Dann reibe man die Masse auf einem Steine mit einem Gasläufer gut ab, und mische nach ½stündigem Reiben den Ruß nach und nach unter stetem Reiben zu, worauf man noch ¼ Stunde reibt und dann Stäbchen aus der Masse bildet, die man nach dem Erkalten in festverschlossenen Gläsern aufbewahrt.

Zur Arbeit bedient man sich eines ganz gleichartigen, fleck- und aderlosen gelblichen Steins, schleift ihn glatt, reibt ihn leicht mit Terpentinöl und wischt ihn dann mit dem Ballen der Hand ab. Die Zeichnung wird auf die gewöhnliche Manier auf den Stein gebracht und dann mit der Feder oder dem Pinsel ausgeführt. Die Tusche reibt man anfänglich trocken ½ Messerrücken dick in das Schälchen ein und löst sie dann, unter beständigem Reiben mit dem Finger, in Regenwasser, so weit auf, daß sie eben nur aus der Feder fließt. Je dicker man sie verarbeiten kann, desto besser ist es; zu dünnflüssige Tinte taugt gar nichts. Man muß in einem Tage die Tinte 6 — 8 Mal neu aufreiben. Die Zeichnung halte man kräftig, mit möglichst engen und reinen Strichlagen und arbeite höchst reinlich, vermeide namentlich jedes Begreifen des Steins mit den Fingern 2c. Korrekturen suche man ganz zu vermeiden, muß man sie aber dennoch machen, so radire man die gezeichnete Stelle flach aus, schleife sie mit etwas

Bimsstein glatt, präparire sie mit Terpentinöl und zeichne aufs Neue. Töne durch Schwarzanlegen und nachmaliges Aufreißen mit der Nadel zu erzeugen, ist unstatthaft.

Ist die Zeichnung vollendet, so umgiebt man den Stein mit einem 3 Centim. hohen Rande mit Klebwachs und erwärmt im Winter den Stein von hinten her gelinde. Zu dem Aetzwasser setzt man auf $^1/_4$ Kilogrm. reines, recht kaltes Wasser, $7^1/_2$ Grm. Salpetersäure, $1^1/_4$ Grm. Phosphorsäure und $^3/_{10}$ Grm. Salzsäure, setzt $^1/_{16}$ Kilogrm. reine, durch Leinwand geseihete Gummiauflösung zu und braucht die Mischung 2 Stunden nachher. Da die Säuren nicht überall gleich sind, so merke man, daß das Aetzwasser auf dem Steine mit hellem Schaume ganz weiß und mäßig milchig werden muß, ohne jedoch stark aufzubrausen, wonach man also nach Umständen mehr Säure oder mehr Wasser zu verwenden hat. Im Durchschnitte muß das Aetzwasser $^2/_3$ stärker sein als zu gewöhnlicher Schrift.

Der Stein muß, gelinde von hinten her erwärmt, genau wagrecht liegen, worauf man die Säure einen Messerrücken hoch aufgießt und wirken läßt, während man mit einem Federchen oder einem weichen Haarpinsel die Blasen fortkehrt. Nachdem die Säure etwa 1 Minute gewirkt hat, gieße man sie ab, wasche den Stein mit vielem reinen Wasser und stelle ihn zum Ablaufen senkrecht. Ist er vollkommen trocken, so wärme man ihn abermals und ätze wieder 1 Minute und so fort, bis die Zeichnung die nöthige Höhe hat, 5—8 Mal. Gegen das Ende kann man das Aetzwasser etwas verdünnen.

Ist die Aetzung vollendet, so löst man die Tinte mit Terpentinöl und Makulatur ab, reinigt den Stein vollkommen und überstreicht ihn mit einer Mischung von 1 Theil Essig und 8 Theilen Wasser. Nach dem Trocknen vertieft man die großen Lichter mit dem Grabstichel und kann dann von dem geätzten Stein der Abklatsch für die Buchdruckerpresse in der Schriftgießerei gemacht werden. Gegenwärtig ist jedoch die Anwendung dieses Verfahrens fast ganz außer Gebrauch gekommen.

Die im Jahre 1850 von Mr. Gillot erfundene „Paniconographie" liefert geätzte Druckplatten, welche auf der Buchdruckerpresse gedruckt werden können.

Zur Erzeugung derselben kann auch ein Abdruck der Stein- oder Zinkzeichnung auf eine Zinkplatte übergedruckt, und dieser Ueberdruck mit Aetzfarbe versehen, worauf dann die leeren Zwischenräume der Zeichnung mittelst der Säure in die Tiefe geätzt, resp. zerstört werden.

G. H. Schneider erläutert dieses Verfahren in folgender Weise:

Zur Erreichung dieses Zweckes bedarf man einer Zinkplatte, welche mit dem Hobel genau geebnet und dann mit der Ziehklinge nach allen Seiten hin abgezogen wird, bis dieselbe eine egale glatte Fläche bildet; sind dann noch kleine Löcher vorhanden, so legt man die Platte mit der glatten Seite auf einen glatten kleinen Ambos, und schlägt auf die Rückseite mit einem sogenannten Dorn, dort wo sich die Löcher der Vorderseite befinden; dadurch entsteht auf der Rückseite eine Vertiefung, aber auf der Vorderseite verschwindet das Loch. Hat man auf diese Weise alle Löcher durchgeschlagen, so hobelt man die etwaigen Erhöhungen, welche in Folge des Schlagens auf der Vorderseite entstanden sind, weg, zieht mit der Ziehklinge ab, und polirt dann mit Holzkohle. Ist nun kein Loch oder grober Riß mehr zu sehen, so gießt man schwache Phosphorsäure über die Platte und wäscht gut ab, bringt sie schnell ans Spiritusfeuer und reibt mit einem wollenen Lappen so lange auf der glatten Seite, bis dieselbe vollständig trocken ist.

Die Platte wird nun bei Seite gesetzt und vor Staub geschützt. Jetzt geht man zum Abdruckemachen vom lithographischen Original über. Man macht so viele Abzüge als man für nöthig hält, legt sodann einen leeren Stein in die Presse, nimmt mehrere Bogen Papier, legt die Zinkplatte darauf und bringt die Abdrücke in gutem feuchten Zustande auf die Zinkplatte, legt einige Bogen Makulatur auf, und zieht die Platte mehrere Mal durch die Presse. Nun behandelt man das Ganze mittelst Anreiben wie jeden lithographischen Stein, nur mit dem Unterschiede, daß man Firniß, statt Terpentinöl zum Anreiben nimmt. Hauptsache ist, nicht zu fett anzureiben, damit alles recht klar und scharf steht.

Ist nun das Ganze so weit fertig, so wäscht man durch wiederholtes Aufgießen von Wasser allen Gummi und alle Unreinlichkeiten von der Platte ab, macht trocken und stäubt die Zeichnung mit feinem Kolophoniumpulver an, beseitigt aber vorsichtig jedes Stäubchen von der freien Platte, damit ja nichts daran haften bleibt, und erwärmt an einem Spirituslämpchen allmählich die Platte, bis das Kolophonium geschmolzen ist. Es muß dies jedoch mit der größten Vorsicht geschehen, damit nicht etwa die Striche der Zeichnung breit laufen, wodurch der Ueberdruck verdorben wäre.

Ist nun beides durch die Wärme mit einander verschmolzen, so ist die Farbe hart geworden. Alsdann stäubt man Graphit auf die Platte und reibt so lange darauf, bis die Zeichnung einen schönen Bleiglanz hat.

In einen ausgepichten Kasten gießt man eine gesättigte Lösung von Kupfervitriol, welche vor dem Eingießen zur Hälfte mit Wasser versetzt ist, legt die Platte hinein, und bewegt den Kasten mit der Flüssigkeit fortwährend, bis sich ein schwarzer Schlamm auf der Platte gebildet hat, jedoch darf die Flüssigkeit nicht über $1\frac{1}{2}$ Centim. hoch über der Platte stehen. Hat dieselbe 2—3 Minuten darauf gewirkt, so nimmt man die Platte heraus, wäscht sorgfältig ab, gießt das Kupfervitriol weg, ersetzt es durch frisches und wiederholt den Prozeß des Aufgießens 2—3 Mal; nun wird man schon eine wesentliche Erhöhung sehen.

Sobald die Platte sauber abgewaschen und getrocknet ist, untersucht man genau, ob nicht vielleicht „Striche" von der Säure angefressen sind, ist dies der Fall, so nimmt man ein feines Pinselchen mit Asphaltlack und bessert die schwachen Stellen damit aus.

Eine Lösung Gummiarabicum mischt man mit Oker, Bleiweiß 2c., um sich eine Flüsigkeit herzustellen, welche sich leicht mit einem Pinsel auf den freien Stellen der Zinkplatte vertreiben läßt. Die Masse darf jedoch nicht höher aufgestrichen werden, als die Zeichnung selbst erhaben ist. Ueberhaupt ist darauf zu sehen, daß die Gummilösung nur da aufgestrichen wird, wo, wenn man mit einer harten Steindruckwalze darüber walzt, die ungedruckten Stellen nicht getroffen werden. Hat man nun auf diese Weise die Auflösung aufgetragen und ist alles trocken, so nimmt man eine harte Walze mit Ueberdruckfarbe und walzt die ganze Platte schwarz ein.

Um sicher zu sein, daß jeder Strich der Zeichnung genügend frische Farbe angenommen hat, legt man die Platte in ein Gefäß mit Wasser; die Gummilösung zieht alsbald das Wasser an sich, und hebt sich mit der auf dem Gummi haftende Ueberdruckfarbe von der Platte ab, wodurch die Zeichnung wieder frei mit der frisch aufgewalzten Farbe steht, welche alsdann wieder getrocknet, mit Kolophonium bestäubt, gewärmt und dann mit Graphit überzogen wird.

So wird die Platte wieder einer neuen Aetzung unterworfen. Diesmal kann schon gut 10 Minuten lang die Aetzung fortgesetzt werden, ehe man wieder zu einer frischen Deckung mit Gummi geht, um wiederholt die Striche zu überwalzen, damit sie geschützt vor der Aetzung sind.

Bei dem zweiten Male kann man schon alle engschraffirten Sachen mit Asphaltlack vorher zudecken, ehe man ans Gummiauftragen geht, indem dieselben hinreichende Tiefe für den Buchdruck besitzen und hauptsächlich die nächste Abdeckung den freistehenden Strichen gilt.

Nach der zweiten Aetzung wird sich eine recht kräftige Kupferschicht auf die Zeichnung niedergeschlagen haben, welche man nun ruhig darauf läßt und welche sich immer tiefer niederschlägt, je mehr geätzt wird, aber um so sicherer ist nun die Aetzung, da durch den Kupferniederschlag keine Aetzung wieder hindurchdringen kann. Man läßt nun ruhig weiter ätzen, bis die Zeichnung auf den breiten leeren Stellen die erforderliche Tiefe hat.

27*

Will man nicht so lange dabei verweilen, so sägt man die freien Stellen heraus, nagelt die Platten auf Holzstöcke um die erforderliche Höhe für Buchdruck zu erhalten und übergiebt sie dem Buchdrucker zum Druck.

In neuester Zeit hat diese Technik des Reliefdrucks eine weitere Vervollkommnung erhalten und auch viele Anwendungen gefunden, weshalb ihre Zukunft gesichert sein dürfte.

Zehntes Kapitel.

Von dem Abdrucken der nach den verschiedenen Manieren bearbeiteten Steine, und von der Behandlung der gezeichneten Steine nach vollendetem Abdrucke.

In den meisten Orten, wo die Lithographie bis jetzt Aufnahme gefunden hat, wenn wir die Hauptorte ausnehmen wollen, und selbst noch da, hört man die Klage über das Ungeschick der Drucker als den ewigen Refrain, sobald es sich von dem Gelingen oder Mißlingen irgend eines Kunstblattes oder dergleichen handelt. — Wir geben gern zu, daß diese Klage nicht mit Unrecht erhoben wird; aber hat man denn auch wohl bedacht, wie gefährlich es ist, einen Hauptzweig dieser neu entstandenen Kunst, die dazu bestimmt ist, mit der Kupferstecherkunst, und der Malerei in einem innigen Vereine zu stehen, in die Hände von handwerksmäßigen Druckern, d. h. von Leuten zu legen, die wenig mehr als Tagelöhner sind, und aller Kenntnisse und Bildung entbehren?

Diejenigen Lithographen, welche sich über die Unfähigkeit ihrer Drucker beklagen, sollten sich nur über sich selbst beklagen. Warum haben sie nicht, als sie sich Eleven bildeten, zu den Druckern Leute gewählt, welche Bildung

und Geschmack hatten? Warum haben sie zu Druckern nur
solche bestimmt, welche die Lithographie als eine rein
mechanische Arbeit betrachten?

Wir sehen mit Bedauern wie unendlich weit an den
meisten Orten in Deutschland der Druck hinter der Zeichnung zurückgeblieben ist, und wieviel mehr man, — verhältnißmäßig genommen, — gute Zeichner findet, als gute
Drucker. Man kann es sich nicht verbergen, daß der
Drucker unendlich vielen Einfluß auf die Wirkung einer
Zeichnung im Drucke hat, und dennoch nimmt man so
selten Rücksicht darauf! Nicht das ist die Kunst, daß man
viele oder vielleicht recht schwarze Abdrücke von einem
Steine mache, sondern das, daß man gute Abdrücke liefere!
Der Drucker muß nothwendig selbst Künstler sein. Er
muß wissen, daß diese Zeichnung mehr duftig, jene kräftiger
gedruckt werden müsse; er muß die Mitteltinten zu mena-
giren, die Vordergründe hervorzuheben, die Lichteffekte zu
steigern wissen. Das Alles hat er mit seiner Walze in
der Gewalt; aber — dazu muß er Künstler, entweder
selbst Zeichner, oder doch von Seiten des Geschmackes sehr
ausgebildet sein. Der Schriftdruck erfordert allerdings
weniger Talent, er ist sehr mechanisch; aber wir sind doch
der Meinung, daß selbst ein Schriftdrucker mindestens so
gebildet sein müsse, daß er richtig lesen und schreiben
könne.

Wir werden in diesem Kapitel dasjenige mittheilen,
was man über die verschiedenen Druckmanieren sagen
kann, — was man dabei denken muß, können wir nur
dem Lithographen überlassen; denn wir können nur Fingerzeige geben, die weitere Ausführung müssen die jedesmaligen obwaltenden Umstände an die Hand geben.

Einer vorzüglichen Beachtung bedürfen zunächst die
allgemeinen Grundsätze des Druckens*). — Der
Lithograph kann nur dann auf das Gelingen guter Abdrücke rechnen, wenn er die größte Sorgfalt mit der

*) Aus Engelmann's „Lithographie".

größten Geschicklichkeit in allen Einzelnheiten seiner Operation verbindet.

Hierbei ist hauptsächlich der Abzug der wichtigste
Theil der lithographischen Manipulation. In der Praxis
und in der Umsicht des Druckers ruhen die sichersten
Mittel zum Gelingen seiner Platte. Um Kreideplatten
von einiger Bedeutung mit einer Vollkommenheit zu drucken,
welche der Arbeit des Zeichners entspricht, würde es gut
sein, wenn der Drucker selbst in die Kunst des Zeichnens
eingeweiht wäre, um beurtheilen zu können, was der Stein
auf dem Papier wiedergeben muß, um der Erwartung des
Künstlers zu entsprechen.

Ein großer Theil des Effektes liegt in seiner Hand
und hängt von der Geschicklichkeit ab, mit welcher er seine
Walze zu führen versteht. Es liegt ihm ob, das Werk
sozusagen, zu vollenden, indem er gewisse Stellen stärker
oder zarter behandelt und hierin wird er bis zu einem
gewissen Grade selbst Künstler.

Der erste Walzenstrich, den man über einen ge-
zeichneten Stein thut, ist derjenige, welcher die meiste
Schwärze absetzt, weil die Oberfläche wollig, wie feines
Tuch ist, und sich noch keine Feuchtigkeit darauf befindet.

Gleichzeitig setzt er aber auch die Schwärze ungleich
und an manchen Orten in zu großer Masse nieder und
nur durch wiederholtes Hin- und Herwalzen nimmt die
Walze die Farbe, welche an einigen Punkten überflüssig
ist, hinweg, um sie da niederzusetzen, wo sie fehlt.

Aus diesem Grunde muß man sie über fein gearbeitete Steine ziemlich lange laufen lassen, besonders wenn
man sich einer sehr festen Schwärze bedient.

Durch das häufige Umherrollen auf dem Steine
polirt sich die Fläche der Walze und überzieht sich mit
einer kleinen Schicht Wasser. Wenn dieser Fall eintritt,
hat sie keine Wirkung mehr auf die Platte, weil sie die
Feuchtigkeit verhindert, sich hinreichend an die gezeichneten
Stellen anzuhängen. Dann muß man wieder seine Zuflucht zum Farbstein nehmen und die Walze mehrmals

darüber gehen laſſen, um die Fläche wieder abzuglätten und das daran hängende Waſſer zu entfernen.

Wenn man die Walze langſam über den Stein laufen läßt, dabei ſtark aufdrückt und die Zapfen derb faßt, ſo daß ſie ſich nur ſehr ſchwer umdrehen, wird ſehr viel Schwärze auf der Platte zurückbleiben.

Walzt man dagegen ſchnell und leicht über den Stein und läßt die Griffe ſo locker, daß ſich die Zapfen ohne Widerſtand darin bewegen, ſo nimmt man die Farbe weg und hellt die Platte auf.

In der umſichtigen Benutzung und Befolgung dieſer Grundſätze beſteht die Kunſt des Druckers. Er wird daher, nach ſeiner Willkür, mit einer und derſelben Walze, dunklere oder lichtere Abdrücke herſtellen können.

Er kann, je nach dem Bedürfniß, gewiſſe Stellen kräftigen und andere aufhellen — er muß mit einem Worte, in der Bewegung ſeiner Hände das große Hilfsmittel zur Herſtellung guter Abdrücke finden.

Wenn viele Lithographen nur ſehr mittelmäßige Ergebniſſe liefern, ſo liegt der Grund darin, daß ſie die Vervollkommnung in einer Menge kleiner Nebenmittel ſuchen und jenen wichtigen Umſtand vernachläſſigen.

In dem Abzuge einer großen Zahl guter und gleichmäßiger Abdrücke beſteht die größte Schwierigkeit bei der Lithographie, und der Drucker kann ſie nur dann überwinden, wenn er die Veränderung des Zuſtandes ſeiner Platte ſorgfältig beobachtet. Sobald ſie ſich zum Verſchmieren anläßt, muß er vermehrte Leichtigkeit in ſeine Bewegung bringen. —

Wenn einige Stellen ſchwächer werden, muß er ſie durch ſtärkeres Aufdrücken mit der Walze und Zuſammendrücken der Zapfen wieder beleben. —

Er wird ſeine ganze Aufmerkſamkeit darauf richten, den Uebelſtänden gleich vorzubeugen, ſo wie er ſie gewahrt, damit keine Stelle ſich ganz verſchmiere oder ganz verſchwinde, denn dann iſt es oft ſchwierig, das Uebel wieder gut zu machen, welches man mit ein wenig mehr Aufmerkſamkeit hätte umgehen können.

Durch Vernachläffigung diefer Grundfätze verderben unachtfame Drucker oft eine Platte nach einer kleinen Anzahl von Abzügen, während fie in den Händen eines forgfältigen und wachfamen Arbeiters eine weit größere Anzahl geliefert haben würde.

Ein anderer allgemeiner Grundfatz, den man nicht aus den Augen verlieren darf, ift der, daß die Schwämme, fowie die wollenen und baumwollenen Lappen, die Zeichnungen auf dem Stein durch die Reibung abnutzen, während Werg und leinene oder hänferne Lappen die Züge nicht angreifen.

Aus diefen Gründen bedient man fich gewöhnlich eines Bündels Werg oder leinener Lappen, um die Federzeichnungen zu befeuchten, wo dann auch die feinsten Stellen fehr rein bleiben.

Da im Gegentheil die Kreidezeichnungen gewöhnlich geneigt find, Ton anzunehmen, um fich zuweilen fogar zu verwifchen, thut man beffer, diefe mittelft eines Schwammes zu befeuchten. Ein gewandter Drucker wird auch diefen Erfahrungsfatz zu benutzen verstehen und z. B. eine Kreideplatte, wenn ein Undeutlichwerden derfelben zu befürchten ftände, lieber mit einem Wergbüfchel befeuchten, als fich des Schwammes bedienen.

Schließlich fei noch daran errinnert, daß die harten Walzen fchwerer einfchwärzen, als die weichen. Man wird daher wohl thun fich der erfteren zu folchen Platten zu bedienen, welche geneigt find, zu viel Schwärze anzunehmen.

Da die Kreideplatten gewöhnlich zu diefer Gattung gehören, wird es demnach gut fein, fie mit harten Walzen einzufchwärzen. Die weichen fchwärzen fchneller und können daher bei Federplatten den Vorzug erhalten.

Wenn jedoch eine Kreideplatte durch eine harte Walze nicht genug belegt werden follte, könnte man fie gegen eine andere weichere vertaufchen.

1) Von dem Abbrucken der Zeichnungen in der Kreide- und Tamponnirmanier.

Wir wollen hier, ungeachtet wir bei Aufführung der einzelnen Manieren im vierten Kapitel, die Federzeichnung 2c. vorhergeschickt haben, die Kreide- und Tamponnirmanier zuerst abhandeln, da sie die meiste Schwierigkeit hat, und ein Arbeiter, der eine Kreidezeichnung gut druckt, mit einer Schrift- oder Federzeichnung nur um so besser zu Stande kommen wird.

Nachdem der Stein auf die Weise, wie wir im neunten Kapitel mitgetheilt haben, präparirt worden ist, bringt man denselben in den Wagen der Presse auf die unterlegte Filzdecke, und nachdem man ihn in die richtige Lage gebracht hat, befestigt man denselben durch Klötze und Keile, welche man gegen die Ränder des Kastens treibt; darauf wählt man einen Reiber, welcher diejenige Dimension der Zeichnung, welche in der Richtung des Zuges liegt, an jeder Seite um etwa 3 Centim. übersteigt, nie aber so lang sein darf, daß er über den Stein hinausragt, und gleicht ihn auf dem Stein ab, d. h., man untersucht, ob er in der ganzen Länge seiner Schneide genau mit der Oberfläche des Steines zusammenfällt, was dann der Fall ist, wenn man zwischen der Schneide des Reibers und dem Steine nirgend durchsehen kann. Zum Abrichten des Reibers bedient man sich eines Hobels und im Feinen einer Feile oder Glasscherben und Sandpapier. Den auf die gehörige Länge zugeschnittenen und abgeglichenen Reiber, dessen Enden man abrunden muß, befestigt man in seinem Reiberträger in der Presse. Für sehr große Steine ist es übrigens gut, wenn der Reiber nach der Mitte hin etwas hohl ist; denn da der Druck ohnehin nach der Mitte zu am schärfsten ist, so stellt sich dann das Gleichgewicht wieder her.

Zunächst bestimmt man dann den Anfang und das Ende des Reiberzuges mittelst der zu diesem Zwecke an der Presse angebrachten Kloben oder Schrauben, und stellt

auch den Deckrahmen mittelst der dazu bestimmten Stell=
schrauben so, daß das Leder desselben etwa 4 Millim.
von der Oberfläche des Steines absteht. Man muß sehr
darauf achten, daß das Leder durchaus gleichförmig ange=
spannt sei, und daß es nicht etwa Quer= oder Längenfalten
ziehe. Sollte dies der Fall sein, so muß man dasselbe
nach der Art, wie die Stickerinnen ihren Stoff im Stick=
rahmen aufspannen, gegen das Kopfstück mittelst einer
Stellschraube und gegen die Seitenstücke des Rahmens
mit Schnüren anziehen. Ist das Leder gehörig eingerichtet,
so bestimmt man ein für allemal die Schärfe des Druckes
durch die Mittel, welche die Konstruktion der Presse dazu
an die Hand giebt. Jetzt ist die Presse zum Drucke ge=
richtet.

Da die neuen Steine gewöhnlich scharfe Kanten haben,
die gerne Farbe annehmen, wodurch Papier und Decklage
beschmutzt und selbst der Lederdeckel durch scharfes Ein=
prägen dieser Kanten beschädigt würde, so müssen die=
selben mit der Steinfeile gehörig abgerundet, sodann geätzt
und gummirt werden.

Nun feuchtet man mittels eines Schwammes*) die
Gummidecke des Steines stark ein, um sie aufzuweichen.

---

*) Bekanntlich werden die Schwämme auf dem Meeresgrund
an Klippen hängend gefunden, und besonders an den jonischen
Inseln in großer Menge gesammelt.
Die im Handel vorkommenden sogenannten Pferdeschwämme
und feinporigen Tafelschwämme, müssen zuvor von den Muscheln
befreit, sowie von allen Schmutz= und Sandtheilen durch Klopfen
mit dem Hammer und durch wiederholtes Auswaschen mit reinem
Wasser gereinigt werden. Ebenso können auch die Schwämme in
eine mit Wasser stark verdünnte Salzsäure gelegt, welche ohne
Nachtheil des Schwammes die aus kohlensaurem Kalk bestehenden
Muscheln auflöst. — Die Schwämme bilden einen nicht uner=
heblichen Theil der Druck=Utensilien, und man bedarf außer
dem Gummischwamm, auch den großen und kleinen Wasser=
schwamm, den Anreibeschwamm und den Auswaschschwamm. Die=
selben sind kleine Tafelschwämme, der große Wasserschwamm aber
ein sogenannter Pferdeschwamm. Alle diese Schwämme müssen
fortwährend durch Auswaschen in gut gereinigtem Zustande er=
halten werden.

Während letzteres geschieht, nimmt man mit dem Farbenmesser etwas Druckfarbe, setzt derselben, nach Bedarf der
Jahreszeit, einige Tropfen starken oder mittelstarken Firniß zu, arbeitet beides auf der Schwärzplatte mit dem
Farbenmesser oder einem Spatel gut durcheinander und
bringt es auf die Schwärzwalze, mittelst welcher man es dann
durch Hin- und Herrollen auf der Schwärzplatte vertheilt,
womit man solange fortfährt, bis nicht allein die Walze,
sondern auch die Platte ganz gleichförmig mit Schwärze
bedeckt sind, wovon man sich durch die Gleichartigkeit des
Korns und durch das Geräusch überzeugt, welches die
Walze beim Rollen auf der Schwärzplatte macht. Rupfen
oder reißen darf dieselbe durchaus nicht.

Unterdessen wird der Gummiüberzug auf dem Stein
aufgeweicht sein, und man kann denselben nun mittelst
eines nassen Schwammes vollends abheben. Ist dies geschehen, so gieße man Terpentinöl, das man, mit gleichen
Theilen Wasser versetzt, gut durcheinander gerüttelt, in
einer Flasche hat, auf den Stein und vertheile dieses mit
einem besonders für diesen Zweck bestimmten Schwamme
gleichmäßig, aber ohne zu reiben, über den Stein, wodurch
man scheinbar die ganze Zeichnung auflöst, so daß der
Stein, nachdem man das Terpentinöl entfernt und denselben wieder rein abgeputzt hat, nur einige leichte fettartige
und heller als der Stein erscheinende Spuren der Zeichnung zeigt.

Jetzt wirft man mit den Fingern etliche Tropfen
Wasser auf den Stein, welche man mit dem reinen Netz-
schwamme dergestalt über den Stein vertheilt, daß dessen
Oberfläche durchaus gleichförmig feucht, keineswegs aber
naß sei. Der Schwamm, dessen man sich bedient, muß
ganz rein sein, vor allen Dingen darf sich daran weder
eine Spur von Gummi, noch Terpentinöl oder gar Säure
befinden.

Jetzt rollt man die Farbenwalze einige Mal über
die Schwärzplatte hin und übergeht dann langsam, und
ohne sehr stark aufzudrücken, die Zeichnung sorgfältig in

allen Richtungen, indem man, wenn etwa der Stein zu
trocken werden sollte, denselben von Zeit zu Zeit wieder
anfeuchtet, wie oben gesagt wurde. Man wird nun nach
und nach die Zeichnung wieder erscheinen sehen und muß
das Einwalzen so lange fortsetzen, bis die Zeichnung
wieder mit der ganzen Kraft und Eleganz dasteht, welche
sie hatte, ehe man das verdünnte Terpentinöl anwendete.
Hat man diesen Effekt erlangt, so legt man ein Blatt des
zum Drucke bestimmten genetzten Papiers, ohne es auf
dem Steine hin- und herzuschieben, nach den auf dem
Steine befindlichen Zeichen, auf, deckt darauf ein Blatt
reines und gleichartiges Makulaturpapier und ein Blatt englischen Preßspan, das nach der Größe des Steins zugeschnitten wurde, schließt den Rahmen, bringt den Stein
unter den Reiber, zieht diesen scharf an, läßt den Stein
durch die Presse gehen, hebt dann den Druck auf, führt
den Stein zurück, öffnet den Rahmen, legt den Preßspan
und die Makulatur bei Seite und zieht den Abdruck, indem
man das Papier an den zwei Ecken der von sich abstehen-
den Seite anfaßt, behutsam vom Steine, welchen man sogleich wieder anfeuchtet.

Nun untersucht man den Probedruck, ob Alles gekommen ist, ob alle Tinten harmoniren 2c., worauf man
zum zweiten Probedrucke schreitet, bei dem man bemüht
ist, die etwa gefundenen Fehler durch das Einwalzen zu
verbessern. So kann man z. B. diejenigen Partien, welche
nicht stark genug annehmen, dadurch dunkler machen, daß
man langsam und mehrmals unter gelindem Drucke mit
der Walze darüber hinfährt. Zu dunkle oder verschmutzte
Stellen lichtet man, indem man die Walze schnell, gleichsam reißend, darüber hinrollen läßt. Sind die mangelhaften Stellen so nachgeholt, so bringt man Alles in
Harmonie, indem man das Ganze einige Mal mit der
Walze in allen Richtungen übergeht und die Farbe nach
der Intention des Zeichners vertheilt. Handelt es sich
z. B. um eine Landschaft, so muß der Drucker den Vordergrund steigern, auf die Perspektive Rücksicht nehmen

und die Luft transparent halten; er muß darauf achten, daß die ausgesparten höchsten Lichter rein dastehen und die Gegensätze, Uebergänge und die natürliche Harmonie in jeder Hinsicht befördert werden.

Hat man es hingegen mit einem Porträt zu thun, so ist die Sache noch schwieriger, man muß viel sorgfältiger und vorsichtiger zu Werke gehen; denn ein geringes Mehr oder Weniger kann den ganzen Effekt des Gesichts verändern und die ganze Aehnlichkeit vernichten. — In diesem Falle muß man vor Allem das Dunkelwerden der Schatten und das Abheben der Mitteltinten vermeiden, man muß das Korn des Steines und die Reinheit der Zeichnung konserviren und den Stein nie mit Farbe überladen. Den Gewändern muß man das Pastose oder den durchsichtigen Ton geben, der ihnen zukommt und der sich dadurch bestimmt, ob Tuch, Sammet, Seide oder leichte Stoffe dargestellt wurden. Man muß den Augen ihre Lebhaftigkeit geben, indem man das Weiße und den Lichtpunkt in denselben in seiner vollen Reinheit erhält, und die Haare müssen sich nach ihrer helleren oder dunkleren Farbe herausstellen.

In allen Fällen aber muß man auch die Ränder der Zeichnung rein halten, und es darf sich nie Schwärze darauf absetzen. Die Farbe annehmenden Stellen des Steinrandes müssen sogleich mit Bimsstein weggeschliffen, geätzt und gummirt und ebenso die betreffenden Stellen der Decklage mit pulverisirtem Talkstein abgerieben werden, wodurch die Fettwirkung aufgehoben. Die Walze muß stets reinlich sein, und man muß die Farbe sehr gut abreiben und dieselbe lieber zu stark, als zu weich halten; das Papier muß ohne Schmutzflecke und schön weiß sein.

Eine vorzügliche Aufmerksamkeit erheischen auch die Zeichnungen mit ausgeführtem Hintergrunde, z. B. innere Perspektiven u. dergl., indem, namentlich an warmen Sommertagen, der Ton, durch das Feuchten des Steines, im Hintergrunde leicht heller gestimmt wird, ein Umstand, den, durch das Einwalzen zu beseitigen, oft recht schwer hält. — Wenn aber schon das reine Wasser dergleichen

nachtheilige Wirkungen hervorbringt, was muß man dann
erst vom Fett und den Säuren erwarten?

Gewöhnlich erreicht man beim dritten oder vierten
Probedrucke das gewünschte Resultat. Sobald dies der
Fall ist, walzt man den Stein noch einmal ein, überzieht
ihn dann mit einer gleichmäßigen Gummischicht und läßt
ihn bis zum Beginne des wirklichen Druckes liegen. In
eiligen Fällen kann man auch sogleich weiter drucken; doch
thut man wohl, dem Steine einen Tag Ruhe zu gönnen,
indem die Frische der Zeichnung und die Reinheit der
Zwischenräume des Korns dadurch bedeutend gefördert
wird, daß das Gummi eine Zeitlang auf demselben stehen
bleibt.

Der wirkliche Druck wird fortgeführt, wie die Probe=
drücke, und die Aufmerksamkeit des Druckers muß stets
darauf gerichtet sein, sich so wenig als möglich, von dem
Modelle zu entfernen, das man unter den Probedrücken
ausgesucht und das er stets vor sich liegen hat.

Es versteht sich hierbei von selbst, daß das Reinigen
mit dem mit Wasser vermischten Terpentinöl nicht nach
jedem Abdrucke stattfindet, sondern nur der Stein mit
Wasser gefeuchtet wird. Eine volle Reinigung des Steins
darf nur dann stattfinden, wenn man findet, daß der
Stein eine Neigung zum Verschwärzen zeigt; wir werden
später darauf zurückkommen. Ebenso muß sie aber jedes=
mal stattfinden, wenn ein Stein längere Zeit ausgesetzt
und deshalb mit Konservirfarbe eingeschwärzt wurde.

Bei zart behandelten Zeichnungen mit magerer Kreide
ziehen manche Drucker vor, den geätzten Stein nicht mit
Terpentinöl auszuputzen, sondern, nach dem die Gummischichte
abgewaschen, die gezeichnete Platte mit Wachsfarbe einzu=
walzen, welche mit etwas Terpentinöl vermischt wurde, und
sobald die Platte getrocknet ist, wieder zu gummiren und
einige Stunden vor dem Drucke ruhen zu lassen.

Durch dieses Verfahren werden die feinen Töne der
Zeichnung für die Druckfarbe mehr empfänglicher, und es
kommt schon nach einigen Abdrücken die Zeichnung in die

gehörige Haltung, was bei derartigen Platten ohne dieses Verfahren erst nach vielen Probedrücken erfolgen würde.

Bei dem Andrucke sehr stark geätzter Platten pflegen auch manche Drucker beim erstmaligen Ausputzen mit Terpentinöl, demselben einige Tropfen Leinöl beizufügen, wodurch der Lösungsprozeß ein milderer wird; bei leichteren Aetzungen muß jedoch das Leinöl vermieden werden.

2) Vom Abdrucken der nach der Federmanier, mit dem Pinsel oder mittelst des Ueberdruckverfahrens bearbeiteten Steine.

Dieser Zweig der Arbeiten des Druckers ist bei weitem weniger schwierig, als der Kreidedruck, dafür aber wird er auch so sehr vernachlässigt, daß oft die schönsten Arbeiten durch den Drucker versudelt werden. Es ist daher gewiß ein großer Irrthum, wenn der Drucker den Schriftdruck als unwichtig behandelt; denn er hat für das Publikum sicher ebensoviel Bedeutung, als der Kreidedruck. Seine Nutzbarkeit für industrielle Zwecke ist heutzutage anerkannt, und man sollte für dies Genre brauchbare Individuen heranbilden, und von ihnen ebensoviel Sorgfalt und Geschmack verlangen, als von den Kreidedruckern.

Der Druck der Federzeichnungen ꝛc. geschieht ganz nach der Art, wie bei den Kreidezeichnungen gelehrt wurde, doch muß man die Farbe zu demselben etwas weicher machen, da hier ein Verschmieren nicht so sehr zu befürchten steht, indem die Zeichnungen meistens nicht so eng stehen, und die Aetzung und Präparatur schärfer war. Ebenso kommt es hier nicht auf die Abstufung des Tones an, und man wird bei den Probedrücken nur darauf zu sehen haben, daß jeder, auch der feinste Strich im Drucke komme, und daß das Ganze in einem gleichmäßigen, tiefschwarzen Tone gedruckt sei. Um den letzterwähnten Zweck zu erreichen, setzen die Drucker der Schwärze gern etwas dunkles Berlinerblau oder Indigo zu.

3) Vom Abdrucken der nach der vertieften Manier bearbeiteten Steine.

Bei Abhandlung der vertieften Manieren haben wir bereits die Vorbereitung des Steines bis zum Augenblicke des Druckes mitgetheilt. Der so weit vollendete Stein wird nun in die Presse gebracht und die nöthige Zurichtung mit demselben, wie wir bei den Kreidesteinen angegeben haben, vorgenommen. Sobald die Gummischicht der Präparatur abgehoben ist, schreitet man zum Einschwärzen des Steines; dies aber geschieht auf eine, von den übrigen ganz abweichende Weise. Da es hier nämlich darauf ankommt, die Farbe in die Vertiefungen des Steines zu bringen, so liegt es am Tage, daß die Walze zum Farbeneintrage nicht ganz geeignet ist, da sie nur über die Oberfläche des Steines hingeht und nicht in die Gravirung eindringt. Ist indessen der Stein sehr gut eingelassen und der Drucker sehr sorgfältig, so werden die Abdrücke auch bei Anwendung einer recht weichen Walze gut und der Stein liefert dann deren eine größere Anzahl, da er weniger abgenutzt wird, als bei anderen Methoden. Die Arbeit geht jedoch ziemlich langsam von statten, und man hat daher zu andern Mitteln seine Zuflucht genommen.

Das erste sind die Wischlappen. Der Gebrauch der Wischlappen ist ziemlich allgemein eingeführt, doch müssen diese Lappen von einem sehr weichen, weitgewebten Stoffe sein, um ihren Zweck gehörig zu erfüllen, da sie außerdem entweder die Schwärze nicht gehörig vertheilen, oder den Stein angreifen. Ueberdies muß man sie vor Sand und Staub bewahren, da sonst leicht beim Einreiben und Wischen die präparirte Oberfläche des Steines verletzt wird, wodurch dann derselbe an etlichen Stellen annimmt, ein Fehler, der schwer wieder zu verbessern ist. Zum Einschwärzen mittelst der Wischlappen bedarf man dreier Lappen: mit dem ersten reibt man die Farbe auf dem genetzten Steine in die gravirten Züge ein; mit dem zweiten wird die überflüssige Farbe vom Steine wieder

Weishaupt, Steindruck. 28

abgewischt, und der dritte, der mit verdünnter Gummi=
auflösung getränkt ist, dient zum Nachputzen. Man kann
sich, sobald der Stein abgeputzt ist, mit Vortheil einer
Druckwalze bedienen, welche man dann mit leichter Farbe
etliche Mal über den Stein rollt, um jede Ungleichheit zu
beseitigen.

Ein zweiter Einschwärzapparat für gravirte Steine
sind die schon früher beschriebenen und abgebildeten Tam=
pons oder Schwärzplatten. Man bedarf deren für
jeden Stein zwei, eine zum Auftragen der Farbe, die
andere zum Nachputzen; dann aber reinigt man den Stein
vollends mit der Walze. Auch bei den Schwärzplatten
muß man sich sorgfältig hüten, daß sich kein Sand oder
sonstige Unreinigkeiten anhängen, welches hier noch gefähr=
licher wäre, als wie bei den Wischlappen, indem der Druck
beim Einreiben stärker ist, als wie bei diesen.

Zum Einschwärzen bringt man die abgeriebene Farbe
auf eine Ecke des Farbsteins und nimmt davon einen
Theil, den man mit etwas Terpentinöl anmacht, indem
man mit dem Tampon reibt. Man benetzt sodann den
Stein und reibt mit dem Tampon darauf nach allen Rich=
tungen herum bis die Einschnitte gefüllt sind.

Dann nimmt man einen feuchten Lappen und bedient
sich seiner, um das auf den Stein zurückgebliebene Ueber=
maß von Schwärze wegzuwischen. Wenn dies nicht hin=
reichen sollte, um den Stein ganz rein zu machen, oder
wenn der Lappen vielleicht durch den Gebrauch schon etwas
schmutzig geworden wäre, muß man einen zweiten nehmen,
um das Reinigen vollends zu bewerkstelligen.

Diese Lappen müssen von leinenem oder baumwollenem
Zeuge sein. Uebrigens verlangt diese Operation Gewandt=
heit und Uebung. Man muß nur leichthin und ohne auf=
zudrücken wischen, um den gravirten Linien die Farbe nicht
wieder zu entreißen.

Wenn einige Theile der Schwärze der Anwendung
der Lappen widerstehen, fährt man mit der flachen Hand
leicht darüber hin, wodurch die Stelle völlig rein wird.
Wenn sich ein Stein nicht gut wischen läßt, kann man ein

wenig Gummi in das Waſſer miſchen, welches zum Befeuchten der Lappen dient.

Im Allgemeinen wiſchen ſich die neuen Steine nicht
ſo gut, als wenn man ſchon eine gewiſſe Anzahl Abdrücke
davon gemacht hat, und wenn ſie durch das Reiben mit
dem Lappen glatt geworden ſind. Zuweilen geſchieht es,
daß ein neuer Stein ſich ganz und gar mit einem grauen
Ton überzieht, wenn man ihn zum erſten Male einſchwärzt,
was gewöhnlich daher rührt, daß er vor dem Graviren nicht
gehörig zubereitet worden iſt. — Auch können Lappen, die
mit Seife gewaſchen und nicht gehörig in reinem Waſſer
ausgeſpült worden ſind, einen ſolchen Ton erzeugen, weil
ſie die unlösliche Gummilage angreifen. In dieſem Falle
muß man Gummi auf den Stein ſtreichen und fortfahren
mit dem Lappen zu reiben, wodurch er nach und nach rein
wird.

Da bei ſehr feinen Arbeiten mit der Gravir-
maſchine ſelbſt die dünnſte gefärbte Gummilage des gewöhnlichen Gravirgrundes, immerhin der Maſchine noch
zu viel Widerſtand leiſten würde, ſo begnügt man ſich
deshalb, Gummi mit Säure vermiſcht über den Stein zu
ſtreichen, wie man die mit der Feder gezeichneten Steine
behandelt. Man läßt den Gummi trocknen und wäſcht
ihn dann ab. Auf dem Steine bleibt nun nichts zurück,
als die ſehr dünne unlösliche Gummilage. —

Derartig behandelte Steine ſind nun aber zum erſten
Male am ſchwierigſten einzuſchwärzen; denn es ereignet
ſich ſehr oft, daß die Schwärze ſich anfangs beinahe auf
dem ganzen Steine anhängt.

Man bemüht ſich ſie nach und nach zu entfernen,
indem man mit dem Lappen und mit der flachen Hand
reibt, das wirkſamſte Mittel aber iſt, ein wenig Gummi
auf den Stein zu bringen und ſo viel Terpentinöl zur
Druckſchwärze hinzuzumiſchen, daß dieſe die Schwärze auflöſe,
welche ſich auf den weißen Stellen feſtgeſetzt hat. Man
reibt dieſe Schwärze mit einem Lappen auf ie Platte
und in demſelben Verhältniß, wie ſie die Unreinigkeit hin-
wegnimmt, giebt der Gummi den betreffenden Stellen die

Eigenschaft, daß dergleichen nicht wieder darauf haften
können, während die Einschnitte immer mit Schwärze ver=
sehen bleiben und auf keinerlei Art durch diese Operation
leiden.

Wenn jedoch von einem Steine durch das Wischen
mit dem Lappen keine saubern Abdrücke zu erhalten sind,
so kann man, nachdem man mit dem Tampon eingeschwärzt
hat, sich der Walze bedienen, welche die Platte sehr leicht
reinigen wird. — Bei fortgesetztem Gebrauch der Walze
muß man dann von Zeit zu Zeit die sich daran hängende
schwache Farbe wegnehmen, und gewöhnliche, für die Feder
oder Kreide bestimmte Druckschwärze darauf bringen.

In den französischen Druckereien bedient man sich
zum Einschwärzen noch vielfach der Bürste. Dieselbe
muß lange, biegsame Borsten haben und etwa 15 Centim.
lang und halb so breit sein. Die sogenannten Wichs=
bürsten sind zu diesem Gebrauche sehr zweckmäßig. Beim
Einschwärzen nimmt der Drucker die gehörige Menge
Farbe auf die Bürste und fährt mit derselben nach allen
Richtungen über den gefeuchteten Stein hin, bis sich die
Farbe in die Züge setzt und anfängt zu ballen. Dann
wird der Stein noch einmal leicht gefeuchtet und die über=
flüssige Farbe mit einer reinen Schwärzplatte oder der
Schwärzwalze abgenommen. Sind dann etwa noch leichte
Farbenspuren auf unbezeichneten Stellen des Steins, so
nimmt man dieselben mittels eines reinen feuchten Schwam=
mes fort, was übrigens bei Anwendung der Walze nicht
nöthig ist.

Welches von den hier aufgezählten Geräthen man
sich zum Einschwärzen bedienen soll, hängt, da jedes ein=
zelne seine eigenthümlichen Vorzüge hat, von den Um=
ständen ab. Der Auftrag mit der Walze ist gut, aber
schwierig und zeitraubend. Am schnellsten zum Ziele führen
die Wischlappen, doch ist ihr Gebrauch etwas unreinlich.
Die Bürste dürfte für die gewöhnlichen Arbeiten das
Zweckmäßigste sein; zu kostbaren Sachen aber muß man
sich stets der Wischlappen oder der Schwärzplatten be=

dienen, namentlich bei breiten Linien und Flächen, vorzugsweise der letzteren.

Im Allgemeinen fallen die mit Lappen eingeschwärzten Abdrücke brillanter aus, weil der Lappen mehr Schwärze in den Einschnitten zurückläßt, als die Walze; daher diese wohl reine aber minder brillante Abdrücke liefert.

Die Farbe zum Einschwärzen besteht aus gewöhnlicher weicher Druckfarbe, welcher man etwas dicke und durchgeseihete Gummiauflösung zusetzt und sie mit derselben gut durcharbeitet, wobei man gern ein wenig Terpentinöl zugießt. Man hüte sich wohl, sauer gewordenes Gummi zuzusetzen. Die Schwärze muß täglich frisch bereitet werden.*)

Nach Umständen wird auch bei Gravirarbeiten, wo fein geschnittene Töne vorkommen, der Beisatz von Gummi und Terpentinöl ganz weggelassen und dafür gekochtes Leinöl beigemischt, wodurch man brillantere Abdrücke erhält. Sehr häufig wird auch die Gummiauflösung dem Wischwasser statt der Farbe beigefügt.

Man kann das Papier zu Abdrücken von gravirten Steinen ein wenig stärker feuchten, damit es sich besser in die Züge hineinlege; auch bedient man sich nebst des Preßspanes einer weichen Makulaturauflage und bestimmt den Druck sehr scharf.

Obgleich der Druck der gravirten Platte eine der schmutzigsten Verrichtungen beim Steindruck ist, erfordert er nichts desto weniger viel Reinlichkeit und Sorgfalt, wobei der Drucker täglich die Reinigung seiner Schwämme durch Waschen, und die der Bürste und des Tampons durch Abkratzen mit dem Messer vornehmen muß.

Die Anzahl der abzuziehenden Abdrücke hängt sehr von der Gewandtheit des Druckers ab. 5 bis 6000 Exemplare werden bei gravirten Platten gewöhnlich als

---

*) Die Qualität des Gummi muß vollkommen gleich sein mit der Druckfarbe. Das Mischungsverhältniß beider kann jedoch nicht ganz genau angegeben werden, da hierbei die Art der Arbeit, die Temperatur und selbst der Zustand des Steines zu berücksichtigen ist. Annäherungsweise nimmt man gewöhnlich Gummi und Druckfarbe zu gleichen Theilen. Doch ist dies keine allgemeine Regel.

das Maximum angenommen. — Nach dem Abzuge wäscht man die Platte mit Terpentingeist und reibt eine Mischung von Talg, Kienruß und Terpentingeist in die Einschnitte, wobei man Acht haben muß, die Steine recht sorgfältig abzuwischen, damit die Zeichnung hinlänglich bedeckt und doch dabei recht rein sei. Nachdem der Terpentingeist verschwunden gummirt man den Stein.

4) Der chromolithographische Druck.

Die technisch künstlerische Erzeugung des Farbendruckbildes bedingt zunächst eine systematisch berechnete Vertheilung und Aufeinanderfolge der Farbeplatten, wobei die einzelnen Platten mit der erforderlichen Haltung der Tonabstufungen mittelst der geeigneten lithographischen Manieren zu behandeln sind.

Wie bereits früher schon erwähnt, werden am häufigsten hierzu die Kreideplatten in Verbindung der gewischten und geschabten Tonplatten in Anwendung gebracht; auch richtet sich die Wahl des Farbentones, sowie die Vertheilung und Anzahl der Platten, stets nach dem wiederzugebenden Originale, was immer dem denkenden Künstler und Lithographen überlassen bleiben muß.

Die Aufgabe des Druckers ist dagegen, genau in das festgestellte Farben-Arrangement des Künstlers einzugehen, um so in der entsprechenden Weise durch das Uebereinanderdrucken der Platten, jenen anzustrebenden Farbeneffekt hervorzubringen, welcher theils von der richtigen Folgenreihe der Platten und theils von der gehörigen Haltung und Kraft des Farbentones abhängt, wozu aber auch ein genaues Einpassen der übereinander gedruckten Platten unbedingt erforderlich ist.

Obgleich nun die Technik des lithographischen Schwarzdruckes die Grundlage dazu bietet, so ist doch immerhin schon die technische Behandlung der bunten Farben weit schwieriger, als die der schwarzen Farbe, bei der zudem an und für sich schon die Abstufungen der Töne bestimmter hervortreten und daher ein Fortdrucken der Kreideplatte in immer gleicher Haltung minder schwierig ist, als wie bei bunten Farben.

Das gleichmäßige Fortdrucken einer Platte in der vom Künstler gefertigten Haltung ist nun aber bei dem Farbendruck positiv nothwendig, weil eben die Gesammtwirkung des ganzen Bildes von dem Farbentone und der Haltung jeder einzelnen Platte abhängt, und die geringste Abweichung von der anfänglich berechneten Haltung des Tones eine Disharmonie im Bilde erzeugt.

Dieses erfordert jedoch von Seite des intelligenten Druckers nicht allein eine vorzügliche Gewandtheit in der Behandlung des Schwarzdrucks, als auch der tüchtigsten Uebung und Aufmerksamkeit, und setzt zudem noch bei demselben künstlerischen Sinn und Gefühl für Farben voraus, wodurch es ihm ermöglicht ist die richtige Nüance des verlangten Farbentons durch Mischungen der Farben zu treffen, sowie diesen Farbenton in der gehörigen Abstufung der Tonplatte mittelst des Farbenauftrags der Walze vollkommen richtig und in beständig gleichmäßiger Wiederholung bei jedem Abzuge fortzusetzen.

Sehr wesentlich ist hierbei die Walzenführung des Druckers, die sich stets nach der erforderlichen Kraft und Haltung der Platte richtet, wobei der Drucker die Walze leicht und sicher und doch mit der gehörigen Kraft über den Stein zu führen hat. Hierbei muß er bei dunklen Stellen, welche Kraft verlangen, länger verweilen, und lichtere Töne mit der Walze sanfter berühren und wird in manchen Fällen genöthigt sein, die kräftigen Partien einer Platte der Kreuz und Quer nach mit der Walze zu übergehen, während er die zarten Töne nur geradeaus einträgt, wobei auch die Platten mit zarter Ausführung, zur Schonung derselben, zwei Mal eingewalzt werden.

Vorzugsweise hat der Drucker darauf zu sehen, daß die hellen Töne nicht zu stark anwachsen und sich gehörig von den Mitteltönen unterscheiden, so daß sie den kräftigsten Partien gegenüber stets harmonisch in geordneter Abstufung bleiben.

Dieses Anwachsen der hellen Töne führt zur Monotonie der Gesammthaltung einer Platte, und findet besonders bei dem Gebrauche unvollständig präparirter Farben statt, sowie auch bei warmer Temperatur des Drucklokales u. dergl. Die Abhilfe dieses Mißstandes erläutert das nächste Kapitel.

Mitunter kommt es auch vor, daß eine Farbe sich nicht glatt druckt; wobei dann abzuhelfen, indem ein wenig weißes Wachs in einem Löffel geschmolzen und dieses hurtig mit dem Läufer unter die Farbe gerieben wird.

Einige Drucker reiben derartige Farben im trocknen Zustande zuerst mit ungesalzener Butter oder mit Milch an, und setzen erst später dann den Firniß zu.

Ein vorzügliches, jedoch zeitraubendes Mittel besteht in dem nochmaligen Bedrucken der Platte mit derselben Farbe, wodurch erhöhetes Feuer und Glätte des Tons erzielt wird.

Aehnlich wie schon im achten Kapitel bei der Gravirfarbe erwähnt, kann auch hier ein schnelles Trocknen der Farbe erzeugt werden durch die Beimischung eines geringen Theils von Siccatif, was jedoch mit großer Vorsicht verbraucht werden muß.

Wenn der Druck einer Platte mehrere Tage dauert, so muß dieselbe jeden Abend mit Terpentinöl ausgewaschen, mit schwarzer Farbe eingewalzt und dann gummirt werden. Diesen Gummiüberzug muß dieselbe auch dann erhalten, wenn mit dem Drucken nur eine halbe Stunde ausgesetzt wird.

Da übrigens ein andauernd fortgesetztes Abdrucken die Platte angreift, so ist es sehr gut den Druck derselben nicht mehrere Tage hintereinander vorzunehmen, sondern ihr von Zeit zu Zeit Ruhe zu lassen, was sehr wesentlich zur Konservirung der Platte beiträgt.

In solcher Weise können dann bei gehöriger Druckbehandlung von gut lithographirten Kreide- und Federplatten viele tausend Abdrücke in unveränderter Kraft abgezogen werden, während allerdings die Umdruckplatten derselben eine mindere Anzahl guter Abzüge geben, dafür aber sehr leicht wieder erneuert werden können.

Jedenfalls trägt aber die Qualität des Druck=papiers sehr wesentlich dazu bei, um schöne Abbrücke in großer Quantität zu erzielen. Dasselbe muß weich sein, da hartes Papier die Platte deprimirt; auch wird dasselbe nicht wie beim Schwarzdruck gefeuchtet, sondern im trocknen Zustande bedruckt, wobei die Druckoperation sämmtlicher Platten eine gleichmäßige Temperatur erheischt, welche das Papier vor Feuchtigkeit und Wärme bewahrt, wodurch es weder eine Ausdehnung noch ein Zusammenziehen erleidet.

Zur Reinhaltung der Rückseite jedes gedruckten Bogens legt man denselben zwischen reines weiches Makulatur, und läßt so die bedruckten Stellen des Bogens gehörig trocknen.

Um nun mit dem Drucke der folgenden Platte des Bildes beginnen zu können, werden zuvor von den bereits mitgedruckten Punkturen der ersten Platte, je zwei gegen-überstehende Punkte mit der Punkturnadel durchstochen, wobei genau dieselben Punkte sich auch auf der zweiten Platte vorfinden und sorgfältig mit einer feinen Gravir-nadel nachgebohrt werden müssen, um so durch diese Vor-richtung ein genaues Aufeinanderdrucken der Platte zu er-möglichen.

Als Punkturnadel dient eine feine Nähnadel, welche in einem kleinen runden Holzstiel so befestigt ist, daß die Spitze derselben etwas vorsteht. Eine derartige Punktur-nadel bedarf nun zum Auflegen des Drucks, der Drucker und dessen Gehilfe.

Nachdem die Platte wie gewöhnlich mit der Farbe eingewalzt, geschieht dann in folgender Weise das Auf-legen des mit der ersten Platte bedruckten Papiers, welches nun der Drucker ergreift und er, so wie der Gehilfe, die Punkturnadeln auf die Rückseite des Blattes in die als klein gestochene Punkte sichtbaren Punkturen steckt, und die Nadelspitzen genau in die Punkturlöcher der Druckplatte stellt, worauf der Bogen gleichmäßig niedergedrückt, die Nadeln heraus gezogen und auf gewöhnliche Weise dann der Druck bewerkstelligt wird.

Dieses Auflegen des Bogens bedingt eine ruhige Handhabung des Bogens, damit derselbe nicht durch stellenweise Berührung der Platte mit Farbe beschmutzt wird.

Damit nun aber der Drucker das ganz genaue Aufeinanderpassen der Platten sogleich erkennen kann, sind von dem Lithographen noch andere Marken in Form von Strichen und Kreuzen angebracht, welche sich auf allen Platten gleichmäßig wiederholen, und daher die Marken der Abdrücke von der zweiten Platte u. s. w. genau die Marken der vorher gedruckten Platte decken müssen.

Wo es aber dennoch vorkommt, daß selbst bei dem sorgfältigsten Aufnadeln diese akkurate Zusammenstimmung der Platten nicht gelungen ist, so kann sich der Drucker dadurch helfen, daß er die Punkturnadel nach jener Seite neigt, nach welcher die gedruckte Platte gegen die eben zu druckende zum genauen Passen gedrängt sein will; oder man streicht den aufgenadelten Bogen, bevor die Nadeln aus den Punktenlöchern entfernt sind, sanft nach der angestrebten Richtung.

5) Vom Metalldrucke.

Der Metalldruck, d. h. derjenige, wo statt des färbenden Zusatzes, den man zum gewöhnlichen Gebrauche dem Druckfirnisse giebt, eine metallische Substanz verwendet wird, ist in der neueren Zeit so sehr ein Modeartikel geworden, daß wir hier nothwendig einige Worte darüber sagen müssen.

Um den Metalldruck auszuführen, hat man zwei Wege: man trägt das Metall entweder in Blattform oder in Pulverform auf.

a) Druck mit Metall in Blattform.

Man bedient sich zum Einfärben des Steins für den Golddruck einer Farbe, welche aus festem Firniß oder aus einer Mischung von

    2 Theilen mittelstarkem Firniß,
    1   „   Wachs und
    2   „   venetianischem Terpentin

besteht, wobei gewöhnlich fein geschlämmter Goldocker oder irgend eine Farbe, welche sich der des Goldes nähert, zugesetzt wird, damit die etwa kahl werdenden Stellen so wenig als möglich sichtbar erscheinen. Für Silber aber wird mit reinem Firnisse allein unterdruckt.

Wenn der Abdruck auf vollkommen trockenes Papier gemacht ist, legt man das Blattgold oder Blattsilber, das man zuvor in der gehörigen Größe zugeschnitten hat, mit einer sogenannten Vergolderpalette von Marder- oder Dachshaaren — einem Anschießer — glatt und ohne Falten auf.

Um nun dieses Auflegen gehörig zu bewerkstelligen, werden die langen, zwischen zwei Karten befestigten Haare des Anschießers fettig gemacht, indem man damit blos über die Wange oder die Haare fährt, worauf sie dann das Goldblättchen sehr wohl halten, um es auf den Abdruck zu legen, auf dem man es mittelst eines kleinen Tampons von Baumwolle andrückt.

Um feines Gold zu trennen, schneidet man es auf einem ledernen, mit spanischer Kreide bestrichenen Kissen und mit einem fein polirten und eigens dazu bestimmten Messer, wobei die gleichen Handgriffe des Vergolders in Anwendung kommen.

Ebenso kann auch das feine Blattmetall unmittelbar mit den trocknen Fingern auf die bedruckte Stelle gelegt werden, wobei man jedoch die Hände durch öfteres Einreiben mit pulverisirtem Talkstein stets trocken erhalten muß, indem sonst die Goldblättchen an den Fingern hängen bleiben.

Sobald nun die Goldblätter auf den Abdruck aufgelegt sind, drückt man mit Watte die etwa noch nicht haftenden Stellen an und bedeckt das Ganze mit der Glanzseite eines gleichgroßen Glacébogens, worauf es nebst dem Papier des folgenden Abzuges, unter den Reiber gebracht wird, um so das Gold auf dem Abdrucke zu befestigen.

Nachdem derselbe einige Tage getrocknet, kann dann mit Watte oder mit einem weichen Lappen (zusammengerollten Flanellstreifen) das überflüssige Gold von dem Papier abgeputzt, und der Abdruck satinirt werden. Die

Putzlappen muß man aufbewahren, da dieselben das Gold in sich aufnehmen und später ausgebrannt werden können.

Was das unächte Gold betrifft, so schneidet man die Büchelchen mit den darin enthaltenen Blättern mit einer Schere durch; da dieses Gold sehr wohlfeil ist, so braucht man nicht so sparsam damit umzugehen, wie mit dem feinen.

Ein wesentlicher Punkt aber zur Herstellung guter Vergoldungen ist, sich Metall zu verschaffen, das so dünn als möglich ist, und von dem alle Blätter von einerlei Nüance sind. Das schönste und dünnste unächte Gold hat die Benennung „Fein Planir-Metall" und wird zu Fürth bei Nürnberg gefertigt.

Das Packet von 10 Buch, jedes zu 252 Blättchen, zusammen 2520 Blättchen.

Bekanntlich geschieht die Erzeugung des Blattmetalls, indem man die Blätter desselben schlägt, welche sich dann nach allen Richtungen ausdehnen und hierbei eine beinahe runde unregelmäßige Form annehmen. Man muß sie dann beschneiden, um viereckige Blätter daraus zu machen und diese Abschnitzel sind es, welche man zur Bereitung der Bronce benutzt.

Dieselben werden mit Syrup oder einem anderen klebrigen Körper vermischt und wie Farben auf Steinen fein gerieben. Wenn man nun diese Blättchen in Staub verwandelt hat, bringt man diesen in ein reichlich mit Wasser versehenes Faß, um den klebrigen Körper zu entfernen, und leert dann das Gefäß in einen schiefen langen Kasten aus, in welchem sich ebenso viele Abtheilungen befinden, als man Nummern oder verschiedene Qualitäten zu erhalten wünscht.

Der gröbste und schwerste Staub setzt sich in der ersten Abtheilung nieder; der von zweiter Stärke in der zweiten und sofort bis zur letzten, welche den feinsten enthält, der am längsten im Wasser verweilt hat.

Auf diese Weise bereitet man gegen 15 Sorten, die um 3—90 Mark pr. 480 Gramm verkauft werden, welche aus 16 Päckchen bestehen, deren jedes 30 Gramm enthält.

b) Druck mit Metall in Pulverform.

Das zu diesem Zwecke verwendete Broncepulver ist, wie bereits erwähnt, im Handel in verschiedenen Sorten zu beziehen. Man erspart jedoch nichts durch Anwendung der gröberen Sorten, weil sich nur die feinen Theile an die Abdrücke anhängen können, und alsdann ein starker Rest als Wegwurf übrig bleibt.

Man verwendet gewöhnlich die Sorte, welche ungefähr 27—30 Mark kostet, und zu feineren Arbeiten die zu 48—72 Mark das ½ Kilogrm.

Mit diesen Sorten, besonders mit der letzteren, werden die Abdrücke so schön wie mit feinem Gold, und da sie sehr fein sind, kann man mit einem Päckchen davon mehr Abdrücke vergolden als mit mehreren von der ordinären Qualität.

Ebenso giebt es auch verschiedene Nüancen von gelber Bronce, dunkelrothe Bronce, grünliche und weiße Bronce. Die letztgenannte ist aber für den Steindruck unbrauchbar und man bedient sich statt derselben des ächten, in Pulverform dargestellten Silbers, das man in den Broncefabriken unter dem Namen ächte Silberbronce (per ½ Kilogrm. 120—132 Mark) erhält. Der Gebrauch dieser verschiedenen Arten von Metallstaub ist bei allen ganz gleich, ihre Unterdruckfarbe variirt nur nach dem Gebrauche.

Man druckt für Gold, gelbe und grüne Bronce ebenfalls mit Goldocker, für Kupfer mit Caput mortuum oder Zinnober, für Silber aber mit Grau oder mit reinem Firniß unter.

Diese Farben werden mit strengem Firniß angerieben, weil die Bronce um so besser auf dem Papier haftet, je strenger die Farbe ist. Grobkörnige Bronce ist jedoch hierzu nicht brauchbar, denn je feiner dieselbe ist, desto schöner deckt sie, und um so brillanter ist ihre Wirkung auf dem Papier.

Das Blattgold ist zwar noch schöner, jedoch schwieriger zu handhaben als die Bronce, und je glätter das

Papier ist, auf welches man Golddruck macht, desto bril=
lanter fällt dieser aus.

Auch hier wird auf trockenes Papier gedruckt und eine
halbe Stunde, oder nach Umständen sogleich nach dem
Drucke überfährt man alle zu broncirenden Theile mit
einem kleinen Ballen von Baumwolle oder bei kleinen Stellen
mit dem Pinsel, welcher in den Metallstaub getaucht
wurde.*) Letzterer haftet, da das Papier trocken ist, nur
an dem fetten Unterdruck, den Ueberfluß an Metallstaub
aber kehrt man mit einem Pinsel fort, wischt das Blatt
leicht ab und satinirt es, nachdem die Unterdruckfarbe voll=
kommen trocken geworden ist. Wollte man mit dem Sa=
tiniren zu schnell vor sich gehen, so würde das ganze
Metall sich von dem Unterdrucke abheben und an der
Walze oder Polirplatte hängen bleiben. Dasselbe gilt
auch, wo man das Metall in Blättchen aufgelegt hat.

Einige haben versucht, den Metallstaub schon dem
Firnisse beizusetzen; dabei aber ersäuft, nach dem Kunst=
ausdrucke, das Metall, wird unscheinbar, und man muß
den Firniß mit Metallstaub übersättigen, was viel kostet.
In jedem Falle aber werden auf diese Weise die Steine
verdorben.

Einzelne Buchstaben und Ornamente, welche vergoldet
werden sollen, während der übrige Theil des Druckes eine
andere Farbe hat, muß man mit einer Tonplatte eindrucken;
sind die Sachen aber sehr unbedeutend, so kann man im
Nothfalle Gold, Bronce oder Silber in Blatt= oder
Pulverform nach einer ausgeschnittenen Patrone auf den
schwarzen Druck auftragen, wodurch zwar der Metallauf=
trag minder glänzend, aber viel Zeit erspart wird.

Sehr häufig wird die Bronce auf Glacépapier
gedruckt, welches derselben mehr Glanz verleiht, wobei

*) Sehr praktisch sind auch hierzu die von A. Waldow in
Leipzig eingerichteten Broncirapparate, bestehend aus einem mit
Glanzpapier ausgeklebten Kasten und mehreren größern und
kleinern, mit Sammetplüsch überzogenen Bretchen mit Handgriff,
nebst einem Blechkasten zum Aufbewahren der Bronce.

gewöhnlich dann der Druckfarbe etwas Kopallack zugesetzt wird, wodurch die Bronce besser auf dem Papier haftet.

Desgleichen werden auch Adreß- und Visitenkarten mit Goldbronce auf sogenanntes Porzellanpapier gedruckt. Bei diesem Drucke muß man dieses Papier sehr leicht befeuchten, indem man dasselbe einige Augenblicke vor dem Abzuge zwischen leicht benetzte Papierbogen legt. Die darauf befindliche weiße Farbe saugt den Firniß sehr schnell ein und die Druckfarbe trocknet nach wenigen Augenblicken, so daß die Bronce sich nicht mehr anhängt. Man muß daher Sorge tragen, daß unmittelbar der Abdruck sogleich broncirt wird.

Wenn man nun diesen Golddruck auf eine polirte Stahlplatte legt, und mit derselben unter Anwendung eines starken Drucks in eine Kupferdruckerpresse bringt, so nimmt dieser dadurch einen sehr lebhaften Glanz an, besonders wenn man denselben mehrmals unter der Walze durchgehen läßt; zugleich erlangt das Porzellanpapier jenen schönen Glanz, der dasselbe von allen anderen satinirten und geglätteten Papieren unterscheidet.

6) Gemoorter Druck.

Auch den gemoorten Druck, wie man solchen auf Adreßkarten und gepreßten Papieren findet, kann man im Steindruck ausführen und darin wirklich sehr angenehme Effekte erreichen. Man muß sich zu diesem Zweck eine eigene Moiré-Platte von Lithographiestein durch das sogenannte lithographische Tiefätzen erzeugen, und zwar folgendermaßen:

Man löse 30 Gramm Gummiarabicum in soviel Wasser auf, daß man die Auflösung noch mit der Feder oder dem Pinsel auftragen kann. Zu dieser Mischung setze man 4 Gramm saures, kleesaures Kali, das man in heißem Wasser auflöste, zu, und färbe das Ganze durch einen Zusatz von Karminroth. Mit dieser Reserve zeichne man den gewünschten Moor oder das geforderte Ornament auf den Stein. Nachdem Alles vollständig trocken ist, überziehe man den ganzen Stein mit einem Aetzgrunde, den man sich bereitet, indem man in einem Marienbade (in einem Gefäße, das in heißem Sande oder einem Topfe mit kochendem Wasser steht) 120 Gramm Jungfernwachs zergehen läßt, dazu 120 Gramm Terpentinöl und einige Tropfen Olivenöl, unter beständigem Umrühren mengt und die Masse mit 16 Gramm gebranntem und mit Terpentinöl dünn abgeriebenem Kienruß färbt. (Dieser Aetzgrund wird in glasirten irdenen, luftdicht verschlossenen Gefäßen aufbewahrt.) — Zum Auftrage des Aetzgrundes muß man den Stein wärmen und den Aetzgrund mit der Walze auftragen. Ist der Stein erkaltet und klebt der Aetzgrund nicht mehr, so macht man den Stein mit einem Schwamme naß und übergeht ihn von Neuem mit der Walze. Die Feuchtigkeit löst den Gummi der Reserve auf, und die Walze nimmt ihn mit dem Grunde, der darüber liegt, fort. Auf diese Weise wiederholt man das Einwalzen und Anfeuchten, bis die ganze Zeichnung bloßgelegt ist und nur die unbezeichneten Stellen mit Aetzgrund bedeckt sind. Etwaige kleine Fehler im Aetzgrunde bessert man mit nachfolgender Mischung aus: Man schmelze über gelindem Holzfeuer 120 Gramm Jungfernwachs, 60 Gramm weiße, in dünne Blättchen geschnittene Seife und 90 Gramm basisch kohlensaures Kali. Ist Alles unter stetem Umrühren zergangen, so setze man 60 Gramm gereinigtes Hammelfett und später in kleinen Mengen, etwa $\frac{1}{4}$ Kilogrm. Wasser zu, bedecke dann das Gefäß und lasse das Ganze kochen, worauf man es wieder aufdeckt und das Wasser abdampfen läßt, bis die Mischung wie Oel fließt. Dann setzt man 30 Gramm kalcinirten Ruß, den man mit entfettetem Leinöl abgerieben hat, und später, in kleinen Mengen, 120 Gramm Schellack in die Masse und erhitzt es, bis man es anzünden kann. Während des Brennens macht man die Tropfenprobe. Bricht der erkaltete Tropfen, so erstickt man die Flamme und gräbt das Gefäß in die Erde. Entzündet sich beim Oeffnen die Masse nicht wieder, so setzt man nach und nach 30 Gramm Kopalfirniß zu, wärmt die Masse noch einmal an, und gießt sie dann in Formen. Zum Gebrauche wird sie wie lithographische Tinte aufgelöst.

Nachdem mit der vorstehend beschriebenen Tinte die etwaigen Fehler ausgebessert sind, hält man eine erwärmte Eisenplatte über den Stein, bis der Aetzgrund zu schwitzen beginnt, doch darf er durchaus nicht vollkommen flüssig werden, worauf man Alles wieder kalt werden läßt, dann aber, wie beim Aetzen der rabirten Steine, einen Wachs= rand um die Platte macht, ein fünfgradiges Aetzwasser aufgießt und etwa 5—6 Minuten ätzt.

Sollen einige der Ornamente 2c. tiefer liegen, als andere oder vielmehr, will man mit zwei Gründen ätzen, so deckt man, nach geschehener erster Aetzung, und nachdem man den Stein durchaus gewaschen und getrocknet hat, die Gegenstände, welche im ersten Grunde bleiben sollen, mit der oben beschriebenen Tinte, die man jedoch sehr dick halten muß. In diese Decke kann man indessen mit einer scharfen Stahlnadel wieder Blattrippen, kleine Details 2c., welche im ersten Grunde hervortreten sollen, aufreißen. Ist alles dieses vollendet, so ätzt man auf dieselbe Weise, wie den ersten Grund, auch den zweiten, wäscht nachher den Stein mit Terpentingeist ganz rein und kann ihn dann als Musterplatte zum Drucke von erhabenen Ornamenten, Moiré 2c. verwenden, indem man ihn in die Presse bringt, darauf das zu druckende Blatt, dann eine Flanell= oder Moltondecke und dann erst den Rahmen legt, dem Ganzen aber einen sehr scharfen Druck giebt.

Will man mit den Verzierungen zugleich auch schwarze Zeichnungen oder Schriften drucken, so wasche man den bereits tiefgeätzten Stein mit einem leichten Aetzwasser von 2 Grad, schleife mit feinem Bimsstein ganz leicht jede Fettspur ab und zeichne nach dem Austrocknen das= jenige, was man schwarz drucken will, mit der nachfolgend erwähnten Tinte auf die blanke Fläche des Steines, ätze ihn dann, wie gewöhnlich, und präparire ihn, so kann man ihn einschwärzen und erhält eine schwarze Zeichnung und erhabene Ornamente. Die zum Einschwärzen verwen-

Weishaupt, Steindruck.   29

bete Walze darf aber nicht zu weich und auch die angewandte Farbe muß hart sein.

Die eben erwähnte Tinte besteht aus 120 Gramm Jungfernwachs, 60 Gramm dünn geschnittener Seife, 60 Gramm kohlensaurem Natron, 30 Gramm gereinigtem Hammelfett, ¼ Kilogrm. Wasser, 30 Gramm mit entfettetem Leinöl abgeriebenem Kienruß, 90 Gramm Schellack, 30 Gramm Firniß, und wird genau, wie die bereits oben erwähnte, bereitet.

Will man statt einer Zeichnung, mit dem Muster nur einen Lokalton verbinden, so braucht man den Stein gar nicht weiter zu bearbeiten, sondern man läßt, sobald man den Aetzgrund mit Terpentingeist abgehoben hat, eine mit lithographischer Schwärze oder sonst einer andern beliebigen Farbe versehene Walze über die Platte ziehen; so erscheint dann die erhabene Zeichnung in zwei Gründen auf einem gefärbten Hintergrunde.

Indessen kommt dieser gemoorte Druck selten in Anwendung und kann mittelst Metallplatten eleganter hergestellt werden.

7) Geprägter Blattmetalldruck.

Bekanntlich ist der lithographische Stein zum Blattmetalldruck viel geeigneter, als wie der Buch- und Kupferdruck, indem bei ersterem der Zeichnung ein stärkerer Farbeauftrag mittelst der Walze gegeben werden kann, wodurch das auf den Abdruck gebrachte Blattmetall gehörig festgehalten; während für die dekorative Prägung dieses Metalldrucks eine Prägplatte aus Messing, Kupfer oder Stahl am zweckdienlichsten ist, wobei das Prägen mittelst der gewöhnlichen Prägpresse bewerkstelligt wird.

Auf dieser Platte wird die Zeichnung mittelst Stichel und Stahlpunzen gravirt und eingeschlagen, wobei besonders zu beachten, daß nicht zu große Tiefen entstehen, wodurch das Papier durch den Druck der Presse von der Matrize (erhabenen Kehrseite der Prägplatte, deren Herstellung wir noch erläutern werden) zerrissen würde.

Um nun von der Zeichnung der Prägplatte eine genaue Pause für die anzufertigende Steinzeichnung des Blattmetalldrucks zu erhalten, wird von ersterer ein Klatschdruck auf trocknem Papiere gemacht und dieser auf den Stein übergedruckt, wozu die obere Fläche der Prägplatte einen Auftrag von leichter Gravirfarbe erhält, welche mit Terpentinöl und sehr viel Gummi vermengt, und mittelst des Tampons oder des Handballens gleichmäßig aufgetupft, und nachdem alle Theile der Platte gehörig Farbe angenommen, ein Blatt Papier nebst einer weichen Pappe darauf gelegt, das Ganze unter starkem Drucke in die Prägpresse gebracht, sodann herausgenommen, und dieser erhaltene Klatschdruck sogleich auf einen frischgeschliffenen Stein, der bereits zu diesem Zweck in der Steindruckpresse genau eingerichtet wurde, aufgelegt und mittelst des Durchziehens der Presse übergedruckt wird.

Die weißen Stellen (durch die Vertiefung der Prägplatte hervorgehend) bestimmen somit die Zeichnung für den Stein, und werden mittelst lithographischer Tusche ausgedeckt, während die schwarzen Stellen des Umdrucks beim Aetzen durch Reibung mit einem leichten wollenen Lappen entfernt werden.

Um aber dieser Reibung gehörig Widerstand leisten zu können, bedarf die hierzu verwendete Tusche eines entsprechenden Beisatzes von Wachs und Harz; auch ist es zweckdienlich, den etwa zu schwarz ausgefallenen Ueberdruck vor dem Ausdecken der Zeichnung durch ein leichtes Ueberschleifen mittelst eines weichen Bimssteines etwas zu beseitigen.

Selbstverständlich darf auch bei diesem Ueberdruck kein gefeuchtetes Papier in Anwendung kommen, indem sonst ein Verziehen der Pause stattfindet, und sonach, besonders bei großen Formaten, die Lithographie zur Prägplatte nicht mehr passen würde.

Zum Blattmetalldruck kann nun entweder die bereits schon beim Druck mit Metall in Blattform angegebene Druckfarbe verwendet, oder auch zum Golddruck eine weiße oder gelbe Farbe, oder Grün mit etwas Weiß gemischt,

29*

welches dem Golde ein schönes Lüftre giebt, gewählt, und mit starkem Firniß angerieben, und dieser Druckfarbe dann etwas Harz und Kopallack beigemischt werden.

Ebenso kann auch das Auflegen des Metalls, wie beim Metalldruck schon erwähnt, mittelst eines Anschießers oder in folgender Weise mit freier Hand geschehen, wobei der Aufleger das Buch=Blattmetall an der Rückenseite mit dem Daumen und Zeigefinger der linken Hand festhält, während die drei anderen Finger dem Buche als Stütze dienen, und er mit dem Zeigefinger der rechten Hand das obere Papierblatt über beide Finger der linken Hand schiebend, mit der rechten das Buch so erfaßt, daß der Daumen nach oben zu liegt, wobei dasselbe durch einen darauf geübten Druck einen festen Halt bekommt, und nun selbes mit dem Metallblatt auf den Abdruck gelegt wird.

Die Operation wiederholt sich so oft, bis der Abdruck ganz belegt ist, worauf man denselben mit Glacépapier bedeckt, und beim nächsten Drucke wiederholt durch die Presse zieht.

Nach Vollendung einer Anzahl derartig gefertigter Abdrücke kann dann das Ausreiben des Goldes, wie beim Metalldruck schon erläutert, mittelst eines wollenen Lappens oder Bürste geschehen, und den nächsten Tag zum Prägen geschritten werden.

Was nun die Prägepresse betrifft, so ist dieselbe je nach ihrem Bedarf von verschiedener Konstruktion (siehe Taf. XI, Fig. 132 und 133).

Die stärkste Kraft wird durch die Presse mit dem Balance (Fig. 132) hervorgebracht, dieselbe ist jedoch sehr kostspielig.

Häufig wird auch bei der Prägpresse eine der Buch= druckpresse entnommene Konstruktion angewendet, welche den meisten Anforderungen entspricht. Zu kleinen Gegen= ständen kann auch die sogenannte Vergolderpresse der Buch= binder benutzt werden (Fig. 133).

Bevor nun aber mit dem eigentlichen Prägen begon= nen werden kann, ist die Matrize hierzu in folgender Weise herzustellen:

Nachdem die Prägplatte mit arabischem Gummi auf der Presse befestigt, und der Preßrahmen zur Aufnahme der Matrize mit festem Papier überzogen wurde, gießt man auf die befestigte Prägplatte etwas Oel, vertheilt selbes mit der Bürste und bedeckt diese Platte mit Seidenpapier, auf welches ein starker Brei von Gummi und Kreide gleichmäßig verbreitet wird, worauf dann ein Stück Pappe gelegt, dessen Rückseite zuvor mit etwas Gummi bestrichen wurde. Nun schließt man den Preßrahmen, führt den Karren ein und giebt eine leichte Spannung darauf, fährt, nachdem dieselbe einige Zeit gewirkt, wieder heraus, und hebt den Rahmen vorsichtig auf, damit die Matrize an demselben haften bleibe.

Die Matrize wird dann mittelst einer Spirituslampe erwärmt, damit sie allmählich erhärtet, und mit etwas stärkerer Spannung noch einige Male unter die Presse gebracht, und diese Operation fortgesetzt, bis die Matrize so fest wie Stein ist.

Das Prägen kann dann in bekannter Weise beginnen, wobei die Punkturen der zu prägenden Abdrücke durchstochen und die kleinen Punkturlöcher in die erhabenen Stiftchen der Prägplatte gebracht werden.

Um noch dem Papier einen Farbenton zu geben, wird häufig bei dieser Prägung die Platte mit Farbe überwalzt, ebenso wird auch dieselbe ohne Golddruck auf weißem Papier angewendet, welches Verfahren unter dem Namen Cameen-Druck bekannt ist, der bei gehöriger Auswahl geschmackvoller Muster den einfarbigen Buch- und Steindruck oft weit übertrifft.

Noch bleibt zu erwähnen, daß die Matrizen auch aus Oblaten und mit Leim bestrichenem Papier in ähnlicher Weise gefertigt und auch noch andere Stoffe z. B. Blei, Leder, Guttapercha hierzu verwendet werden.

8) Von der Behandlung der gezeichneten Steine nach vollendetem Abdrucke.

Wir haben bereits früher bemerkt, daß man, sobald man den Druck eines Steines auch nur für Stunden unterbricht, nie versäumen soll, denselben mit einer dünnen Gummischicht zu überziehen, indem, wenn man etwa diese Vorsicht versäumen würde, dies für den Stein die nachtheiligsten Folgen nach sich ziehen müßte. Von noch viel größerer Bedeutsamkeit wird diese Vorsicht, sobald man den Stein nicht ganz ausdrucken, sondern nur eine mehr oder weniger bedeutende Auflage abziehen und dann den Druck für längere Zeit unterbrechen will. Wollte man in solchem Falle den Stein ohne alle weitere Vorsicht stehen lassen, oder ihn etwa nur mit einer Gummischicht überziehen, so würde die atmosphärische Luft die auf dem Steine befindliche Druckfarbe sehr bald dergestalt austrocknen, daß, wenn man später den Druck wieder aufnehmen wollte, jene Farbe alle ihre Fettigkeit verloren haben und unfähig geworden sein würde, von Neuem Farbe anzunehmen. Es wird dann auch unmöglich werden, die alte Farbenschicht mit Terpentinöl wieder abzuheben, und man würde nur in sehr seltenen Fällen von solchen Steinen Abdrücke erhalten, welche nur einigermaßen erträglich wären. In den meisten Fällen aber werden die Abdrücke grau und fleckig erscheinen.

Um diesen Uebelständen zu entgehen, haben die Lithographen verschiedene Mittel ergriffen. Das einfachste und am meisten gebräuchliche Verfahren ist folgendes:

Sobald die erforderliche Auflage von einem Steine ausgedruckt und man Willens ist, den Stein für den ferneren Druck aufzubewahren, feuchtet man denselben nach dem letzten Abzuge an, schwärzt ihn vollkommen gut ein und untersucht ihn an allen Orten genau, ob derselbe irgendwo Schmutz angenommen hat. Ist dies der Fall, so reinigt man ihn durch Radiren, Schleifen mit Bimsstein oder wie immer, ätzt und präparirt die gereinigten Stellen, und nachdem die Gummischicht etwas angezogen hat, nimmt man die ganze Zeichnung mit verdünntem Terpentinöl vom Steine, so daß derselbe ganz rein ist. Alsdann schwärzt man ihn mit einer der im achten Kapitel angegebenen Konservirfarben ein und trägt Sorge, alle Punkte der Zeichnung genau auf den gehörigen Grad von Schwärze zu bringen, so daß dieselbe den gewünschten Effekt im Abdrucke hervorbringen würde. Anfangs wenn diese mit Terpentinöl aufgelöste Farbe noch weich ist, füllt sie die Platte, aber während des Walzens verdunstet immer mehr Terpentinöl, die Farbe wird fester und es ist Sache des Druckers im rechten Zeitpunkt aufzuhören, denn wenn man zu lange walzt, so nimmt die Walze wieder zuviel Farbe mit fort. Hat nun die Zeichnung ihre vollkommen richtige Haltung, so läßt man den Stein etliche Stunden ruhen und überzieht ihn dann mit einer dünnen Schicht aufgelöstem Gummiarabicum, dem man etwa $1/4$ seines Gewichts Kandiszucker oder ebensoviel Melasse oder Syrup zugesetzt hat, um das Reißen der Gummischicht zu verhindern. Man sehe sich ja vor, die Gummilage nicht allzudick zu machen, indem man dadurch dem Steine großen Nachtheil zufügen würde. Die Aufbewahrung muß an einem trockenen, schattigen Orte geschehen.

Selbstverständlich werden auch die chromolithographischen Platten nach beendigtem Drucke in derselben Weise mit Konservirfarbe eingewalzt, beklebt, beschrieben und in das Steinregal gebracht.

Auf den Umstand, daß der oleomargarinsaure Kalk, aus welchem die lithographische Zeichnung besteht, beim Zutritte der atmosphärischen Luft, aus letzterer die Kohlensäure anzieht und dadurch die Eigenschaft, fette Körper anzuziehen, verliert, hat Lemercier sein Verfahren, die Steine zu konserviren, gegründet. Er bringt dieselben nämlich außer Kontakt mit der Luft, indem er den ausgesetzten Stein nicht gummirt, sondern denselben mit einer Masse einwalzt, welche er durch Zusammenschmelzen von Harzen bereitet*).

Soll der Stein späterhin wieder angedruckt werden, so muß im ersten Falle zuerst die Gummischicht behutsam entfernt, dann die Konservirtinte mit verdünntem Terpentinöl abgehoben und die Zeichnung neu mit gewöhnlicher

---

*) Die Bestandtheile dieser Masse, welche zur Aufbewahrung der Steine in feuchten Lokalen dienlich, sind im elften Kapitel angegeben.

Druckfarbe eingewalzt werden, worauf man ungehindert weiter drucken kann.

Im zweiten Falle hebt man die schützende Decke mit reinem Terpentinöl ab und kann dann den Stein feuchten und frisch mit gewöhnlicher Druckfarbe einwalzen. Darauf giebt man ihm eine Gummischicht, läßt dieselbe eine Stunde darauf und schreitet dann zum Weiterdrucke.

Gänzlich ausgedruckte Steine kommen zum Abschleifen oder sonstigen Reinigen in die Steinschleiferei.

Im Allgemeinen findet bei Konservirung des gedruckten Steines, stets das erstere Verfahren mittelst des Gummiüberzuges statt.

Wesentlich hierbei ist, daß der Aufbewahrungsort nicht zu feucht sei, indem hierdurch das Gummi nach einiger Zeit schimmelig wird und Flecken entstehen, welche nachtheilig für die Zeichnung des Steines sind.

Bei nicht hinreichend trockenen Lokalen müssen daher die Steinstellen von der Mauer und vom Boden entfernt gehalten bleiben, damit sie ringsherum von der Luft bestrichen werden können. Auch ist es nothwendig, die Steine öfters zu untersuchen, und bei dem geringsten Anzeichen von Schimmel das Gummi und selbst die Konservirfarbe zu erneuern.

Elftes Kapitel.

Von den möglichen Kalamitäten einer Steinzeichnung während der Arbeit und des Abdrucks, und von den dagegen zu ergreifenden Maßregeln.

Je verschiedenartiger die Geschäfte irgend einer Fabrik oder eines Gewerbes sind, desto häufiger und verschiedenartiger sind auch die Fehler und Irrthümer, die dabei vorkommen können. Die Lithographie ist eins von denjenigen Geschäften, zu dessen Führung verschiedene Kenntnisse und Wissenschaften nöthig sind, daher auch bei ihrem Betriebe gar verschiedene Irrthümer und Fehler vorfallen.

Entweder die Künstler oder die Arbeiter haben etwas übersehen, oder nicht genau die Vorschriften beobachtet u. s. f. und also gefehlt, oder es sind durch Zufall, Nachlässigkeit u. s. w. Stoffe zusammengekommen, die widrig aufeinander wirken und somit das Gelingen des Ganzen hindern, oder doch wenigstens verzögern und erschweren. Alle solche Ungehörigkeiten äußern nachtheilige Einflüsse auf die Steinzeichnung und können deren ganzes Verderben herbeiführen oder doch mindestens die erhaltenen Abdrücke verschlechtern; darum sollen hier die gewöhnlich vorkommenden Fehler und die dabei nöthigen Korrekturen und Reparaturen namentlich aufgeführt werden.

Die vorkommenden Unzulänglichkeiten und die dadurch nöthig werdenden Korrekturen und Reparaturen sind solche, welche

A. während der Zeichnung und zwar vor dem Aetzen gemacht werden;

B. solche, welche nach dem Aetzen gemacht werden, und

C. welche erst durch verschiedene widrige Zufälle während des Druckes herbeigeführt werden.

Wir wollen jetzt nacheinander von den verschiedenen Arten der Korrekturen sprechen, und zwar:

A. Von den Korrekturen, welche während der Zeichnung, und zwar noch vor dem Aetzen, gemacht werden.

Diese Art von Korrekturen ist die leichteste und besteht darin, Schreib- oder Zeichenfehler, die man noch während der Arbeit oder bei ihrer Vollendung bemerkt, sogleich zu verbessern. Man kann dies chemisch oder mechanisch, oder auch auf beide Weisen zusammen bewirken, indem man die Fehlstriche, ganze Worte, Linien, Partien ꝛc. entweder mit Terpentinöl wegwischt, also die Wirkung der chemischen Tusche oder Kreide auf die Steinplatte durch dieses flüchtige Oel aufhebt; oder mit mechanischen Mitteln durch das Abschaben, Abreiben, Radiren u. s. w. mittelst Schaber, Nadeln, Sand, Bimsstein ꝛc. wegnimmt, oder bei den vertieften Manieren ausschabt, daß sie mit der Fläche des Steines fast gleich werden und nur ja keine scharfen Ränder bleiben, an die sich die Farbe dann anhängen und Schmutz verursachen würde. Bei beiden kann man dann, wenn es nöthig ist, etwas Anderes dafür hinsetzen. Auf beide Weisen zusammen geschieht dies Korrigiren hauptsächlich bei den vertieften Manieren, bei denen man die Fehlstellen wegschabt, die bloßgelegte Stelle dann mit etwas Scheidewasser und Gummi oder mit Phosphorsäure neuerdings präparirt, mit dem chemischen Deckmittel, dem Aetzgrunde oder der

Gummidecke bestreicht und das Bessere nach Erforderniß hinsetzt.

Da bei der Kreidemanier durch das Schaben das Korn zerstört würde, so muß man daher nur Terpentinöl gebrauchen, oder die Stelle mit trocknem Sande abreiben, oder auch wohl die Nadel zum Durchstechen oder Wegnehmen einzelner Punkte u. dergl. anwenden.

Auch bei den vertieften Manieren hat man wohl zu merken, daß man die mechanischen Verbesserungsmittel nicht etwa zu tief auf die Platte einwirken läßt, und man thut bei gravirten Steinen immer besser, sich durchaus vor dem Schaben zu hüten, indem man, sobald nur einigermaßen tief gearbeitet wurde, nothgedrungen mit dem Schaber so tief gehen muß, daß späterhin der Reiber jene Stellen nicht mehr trifft, die Korrekturen also statt schwarz, entweder gar nicht oder nur grau im Druck erscheinen.

Man wird bei solchen Korrekturen in den meisten Fällen seinen Zweck am besten erreichen, wenn man die fehlerhafte Stelle mit Gallus- oder Phosphorsäure, welcher man etwas rothe Farbe zusetzt, überstreicht und dann die neue Arbeit an derselben Stelle wieder vornimmt.

Wäre man dennoch genöthigt gewesen, zu radiren und zu tief gekommen, so daß die betreffende Stelle zu licht im Drucke käme, so muß man sich nach Art der Buchdrucker und Xylographen helfen. Man muß nämlich in der Lederfläche des Deckrahmens die Stelle aufsuchen, welche unmittelbar über dem radirten Orte liegt, und auf dieselbe mit Gummi ein Blättchen Papier von der Größe der radirten Stelle aufkleben. Man gelangt am leichtesten dazu, wenn man den Stein mit einem reinen Blatt Makulatur bedeckt, das auf der Rückseite mit Gummi bestrichene Papierblättchen, die Fahne, mit der Gummischicht nach oben, auf den gehörigen Ort legt, den Deckrahmen zuschlägt und den Stein trocken durch die Presse gehen läßt, wodurch sich die Fahne an das Leder anheftet. Reicht eine Papierdicke nicht aus, so muß man mehrere nehmen. Ist der Stein ausgedruckt, so kann man die Fahne leicht wieder abnehmen und das Leder mit dem Schwamme reinigen. Das Leder erleidet durch solche Fahnen keinen Schaden, da sich dieselben in die Höhlung des Steins legen, also keine ungleiche Pressung entsteht.

B. Von den Korrekturen nach der Aetzung.

Diese sind bedeutend schwieriger und überhaupt zweierlei Art, nämlich: entweder hat man

a) früher nicht bemerkte Zeichenfehler zu verbessern (korrigiren) oder

b) Fehler, die durch das Aetzen entstanden, wieder gut zu machen (zu repariren).

In beiden Fällen muß die Zeichnung erst eingeschwärzt und mit dünner Gummiauflösung gedeckt werden, dann sind, was die früher nicht bemerkten Zeichenfehler anbelangt, überflüssige Punkte u. dergl. nur wegzuschaben, die geschabte Stelle mit etwas Scheidewasser zu betupfen und Gummi darüber zu bringen. Linien, ganze Worte u. dergl., wenn andere dafür hin sollen, müssen ebenfalls wegradirt oder mit einem kleinen Stückchen Bimsstein weggeschliffen werden. Ist hierbei die Stelle schon bedeutend, so überstreicht man sie mit etwas Seifenauflösung oder Terpentinöl, zeichnet die Verbesserung mit der chemischen Tinte darauf und ätzt und präparirt sie mit einem Pinsel oder Schwämmchen, nur vorsichtig, daß die andern, schon eingeschwärzten Stellen davon nicht berührt werden, weil die Firnißfarbe dem Aetzmittel nicht widersteht und dadurch leicht ganze Stellen verloren gehen könnten. Bei den vertieften Manieren aber hat man die falschen Striche ebenfalls fein auszuschaben und die ausgeschabten Stellen zu ätzen und nun das Bessere an dieselbe Stelle zu graviren oder zu schreiben, oder auch die Stelle mit Aetzgrund zu decken, das Richtige in denselben zu radiren und dann zu ätzen.

Handelt es sich bei Kreidezeichnungen blos um das Entfernen einzelner Striche, so können diese mit der Nadel durchstochen, dann diese Stelle mit Phosphorsäure geätzt und gummirt werden; sind jedoch größere Stellen wegzunehmen und wieder zu ergänzen, so müssen dieselben mit

trocknem oder mit befeuchtetem Sande mittelst eines kleinen
Glasläufers weggebracht, und die Platte mit Wasser abgewaschen werden; worauf man, nachdem der Stein getrocknet, das Zeichnen mittelst fetter Kreide vornimmt, und
diese Stellen mit Phosphorsäure ätzt und dann gummirt.

Selbstverständlich ist diese Operation nur bei Detailzeichnungen anwendbar, wobei man auch vor dem Nachzeichnen den Stein, mit Ausnahme der zu ergänzenden
Stellen, mit Gummi bedeckt.

Die Fehler aber, welche durch das Aetzen entstanden,
d. h. wenn die Zeichnung, wie man sagt, verätzt ist, wieder
gut zu machen, ist noch schwieriger. Man muß dabei zuerst
untersuchen, ob die verätzten Striche wirklich ganz verschwunden sind, oder ob sie sich nur nicht mit abdrucken.
Im ersten Falle ist bei Federzeichnungen nichts Anderes
zu thun, als die Stellen durch den Schaber wund zu
machen, oder noch besser die Gummipräparatur aufzuheben,
und das Fehlende mit der chemischen Tinte nachzuzeichnen
und einzeln, wie bereits beschrieben, nachzuätzen.

Sind aber die Stellen noch zu sehen, nehmen aber
keine Farbe an, drucken sich also auch nicht ab, so muß
man erst versuchen, ob weichere Farbe hilft, dann die
Stellen mit Unschlitt und Schwärze oder der früher schon
angegebenen Annehmefarbe anzureiben suchen, wozu auch
die bereits erwähnte Konservationsfarbe benutzt werden
kann. Hilft auch dies noch nicht und der verätzten Stellen
sind mehrere, so ist es am zweckdienlichsten, die Platte mit
Konservationsfarbe zu versehen, und nachdem diese gehörig
erhärtet ist, die Gummipräparatur der ganzen Platte aufzuheben, worauf dann das Nachzeichnen vorgenommen, die
Platte schwach geätzt und gummirt wird.

Letzteres Verfahren ist auch für Kreidezeichnungen
anwendbar, und es ist gut, bei derartig nachgezeichneten
Platten nach dem Abwaschen des Gummi, dieselben mit
Konservationsfarbe, jedoch blos drei bis vier Mal zu überwalzen, damit das in dieser Farbe enthaltene Terpentinöl
nicht Zeit habe, die Zeichnung aufzulösen, und dennoch auf
jeden Punkt der Zeichnung eine Quantität fette Farbe

gebracht wird, welche zur Befestigung der Nachbefferung beiträgt.

Nachdem die fette Farbe erhärtet ist, gummirt man die Platte wieder und kann nach einigen Tagen den Ab= zug vornehmen.

Zur Aufhebung der Gummipräparatur sind die Pflanzensäuren mehr geeignet als die Mineralsäuren, weil letztere, besonders die Salz= und Salpetersäure, selbst wenn sie sehr mit Wasser verdünnt sind, die Zeichnungen auf Stein sehr empfindlich angreifen, und wenn man ge= zeichnete Steine mit diesen Säuren waschen wollte, würde man unvermeidlich die feinsten Tinten entfernen und der ganzen Platte ein grobes Korn beibringen.

Da die Pflanzensäuren weniger ätzend sind und doch dieselbe Wirkung auf die Gummischichte äußern können, so versuchte man die Essigsäure. Dieses Mittel erwies sich ziemlich gut, jedoch hat man bemerkt, daß die Steine, nachdem sie mit dieser Säure gewaschen worden waren, beim Abzuge zu schwarz ausfielen und daß man übrigens die Zeichnung nach der Nachbefferung von Neuem ätzen mußte, wodurch die Zeichnung nothwendig an Schönheit verlor.

Ganz dasselbe Resultat wie die Essigsäure mit ihren Nachtheilen, ergab auch die Anwendung des Alauns, wobei die Steine zum Zwecke der Nachbefferung mit Wasser ge= waschen, welches mit soviel Alaun gesättigt ist, als es in kaltem Zustande auflösen kann.

Unverkennbar hat bis jetzt der Citronensaft sich am besten bewährt, welcher, wegen der darin enthaltenen Citro= nensäure, die Gummischicht wegnimmt, ohne der Zeichnung zu schaden, so daß man nach der Nachbefferung den Stein blos zu gummiren braucht, um den Abzug zu beginnen.

Zu diesem Zwecke werden einige Citronen ausgepreßt, der gewonnene Saft mit ungefähr vier Mal so viel Wasser vermischt und das ganze in einer wohlverschlossenen Flasche aufbewahrt. Man muß sogar, um die Entstehung einer auf der Oberfläche durch den Schimmel sich bildenden

Haut zu verhindern, die Flasche legen oder umgekehrt aufstellen, damit der Pfropf von der Flüssigkeit bedeckt sei*).

Zu demselben Resultat würde man auch gelangen,
wenn man 15 Gramm Citronensäure, in ca. 150 Gramm
Wasser aufgelöst, anwendete. Dies wäre ein Ersparniß
und man kann sich diese krystallisirte Säure stets mit leichter
Mühe fertig bereitet ankaufen.

Wenn man einen Stein zur Nachbesserung vorbereiten
will, muß er schon mehrere Tage unter fetter Farbe gestanden haben, damit diese recht trocken sei und bei dem
Reiben keine Sudelei veranlasse.

Zuerst wäscht man das Gummi mit Wasser so vollständig als möglich, dann tauche man einen feinen Schwamm
in die Mischung von Citronensaft und Wasser und bestreiche
damit die Platte nach allen Richtungen hin, wobei man
nur ganz leicht aufdrückt, um die Zeichnung nicht zu beschädigen.

Wenn man nun den Stein ungefähr eine Minute
lang eingerieben hat, wird der Schwamm ausgedrückt,
und so viel als möglich die auf dem Stein befindliche
Flüssigkeit entfernt. Diese Operation wird dann mit einer
neuen Portion gemischten Citronensaftes wiederholt. Wenn
man nach der zweiten Abspülung die Flüssigkeit mit dem
Schwamme so viel als möglich von dem Steine wieder
entfernt hat, wischt man denselben mit einem sehr feinen,
leinenen Tuche ab, oder man legt einige Bogen Seidenpapier darauf und drückt sie mit der Hand an, um den
Stein zu trocknen und keinen Tropfen Wasser darauf zu
lassen, welcher noch einige Gummitheilchen enthalten könnte.

Man hat zwar kein sicheres Mittel, sich zu überzeugen, ob die Operation ihren Zweck erfüllt hat und ob
man darauf rechnen kann, daß die Nachbesserungen nicht
versagen; dennoch wird aber der mit dieser Arbeit vertraut
Gewordene gewissermaßen an der Reibung des Schwammes
fühlen, wenn das Gummi entfernt ist; denn so lange der

---

*) Der im Handel vorkommende Citronensaft ist zwar bil-
liger, aber oft mit Weinessig oder Schwefelsäure verfälscht, und
deshalb weniger hierzu tauglich.

Stein noch nicht bloßgelegt ist, gleitet der Schwamm leicht darüber hin, während er im entgegengesetzten Falle einen kleinen Widerstand empfindet. Auch die weißliche Farbe, welche der Stein nach dieser Abwaschung annimmt, ist ein Zeichen, daß die Entfernung der Gummischicht mehr oder weniger geglückt ist.

Immerhin sind aber diese Anzeichen nicht genügend, und man hat keine andere Garantie als die Sorgfalt und Regelmäßigkeit, mit welcher man die Operation ausführt. In keinem Falle wird aber durch dieses Verfahren die ursprüngliche Zeichnung des Steins geschädigt.

Wenn der Stein trocken ist, zeichnet man mit der Kreide darauf, wie auf einen neuen Stein. Nach beendigter Nachbesserung hauche man auf den Stein, damit er leicht befeuchtet werde. Dieses Verfahren hat den Zweck, die Kreide ein wenig aufzulösen, welche durch ihr Alkali auf das Wenige von der Gummimasse wirkt, welches zurückgeblieben sein könnte, es durchdringt und sich in dem Stein festsetzt.

Man muß sich aber hüten, so lange darauf zu blasen, daß die Feuchtigkeit sich in kleine Tropfen zusammenziehe, weil sonst die Kreide schmelzen und in die Breite fließen würde, wodurch Verschmierungen entstehen würden. Es ist besser, die Operation mehrmals zu wiederholen und den Stein jedes Mal nur leicht zu befeuchten.

Wenn der Stein vollkommen trocken ist, streicht man Gummi darüber und läßt es trocknen. Nur dann, wenn man gewisse Stellen mit der Spitze oder dem Schaber weggenommen hat, ist es nöthig, die Steine nochmals zu ätzen.

Einige Zeit nach dieser Operation wäscht man das Gummi ab und walzt blos drei oder vier Mal mit fetter Farbe darüber, damit der in dieser Farbe enthaltene Terpentingeist nicht Zeit habe, die Zeichnung aufzulösen. Es braucht sich nur auf jedem Punkte eine Quantität Farbe niederzulassen, welche bis in den Stein eindringt und zur Befestigung der Nachbesserung beiträgt. Wenn die fette

Farbe trocken ist, gummirt man ihn wiederum und nach einem Tag Ruhe kann man den Abzug anfangen.

Wenn man nur Probeabbrücke von einem Steine gemacht hat, und ihn, nachdem man ihn unter fette Farbe gestellt, nicht gummirt, so stehen die Nachbesserungen, die man darauf macht, fast immer, ohne daß man Ursache hätte, ihn mit Citronensaft zu waschen. Aber immer ist es gut, darauf zu hauchen und ihn mit fetter Farbe zu überwalzen. Weit schwieriger sind aber die Nachbesserungen der Steine, von denen schon viele Abzüge gemacht wurden.

Da auch das salpetersaure Eisen die auf dem Stein befindliche Gummischicht zerstört, und daselbst Spuren zurückläßt, welche die Schwärze annehmen, als ob sie mit lithographischer Tinte gemacht worden wären, so benutzte man diese Eigenschaft, und löste, um die Steine zur Nachbesserung zu bereiten, zu diesem Ende in

1 Liter Wasser,
1 ½ Gramm salpetersaures Eisen *),
1 ½ „ Salpetersäure und
1 ½ „ Essigsäure auf.

Zuerst entfernt man das Gummi und wäscht dann den Stein mit einem in diese Mischung getauchten Schwamm, dann spült man ihn mit Wasser ab und trocknet ihn mit einem feinen leinenen Tuche. Wenn die Nachbesserung bewerkstelligt ist, wird der Stein durch Darauflhauchen leicht befeuchtet, und dann mit einer Mischung von Wasser und Salpetersäure geätzt, welche einen Grad am Areometer hält.

In England waschen mehrere Lithographen die zu Krayonzeichnungen bestimmten Steine mit einer, der so eben beschriebenen analogen, Mischung, welche sie faising nennen. So vorgerichtete Steine sollen viele Abzüge aushalten und die weißen Stellen weniger die Schwärze annehmen, als die auf gewöhnliche Weise zubereiteten. Was

*) Das salpetersaure Eisen gewinnt man, indem man Nägel oder andere eiserne Gegenstände in Salpetersäure legt, bis diese gesättigt ist und die Gegenstände nicht mehr röthet.

Weishaupt, Steindruck. 30

wird aber dann aus den geschabten Stellen? Diese müssen doch wohl eine leichte Säurung erhalten.

Dieses fuising hat auch noch eine andere Eigenschaft, welche darin besteht, daß auf den gekörnten Steinen, die damit gewaschen worden sind, die Tinte nicht breit laufen kann, so daß man mit der Feder ebenso feine Linien darauf machen kann, als auf Steinen, die für dieses Genre besonders zugerichtet worden sind. Man könnte demnach guten Gebrauch davon machen, wenn man auf einer Stelle Feder- und Krayonarbeit verbinden wollte. —

Gehen wir auf die früher bereits gegebene Theorie der Lithographie über, so sehen wir, daß durch die Zeichnung, Aetzung und Eingummirung des Steins sich mehrere chemische Verbindungen gestaltet haben, nämlich eine dünne Schicht oleomargarinsauren Kalkes an den bezeichneten und eine dem Fette undurchdringliche Schicht salpetersauren Kalkes an den unbezeichneten Stellen. Sollen nun Korrekturen gemacht werden, so wird immer der Fall eintreten müssen, daß bezeichnete Stellen späterhin weiß, unbezeichnete aber bezeichnet erscheinen sollen. Um daher freies Spiel zu haben, muß man den Stein wieder auf seinen natürlichen Zustand, den er vor der Zeichnung und Aetzung hatte, zurückführen.

Dieses Verfahren, welches Chevalier und Langlumé schon vor Jahren empfohlen, besteht darin, daß man die zu vertilgenden Stellen mit einer koncentrirten kaustischen Lauge bestreicht, welche aus 3 Theilen Wasser und 1 Theil kaustischer Pottasche gebildet ist. Man läßt diese Lauge zwei oder drei Stunden lang auf der Stelle stehen, um derselben Zeit zu lassen, in die Poren des Steins einzudringen und die unlösliche Kalkseife, welche sich dort durch die Präparirung des Steins gebildet hat, in lösliche alkalische Seife zu verwandeln. Dann spült man den Stein rein mit Wasser ab. Der mit Lauge bedeckt gewesene Theil der Zeichnung verschwindet dann gänzlich und man kann auf dem Steine ganz ungehindert eine neue Zeichnung vornehmen. Wenn man fürchtet, daß die erste Operation die Zeichnung noch nicht vollständig vertilgt habe, so thut man gut, dieselbe zu wiederholen, indem man die Stelle nochmals mit Lauge bestreicht und dann, nach Verlauf einiger Stunden abermals mit vielem Wasser wäscht. Da indessen die Lauge, wenn man sie in hinreichender Menge auf den Stein bringt, sehr leicht über die bestimmten Grenzen hinaustreten würde, so thut man gut, die Steine, ehe man die Operation vornimmt, mit Konservirfarbe einzuschwärzen und dann mit einer ziemlich dicken Gummischicht zu überziehen und vollkommen trocken werden zu lassen. Diese Schicht hebt man dann mittelst Waschens an der zu korrigirenden Stelle rein ab und übergeht die Kontouren derselben noch ein oder zwei Mal mit einem Pinsel und sehr starker Gummilösung, so daß sich hier ein etwas erhabener Rand gegen die Lauge bildet. Ist alsdann Alles recht trocken, so streicht man die Lauge mittelst eines Pinsels dick auf, hütet sich aber, mit derselben über den Gummidamm hinauszugehen, denn die Lauge würde denselben auflösen und dennoch an die zu konservirenden Theile der Zeichnung treten und diese vernichten. Daher darf auch die Lauge nicht in einer allzudicken Schicht auf dem Steine stehen, sondern sie muß die Stärke eines Kartenblattes in der Dicke nicht übersteigen, ja es reicht schon hin, wenn der Stein vollkommen naß ist. Es ist besser, lieber nach dem Eintrocknen den Ueberstrich zu wiederholen, als gleich anfänglich zu viel Lauge aufzugeben; die neue Lauge tritt dann nur schwer über die Stelle hinaus, welche der erste Anstrich eingenommen hat. Zum Aufstreichen kann man sich keines gewöhnlichen Haarpinsels bedienen, da die Lauge das Haar schnell zerstört, sondern man nimmt eine Wurzel, die man durch Zerkauen zwischen den Zähnen auf $1\frac{1}{2}$—2 Centim. von der Spitze ab in möglich feine Fasern zertheilt; im Sommer kann man dazu einen Birnstiel anwenden. Die Lauge zieht aus der Luft die Kohlensäure an und verliert dadurch ihre auflösende Kraft; man muß sie deshalb in einer Flasche mit eingeriebenem Glasstöpsel, und mit Blase verbunden, aufbewahren, oder, was noch besser ist, jedesmal erst dann zusammensetzen, wenn man sie eben brauchen will.

Sobald man die Lauge von dem Stein rein abgespült hat und derselbe wieder trocken ist, kann man die neue Zeichnung vornehmen, welche man dann, nachdem sie vollendet ist, mit dem Pinsel ätzt und gummirt.

Sind die zu machenden Korrekturen nicht allzu bedeutend oder vielmehr nur Retouchen, so löse man in 120 Gramm destillirten Wassers 2¼ Gramm mit Kalk kaustisch gemachter Pottasche auf, wasche den Stein mit vielem Wasser und netze die Zeichnung solange mit einem in die Pottaschenauflösung getauchten Schwamme, bis man bemerkt, daß der letztere etwas anklebt. Dann hört man mit der Pottaschenauflösung auf und wäscht den Stein abermals wiederholt mit vielem Wasser. Ist der Stein wieder trocken, so kann man jede beliebige Retouche vornehmen. Ist Alles vollendet, so ätzt man mit saurem, kochsalzsaurem Kalk, gummirt und schreitet zum Drucke. Man kann dieselbe Stelle beliebig oft retouchiren. Dieses Verfahren, so richtig es seiner Theorie nach ist, hat dennoch keinen praktischen Werth für die Lithographie.

Das Jobard'sche Vertilgungsmittel, welches sich hauptsächlich für Schrift- und Federzeichnung eignet, ist folgendes: Zuerst nimmt man die Zeichnung mittelst Terpentinöl auf der Stelle, wo man die Abänderungen anbringen will, fort, streicht mit dem Pinsel ein wenig des schärfsten Weinessigs auf, entfernt nach einer halben Stunde den Essig mit einem nassen Schwamm, reinigt die Stelle vollkommen und kann dann die Nachbesserung sogleich vornehmen.

Bei gravirten Steinen ist die Pottasche nicht mit Erfolg anwendbar, und Essigsäure, Salzsäure, Salpetersäure und Schwefelsäure geben nur mangelhafte Resultate. Um von einer Zeichnung einzelne Theile vom Steine zu vertilgen, schwärze man denselben mit Konservirfarbe ein, lege mit Terpentinöl die fehlerhaften Stellen blank und überziehe dieselben mit reiner Phosphorsäure. Diese zerstört an den bezeichneten Stellen die Zeichnung und man

kann die neue an deren Stelle setzen, ohne befürchten zu
müssen, daß jemals Spuren der alten wieder zum Vor=
scheine kommen.

C. Korrekturen, welche durch verschiedene widrige
Umstände während des Druckes nöthig werden.

Diese Korrekturen sind sehr verschiedenartig, weil die
Fehler gar zu verschiedentlich vorfallen. Man kann sie
aber in zwei Hauptklassen theilen, entweder es bleiben
Stellen weg, oder es entsteht Schmutz, man hat
also im erstern Falle etwas wiederherzustellen und im
zweiten etwas zu vertilgen.

A. Das Wegbleiben einer Stelle hat sehr ver=
schiedene Ursachen und diese zu finden, muß das erste Be=
streben sein.

Sie sind in der Regel folgende:

Erstlich, der Reiber trifft vielleicht aus irgend einer
Ursache eine Stelle nicht vollkommen, dann nimmt die
Stelle zwar Farbe an, aber im Abdrucke bleibt sie blaß
oder kommt gar nicht; man muß daher sehen, ob der
Reiber etwa eine Vertiefung erhalten hat, oder ob er ver=
rückt wurde, oder ob die Steinplatte sich verschoben, daß
der Reiber die Zeichnung nicht gehörig treffen kann, wobei
freilich ganze Streifen der Zeichnung sich nicht abdrucken, oder
ob vielleicht durch eine Korrektur die Stelle etwas vertieft
wurde, was sich aber gleich beim ersten Abdrucke zeigen
muß. Alle diese Fehler sind leicht zu verbessern, wenn
man nur mit Aufmerksamkeit den wahren Grund gesucht
und gefunden hat; denn eine Vertiefung im Reiber ist
durch Abhobeln der höhern Stelle oder durch Schaben
derselben mit Glas, wenn sie unbedeutend ist, das Ver=
rücken durch gehöriges Stellen zu verbessern. Wie man
durch eingeklebte Fahnen zu helfen habe, wenn einzelne
Stellen des Steines zu tief liegen, haben wir schon oben
bei der Korrektur gravirter Steine gelehrt.

Eine zweite Ursache des Wegbleibens oder Bläßer=
werdens einer oder mehrerer Stellen der Zeichnung oder

Schrift ist die, wenn man das Papier nicht gleichförmig genetzt hat. Dann druckt sich die Zeichnung auf den zu nassen oder zu trocknen Stellen nicht gehörig ab. Man kann die Ursache leicht finden, indem die Abdrücke auf so ungleich genetztem Papiere überhaupt sehr ungleich ausfallen und ein Abdruck anders, als der andere wird. Wie diesem Fehler abzuhelfen, daß man das Papier noch einmal feuchten, oder wenigstens feuchte Bogen nach Maßgabe der Umstände, zwischen die ungleich gefeuchteten Bogen einlegen und den ganzen Stoß dann noch einmal beschweren und in die Presse bringen muß u. s. w., versteht sich von selbst.

Dann bleiben, drittens, auch Stellen weg, entweder wenn schon eine große Anzahl Abdrücke gemacht wurden und dadurch die feinen Striche sich abnutzten, oder wenn die Zeichnung durch ungeschickte Behandlung schon bei wenigen Abdrücken in gleiche Verhältnisse versetzt wurde; dies geschieht entweder durch Anwendung zu harter Farbe oder durch zu starkes Anreiben dieser Farbe mit der Walze, durch das Schlingern derselben, wenn der Stein zu stark genetzt oder die Walze etwa durch aufgetrocknete Farbe verhärtet und unbrauchbar geworden ist, oder durch ungeschicktes Wischen mit dem Feuchtlappen, besonders dann, wenn Gummi unter dem Wasser war, was man oft hinein thut, um reinere Abdrücke zu erhalten, und welches eine Art Präparatur verursacht, wodurch die Geneigtheit, Farbe anzunehmen, fast ganz verloren geht. Diese Fehler zeigen sich dadurch, daß zuerst nur feine, dann stärkere Striche oder Punkte bei jedem Abdrucke blässer werden und endlich wegbleiben, und es fragt sich nun, ob diese Striche auch auf der Steinplatte ganz verloren gegangen sind, oder ob sie nur keine Farbe annehmen. — Ist ersteres der Fall, so ist keine andere Hilfe, als man schwärzt die Zeichnung gut ein und bedeckt die eingeschwärzten Stellen mit Gummi, während man die vom Gummi entblößten schadhaften Stellen mit dem Schaber wund macht, oder die Gummipräparatur aufhebt und die verlorene Schrift oder Zeichnung wieder ergänzt, dann mit dem Pinsel ätzt und gummirt, wie bei der Behandlung verätzter Steine angegeben wurde.

Sind aber die Stellen auf der Platte noch völlig da, nehmen aber nur keine, oder sehr wenig Farbe an, so muß man sie erstlich mit sehr weicher, oder der früher schon angegebenen Annehmfarbe bestreichen und diese eine Weile darauf lassen, damit sie die Stellen fettiger und mithin geneigt mache, fernerhin wieder Schwärze anzunehmen.

Sind bei einer Federzeichnung viele oder große Stellen auf irgend eine Weise so verrieben, daß sie keine Farbe mehr annehmen, und auch die angegebenen Mittel keine Besserung bewirken und ist die Platte schon oft eingeschwärzt, so daß die Fettigkeit bereits tief eingedrungen ist, so muß man die ganze Zeichnung mit Terpentinöl von aller Fettigkeit völlig reinigen, legt dann die Platte ohne deren Oberfläche zu berühren, in ein Gefäß mit vielem ganz reinen Wasser und schleift die ganze Platte mit einem feinen, ebenfalls sehr reinen Bimssteine, oder noch besser, mit Ossa sepiae, unter dem Wasser ganz zart ab; dann reibe man einen reinen Kattun- oder Leinwandlappen mit Aetzfarbe ein wenig ein, und mit diesem wische man nun, aber Alles unter Wasser, sanft über die Platte hin und her, so wird sich nach und nach die Farbe überall, wo mit Fett gezeichnet war, wieder anhängen. Wenn die Zeichnung völlig wieder da ist, so nimmt man die Platte aus dem Wasser und präparirt sie sogleich, ehe der Stein trocken werden kann, mit ganz verdünntem Scheidewasser und Gummi: dann erhält man gewiß ebenso schöne und noch reinere Abdrücke, als sie früher waren. Aber es ist bei diesem Verfahren wohl zu beachten, daß durchaus kein Fett oder Gummi auf der Oberfläche der Platte sei, wenn man sie ins Wasser legt, und daß man alles Reiben darauf nur sehr sanft und mit leinenen oder Kattunlappen vornehme; alle thierischen Stoffe, mithin auch die bloße Hand, Seide, Leder u. s. w., sowie ein starkes Reiben, bewirken mit dem Wasser eine völlige Präparatur und also das Gegentheil von dem gewünschten Erfolge.

Man kann das Abschleifen auch allenfalls auf dem trockenen Steine vornehmen, muß aber dann hauptsächlich Sorge tragen, daß der entstehende Staub sogleich mit einem weichen Pinsel fortgekehrt werde.

Diese Operation ist fast immer unfehlbar, wenn die Zeichnung dicht gearbeitet ist und schon viel gedruckt wurde; bei weniger zusammengesetzten Arbeiten würden wir sie weniger anrathen, weil der Bimsstein zu wenig Stützpunkte findet, daher in den Zwischenräumen eine Menge Kritzen hervorbringt, welche sehr schwer wieder zu entfernen sind.

Um das Wiederkommen derartig verriebener und geschwächter Stellen zu bewerkstelligen, ist auch das Schleifen mit Holzkohle und Leinöl sehr zweckdienlich. Hierzu muß die Holzkohle durch Schleifen vorher geebnet, damit sie nur die erhöhten Stellen anreibt, und auch vom Leinöle gehörig durchdrungen sein.

Dieses Aufschleifen geschieht, nachdem der Stein mit Terpentinöl und Wasser gut ausgeputzt wurde, indem man jene Stellen, welche nicht annehmen wollen, zart reibt, und dabei sorgfältig vermeidet, die weißen leeren Stellen des Steins außerhalb der Zeichnung zu berühren.

Durch diese Operation wird die geschwächte Stelle von dem gummihaltigen Körper befreit, welcher das Anhängen der Farben hinderte, und der bloßgelegte und befettigte Stein wieder empfänglich für die Druckfarbe.

Eine vierte Ursache des Wegbleibens einzelner größerer oder kleinerer Stellen der Schrift oder Zeichnung ist, wenn man vielleicht einen Fleck oder dergleichen mit Scheidewasser wegputzt und dieses, durch unvorsichtige Behandlung desselben, gute Stellen angefressen und weggeätzt hat. Dann kann man nicht anders verfahren, als daß man die Stelle durch Schaben etwas zu ebnen sucht, wenn sie zu rauh geätzt ward, was aber bei der Kreidemanier nicht erst nöthig, und dann die fehlende Stelle wieder hineinzeichnet, leicht mit dem Pinsel nachätzt und gummirt.

Bei den vertieften Manieren kann ein Ausbleiben der Striche theils gar nicht stattfinden, theils ist demselben durch Nachhelfen mit der Nadel leicht abzuhelfen.

Das Nichtannehmen der Farbe kann auch dadurch gehoben werden, daß man die gravirte Stelle mit Kaltstaub füllt, denselben jedoch mit der Fingerbeere sorgfältig von der Steinoberfläche wischt, und nach einiger Zeit den Stich mit Oel einreibt; sollte auch dieses nicht helfen, so läßt man derartige Stellen mit einem Oel- oder Unschlittüberzuge stehen; ebenso nimmt oft eine Federzeichnung wieder Farbe an, wenn sie einige Zeit ohne Gummi stehen gelassen wird.

B. Die zweite Klasse derjenigen Reparaturen, welche während des Druckes nöthig werden, besteht darin, Farbe wegzuschaffen, die sich an Orten angesetzt hat, wo keine sein darf.

Das Ansetzen von Druckfarbe an den präparirten Stellen geschieht leider nur zu oft, besonders bei unerfahrenen Arbeitern, und zwar aus sehr verschiedenen Ursachen. Entweder der Stein war zu dem neuen Gebrauche nicht rein geschliffen worden und das nachherige Aetzen zu schwach, um die Züge der alten Zeichnungen, welche tief in die Platten eingedrungen waren, zu zerstören, oder das Aetzen und Präpariren, vor oder nach der Zeichnung, war nicht gleichmäßig, daß alle Theile gehörig ergriffen waren; oder es wurde der Stein während des Zeichnens verunreinigt, oder durch den Zeichner chemisch widrig behandelt, oder der Drucker verstand sein Geschäft nicht, indem er die Zeichnung mit Farbe überladete, oder zu weiche Farbe nahm, oder durch Unsauberkeit Schmutz auf die Platte brachte, oder durch Ausbesserungen verätzter oder verriebener Stellen das Gegentheil, zu viel Fettigkeit erzeugte, und so noch verschiedene Ursachen, die sich jederzeit sogleich offenbaren und gewiß unter den nun folgenden Bestimmungen über ihre Verbesserung anzutreffen sein werden.

Es ist hinsichtlich der Ausbesserungen gar sehr verschieden, wo sich der Schmutz ansetzt und in welcher Quan-

tität, und darnach bestimmt sich auch die Art und Weise
der Ausbesserung.

1) Im Allgemeinen, der Schmuz mag sich an=
sezen, wo er will, wenn die Platte nur nicht trocken war,
ist jederzeit das Ueberrollen mit einer mit fester Farbe
eingeschwärzten Walze, oder das Ausputzen mit Gummi=
auflösung, mit dem Finger, oder einem reinen Schwämm=
chen, oder auch das Abreiben der ganzen Zeichnung mit
Terpentinöl und Gummiwasser und nachheriges Einschwär=
zen mit festerer Farbe, das Vortheilhafteste. Hat sich aber
der Schmuz schon zu fest oder in zu großer Menge ange=
setzt, oder war die Farbe, die denselben verursachte, zu fett,
so ist dies in der Regel nicht mehr genug, man muß an=
dere Mittel ergreifen, die nach dem Orte, wo sich der
Schmuz ansetzt, verschieden sind, daher:

2) Schmuz an den Rändern, wird durch Ab=
schleifen mit Bimsstein, scharfes Aetzen und Gummiren am
besten und dauerhaftesten weggebracht; denn das Aetzen
allein bringt zwar den Schmuz weg, jedoch die Platte
wird rauh und nur um so geneigter, schnell wieder der=
gleichen anzunehmen. Die Ränder sind überhaupt zur
Schmuzannahme sehr geneigt, weil theils an die Kanten,
je schärfer sie sind, die Schwärze sich leicht mechanisch an=
hängt, theils weil sie schneller trocknen und weil daselbst
die Platte öfter, vielleicht mit fettigen Händen berührt
wurde.

3) Einzelne Schmuzfleckchen zwischen der Zeich=
nung oder Schrift. Dergleichen können durch sehr ver=
schiedene Ursachen herbeigeführt werden, und wir wollen
dieselben hier nach einander anführen.

a) Wasserflecken.

Die Wasserflecken finden sich gewöhnlich nur auf plat=
ten Tinten von größerer Ausdehnung vor und sind na=
mentlich sehr häufig, wenn der Druck im heißen Sommer
stattfindet. Sie entstehen: 1) wenn das Wasser, dessen
man sich zum Netzen des Steines bedient, nicht ganz

frisch ist, oder wenn es einen chemischen Beisatz von Alaun, Salpeter oder irgend einem anderen Salze oder einer Säure hat. 2) Wenn der Drucker schweißige Hände hat und das Wasser mit den Fingern auf den Stein sprengt. 3) Wenn man das Wasser, ehe man es mit dem Schwamme vertheilt, eine Zeitlang auf dem Steine stehen läßt. Um diesem Uebelstande entgegenzukommen, muß man im Sommer das Wasser oft wechseln, dasselbe nur auf die Ränder werfen, und unmittelbar nach geschehenem Drucke wieder netzen, ohne den Stein zuvor ganz trocken werden zu lassen. Die Ausbesserung solcher Wasserflecken ist sehr schwierig, denn die Retouchen mit der Kreide stehen nicht leicht und stören gern die Harmonie der Zeichnung. Man muß allemal den Stein, der durch Wasser eine Art von Präparatur erlangt hat, entweder durch Schaben oder mit der Nadel etwas freilegen, ehe man die Retouche einträgt. Bisweilen, aber nur in seltenen Fällen, namentlich wenn man dem Uebel auf frischer That abzuhelfen sucht, führt das Anreiben unter Wasser oder mit Konservationsfarbe zum Ziele.

Wenn auch diese Wasserflecken gleich allen hellen Flecken, welche durch Speichelspritzer, Gummi 2c. entstanden, eben nicht zu den Schmutzflecken gehören, so sind sie dennoch nicht minder störend in der Zeichnung als diese, können aber, wenn auch deren Verbesserung auf dem Stein nicht gelingen sollte, leichter auf dem Abdrucke retouchirt werden, als wie die dunklen Schmutzflecke.

b) Fettflecken.

Diese entstehen theils dadurch, daß man mit den Fingern unvorsichtig auf der Oberfläche des Steines umhergreift, oder daß beim Zeichnen Haare oder die kleinen Schuppen vom Kopfe auf den Stein fielen und dort längere Zeit liegen blieben, oder endlich durch andere zufällig auf den Stein gekommene Fetttheilchen. Diese Flecke sind die allergefährlichsten und nur dadurch zu entfernen, daß man dieselben ausschabt, mit einem Läufer und Sand dem Steine hier ein neues Korn giebt und die Stelle wieder einzeichnet, wobei es aber viel Genauigkeit erfordert, den neu gezeichneten Theil mit dem bereits eingeschwärzten zu akkordiren. Manchmal gelingt es auch dieselben in folgender Weise wegzubringen:

Nachdem ein Abdruck abgezogen, und somit der größte Theil der auf diesen Flecken sitzenden Farbe weggenommen und zugleich der Stein trocken ist, berührt man mit der Spitze einer fein geschnittenen Feder, die in verdünnte Säure getaucht wird, diese Flecken. Hierbei ist besonders darauf zu sehen, daß die Säure nur auf diese Punkte wirke und sich nicht weiter ausbreite, weshalb sich auch nur sehr wenig Säure an der Federspitze befinden darf, so daß selbe blos davon befeuchtet ist.

Wenn diese gehörig gewirkt hat, so soll die Walze, womit man nachher über den Stein fährt, die Flecke wegnehmen.

Gewöhnlich werden aber die Stellen, an denen sie sich befanden, weiß, wo man dann nochmals einen Abdruck machen, und den Stein sobald er trocken ist, mit einer sehr fein gespitzten Kreide nachbessern muß. Zuweilen muß obiges Nachbessern öfter wiederholt werden.

Bei dieser Operation darf keine Stahlfeder statt des Gänsekiels gebraucht werden, wodurch das hiervon erzeugte salz- oder salpetersaure Eisen auf dieser Stelle die Gummischichte zerstören und dieselbe Farbe annehmen würde, wodurch das Uebel, anstatt vermindert, nur vermehrt wird.

c) Gummiflecken.

Für diese Flecken sind die weicheren Steine empfänglicher, als die harten aber keine kann der aufmerksame Drucker leichter vermeiden, als gerade die Gummiflecken. — Wie wir wissen, muß der Stein, sobald man den Druck, wäre es auch nur für einige Stunden, aussetzt, mit Konservirfarbe geschwärzt und gummirt werden. Das Gummi wird zu diesem Zwecke in reinem Wasser zu Leinöldicke aufgelöst, durchgeseiht und mit etwa ein Dreißigstel Kan-

biszucker verſetzt, damit es keine Blaſen werfe. Geſchähe
das Letztere, ſo entſtehen die Gummiflecke, d. h. es wird
an den blaſigen Stellen nicht allein die Zeichnung angegriffen, ſondern es kann ſogar die Oberfläche des Steines
ſelbſt verletzt werden, wodurch nicht nur das Einwalzen,
ſondern ſogar die Retouchen mit der Kreide unmöglich gemacht werden. — Ebenſo entſtehen Gummiflecken, wenn
die Zeichnung aus dem Drucke geſetzt und gummirt wurde.
ohne mit Konſervirfarbe eingeſchwärzt zu werden. In
dieſem Falle verliert die Farbe ihre Fettigkeit, und das
Gummi tritt ſtellenweis als Präparirmittel ein. Dann
muß man die Zeichnung mit einer Miſchung von gleichen
Theilen Waſſer, Terpentinöl und Leinöl, welche man wohl
untereinander miſcht und auf den genetzten Stein bringt,
abheben. Man darf aber nicht zu ſcharf reiben oder
drücken, ſondern muß die Operation langſam machen. Iſt
die Zeichnung abgehoben, ſo ſchwärzt man wie gewöhnlich
ein und erhält nach einigen Fehldrücken in den meiſten
Fällen wieder gute Abdrücke.

d) Flecken von Säuren oder Salzen.

Dieſe entſtehen nur durch die Nachläſſigkeit des
Druckers, der die Säuren und Präparirmittel nicht von
der Preſſe und den Schwämmen fern genug hielt. Man
braucht dieſe Gegenſtände oft während des Druckens, aber
ſie müſſen mit Vorſicht und Bedacht angewendet werden,
denn nächſt dem Fette hat die Lithographie keine gefähr-
lichern Hilfsmittel, als die Säuren und das Gummi. —
Nur Vorſicht kann hier Fehler vermeiden, die, wo ſie eintreten, nur durch oft fruchtloſe jedesmal aber der Reinheit
der Zeichnung nachtheilige Retouchen gehoben werden können,
die man ebenſo, wie bei den Waſſerflecken machen muß.

e) Speichelflecken.

Dieſe ſind immer eine Folge der Nachläſſigkeit des
Zeichners oder der Perſonen, welche die Zeichnung während

der Arbeit besahen. Da diese Flecken nur durch die kleinen Bläschen von Speichel, welche Mancher beim Sprechen
von sich sprudelt, entstehen, so dürfte es leicht sein, sie zu
vermeiden. Nichtsdestoweniger finden sie sich sehr häufig,
und ohne die ausnehmende Leichtigkeit, mit der man sie
ausbessern kann, würden sie eine wahre Geißel der Lithographie sein.

Beim ersten Abdrucke, gewöhnlich schon beim Aetzen,
hebt sich nämlich an den Stellen, wo ein solches Speichel-
bläschen aufgefallen und eingetrocknet ist, die Kreide ab,
mit welcher man über diese Bläschen, welche unsichtbar
eine dem Fette undurchdringliche Decke auf dem Steine
gebildet haben, hingezeichnet hat, und die nun mit dem
Steine keine Verbindung eingehen konnte, und man erblickt
nun auf dem bezeichneten Raume kleine, weiße, kreisrunde
Flecke. Um diese zu vertreiben, läßt man den Stein trocken
werden, ohne ihn zuvor zu gummiren, und akkordirt dann
mit etwas harter Kreide alle diese Flecken mit den umliegenden Tönen. Hierauf läßt man die Kreide eine kurze
Zeit anziehen, ätzt mit sehr schwacher Säure im Pinsel
diese Stellen, worauf man gummirt, den Stein einige
Stunden liegen läßt, dann wie gewöhnlich beim Andrucken
des Steins verfährt und behutsam und mit aller Vorsicht
zwei bis drei Mal einschwärzt. Hierauf nimmt man einen
Probedruck und wiederholt die Retouche, im Falle sie noch
nicht gehalten hätte.

Sehr zweckdienlich hierbei ist auch die mit spitzer
Kreide bearbeitete Stellen anzuhauchen, bis der Stein
leichthin feucht wird, wodurch das Alkali der Kreide auf
das Gummi wirkt, es durchdringt und diese auf dem
Steine sich festsetzt.

Hierauf läßt man ihn wieder trocknen und überstreicht
ihn mit Gummi, um die Seife der Kreide niederzuschlagen;
worauf dann der Stein befeuchtet und eingewalzt wird.

4) Schmutz durch Quetschungen der Farbe.
Dieser tritt dann ein, wenn die Zeichnung mit Farbe über-
laden wurde, oder die Farbe zu weich war, oder zu viel
Ruß enthielt und die Spannung der Presse zu stark, oder

das Papier zu naß oder zu trocken und hart war. Außer Abstellung der Ursache, welche eine von den angegebenen ist, und der man deshalb zuerst genau nachzuspüren hat, muß man den Schmutz auf eine der bereits angegebenen Arten wegzubringen suchen, wobei gewöhnlich schon ein leichtes Ausputzen mit Gummi und Abheben der alten Farbe mit der Mischung von Wasser und Terpentinöl ausreicht. War die Farbe zu weich, so hilft schon das nochmalige Anfeuchten und ein Einschwärzen mit härterer Farbe, nebst Abstellung der Ursache. Ist aber die Quetschung mit harter Farbe und besonders bei Kreidezeichnungen, also auf dem rauhgeschliffenen Steine, entstanden, so muß man mit Gummi und Terpentinöl den ganzen Stein wohl abputzen, sich aber sehr hüten, daß man der Präparatur nicht schade, dann aber mit etwas härterer Farbe fortdrucken.

Besonders im hohen Sommer wirkt die herrschende Wärme erschlaffend auf die Platte ein; die Zeichnung wird dick, es setzt sich die Farbe an Stellen an, wo sie nicht sein soll, der Stein selbst fühlt sich warm an, und man hat alsdann ein sicheres Mittel demselben vorzubeugen, indem man den Stein einige Stunden vor Beginn des Druckes in kaltes Wasser legt, und ihn erst einige Minuten vorher trocknen läßt.

Sehr zweckdienlich ist auch hierzu eine Wasserleitung im Drucklokale, wobei sehr bequem der Stein durch ein darüber rieselndes kaltes Bad abgekühlt werden kann. Ist der Stein jedoch nur gering erwärmt, so genügt schon das beständige Wischen mit Salzwasser statt des gewöhnlichen Wassers*).

*) Fr. Krauß empfiehlt folgendes Wischwasser, welches bei vielen intelligenten Druckern in gutem Ansehen ist und das Wischen erleichtert. Es braucht niemals zwei Mal gewischt zu werden, auch wenn ein längeres Auftragen geboten ist. Man nimmt eine beliebige Quantität Salzsäure mit dergleichen Quantität Wasser vermischt, und sättigt solche vollständig mit pulverisirter Kreide, indem man diese unter stetem Umrühren einstreut.

Wenn keine Spur von Kohlensäure mehr entweicht, also die Säure gesättigt ist, läßt man die Flüssigkeit absetzen, gießt

Ein zu starker Kältegrad im Winter erzeugt die ent=
gegengesetzte Wirkung, indem statt der zu leichten Annahme
der Druckfarbe, diese dann vom Stein zurückgestoßen und
schon beim Auswaschen der Platte alle Feinheiten weg=
bleiben, und erst nach den angestrengtesten Bemühungen
wieder zum Vorschein kommen.

Bei solchem Kältegrad ist man dann genöthigt den
Stein in gemessener Entfernung der Ofenwärme zu nähern,
um die entsprechende Temperatur herzustellen.

5) Das Schattiren der Druckschwärze geschieht
dann, wenn man zu weiche Farbe zum Einschwärzen nimmt
und den Stein beim Anfeuchten zu naß gemacht hat.
Der dünne Firniß zieht sich dann von der Zeichnung auf
die feuchten Umgebungen, und der Abdruck, besonders wenn
er verzögert wurde, erhält um alle Striche und Punkte
eine Art Einfassung die mit einem Schatten zu vergleichen
ist. Zuerst ist dieses Schattiren fast unmerklich, achtet man
jedoch nicht darauf, so wird der Schatten durch mehrere
Abdrucke stärker, und endlich verursacht er Schmutz, der
sich nur sehr schwer wegbringen läßt. Im Anfange aber
ist dieser Fehler leicht zu verbessern, wenn man die Farbe
durch Lampenruß etwas strenger macht, die dann, wenn
der Fehler gehoben und die Farbe zu fest sein sollte, so
daß man Verreiben der feinen Striche befürchten könnte,
leicht wieder etwas verdünnt werden kann. Wird das
Schattiren zu stark, so hebe man die Farbe mittelst eines
Schwammes ab, nachdem man zuvor eine wohl durch=
einander gerüttelte Mischung von 2 Theilen Terpentinöl,

---

das Obenstehende in Flaschen und mischt nach Ermessen je nach
der vorkommenden Arbeit, hiervon ¼, ½ 2c. unter das Wasser,
womit man wischt; dies hat eine große Erleichterung zur Folge,
besonders an heißen Sommertagen.

In der Hand intelligenter Arbeiter, welche ab= und zuzu=
geben wissen, ist dieses Wischwasser von großem Vortheile, es
fördert sehr und bunte Farben werden sogar in ihrer Schönheit
erhöht, weil die verwendete Menge von Flüssigkeit geringer ist,
als beim Wischen mit reinem Wasser.

2 Theilen Gummilösung und 1 Theil Leinöl auf den Stein gegossen hat. Nach dem Reinigen des Steines gummire man denselben leicht, schwärze ihn, nachdem das Gummi einige Zeit darauf eingewirkt hatte und wieder abgewaschen ist, mit Konservirfarbe ein, ätze ihn nun schwach nach, gummire ihn abermals und drucke dann fort. Schnelles Fortdrucken ist dabei übrigens sehr zu empfehlen, weil dann der Firniß keine Zeit behält, sich zu verbreiten.

6) **Das Tonbekommen der ganzen Platte.** Zuweilen, besonders bei der Kreidemanier oder den vertieften Manieren, kommt es vor, daß sich über die ganze Zeichnung ein schwarzer Ton zieht, wie ein Flor. Er ist gewöhnlich Folge des zu schwachen Aetzens, weil dann leicht eine frühere Zeichnung, die tief in den Stein gedrungen und nicht genug abgeschliffen ward, wieder Farbe annimmt; oder eines unrichtigen Wischens bei den vertieften Manieren, wenn die Farbe mit zu harten Lappen eingerieben ward, oder einer zu leichten Farbe.

Ein anderer Grund dieses Flors kann auch der sein, daß das Fett, mit welchem man das Leder des Deckrahmens einreibt, durchschlägt und auch die übergelegte Makulatur fett macht.

Man kann ihn durch Ueberrollen einer mit fester Farbe eingeschwärzten Walze oft sogleich vertilgen; sitzt er aber schon fester, so muß man ihn durch leichtes Wischen mit einem in Gummiwasser getauchten Schwamm oder Lappen wegzubringen suchen, auch nach Verhältniß das Gummi in größerer Menge gebrauchen, dabei sich aber wohl in Acht nehmen, daß man die feinen Punkte und Linien nicht verreibe, oder die Schwärze aus den Vertiefungen der vertieften Zeichnung herausreiße. In vielen Fällen kommt man auch zum Ziele, wenn man die Farbe vom Steine abhebt und dann die verschmierte Stelle, unter Wasser, mit einem weichen Lappen reibt, und zwar leichter oder stärker, je nach dem Grade der Verschmierung. Im äußersten Falle schwärzt man mit Aetzfarbe gut ein und ätzt die ganze Platte nur schwach; dann wäscht man den Schmutz mit dünner Gummiauflösung, welche man etwas ansäuern kann, weg und gummirt leicht ein, worauf man nach dem Abwaschen schnell fortdrucken muß.

Sollte man sehen, daß sich dieser Umstand wiederholt, so kann man von Zeit zu Zeit mit einem in weißen Wein oder Bier getauchten Schwamme über die Zeichnung hinfahren. Wenn diese Flüssigkeiten etwas sauer sind, so wirken sie nur um so besser; auch kann man etwas davon unter das Wasser gießen, mit welchem man den Stein netzt; doch muß man darauf sehen, daß der Wein nicht etwa an den falschen Ort kömmt, denn im Magen des Druckers wirkt er in keiner Hinsicht vortheilhaft auf die Steinzeichnung.

Für den Fall, daß das Leder des Deckrahmens den Flor hervorgerufen hat, muß man auch noch die Makulatur wechseln, was ohnehin geschehen muß, sobald sie durchsichtig wird.

Eine ähnliche Art von Schmutz und dabei nöthige Verbesserung ist:

7) **Das Monotonwerden** einer Zeichnung. Die Gründe dieser Erscheinung, welche darin bestehen, daß die Lichtpartien und Mitteltinten nach und nach zu viel Farbe annehmen, und dadurch der ganze Effekt der Zeichnung zerstört wird, können sehr verschieden sein; entweder das Oel zum Firniß war nicht gehörig entfettet, oder die Schwärze nicht gut abgerieben, die Walze war zu alt, oder der Ueberzug derselben nicht gehörig gespannt; die Schwämme zum Abwischen konnten schmutzig sein; der Künstler hatte vielleicht zu lose gezeichnet; vielleicht war der Stein nicht gehörig rein geschliffen, oder derselbe während des Druckes zu stark benetzt, oder mit dem Schwamme zu stark gerieben, daß die Farbetheilchen verschleppt und an andern Orten abgesetzt wurden, — alle diese Umstände führen ein. Monotonwerden der Platte herbei. Dieser Fehler ist durch Abreiben der ganzen Zeichnung mit Terpentinöl und Gummiauflösung und darauf folgendes Einschwärzen mit etwas stärkerer Farbe, dann Einwalzen mit Aetzfarbe, Nachätzen und Gummiren am leichtesten zu verbessern.

Man bedient sich dann zugleich einer besseren Farbe, guter Walzen ꝛc. Kommt aber der Umstand von zu feuchtem Papiere her, welches die Farbe nicht gehörig vom Steine nimmt, so muß man den Stein, wie beschrieben, reinigen, gehörig einwalzen und dann auf trocknerem Papiere drucken.

Meistentheils entsteht aber dieses Monotonwerden einer Kreidezeichnung, wenn man den Stein während des Druckes zu naß hält, wodurch die Farbewalze allmählich wasserschlündig wird und alle Ziehkraft verliert, wobei sie die Druckfarbe nicht gehörig von der Zeichnung hebt.

Durch eine minder nasse Behandlung und Anwendung einer frischen Farbewalze ist diesem Uebelstande leicht abzuhelfen, während bei einer fortgesetzten nassen Behandlung die ganze Zeichnung verderben würde.

Um dem Zusammenschlagen der Druckfarbe an den leeren Zwischenräumen der Zeichnung zu begegnen, ist es auch gut, dem Gummiüberzug dieser Platten etwas Gallus beizumischen.

Zuweilen kommt es auch beim Farbendruck vor, daß die hellen Töne und die Mitteltöne zu stark anwachsen, wodurch die Platte eine monotone Haltung annimmt. Dieser Zustand der Platte kann ähnlich wie beim Schwarzdruck durch dieselben oben angedeuteten ungeeigneten Behandlungsweisen herbeigeführt werden, und kann auch durch den Gebrauch unvollständig präparirter Farben oder zu dünner Druckfarbe entstehen.

In solchem Falle sind dann derartige Farben zu beseitigen und die Druckfarbe mit festem Firniß zu bereiten, wobei auch das Wischen mit saurem Bier Abhilfe gewährt.

Ebenso kann auch ein zu schwaches Aetzen des Steins die Ursache hiervon sein, wo dann bei Feder- und Umdruckplatten ein schwaches Nachätzen zu empfehlen, dagegen bei Kreidezeichnungen das Wischen mit saurem Bier anzuwenden ist. — Desgleichen mischen auch manche Drucker ein wenig starkes Gummi arabicum unter die Druckfarbe, welches Verfahren mit der nöthigen Vorsicht ausgeführt, seinen Zweck erfüllt.

Uebrigens ist wohl selbstverständlich, daß die einzelnen tonigen Stellen zunächst mit einem reinen Tuchlappen ausgerieben oder mit Terpentinöl ausgewaschen und die ganze Platte mit schwarzer Farbe eingewalzt werden muß, um so die richtige Haltung der Platte wieder herzustellen, bevor man mit dem Drucke beginnt.

Jene Platten, welche nun in dieser Weise hergestellt, jedoch der Nachätzung bedürfen, müssen zuvor sehr sorgfältig in Konservirfarbe gesetzt werden.

Nicht selten kommt es vor, daß einzelne Partien des Druckes entweder doppelt oder mit einem schmierigen Anhängsel gedruckt erscheinen. Dies entsteht, indem der Bogen an einer gewissen Stelle sich während des Druckes hebt und dabei etwas zur Seite geschoben wird. Die Ursache dieses Zustandes ist jedoch sehr verschiedenartig.

Derselbe kann herbeigeführt werden durch das Verschieben der Decklage während des Druckes, wobei dann diese straffer zu spannen oder durch eine andere zu ersetzen; oft verliert sich der Uebelstand, wenn man die Decklage statt am Deckel zu befestigen, frei auf den Druckbogen legt. — So kann auch der locker angeschraubte Rahmen oder die Falte des Lederdeckels die Schuld tragen. Oft hilft auch ein Tieferschrauben der an dem äußern Rande des Rahmens befindlichen beiden Schrauben der sogenannten Nägel, wodurch dann der Rahmen statt parallel mit dem Stein am äußersten Ende etwas höher steht, als der Stein. —

Sehr oft verliert sich auch dieser Uebelstand, wenn dem Stein eine andere Richtung gegeben und der Reiber, sowie das Leder, fleißig geschmiert wird. —

Ebenso trägt auch manchmal eine strengere Druckfarbe oder das Auswaschen der Platte zur Hebung dieses Mißstandes bei.

Mitunter sind die Enden des Steins von ungleicher Höhe, deren Abweichung höchstens einen halben Centimeter austrägt und daher nicht bemerkbar ist, wobei dann erst später beim Drucken diese Differenz dadurch auffällt, daß beim höheren Ende des Steins das Durchziehen des Druckes

mehr Kraftanstrengung in Anspruch nimmt, und gut aus-
fallende Abzüge dadurch nicht zu erzielen sind.

Derartige keilförmig zulaufende Steine bedürfen einer
schrägen Unterlage, welche aus mehreren Bogen Makulatur gefertigt, wobei der unterste der längste und der
oberste der schmalste ist, während der Breite nach alle
Bogen gleich sind, und so entweder zusammengeheftet oder
zusammengeklebt werden.

Besonders nachtheilige Einwirkung äußert die Feuchtigkeit der Lokalitäten, in welchen man die bezeichneten und
vorläufig aus dem Drucke gesetzten Steine aufbewahrt, auf
letztere. Diese Feuchtigkeit macht nämlich die Gummischicht
weich, worauf sie bald sauer wird und nun in der Länge
der Zeit die Zeichnung vollkommen zerstört. Kann man
kein anderes, trockenes, Lokal zur Aufbewahrung solcher
Steine erlangen, so muß man die Steine mit einer wasser-
dichten Decke überziehen. Diese ist folgende:

5 Theile Wallrath,
1 „ weißes Wachs,
3 „ Olivenöl,
4½ „ burgundisches Pech,
1 „ venetianischer Terpentin.

Sämmtliche Ingredienzien läßt man über gelindem
Feuer zusammenschmelzen und trägt sie, noch warm, mittelst
einer Walze auf den Stein auf. Dieser Auftrag kann
über die Gummischicht gemacht werden; doch soll es noch
besser sein, wenn man ihn auf den Stein bringt, ohne
denselben zu gummiren. Wir haben letzteres nicht versucht,
da es uns des Fettgehaltes der Mischung wegen, rationel-
ler erschien, zwischen die Oberfläche des Steines und den
Ueberzug die deckende Gummischicht zu bringen, die übrigens geschützt genug ist, wenn der Ueberzug nur gleichmäßig an allen Stellen und dick genug ist.

Somit wären nun die gewöhnlichen Fehler und ihre
Verbesserungen angegeben, und was auch für andere Fehler
vorkommen mögen, die aber gewiß seltener werden, wenn
man sich nach allen den hier angegebenen Regeln und

Vorschriften richtet, sie müssen alle nach einer der oben an-
gebenen Rubriken von Verbesserungen behandelt werden,
und es wird daher leicht sein, hier irgend ein Mittel zu
ihrer Verbesserung zu finden.

Es bleibt uns nur noch schließlich zu erörtern, in
welcher Weise dem Zerspringen des Steines vorzubeugen sei.

Um dieses möglichst zu verhindern, müssen vor Allem,
beide Flächen des Steines, sowie auch der Boden des
Kastens und die Walze, welche denselben trägt, vollkommen
gerade und letztere auch vollkommen rund sein.

Auch muß der Drucker das Innere des Kastens immer
rein erhalten und beim Einlegen des Steins sorgfältig
nachsehen, ob sich keine fremdartigen Körper in demselben
vorfinden, ebenso auch die Rückseite des Steines genau
untersuchen, um gewiß zu sein, daß sie vollkommen gerade
ist; wäre dies nicht der Fall, so müßte der Stein vorher
abgerichtet oder aufgegypset werden.

Gut ist es auch unter den Stein eine Unterlage, entweder ein Brett von weichem Holze oder Pappendeckel,
oder eine dünne gleiche Filzdecke zu bringen, wodurch die
Gefahr des Bruches vermindert wird, wenn nicht der Stein
schon einen inneren Fehler, oder einen schwer bemerkbaren
Sprung hat, der erst nach dem Abzuge einer großen Anzahl Abdrücke das Zerbrechen bewirken kann.

Im Allgemeinen wird durch das Aufgypsen der Steine
auf eine zweite Platte dem Zerspringen derselben noch am
besten vorgebeugt, weshalb bei gezeichneten Steinen von
größerem Werthe dieses Aufgypsen immer anzurathen, besonders aber, wenn sie etwas dünn sind, Risse haben, oder
ihre Rückseite ungleich ist.

Der als Unterlage verwendete Stein braucht nicht
sehr stark zu sein, $2^{1}/_{2}$ Centim. Dicke wäre hinreichend.
Selbstverständlich muß der Stein vor dem Aufgypsen be-
reits geätzt, mit Druckfarbe eingewalzt, gummirt und die
Zeichnung durch ein Blatt Papier vor etwa darauffallendem
Gypse geschützt sein.

Man macht sich eine entsprechende Menge Gyps mit
Wasser an, wozu sich frischer und feinkörniger sogenannter

Stuckgyps am besten eignet, gießt diese dünne breiige Masse auf die nach oben gekehrte rauhe Rückseite des Unterlegsteins, bringt dann den gezeichneten Stein darauf und preßt denselben mit ziemlicher Gewalt gegen den untern Stein und dreht ihn hin und her, bis er gleich hoch nach allen Seiten hin so liegt, daß er mit dem untern eine Platte zu bilden scheint.

Selbstverständlich muß bei dieser Arbeit die genaue Aufeinanderlage der beiden Steine beendigt sein, bevor das „Anziehen" des Gypses eintritt, welches leicht bemerkbar ist an dem eintretenden Widerstand, den der Gyps dem Hin- und Herdrehen entgegensetzt.

Man läßt dann dem Gyps Zeit sich zu erhärten und entfernt den an den Seiten herausgetretenen Gyps mittelst eines Messers.

Bei gutem frischen Gypse, welcher sehr schnell trocknet, kann schon nach einer Viertelstunde der aufgegypste Stein zum Drucke in die Presse genommen werden, während der minder gute Gyps weit langsamer erhärtet.

Zerbrochene Steine, deren Sprung nicht durch die Zeichnung geht, können gleichfalls durch das Aufgypsen zum Drucke brauchbar werden.

Hierbei werden die gesprungenen Theile mit der Vorderseite auf ein ebenes Brett oder einen Tisch gelegt und durch einen dünnen eisernen Reif, der mit Schrauben versehen ist, zusammengezogen (Taf IX, Fig. 134), dann auf deren nach oben gekehrten Rückseite die Gypsmasse gegossen und die hierfür bestimmte Unterlagplatte darauf gebracht.

Zwölftes Kapitel.

Vom Satiniren und Pressen der fertigen Abdrücke und deren Lackirung.

Die Abdrücke, sowie dieselben aus der Presse kommen, sind noch keineswegs geeignet, in das Publikum zu kommen. Das gefeuchtete Papier trocknet ungleichmäßig und erhält keine ebene Fläche, und in den Fällen, wo der Reiber schmäler war, als das Druckpapier, oder nicht über dessen ganze Länge hingeführt wurde, hat das Papier eine verschiedenartige Dehnung erhalten, die oft, je nach der Beschaffenheit des Papiers, sehr bedeutend ist. Man muß daher die fertigen Abdrücke noch einer besonderen Arbeit, dem Pressen oder Satiniren, unterziehen: diese Arbeit zerfällt, nach Art der Abdrücke in verschiedene Klassen.

1) Satiniren gewöhnlicher Arbeiten.

Zu diesen Arbeiten gehören die Schriftsachen, ordinäre Umdrucke, tabellarische Arbeiten, Zirkulare ꝛc. Man läßt diese Abdrücke, auf Leinen hängend, drei bis vier Tage trocknen, und wenn die Schwärze nicht mehr abfärbt, bringt man die Drucke in Stößen zwischen Preßbrettern, in die Papierpresse, wo man sie, unter scharfem Druck, etwa 12—24 Stunden stehen läßt.

2) Satiniren feiner Arbeiten.

Diese sind feine kalligraphische Arbeiten, Federzeichnungen, lithographische Abdrücke ꝛc. Auch diese Abdrücke müssen drei bis vier Tage trocknen, ehe man sie satinirt; doch hängt man sie nicht auf Leinen, sondern man läßt sie, auf mit Bindfaden überzogenen Rahmen oder Pappendeckeln liegend, trocknen. Darauf netzt man sie einzeln auf der Rückseite mit einem feuchten Schwamme, wobei man darauf sehen muß, die Ränder mehr anzufeuchten, als die bereits ausgedehnte Mitte. Die gefeuchteten Abdrücke bringt man auf einen Stoß zwischen zwei Preßbrettern und beschwert sie. Nach drei bis vier Stunden werden sie zwischen englische Preßspäne (dichte und sehr glatt polirte Pappendeckel) dergestalt gelegt, daß allemal ein Abdruck, oder deren mehrere neben einander, wenn der Preßspan groß genug ist, und ein Preßspan abwechseln. Der ganze Stoß, dessen Anfang und Ende ein Preßspan sein muß, kommt dann zwischen zwei Preßbrettern in die Papierpresse, wo sie dem schärfsten Drucke ausgesetzt einige Tagen bleiben müssen. — Die Abdrücke erscheinen dann eben und ohne alle Falten, was nicht der Fall ist, wenn man sie ungenetzt in die Presse bringt.

Abdrücke von sehr verschiedenen Formaten soll man nie zugleich in ein und dieselbe Presse bringen, da der Druck, selbst wenn man sie durch Preßbretter trennt, immer ungleichmäßig wird.

Bei wichtigen Zeichnungen wird das Satiniren der Abdrücke manchmal dadurch bewerkstelligt, daß man jeden Abdruck auf einen glatten leeren Stein legt und ihn ein oder zwei Mal durch die Presse zieht, wobei Stein und Reiber so groß sein müssen, daß letzterer über den ganzen Abdruck laufen kann.

Zu Farbedrücken aber wird zuweilen ein rauhgeschliffener Steine gewählt, wodurch sie ein Korn erhalten.

3) Satiniren von Visitenkarten, Metalldruck ꝛc.

Adreß- und Visitenkarten, welche auf gewöhnliches, geleimtes Papier gedruckt wurden, werden wie feine kalligraphische Arbeiten behandelt. Sind sie aber auf sogenanntes Glacépapier gedruckt und verlangt man bei denselben den höchsten Glanz, so müssen sie einer anderen Operation unterworfen werden. Man bedient sich zu diesem Zwecke einer sogenannten Walzmaschine oder Satinirpresse, welche wir oben im Kapitel von den Pressen bereits beschrieben haben und wovon man für Visitenkarten ꝛc. eine im kleinen Maßstabe haben muß, deren Walzen etwa 10 Centim. dick und 22 bis 26 Centim. lang sind.

Zwischen die Walzen dieser Maschine nun bringt man die Karten einzeln, indem man sie mit der bedruckten Seite auf eine schwarz polirte Stahlplatte legt, und läßt sie unter sehr starkem Drucke durch die Maschine gehen. Will man die Karten mit einem guillochirten Grunde, oder sonst mit Verzierungen versehen, so muß man, statt der polirten Stahlplatte, eine gehörig guillochirte, oder mit den erforderlichen Ornamenten versehene Platte anwenden.

Metalldrücke, sie mögen nun mit Blattmetall vergoldet oder versilbert, oder mit Broncestaub eingepudert sein, werden mit der polirten Stahlplatte behandelt, wie oben beschrieben wurde, doch muß man die Drucke zuvor durchaus ganz trocken werden lassen, indem sonst, wenn die Unterdruckfarbe auch nur noch im Geringsten feucht war, das Metall nicht allein keine Politur annimmt, sondern sich noch überdies vom Abdrucke abhebt und an die Stahlplatte geht.

Sollen die Karten oder sonstigen Abdrücke auf Papier erhabene Ornamente erhalten, so muß man dieselben mittelst eines Prägewerkes hervorbringen. Ein solches Prägewerk ist ein Fallwerk, nach Art der bekannten Siegelpresse im kleinern oder größern Maßstabe ausgeführt, an dessen Fallschraube eine Metallplatte mit dem vertieft geschnittenen Dessin der Prägung befestigt ist, während man sich auf dem Fundament der Presse eine Kontrematrize bildet. Dies kann entweder geschehen, indem man eine Platte weiches Blei dort unverrückbar anbringt und durch wiederholtes scharfes Prägen in denselben eine Kontre= matrize erzeugt, oder indem man statt des Bleies Leder nimmt. Diese Matrizen sind besser als die bleiernen, da sie das Papier nicht so scharf angreifen, das von dem Blei leicht durchschnitten wird. Zu solchen Matrizen nimmt man das stärkste Pfundleder oder Sohlenleder und ver= dichtet dasselbe durch Schlagen mit einem schweren Hammer auf einem Steine, so daß es nur noch halb so dick ist, als zuvor. Dann netzt man die Oberfläche mehrmals stark mit Spiritus, wodurch sie etwas rauh und erweicht wird, bringt sie dann auf ihr Lager in die Presse und setzt die sehr stark erhitzte Musterplatte auf dieselbe, während man mit der Schraube den möglichst scharfen Druck giebt, und denselben bis zum vollständigen Erkalten beibehält. Dann ist die Matrize ganz scharf und man braucht nur noch mit einem scharfen Messer die umliegenden glatten Theile et= was zu vertiefen, damit die Prägung gehörig hoch steht.

Will man übrigens auf gewöhnliches Papier Prägungen anbringen, die ein ziemlich bedeutendes Relief haben, so muß man dazu ein weiches und dickes Papier wählen und dasselbe vor der Prägung, aber nur im Nothfalle, wenn man sieht, daß die Prägung nicht scharf genug ausfällt, ein wenig feuchten. Dies wird indessen selten nöthig sein, wenn die Presse nur die gehörige Kraft hat.

Diese Prägung des Blattmetalldrucks wurde bereits im zehnten Kapitel erläutert.

4) Gelatinelackirung.

Die Gelatinelackirung, welche dem Bilde einen eigen= thümlichen spiegelglatten Glanzüberzug verleiht, der durch keinen Pinselauftrag erreichbar ist, wird nach einem Ver= fahren behandelt, welches der Erzeugung des sogenannten Glaspapiers (Leimfolie), dessen Anwendung als Paus= papier bereits erörtert wurde, ähnlich ist.

Die wesentlichste Vorrichtung für diese Lackirung besteht aus mehreren Tafeln von geschliffenem Spiegelglas, welche in Holzrahmen gefaßt sind und aus einer Stellage, worauf jede der Tafeln ihren eigenen Platz erhält, der, um einer Verwechselung zu begegnen, mit derselben Tafelnummer bezeichnet wird.

Die Manipulation selbst muß in einem staubfreien Zimmer vorgenommen, und auch dort die Stellage untergebracht werden.

Die Stellage, aus 9 Centim. dicken Pfosten und eben solchen Querriegeln zusammengebaut, deren hintere Pfosten an einer glatten Wand befestigt und auf deren Quertheile eine Unterlage aus Pappe geleimt ist, muß genau in Winkel und Wage gearbeitet sein, damit die erforderliche horizontale Lage der Glastafeln, welche wesentlich nothwendig ist, um einen Lacküberzug von gleicher Dicke zu erhalten, nicht erst durch Unterlagen bewerkstelligt werden muß.

Daher vor allen die horizontale Lage der Tafeln und die der Quertheile, worauf erstere zu liegen kommen, mittelst der Wasserwage zu ermitteln ist.

Die Gelatine*) selbst, ein weißer Leim, welcher aus Knochen oder auch aus Abfällen des weißgegerbten Leders gewonnen wird, kommt im Handel in schwachen, fast durchsichtigen Tafeln vor.

Um dieselbe für die Lackirung aufzulösen, wird sie in kleine Stücke zerbrochen, in ein reines leinen Tuch gebunden und so lange in kaltes Wasser gehängt, bis sie hinlänglich aufgequollen ist.

In diesem Zustande wird dieselbe mit dem Tuche in einen Krug mit Wasser gehängt, der auf einen Dreifuß gestellt, unter welchem eine brennende Spirituslampe gebracht, und hierdurch vom siedenden Wasser die Gelatine aufgelöst wird, wobei ihre unreinen Theile im Tuche zurückbleiben.

---

*) Die chinesische Gelatine, welche als eine sehr leichte, weiße Substanz in zusammengefalteter Röhrenform von 30 Centim. Länge in den Handel kommt, ist pflanzlichen Ursprungs und löst sich nur im siedenden Wasser, jedoch schwerer als wirkliche Gelatine auf.

Das Quantum Wasser und das der Gelatine sollte eine leichtflüssige Auflösung geben, welcher dann noch ein gleiches Volumen Weingeist (Spiritus) zugesetzt wird, indem ohne diesen Zusatz die auf die Glastafel gegossene Masse bald erkalten und sich ungleich ausbreiten würde, während mittelst des Spiritus dieselbe sich leicht und gleichförmig ebnet.

Das geeignetste Mischungsverhältniß hierfür geben 2 Gewichtstheile Gelatine in 5 Theilen Wasser aufgelöst, mit einem Zusatze von 3 Theilen Weingeist. Das Gefäß muß jedoch nach dem Zusatze des Spiritus bedeckt werden, damit derselbe nicht verflüchtige; auch bedient man sich beim Aufgießen dieser Flüssigkeit gewöhnlich eines zinnernen Gradirgefäßes *), damit man genau bemessen kann, wie viel von dieser Masse für eine Tafel erforderlich ist, um einen weder zu schwachen noch zu starken Lacküberzug zu erhalten; wobei vor dem Aufgusse die Tafel einen leichten Anflug von Oel bekommen muß, um das Anhaften des Leims an der Glastafel zu verhindern.

Die übrige Manipulation geschieht in folgender Weise: Nachdem die erforderliche Masse ins Gradirgefäß gebracht, wird dieselbe in lauwarmem Zustande, in welchem sie eine syrupähnliche Konsistenz angenommen, auf die staubfreie und schwachgeölte Glastafel gegossen, und dann die Tafel hin und her geschwenkt, bis alle Theile derselben von der Masse überzogen sind, worauf sie an ihre bestimmten Plätze in der Stellage gelegt und so in gleicher Weise mit dem Aufgusse der übrigen Tafeln fortgesetzt wird.

Nach Verlauf einer Viertelstunde, wo nun die flüssige Masse auf der Glastafel stockig zu werden beginnt, wird dann das zu lackirende Bild auf der Rückseite mit einem Wasserschwamme gleichmäßig befeuchtet und auf diese Leimmasse gelegt, wobei die dazwischen entstehenden Luftblasen mit den Fingern nach den Rändern zu vertreiben sind, und

---

*) Dieses Gefäß aus Zinn oder Glas ist inwendig mit einer Skala bezeichnet, wodurch das gleiche Volumen flüssiger Masse für jede Tafel ermittelt werden kann.

besonders darauf zu sehen ist, daß die Bildränder gut anhaften. In diesem Zustande bleibt dann das Ganze zwei
bis drei Tage, bis zum vollständigen Trocknen auf der
Stellage liegen, worauf mit einem stumpfen Messer um
die Papierränder die Masse weggeschnitten, und das Bild,
welches nun den Leimaufguß fest an sich hält, abgezogen
wird.

Selbstverständlich müssen Rahmen und Glas der gebrauchten Tafeln von dem anhängenden Leim sorgfältig
gereinigt werden, bevor dieselben wieder benutzt werden.

Gleichwie die früher schon erwähnten Gelatinetafeln
mit Kollodium gefirnißt, wasserdicht und biegsamer
werden, ohne ihre Durchsichtigkeit zu verlieren, ebenso kann
auch der Gelatinelackirung obige Eigenschaft hierdurch gegeben werden wodurch sie an praktischem Werthe gewinnt.

5) Kollodium als Firniß für Papier.

Man bereitet diesen Firniß aus 1 Theil Kollodium,
welcher mit $\frac{1}{32}$ Ricinusöl versetzt wird. Derselbe kann
unmittelbar auf Papier angewendet werden und hat wesentliche Vortheile vor Terpentinöl- und Weingeistfirnissen, er
trocknet nämlich äußerst schnell, schlägt nicht durchs Papier,
kann also sogleich angewendet werden und wird von öligen
und weingeistigen Flüssigkeiten nicht angegriffen.

Landkarten, Kalender, Tabellen, Aufschriften ꝛc. damit
überzogen, bleiben jahrelang unverändert glänzend und geschmeidig und zeigen nur später einen schwach gelblichen
Stich und sind von Unreinigkeiten mittelst Wasser leicht zu
reinigen.

Zeigen sich beim Auftragen des Firniß, das mehrmals geschehen muß, weiße Stellen, so sind diese leicht
durch Benetzung mittelst Aether zu entfernen.

6) Etiquettenlack.

Der sogenannte Etiquettenlack wird jetzt in vielen Fabriken hergestellt, von denen z. B. Knauth u. Weidinger

in Dresden, Stauber u. Weiching in Frankfurt a. M., J. F. Meisinger in Rappenau (Baden), Schramm u. Hörner in Offenbach u. s. w. ganz gute Fabriken sind. Auch die Händler mit lithographischen Utensilien führen ebenfalls diesen Lack; so Klimsch u. Co. in Frankfurt a. M., Gatterricht u. Reuchlin in Stuttgart u. s. w.

Da es Spirituslack ist, so widersteht er natürlich jeder Feuchtigkeit und schützt die Broncefarben vor Schwarz= werden.

Bei Anwendung des Lackes ist Grundbedingung ein erwärmtes Lokal von wenigstens 12 bis 14°, nur müssen auch die Bogen diese Temperatur angenommen haben, sonst wird der Firniß blind oder milchig.

Man bedient sich zum Auftragen eines in Blech ge= faßten Haarpinsels von ungefähr 10 bis 12 Centimeter Breite (siehe **Taf. XII, Fig. 140**).

In ruhigen parallel nebeneinander laufenden Strichen wird der Bogen zwei bis drei Mal nach verschiedenen Rich= tungen überstrichen, einige Augenblicke liegen gelassen, damit der Lack sich vollkommen gleichmäßig verlaufen kann und dann zum vollständigen Trocknen, und zur Erzielung eines möglichst hohen Glanzes an den warmen Ofen ge= halten oder in eine zu diesem Zwecke hergerichtete von gelindem Feuer umgebene Röhre (ungefähr wie die Brat= röhren) gelegt. In einigen Sekunden ist der Bogen voll= ständig trocken. Diese Art des Lackirens ist jetzt in sehr vielen Geschäften eingeführt, geht schnell, und giebt einen Glanz, der den gelatinirten Sachen nicht viel nachsteht.

Anhang.

Zinkographie, Kupfer- und Stahldruck auf chemischem Weg, anastatischer Druck und Heliographie.

Die Beschwerlichkeit, sich die zum Steindrucke geeigneten Platten von ihrem Gewinnungsorte zu verschaffen, der Umstand, daß die Aufbewahrung derjenigen Steinplatten, welche man, in Hinsicht auf ungewissen oder wiederholten Absatz, nicht ganz ausdrucken konnte, beschwerlich, platzraubend und kostspielig ist, hat schon den Erfinder des Steindrucks, auf die Idee gebracht, die Lithographiesteine zum chemischen Drucke, durch ein anderes Material zu ersetzen. Das erste Resultat dieser Bemühungen waren Senefelders lithographische Steinpappen, die indeß durchaus keine praktischen Vortheile gewährten und daher bald der verdienten Vergessenheit übergeben wurden. Unter manchen andern Materialien hat sich bis jetzt das Zink als das beste bewiesen, und mehrere Künstler haben sich dergestalt mit Vervollkommnung des Verfahrens abgegeben, daß man jetzt bereits ausgezeichnete und in der Gravir- und Federmanier, den besten Kupferstichen kaum nachstehende Resultate davon erlangt hat.

Es kann keineswegs unser Zweck sein, in diesem Lehrbuche des Steindruckes den Zinkdruck umständlich abzuhandeln; indessen wollen wir doch, da über denselben noch nichts Genügendes im Zusammenhange geschrieben wurde, die Resultate fremden Forschens und mehrere Versuche, die unter unsern Augen gemacht wurden, dergestalt zusammenstellen, daß der Künstler, der sich geneigt fühlt, deshalb Versuche anzustellen, dadurch auf den rechten Weg geleitet werde, auf dem er zu genügenden Resultaten gelangen kann.

Die Zinkographie zerfällt in zwei Branchen, nämlich in den rein chemischen Theil und in den chemisch-mechanischen Theil, je nachdem die Bearbeitung der Platte mittelst chemischer oder mechanischer Hilfsmittel bewirkt wurde. Wir wollen über beide Branchen das Nöthige beibringen.

A. Rein chemischer Theil.

Bei der Zinkographie nach dieser Methode wird die Zeichnung mittelst chemischer Reagentien auf die Platte gebracht, diese dann chemisch präparirt und gedruckt.

Man bedient sich zur Zinkographie des Zinks in Plattenform. Früher, ehe der Zink in der Architektur und zu anderen Zwecken der Technik eine so bedeutende Anwendung gefunden hatte, mußten die Platten besonders gegossen und dann in der Temperatur, wo der Zink hämmerbar ist, in großen Streckwerken gewalzt werden. Dieses Walzen muß in sich kreuzender Richtung geschehen, damit das Metall nicht die faserige Textur annehme, welche es erhält, wenn es stets nur nach einer Richtung durch die Streckwalzen geht. Jetzt erhält man indessen gute und tadellose Zinkplatten in den Niederlagen der Zinkwerke bereits in Blechform, vorräthig, oder kann dieselben dort leicht bestellen.

Dieses graue Metall, welches in der Natur gediegen und als Galmei (kohlensaures Zinkoxyd) sich vorfindet, ist in Blöcken von krystallinischem Gefüge und glänzendem

Weishaupt, Steindruck. 32

Bruch; es hat die Eigenschaft unter Einwirkung einer Säure sich zu verseifen, weshalb es zum Drucke verwendbar ist. Das in gewalzten Platten in den Handel kommende enthält immer 1/5 Blei, indem es sonst nicht gut streckbar wäre.

Die rauhe und oft noch stark oxydirte Oberfläche der Zinkbleche muß mit einem starken Schaber oder einem an den Ecken etwas rundlich geschliffenen Hobeleisen entfernt werden; letzteres ist vorzuziehen. Das Eisen wird beim Gebrauche fast senkrecht, oben etwas abgewendet, auf die Platte gesetzt, mit der Linken oben, mit der Rechten unten gehalten, und unter kräftigem Druck und Schub schabend über die Platte fortgeführt. Dies muß in kreuzender Richtung und jedes Mal über die ganze Fläche der Platte geschehen, da sonst die Platte leicht uneben wird.

Ist die Platte auf solche Weise aus dem Rohen geschabt, so arbeitet man sie mit der Ziehklinge vollends eben und schleift sie dann mit Kohle glatt. Hierzu ist Tannen- oder Lindenkohle zu wählen, und die Kohlen aus den dünnen Aesten greifen besser, als die aus dem Stammholze; die Rinde macht Kritzen und muß beseitigt werden, von den Kohlen aber müssen während des Schleifens beständig mehrere in Wasser liegen, die man abwechselnd braucht. Das Wasser muß rein und vollkommen sandfrei sein; denn selbst das feinste Sandkorn macht Kritzen in die Platte. Das Schleifen geschieht ebenfalls kreuzweis, erst nach der Länge, dann nach der Breite der Platten, welche während des Schleifens oft, um ihre Fortschreitung beobachten zu können, abgespült werden müssen. Ist eine Platte fein geschliffen, so bedarf sie in den meisten Fällen keiner weiteren Politur; will man dieselbe aber poliren, so geschieht dies nach der gewöhnlichen Weise mit einem Polirstahle, doch darf man dabei weder Fett noch Oel anwenden. Ist dies aber dennoch geschehen, so erwärme man die Platte leicht, damit das Oel ausschwitze und reinige sie nach einigem Erkalten mit einer starken Kaliauflösung und Terpentinöl, worauf man sie mit dem feinsten unfühlbaren Kohlenpulver abreibt.

In England giebt man den Zinkplatten dadurch, daß man feines Schmirgelpulver aufpudert und dasselbe mittelst eines Läufers oder Lederballens einreibt, ein Korn, dessen Feinheit sich nach der darauf zu machenden Arbeit und der Feinheit des aufgestaubten Pulvers richtet; diese Operation ist aber zu Schriftsachen nicht nöthig, und in keinem Falle darf das Korn tief sein.

Das Zerschneiden der Zinktafeln zur gehörigen Größe vollziehe man nicht mit der Schere, da dabei die Ränder zackig und verbogen werden, sondern man ziehe die Schneidelinie sehr tief mit einem scharfen stählernen Reißer vor, und breche die Platte über der Tischkante rasch ab. Noch besser und gerader bricht sie, wenn man den Riß der, zuvor an der Schneidestelle mit etwas Fett dünn bestrichenen Platte, mit einem Pinsel mit Salpetersäure bestreicht und dann einige Tropfen Quecksilber aufgießt, worauf sich der Zink hier sogleich amalgamirt und bequem abgebrochen werden kann.

Die fertig polirte und nach Befinden gekörnte Platte wird nun dergestalt auf einen Holzblock genagelt, daß ihre Ränder auf die Seitenfläche des Blockes übergreifen und also seitwärts befestigt werden. Diese Operation ist nöthig, um der Platte in der Presse eine sichere Lage zu geben, und man darf nicht fürchten, daß sich die Platte, wie die Kupferplatten in der Presse, krumm ziehen oder ausdehnen werde, da der Druck, dem sie ausgesetzt wird, nicht so bedeutend ist, um das Metall zu strecken.

Statt der Holzunterlage dürfte sich besser eine plan abgedrehte Platte von Eisenguß eignen, auf welcher die Zinkplatte an zwei ihrer abgebogenen Seiten mit je zwei Schräubchen befestigt wird.

Nun bereitet man die Platte zur Aufnahme der Schrift oder Zeichnung vor. Dies geschieht mittelst einer Auflösung von ätzendem oder basisch kohlensaurem Kali oder Natron, mit welcher man die Platte überzieht und sie trocken werden läßt.

Es reicht indessen schon hin, die rein geschliffene Platte mit verdünntem Scheidewasser flüchtig, doch genau und

32*

überall gleichförmig zu überwischen und dann sogleich mit reinem Wasser abzuspülen, nicht abzureiben, und dann trocken werden zu lassen.

Die Zeichnung geschieht mit denselben Materialien und auf dieselbe Art, wie bei der Lithographie; auch die Präparatur ist derjenigen, welche beim Steindrucke angewendet wird, analog. Das Aetzwasser erhält man, indem man 40 Gramm Galläpfelpulver in $^5/_8$ Kilogrm. Wasser kocht und bis auf ein Dritttheil einsieden läßt, dann durchseiht und 7 Gramm Salpetersäure nebst 4 Tropfen Salzsäure zusetzt. Zartere Gegenstände erfordern eine schwächere Aetzung, und die Dauer der letzteren richtet sich nach der Stärke der Zeichnung: gewöhnlich reichen zwei Minuten hin, doch scheint eine etwas längere Dauer nicht schädlich zu sein. Das Aetzen selbst geschieht entweder, indem man einen 2 Centim. hohen Rand von Klebewachs um die Platte macht und das Aetzwasser aufgießt, oder indem man die hintere Seite der Platte mit Fett oder Aetzgrund überzieht und dann die ganze Platte in das Aetzwasser legt. Durch die Aetzung entsteht auf der Platte eine chemische Mischung, indem die Seife als Basis der Tinte rc., mit der Säure eine Metallseife — oleomargarinsauren Zink — bildet, der im Wasser unauflöslich ist. Nachdem die Zeichnung geätzt ist, wird sie mit einer dünnen Auflösung von reinem arabischen Gummi überstrichen und, nachdem sie einige Stunden angezogen hat, wie eine lithographische Zeichnung gedruckt. Eine aus dem Druck gesetzte, noch brauchbare Platte muß ebenfalls mit einer Gummischicht überzogen werden.

Der Umstand, daß der oleomargarinsaure Zink in Terpentinöl auflösbar ist, giebt das leichteste Hilfsmittel für die Korrekturen, indem man nur den fehlerhaften Theil mit Terpentinöl zu verwischen, dann mit einem Estompirwischer, wie man einen solchen bei Kreidezeichnungen braucht, und etwas Schlämmkreide die Platte wieder rein und blank zu machen, und das Richtige an die Stelle des vorigen zu zeichnen braucht. Aus eben dem Grunde muß man aber auch während des Druckes alles Terpentinöl von der Platte fern halten.

Für diejenigen, welche zu jeder Arbeit gern besonderes Material haben, geben wir hier zwei Recepte zu einer chemischen Tinte und Kreide, welche wir für Zinkographie sehr bewährt gefunden haben.

Zur chemischen Tinte nehme man:

9 Theile Wachs,
4½ „ Seife,
2 „ Schellack.
1½ „ Sandarack,
1 „ Kienruß

und bereite sie genau wie die lithographische Tinte.

Zur chemischen Kreide für die Zinkographie nehme man:

4 Theile Wachs,
2 „ Talg,
5 „ Seife,
1 „ Kienruß,

oder auch:

2 Theile Schellack,
4 „ Wachs,
4 „ Seife,
1 „ gutgebrannten und kalcinirten Kienruß.

· Diese Sorte ist etwas härter, als die vorige.

Die Bereitungsart ist dieselbe, wie bei der lithographischen Kreide.

Der Druck der zinkographirten Platten kann in jeder guten Steindruckpresse bewerkstelligt werden; die Druckfarbe ist dieselbe wie die zum Steindruck angewendete, und auch das Verfahren mit dem Anfeuchten, Einwalzen ꝛc. ganz dem in der Lithographie angewendeten analog.

Daß in der Zinkographie auch der Ueberdruck mit ebensoviel und noch vielleicht mehr Leichtigkeit angewendet werden kann, als in der Lithographie bedarf wohl kaum der Erwähnung. Man wendet dabei die lithographische Ueberdrucktinte und das Ueberdruckpapier an und ätzt die Platte nach vollendetem Ueberdrucke nach Art der Feder-

zeichnung, wie oben angegeben. Das Aetzwaſſer beſteht
aus 100 Theilen Waſſer auf 1 Theil Salpeterſäure. Will
man ſehr viele Abdrücke von dem Ueberdrucke abziehen,
ſo muß man, nachdem der dünne Gummiüberzug trocken
iſt, die Zeichnung mit Konſervir= oder Aetzfarbe, der kein
Terpentinöl beigemiſcht ſein darf, ſanft anreiben, dann
den Gummiüberzug auflöſen und abſpülen, noch einmal
mit der Walze Aetzfarbe auftragen und dann mit gewöhn=
lichem Aetzwaſſer nachätzen und eine neue Gummiſchicht
aufbringen.

Zur Kreidemanier wird die glattgeſchliffene Platte
mit ſehr feinem Silberſande überſiebt und dann mit einem
ebengeſchliffenen feinen Bimsſteine gekörnt. Beim Zeichnen
muß man ſelbſt die tiefſten Schatten transparent halten
und nachher das Aetzen mit ziemlich verdünnter Säure
bewirken, die tiefſten Schatten aber mit ſtärkerer Säure
mit dem Pinſel nachätzen. Die erſten Abdrücke werden
leicht mit einer nicht zu weichen, aber viel Ruß enthalten=
den Farbe eingeſchwärzt.

B. Chemiſch=mechaniſcher Theil.

Bei dieſer Branche wird die Zeichnung auf mecha=
niſchem Wege auf die Platte gebracht, der Druck ſelbſt
aber iſt chemiſch. Dieſe Manier der Zinkographie ſchließt
die Gravirung, Radirung und die Aquatinta in ſich.

Die Platten werden ganz auf die oben beſchriebene
Manier zubereitet, geſchliffen und polirt, dürfen aber nie
ein Korn erhalten. Soll die Platte dann gravirt werden,
ſo wird ſie, ohne alle weitere Vorbereitung, wie eine
Kupferplatte mit dem Grabſtichel bearbeitet und vollendet.
Soll ſie jedoch radirt werden, ſo trägt man einen Aetz=
grund auf, welchen man folgendermaßen bereitet.

Man gebe 120 Gramm burgundiſches Pech in einen
gut glaſirten irdenen Topf, laſſe es über gelindem Feuer
zergehen und ſchwenke dann den Napf ſo, daß er innen
ganz mit dem Pech bedeckt ſei; dann ſetze man 120 Gramm
reinen, ächten (nicht künſtlichen) Asphalt zu, den man

zuvor in einem Wedgwood-Mörser fein gepulvert hat und der sich bei vermehrter Hitze und stetem Umrühren leicht mit dem Pech verbindet. Wenn der Asphalt ganz im Flusse ist, erhält man ihn so mindestens eine Viertelstunde, worauf man die Hitze etwas mindert, aber stets fleißig umrührt. Dadurch verdampfen die wässerigen Theile des Asphaltes und dieser verbindet sich mit dem wesentlichen Oele des Terpentins. Ohne diese Vorsicht verdunstet der Aetzgrund erst später auf der Platte, wird dort rissig oder springt gar ab. — In die so bereitete Mischung thut man 180 Gramm Jungfernwachs und rührt Alles gut um, während man es etwa zehn Minuten gut kochen läßt. Dann nimmt man die Masse vom Feuer, setzt 60 bis 90 Gramm Terpentinöl zu, und bringt diese Masse noch einmal über Kohlenfeuer, wo sie gut durcheinander gerührt und dann in wohlverschlossener Flasche aufbewahrt wird. Vor dem Gebrauche muß man jedoch die Konsistenz des Aetzgrundes der Probe unterziehen. Ist er zu weich, so ätzen sich die Linien später franzig, ist er zu hart, so springt er während der Arbeit ab.

Hat man die Verhältnisse nicht genau gehalten, so breitet sich der Grund schlecht aus und man muß ihn umschmelzen und etwas Burgunder Pech zusetzen. Asphalt macht den Grund zähe und dicht. Fehlen daher diese Eigenschaften, so muß man Asphalt zusetzen, den man jedoch zuvor in Pech auflösen muß, da er sonst nicht an das Wachs geht. Ist der Grund zu hart, so muß man etwas Wachs zusetzen.

Beim Gebrauch verdünnt man denselben mit Terpentinöl, gießt dann soviel als man zu verwenden denkt, in einen Topf und trägt den Aetzgrund mit einem breiten Pinsel sehr gleichmäßig auf die Platte auf. Sobald sich das Terpentinöl verflüchtigt hat, ist der Grund hart.

Die damit grundirte Platte wird nun, nach Art der Kupferplatten, mit einer Wachsfackel angeraucht und ist zur Arbeit fertig.

Auf derselben wird nun die Zeichnung mit einer Radirnadel, nach allen Gesetzen der Kunst aufgetragen und vollständig, wie bei der Radirung in Kupfer, ausgearbeitet, dann mit einem Wachsrande umgeben und geätzt. Das Aetzwasser ist verdünnte Salpetersäure und bedeutend schwächer als zum Kupfer, etwa fünfgradig. Die während der Aetzung sich bildenden Luftblasen werden mit einer Tauben=feder abgekehrt, und wenn die hellsten Partien tief genug geätzt sind, etwa nach $1^1\!/_2$ Minute, das Aetzwasser abge=gossen, die Platte rein gewaschen, getrocknet und die hell=sten Partien dann mit einem Deckgrunde aus Pech und Wachs, in Terpentinöl aufgelöst, gedeckt; dann wird das Aetzwasser wieder aufgegossen, wieder etwa zwei Minuten geätzt, abgegossen, gewaschen, getrocknet, die zweiten Par=tien gedeckt, wieder geätzt, und so fort, bis zu den dunkel=sten Partien. Ist die Platte der Meinung des Künstlers zufolge, vollendet, so wird der Aetzrand abgenommen, die Platte rein gewaschen und kommt mit dem Aetzgrunde in die Druckerei, wo sie präparirt wird.

Zu diesem Zwecke nimmt der Drucker die Platte und reibt sie mit Druckfarbe ein. Diese Druckfarbe legt sich in die Gravirung und wenn die Platte gänzlich so eingerieben ist und alle Theile gut angenommen haben, wird etwas Terpentinöl auf die Platte gebracht, welches dann den Aetz=grund auflöst, den man mit Lappen ganz von der Platte entfernt und dieselbe dann rein putzt, so daß jede Spur von Fett entfernt ist. Alsdann überzieht man die Platte mit einer Auflösung von kohlensaurer Soda in Wasser, der man etwas Gummiauflösung zugesetzt hat, und trägt dann eine Gummischicht auf die Platte. Nachdem dieselbe einige Minuten darauf verweilt hat, reinigt man die Platte wieder und zieht einen Probedruck ab. Das weitere Ein=schwärzen geschieht mit einer Druckfarbe, wie bei den gra=virten Steinen und die Platte wird jedesmal mit der oben angegebenen, jedoch sehr verdünnten, Sodaauflösung .ge=feuchtet. Der Abdruck geschieht auf der Kupferdruckpresse, und die Platten werden nicht aufgenagelt.

Ebenso werden die wirklich gestochenen Platten be=handelt, welche man zum ersten Male, wie Kupferplatten, einreibt, dann höchst sorgfältig reinigt und präparirt.

Nehmen die Platten während des Druckes Schmutz an, so reinigt man sie behutsam mit reiner, schwacher Pottaschenlauge und präparirt sie dann von Neuem, doch muß man sie vorher gut einschwärzen.

Durch die Präparatur werden die Zinkplatten auf der Oberfläche fast glashart, und wir haben Abdrücke von solchen Platten gesehen, wo der zweitausendste, ohne daß die Platte aufgestochen wäre, die feinsten Lineamente in derselben Stärke zeigte, als der erste.

Wir geben hier noch ein Paar andere Manieren der Zinkographie, die sich bei gewissen Vorkommenheiten, namentlich wo es sich darum handelt, die eigenhändige Arbeit eines Künstlers wiederzugeben, mit Vortheil werden anwenden lassen.

Die vertiefte Federmanier.

Bei derselben wird die gut geschliffene und etwas mattgeätzte Platte durch Abreiben mit feiner geschlämmter Kreide von allem Fett gereinigt und dann mittelst der Feder und einer Tinte, die aus zwei Theilen Zinnober und einem Theile Kienruß mit Gummilösung soweit versetzt, daß sie noch bequem aus der Feder geht (also wie dick angeriebene Tusche), die Zeichnung, vollständig wie auf Papier, ausgeführt. Man kann auch mit dem Pinsel zeichnen. Die vollendete Platte wird nun mit Aetzgrund nach der gewöhnlichen Weise grundirt, und nach dem Trocknen in ein Gefäß mit kaltem Wasser gelegt. Nach etwa einer halben Stunde beginnt man mit einem Ballen von feinem Leder oder den Spitzen der Finger den Aetzgrund an den Stellen, wo gezeichnet ist, abzureiben, was sehr bequem geht, und man wird, wenn man vorsichtig gewesen ist, sehr bald die Zeichnung fehlerfrei hell in dem dunklen Aetzgrunde stehen sehen, worauf man die Platte aus dem Wasser nimmt und trocken werden läßt. Alsdann müssen diejenigen Stellen, wo man den Aetzgrund etwa verletzt hat, mit in Terpentinöl verdünntem hartem Aetzgrunde wieder reparirt werden. Darauf beginnt man das Aetzen

mit verdünnter Salpetersäure und verfährt dabei ganz wie
beim Aetzen einer radirten Platte, indem man die leichten
Töne einmal ätzt, dann deckt, darauf noch einmal ätzt, die
zweiten Töne deckt und so fort durch alle Töne bis die
Platte vollendet ist, worauf man den Aetzgrund abnimmt,
die Platte selbst aber präparirt und druckt.

Die vertiefte Kreidemanier. Hierzu macht man
die Platte, welcher man allenfalls ein ganz feines Korn
geben kann, etwas warm und überzieht sie mit Unschlitt,
das man bald darauf so weit wieder abnimmt, daß nur
ein Hauch davon auf der Platte bleibt; dann trägt man
den Aetzgrund auf. Dieser besteht aus 3 Theilen weißem
Wachs, 2 Theilen Asphalt und 1 Theil Unschlitt und
wird nach dem Einschmelzen sehr stark abgebrannt und
dann mit Terpentinöl verdünnt, so daß er teigartig wird.
Mit diesem terpentinhaltigen Grunde wird die mit Unschlitt überzogene Platte mittelst eines Ballens so dünn als
möglich gegründet, und es ist rathsam die erste Grundirung
noch mit einem guten reinen Ballen, oder dem Ballen der
Hand recht gleichmäßig zu vertheilen. Die Platte wird
dann angeraucht und, wenn sie erkaltet ist, mit gefeuchtetem, feinkörnigem, nicht geglättetem dünnem Velin-
papier dergestalt überzogen, daß die Ränder auf die Rückseite der Platten umgeschlagen und dort festgeklebt werden;
zwischen den Aetzgrund, und das Papier darf aber weder
Leim noch Staub kommen. Auf dieses Papier wird nun
die Zeichnung mit Bleistift oder etwas harter Kreide in
Strichmanier kräftig ausgeführt. Nimmt man dann das
Papier behutsam ab, so hebt sich von der bezeichneten
Stelle der Aetzgrund mit dem Papiere ab, und die Zeichnung steht nun blank auf dem Aetzgrunde. Beschädigte
Stellen werden mit verdünntem Aetzgrunde und dem Pinsel
durch Punktiren ausgebessert, und die Platte dann mit den
gewöhnlichen Handgriffen geätzt und gedruckt.

Will man in Aquatintamanier arbeiten, so bereitet
man die Platte genau, wie die für diese Manier bestimmten Kupferplatten, vor, d. h. man radirt und ätzt die
Kontouren, giebt dann der Platte mit gepülvertem Mastix

entweder ein trocknes oder Siebkorn, das man anschmelzt, oder mit in Weingeist aufgelöstem Mastix ein Streichkorn, deckt dann alle Partien, welche weiß bleiben sollen, mit Deckgrund, ätzt nacheinander die verschiedenen Töne und behandelt die vollendete Platte, wie wir oben bei der radirten Manier angegeben haben.

So angenehm auch die Effekte der Aquatinta an und für sich sind, so haben uns doch die damit angestellten Versuche belehrt, daß dieselbe für die Zinkographie nur beschränkte Anwendung gestattet, da eine, selbst mit der größten Sorgfalt gepflegte Platte, kaum vierhundert gute Abdrücke liefert.

Bisweilen kann der Fall eintreten, daß man von einer gestochenen oder radirten, kurz in irgend einer vertieften Manier gearbeiteten Kupfer-, Stahl- oder Zinkplatte sehr rasch eine große Anzahl von Abdrücken bedarf, welche bei dem Drucke mit der Kupferdruckpresse nicht zu beschaffen ist. Hier kann man durch ein besonderes Ueberdrucksverfahren die vertiefte Platte in eine beliebige Anzahl erhabener verwandeln und diese dann auf einer oder mehreren Steindruckpressen gleichzeitig, mit der vertieften in der Kupferdruckpresse, drucken, wodurch natürlich die Arbeit sehr beschleunigt wird.

Zu diesem Zwecke nimmt man von der vertieft gearbeiteten Platte soviel Abdrücke, als man neue Platten haben will, und zwar mit einer Schwärze von folgender Zusammensetzung: 9$\frac{1}{5}$ Theile Schellack, 3 Theile venetianischer Terpentin, 4$\frac{3}{5}$ Theile gelbes Wachs, 1$\frac{1}{2}$ Theile Talg, 12$\frac{3}{10}$ Theile harte Seife, nebst der zum Färben erforderlichen Menge Kienruß. Nachdem man die Substanzen gut zusammengeschmolzen hat, brennt man sie 10 Minuten unter stetem Umrühren.

Der Rückstand zieht aus der Luft Feuchtigkeit an, so daß er sich beim Zerreiben in einem Steinmörser in einen sehr festen Teig verwandelt. Ein Theil dieser Schwärze mit 2 Theilen lithographischer Druckfarbe bildet die Ueberdruckschwärze. Der Abdruck selbst geschieht auf ein chinesisches Papier, das man mit einem durchsichtigen Kleister

aus feinstem Mehl und Bier grundirt hat. Die auf so
vorbereitetem Papier gemachten Abzüge druckt man nun
auf die bekannte Weise auf soviel Platten über, als man
bedarf, und präparirt dieselben mit einem Galläpfelabsude
aus 2 Theilen Galläpfeln und 18 Theilen Wasser. Das
Aetzwasser läßt man 5 bis 10 Minuten auf der Platte
stehen, damit dasselbe das Alkali der Ueberdruckschwärze
neutralisire, dieselbe hart mache und bewirke, daß sie nicht
austreten kann, wenn sie beim Abdrucke mit Wasser genetzt
wird. Dann werden die Platten vollends, wie gewöhnlich,
geätzt, präparirt und gedruckt. Unter diesen angedeuteten
Manieren wird bis jetzt hauptsächlich nur der Ueberdruck
und manchmal die Gravir-Manier benutzt.

Wenn auch auf Zink nur geringere Sachen von großen
Dimensionen gedruckt werden können, so dürfte dies schon
als ein großer Vortheil zu betrachten sein, weshalb die
Zinkographie alle Aufmerksamkeit verdient.

Der Kupferdruck auf chemischem Weg.

Bekanntlich hält eine gestochene Platte nach dem gewöhnlichen, gegenwärtig noch unveränderten Kupferdruck-
verfahren, höchstens 2500 bis 3000 Abdrücke aus, wobei
das letzte Drittel schon bedeutend an Schärfe abnimmt.
Für Gegenstände z. B. Karten, die eine größere Auflage
erfordern, dürfte daher ein Druckverfahren, mittelst welchem
eine bedeutend große Anzahl gleich guter Abdrücke erzielt
werden kann, ohne daß die Platte hierdurch Schaden leidet,
besonders vortheilhaft sein.

Ein derartiges Verfahren wurde schon 1812 von
meinem Vater Franz Weishaupt beim Kupfer- und
Stahlplatten-Drucke vielseitig in Anwendung gebracht,
wobei sich dasselbe als ausgezeichnet zweckdienlich erprobt
hatte.

Dieses Verfahren für große und kleine Platten jeder
Kupferdruckmanier gleich vortheilhaft anwendbar, liefert zudem noch reine und scharfe Abdrücke, deren tiefes Schwarz
nicht mit der Zeit gelb wird, und zwar in kürzerer Zeit
als wie das gewöhnliche Druckverfahren, wobei selbst bei

der größten Anzahl Abdrücke die Platte nicht angegriffen, und deren Präparatur augenblicklich wieder aufgehoben und selbst ohne Nachtheil beliebig die gewöhnliche Druckbehand= lung fortgesetzt werden kann.

Die Behandlungsweise hierbei ist folgende:

Nachdem die Platte zuerst nach Art der Kupferdrucker ganz voll mit gewöhnlicher Farbe eingerieben und deren Oberfläche rein gewischt ist, überfährt man dieselbe mehr= mals mit nachstehender Präparatur mittelst eines leinenen Haderns, wodurch ihre Oberfläche die Eigenschaft erhält, die Farbe abzustoßen, und nur der Stich diese aufnimmt.

Zur Präparatur werden:

1) 2 Theile gut kalcinirte Pottasche in 10 Theilen Wasser aufgelöst, etwas gekocht und, nachdem diese Lauge klar geworden in einem verpfropften Glase aufbewahrt und

2) arabisches Gummi in Wasser bis zur Syrupdicke aufgelöst.

Ist nun die Platte mit obiger Lauge, dann mit der Gummiauflösung überwischt, so wird dieselbe mit nachstehen= der Druckfarbe mittelst eines leinenen Haderns eingerieben, mit einem zweiten trocknen Hadern abgeputzt und zuletzt mit einem dritten befeuchteten Hadern blank gemacht.

Zum Befeuchten desselben wird reines Brunnenwasser mit etwas Lauge und Gummi vermischt. — Das Abdrucken geschieht auf die gewöhnliche Weise.

Die Druckfarbe besteht aus feiner Frankfurterschwärze, welche mit Wasser fein abgerieben und dann getrocknet wird, und aus gebranntem Ruße. Jede dieser Farben muß gesondert mit dünnem Leinölfirnisse fein abgerieben werden, so daß sie eine Masse bilden, welche sich mit der Spatel schneiden läßt.

Man vermischt dann 2 Theile Frankfurterschwärze mit 1 Theil Rußfarbe, bei kräftig tiefem Stiche darf auch mehr Ruß genommen werden, welche Mischung nun mit Terpentinöl gehörig verdünnt, und derselben etwa 1 Theil Lauge und 2 Theile Gummi zugesetzt wird.

Diese Mischungsverhältnisse richten sich lediglich nach der zu druckenden Platte; so ist z. B. bei leicht oder

zart geätzten oder radirten, oder geschabten Platten noth=
wendig, daß man die Farbe statt mit Lauge und Gummi,
mehr mit reinem Terpentinöl verdünnt.

Eine gehörig gemischte Farbe soll sich auf der Ober=
fläche der Platte nicht anhängen, wäre dies der Fall, so
müßte mehr Gummi beigemischt werden.

Auch geschieht es oft, daß die Farbe zu fest wird,
wo dann etwas leichter Firniß oder Terpentinöl zugesetzt
werden muß.

Sollte aber die Farbe sich beim Abdrucken quetschen,
so kann dies durch einen Beisatz von Ruß beseitigt werden.

Würde hingegen die Platte im Stiche keine Farbe
annehmen und sonach auch deren Tiefe präparirt und
daher abstoßend für die Farbe sein, so müßte die Präpa=
ratur derselben aufgehoben, nämlich die Platte mit einer
Mischung von 20 Theilen Wasser und 1 Theil Scheide=
wasser mittelst eines Haderns schnell überwischt, mit einem
reinen Tuche abgetrocknet, und so wie anfangs eingeschwärzt,
und dann von Neuem präparirt werden.

Der anastatische Druck.

Die Seltenheit der Bücher aus den ersten Zeiten nach
der Erfindung der Buchdruckerkunst, sowie mancher Kupfer=
stiche und Holzschnitte großer Meister, hatte bei den Samm=
lern alter Drucke und Kunstblätter den Wunsch rege ge=
macht, durch irgend ein Verfahren eine Vermehrung dieser
Gegenstände zu erlangen, so jedoch, daß die erhaltenen
Kopien den Originalien täuschend ähnlich, ja durchaus
nicht von ihnen zu unterscheiden sein sollten, so daß man
die Kopie für das Original zu halten gezwungen würde.
Dies konnte aber nur dann geschehen, wenn man durch
irgend ein Verfahren von dem Originale selbst eine Platte
erzeugte, mittelst deren man die Kopien druckte, also gleich=
sam die seit Jahrhunderten vernichteten Platten wieder
neu arbeitete. Das in der Lithographie längst ent=
deckte Ueberdrucksverfahren schien dazu den geeignetsten
Weg an die Hand zu geben, denn man hatte schon vielfach

frischen Buchdruck und frische Abdrücke von Kupfer- und Stahlplatten, wenn diese Drucke mit besonderer Ueberdrucks-farbe, ja selbst wenn sie mit gewöhnlicher Druckfarbe ge-macht waren, auf Lithographiesteine und Zinkplatten über-gedruckt und von diesen Abdrücke erhalten, welche den Originalen durchaus nicht nachstanden.

Bei dieser Ueberdrucksmethode war dann aber das-jenige Agens, auf welches sich das Wesen des Steindrucks und der erhabenen Manier des Zinkdruckes gründet, das Fett, in hinreichender Menge auf dem Originale vor-handen, um, mittelst der von uns in dem Vorstehenden gegebenen Verfahrungsarten, dergestalt auf eine andere Platte übertragen zu werden, daß die zum Stein- oder Zinkdruck erforderliche chemische Operation eingeleitet und vollendet werden konnte. Bei alten Drucken aller Art aber war die Sache eine andere. Allerdings ist auch in diesen Drucken, sobald sie nämlich aus jener Zeit her-rühren, wo man bereits mit fettiger Farbe druckte, das Fett vorhanden, welches als Agens für den Stein- oder Zinkdruck auftreten kann, aber dieses Fett ist im Laufe der Jahrhunderte dergestalt eingetrocknet und erhärtet, daß an ein Uebergehen desselben von dem Originale auf die Ueberdrucksplatte selbst unter dem schärfsten Drucke nicht die Rede sein konnte. Sollte daher hier ein Ueberdruck möglich werden, so mußte entweder das Fett in den alten Ab-drücken wieder erweicht oder gleichsam neu belebt und auf-erweckt werden, oder man mußte den Abdruck selbst so prä-pariren, daß man auf die gedruckten Züge neue Farbe legen konnte, ohne dadurch die unbedruckten Stellen des Originales zu verunreinigen; zugleich aber war es Haupt-bedingung, daß das Original in keiner Hinsicht beschädigt oder gar vernichtet werden durfte.

Diese dreifache Wiedererweckung, einmal der alten Drucke überhaupt, dann der alten Originalplatte durch neue, und endlich des Fettgehaltes in der Farbe der alten Abdrücke ließ für das neue zu erfindende Verfahren aus dem griechischen Worte ἀνάστασις (Auferweckung) den Namen anastatischer Druck wählen.

Zu Erreichung der gewünschten Resultate bot sich, wie wir bereits oben angedeutet haben, ein doppelter Weg; entweder man mußte das Fett in den alten Abbrücken wieder erweichen, oder man mußte die Abbrücke selbst so präpariren, daß nur die gezeichneten Partien in den Stand gesetzt wurden, beim Ueberfahren des Abbrucks mit einer Schwärzwalze neues Fett anzunehmen, mit andern Worten: man mußte das Princip der Lithographie vom Stein auf das Papier übertragen. — Auf beiden Wegen sind die Erfinder des anastatischen Druckverfahrens vorgegangen, und auf beiden sind glückliche Resultate erlangt worden, obschon der zweite Weg der bessere ist, da seine Resultate sicherer und ebenso genügend geworden sind. Wir wollen jetzt die Verfahrungsarten für beide Wege angeben und unsern Lesern dann überlassen, für welchen sie sich selbst entscheiden wollen.

Am nächsten lag allerdings die Wiedererweichung der Farbe; die Aufgabe dabei war, die Farbe der alten Drucke, welche gänzlich eingetrocknet war, dergestalt wieder aufzuweichen, daß sie von ihrem Fettgehalte nichts verlor, sondern nur in ihre ursprüngliche Gestalt zurückkehrte, welche sie gleich nach vollendetem Abbrucke hatte. Laugen aller Art würden die Schwärze allerdings sehr leicht auflösen, aber sie würden derselben das Fett entziehen, also in keiner Art zum Ziele führen. Das Terpentinöl, welches ein sicheres Auflösungsmittel aller fettartigen Substanzen ist, bot sich hier als das beste Auskunftsmittel dar. Das hierauf begründete Ueberdrucksverfahren bestand nun darin, daß man den alten Abbruck in eine Auflösung von Soda, Salmiak und Sauerkleesalz in Regenwasser legte, ihn darin etwa ½ Stunde ließ und darauf noch feucht mit Terpentinöl bestrich. Nach Verlauf einer Stunde war dann die alte Druckfarbe so vollständig erweicht, daß man auf einer erwärmten Stein- oder einer warmen Zinkplatte einen Ueberdruck machen konnte, welcher Fett genug enthielt um eine sehr leichte Aetzung und Präparatur der Platte zu gestatten, welche hinreichte, die weißen Stellen derselben

in soweit zu schützen, daß sie beim Einschwärzen des
Steines mit Aetzfarbe nicht verunreinigt wurden. Hatten
nun alle übergedruckten Stellen die Aetzfarbe angenommen
und man das etwa Ausgebliebene mit der Feder und chemischer Tinte oder dem lithographischen Stifte ergänzt,
so konnte die wirkliche Aetzung und Präparatur und demzufolge auch die Erzeugung neuer Abdrücke stattfinden.

Anders ist es, wenn man die alten vertrockneten
Drucke, gleichviel ob sie ein oder hundert Jahre oder noch
älter sind, mit neuer Farbe imprägniren will. Hier
muß man, wie gesagt, das Princip des Steindruckes auf
das Papier übertragen, d. h. die weißen Stellen des
Abdrucks so präpariren, daß sie beim Ueberrollen mit
einer Schwärzwalze keine Farbe annehmen, während sich
dieselben ungehindert auf die Züge der Zeichnung absetzt
und dieselbe mit neuem Fette versieht. Um das Nachfolgende verständlich zu machen, müssen wir vorausschicken,
daß, ein Fett möge es noch so sehr ausgetrocknet sein, immer
Fett bleibt und als solches nicht allein dem Wasser undurchdringlich ist, sondern auch zu andern Fetten seine
Verwandtschaft behält.

Um nun den alten Abdruck zu präpariren, legt man
denselben in eine Auflösung von Kali in Wasser, und
später in eine solche von Weinsteinsäure. In Folge dieser Einweichungen werden alle unbedruckten Stellen des
Papiers von kleinen Weinsteinkrystallen durchdrungen und
ausgefüllt, welche sich durch die Vereinigung der Weinsteinsäure und des Kalis bilden. Diese Weinsteinkrystalle
äußern gegen alles Fett eine vollkommene Abstoßungskraft
und wenn man das feuchte Papier dann mit einer Walze
mit Ueberdrucksfarbe überrollt, so wird dasselbe auf den
weißen Stellen weiß bleiben, auf den bedruckten aber wird
sich die Schwärze, wegen der Verwandtschaft der Fette begierig anhängen und die Züge der Zeichnung mit neuer
und zwar mit Ueberdruckfarbe versehen; ist dies geschehen,
so legt man den Abdruck in reines Wasser, welches die
Weinsteinkrystalle auflöst und das Papier in den alten

Zustand zurückversetzt, worauf man den Ueberdruck nach dem gewöhnlichen Verfahren auf einen Stein, oder noch besser auf Zinkplatten, vornehmen kann.

Statt der Weinsteinsäure und des Kali hat man mit Erfolg auch die gewöhnliche Steinpräparatur angewendet, d. h., man hat das Papier mit verdünnter Phosphorsäure stark genetzt, dann mit Gummiauflösung präparirt und darauf das Einwalzen vorgenommen.

Wenn der Druck, den man kopiren will, noch einigermaßen frisch ist, so kann man auf erwähnte Art, ohne Auftragen neuer Farben zum Ziele gelangen. Man legt den Abdruck, etwa 10 Minuten in sehr verdünnte Salpetersäure oder Gummilösung und bringt ihn noch feucht auf eine Zinkplatte, mit der Bildseite nach Unten in die Presse, wo man ihn unter mittelstarkem Druck des Reibers durchzieht. Die fetten Stellen des Papiers sind natürlich unbenetzt geblieben, in den weißen aber befindet sich verdünnte Salpetersäure. Beim Durchziehen ätzt diese die Stellen der Platte, die nicht vom Fette des Drucks geschützt sind und präparirt sie, während letztere Stellen beim Uebergehen mit einer Farbewalze, um so mehr, da sie immerhin ein wenig Fett aus dem Abdruck angenommen haben, das Fett der Farbe begierig ergreifen werden.

Mit Zuhilfenehmen der Galvanographie kann man auch durch den anastatischen Ueberdruck vertiefte Kupferplatten erzeugen. Man bewirkt nämlich auf eine oder die andere Weise einen anastatischen Ueberdruck auf eine vollkommen fettfreie, blankpolirte Kupferplatte, indem man noch die Vorsicht anwendet, das Papier kurz vor dem Ueberdruck mit etwas stark verdünnter Salpetersäure zu netzen. Ist der Ueberdruck vollkommen gelungen und sind etwa ausgebliebene Stellen mit lithographischer Tinte und der Feder oder dem Pinsel ausgebessert, so überziehe man die Platte auf der hintern Seite mit weichem Aetzgrund oder einer Mischung von Wachs und Talg, und verbinde sie hierauf mittelst eines Leitungsdrahtes mit dem positiven Pole einer konstanten galvanischen Batterie, oder mit dem

positiven Pole einer magnet-elektrischen Rotationsmaschine.
Mit dem negativen Pole derselben oder der negativen
Platte der vorerwähnten Batterie aber verbinde man mit=
telst eines Leitungsdrahtes ein Stückchen reines Gold;
dies aber und die Kupferplatte bringe man in ein Gefäß
mit Goldcyanid, d. h. eine Auflösung von Goldoxyd in
Cyankalium. Läßt man nun den Rotationsapparat oder
die Batterie wirken, so wird sich die Kupferplatte in we=
nigen Minuten an allen Stellen, wo keine Ueberdruckfarbe
ist, mit einer dünnen aber dichten Goldschicht überziehen,
worauf man sie herausnimmt und sowohl die Rückseite,
als die Vorderseite mit Terpentinöl vollständig reinigt.
Dann erscheint die Oberfläche der Kupferplatte glänzend
vergoldet und die Zeichnung als reines, blankes Kupfer.
Nun macht man einen Aetzrand um die Platte und über=
gießt dieselbe mit einem Aetzwasser, das aus hinreichend
verdünnter Salpetersäure besteht, worauf man das Aetzen
und Decken durch alle Töne, wie bei einer auf gewöhn=
liche Weise radirten Kupferplatte, vornimmt. Die Gold=
schicht versieht hier die Stelle des eigentlichen Aetzgrundes,
da dieselbe von der Salpetersäure nicht angegriffen wird.
Man muß sich aber vorsehen, daß man reine Salpeter=
säure erhält, da eine Verbindung von Salz= und Salpeter=
säure das Gold angreifen würde. Das Decken der ver=
schiedenen Töne geschieht mit gewöhnlichem, in Terpentin=
oder Spicköl aufgelöstem Aetzgrunde.

Uebrigens bietet das anastatische Druckverfahren, selbst
bei der sorgfältigsten Behandlung, nicht immer ganz be=
friedigende Erfolge; auch ist dasselbe durch die großen
Fortschritte der Heliographie gleichsam überflüssig ge=
worden, da hierdurch mit weit mehr Sicherheit und
Leichtigkeit die Herstellung der Druckplatten derartiger
Facsimile ermöglicht, und ebenso der Druck derselben
in der vollständigsten Weise bewerkstelligt werden kann;
wobei die Abzüge der Heliographie in der vollendetsten
Technik und dem Originale täuschend ähnlich sind, wäh=
rend die der anastatischen Druckmethode meistens das Ge=

33*

präge einer etwas rohen, mangelhaften Technik an sich tragen*).

Die Heliographie**).

Dem großen Aufschwunge der **Photographie** reihet sich die höchst wichtige Erfindung an, das photographische Bild statt wie bisher durch das Sonnenlicht und mit Hilfe von Silbersalzen, nun durch Druckerschwärze und Pressendruck zu vervielfältigen, wie einen Kupferstich, eine Lithographie oder einen Holzschnitt.

Sehr einleuchtend sind die großen Vortheile dieser neuen Kunst **Heliographie** genannt. Einmal hat die Haltbarkeit der Silberdrucke immer etwas Problematisches, wogegen die Kohle, das heißt der Farbstoff der Druckerschwärze, das einzige Pigment ist, dessen Dauerhaftigkeit über allem Zweifel steht. Ueberdies wird die Kopie durch Belichtung stets eine allzu delikate und kostspielige Operation bleiben, um den Erfordernissen der Industrie zu genügen.

Dazu kommt, daß die Heliographie, neben der leichten, schnellen und wohlfeilen Vervielfältigung, der Industrie alle die Hilfsmittel des gewöhnlichen Druckbildes gewährt, also zunächst zum Bilderdruck für Emaille, Ceramik und Tabletterie verwendet werden kann.

Die Heliographie muß zur Erreichung ihres Zweckes, das photographische Negativ in eine druckbare Platte verwandeln, und die Art und Weise wie sie dies zu bewerk-

---

*) Der **anastatische Druck** erreichte namentlich in Oesterreich im militärgeographischen Institute einen hohen Grad von Vollkommenheit, und wurde angewendet um von alten Karten im gewöhnlichen autographischen Wege, sehr gute Abdrücke in wünschenswerther Anzahl herzustellen.

Vorzugsweise wurden auch in der Wiener k. k. Hof- und Staatsdruckerei alle graphischen Kunstzweige kultivirt und zum hohen Grade der Vollkommenheit gebracht.

**) Aus der Stuttgarter Gewerbehalle theilweise entlehnt, der Abhandlung von L. Pfau „über die Fortschritte der H.liographie".

stelligen sucht, ergiebt die verschiedenen Methoden der neuen Erfindung.

Das Negativcliché bildet die Voraussetzung auch für die Heliographie; nur wird dasselbe, statt auf ein mit Silbersalz getränktes Papier zur Hervorbringung eines positiven Abdrucks, jetzt auf eine mit einer photographischen Schichte versehene Platte gelegt, welche, nachdem sie den Lichteindruck empfangen und die weiter nothwendigen Operationen durchgemacht hat, als Druckplatte fungirt, um mit Hilfe von Farbe und Presse die Abdrücke zu liefern.

Zwei Substanzen sind es hauptsächlich, die bis jetzt zu Hervorbringung jener lichtempfindlichen Schichte in Anwendung kommen: der Asphalt und die Chromgelatine.

Der Asphalt wird von flüchtigen Oelen aufgelöst, verliert aber seine Löslichkeit durch die Einwirkung des Lichts. Ebenso verhält sich die Chromgelatine dem Wasser gegenüber.

Dieser Eigenschaft der beiden Stoffe bedient sich die Heliographie zu ihren Zwecken; indem sie das mit einer Asphalt- oder Chrompräparation bedeckte Blech oder Glas unter dem Negativ belichtet, und sodann die hierdurch entstandene theilweise Unlöslichkeit der Schichte zu Herstellung einer druckfähigen Zeichnung benutzt.

Seit dem Jahre 1855 hat diese Technik reißende Fortschritte gemacht, und die Zahl der Erfinder, welche im Jahre 1867 zu Paris eine Reihe von Druckbildern ausstellten, war verhältnißmäßig bedeutend, zweiundzwanzig derselben erhielten Belohnungen.

Davannés offizieller Bericht über die Photographie schließt denn auch mit der Bemerkung, daß die Ausstellung von 1867 sich hauptsächlich durch das Bestreben kennzeichne, die Gold- und Silbersalze zu beseitigen, und die Bilder mit Druckerschwärze herzustellen, ein Verfahren dem offenbar die photographische Zukunft gehöre.

Die verschiedenen Versuche, ein druckfähiges Lichtbild hervorzubringen, theilen sich in drei Gruppen, in die Helio-

graphie durch Aetzen, durch Reaktion und durch Abformen. Betrachten wir eine nach der andern.

A. Die Aetzmethhode der Heliographie.

Schon um die Mitte der zwanziger Jahre hat Nice-
phorus Niepcé mit Hilfe von Asphalt photochemische Druckplatten hergestellt, freilich in höchst unvollkommener Weise.

Niepcé beschäftigte sich mit Versuchen, um die Eigenschaft mancher Harze, daß sie in dünner Lage dem
Lichteinfluß ausgesetzt, nachher von ihrem gewöhnlichen
Lösungsmittel schwieriger hinweggenommen werden, zur Erzeugung von Lichtbildern zu benutzen.

Derselbe hatte nämlich anfangs blos den Zweck, eine
Platte durch das Licht so zu präpariren, daß sie nachher
mit Scheidewasser geätzt werden konnte.

Er bereitete aus Asphalt in Lavendelöl gelöst durch
Abdampfen einen Firniß, überzog damit mittelst eines
Tupfbällchens eine Kupfer- oder Zinnplatte, legte dann
die rechte Seite eines gefirnißten Kupferstichs auf die
präparirte Platte, bedeckte sie mit einem Glase, und
setzte sie eine oder zwei Stunde lang dem Licht aus;
hierauf hob er den Kupferstich ab, und bedeckte die Platte
mit einem Gemisch von Lavendelöl und Steinöl.

Diese Operation hatte zum Zweck, das unsichtbare
Bild zum Vorschein zu bringen, indem jene Mischung den
Firniß an allen denjenigen Stellen auflöste, welche gegen
die Einwirkung des Lichts geschützt blieben; wogegen alle
diejenigen Stellen, auf welche das Licht gewirkt hatte,
unauflöslich geworden sind. Das Metall wurde folglich
an allen den Schatten des Kupferstichs entsprechenden
Theilen bloßgelegt.

Er vertrieb hierauf das Lösungsmittel mechanisch, indem er Wasser auf die Platte goß; dieselbe wurde nun
getrocknet, womit die Operation beendigt war. —

Später suchte Niepcé ein direktes Bild auf Metall
hervorzubringen, den Daguerre'schen Lichtbildern analog;
deshalb vertauschte er die Kupferplatte mit einer Zinn-

platte und endlich die Zinnplatte mit einer silberplattirten Kupferplatte, welche er mit demselben Firniß überzog und diese erwärmte, bis ein dünner weißer Ueberzug zurückblieb.

Diese Platte, dem Lichte in der Camera obscura ausgesetzt, zeigte bald ein schwaches Bild; er tauchte sie dann in obiges Auflösungsmittel von Lavendelöl und Steinöl, wodurch die vom Licht veränderten Stellen nicht angegriffen, die andern aber gelöst wurden, so daß sie nach Abwaschen mit Wasser als spiegelndes Metall in gehörigen Stellungen dunkel schienen, und somit die weißen Stellen des Bildes den Lichtern, die dunkeln den Schatten zugehörten.

Dieses interessante Problem, Stiche auf Metallplatten durch den bloßen Einfluß der Sonnenstrahlen in Verbindung mit chemischen Verfahrungsarten hervorzubringen, beschäftigte nun mehrere ausgezeichnete Physiker, wie z. B. Dr. Donné in Paris, Dr. Berres in Wien, Fizeau in Paris und H. F. Talbot zu London.

Im Jahre 1853 nahm Niepcé de Saint=Victor (Neffe des obigen) die Versuche seines Onkels wieder auf und verbesserte das ursprüngliche Verfahren. Mit wasserreinem Benzin und etwas Citronenöl gab er dem Asphalt die nöthige Flüssigkeit und überzog damit seine Metallplatte.

Nachdem diese hinter einem Positivcliché dem Lichte ausgesetzt war, wird sie mit einer Mischung von Naphtha und etwas Benzin übergossen, welche die von der Sonne nicht berührten Theile auflöst und das nackte Metall zum Vorschein bringt.

Handelt es sich um eine Photographie nach der Natur, so wird die Platte, wie beim Aquatintastich, mit einer Lage zarten Harzpulvers überstäubt, und dann geätzt.

Diese Methode hat eine Anzahl hübscher Reproduktionen von Skizzen und Zeichnungen aufzuweisen; aber die Aufnahmen nach der Natur müssen von einem Kupfer-

stecher retouchirt werden, wenn sie brauchbare Abdrücke
liefern sollen*).

In Beziehung auf Naturkopien ist Charles Nègre
der einzige, der dem Erdharze vollständig befriedigende Resultate abzugewinnen wußte. Er benutzte den Asphaltüberzug nicht als Aetzgrund — oder „Reserve" gegen die
Säure — sondern nur als transitorisches Schutzmittel, um
auf galvanischem Wege die Stellen seiner Stahlplatte zu
vergolden, welche der Aetzung nicht unterliegen sollen. Zugleich wird mit Hilfe chemischer Reaktion die ganze Asphaltschichte in ein Geflecht kleiner Risse zersprengelt, die
sich gleichfalls mit dem Goldniederschlag füllen.

Auf diese Art entsteht selbst an den geschützten Stellen
ein feines Goldnetz, welches beim Druck als Korn fungirt.
Nach vollbrachter Vergoldung entfernt er den Asphalt
durch Aether und erhält nun eine damascirte Platte, auf
welcher die vergoldeten Stellen das Weiße bilden, während die entblößten Stahltheile des Grundes allein von
der Säure angegriffen und vertieft werden.

Nègre führte auf diese Art heliographische Stiche aus,
die sowohl durch ihre Größe, als ihre Vollendung Be-
wunderung erregen.

Namentlich ist eine Reihe architektonischer Ansichten
der Kathedrale von Chartres — worunter Portale von
nahezu 75 Centim. Höhe — wohl das vorzüglichste, was
bis jetzt in dieser Gattung geleistet wurde. Das wurmförmige Gerinsel des Korns giebt dem Vortrag etwas Un-
gleichmäßiges, Zufälliges, das an die Handarbeit erinnert.

---

*) Niepcé machte in Verbindung mit dem Kupferstecher
Lemaitre eine neue Anwendung für photographische Stahl-
stiche, und schon 1853 wurde hievon bei den Tafeln eines natur-
geschichtlichen Werkes Gebrauch gemacht, welches unter dem Titel
Photographie zoologique, par M. M. L. Rousseau et A. De-
veria erschien — Den Herausgebern dieses Werkes, welches den
Zweck hat, die reichen Sammlungen des Pariser Museums kennen
zu lehren, wurde von Seite der französischen Akademie der Wissenschaften als Aufmunterung die Summe von 2000 Franken zuerkannt.

Für Reproduktion von Zeichnungen und Stichen wurde das Asphaltverfahren von Amand Durand zu größter Tüchtigkeit gebracht. Seine Verbesserung der Niepce'schen Methode besteht haupsächlich in Vervollkommnung des Handwerkzeugs, in Vorrichtung zu Erzielung größerer Genauigkeit und in der Geschicklichkeit im Aetzen. Ihm gelang es dieses Verfahren in durchaus praktischer kommerzieller Weise verwendbar zu machen und er ist wohl derjenige der Heliographen, welcher dem Kunst- und Buchhandel bis jetzt die meisten Platten geliefert hat.

Wir sehen unter seinen Reproduktionen Stiche, Radirungen, und Handzeichnungen alter und neuer Meister von vortrefflicher Ausführung.

Eine besondere Erwähnung verdient seine heliographische Umwandlung von Kupferstichen in typographische Platten *).

Trotz der gelungenen Proben Nègre's in Originalaufnahmen und Durand's in Reproduktionen, dürfte jedoch dem Asphalt keine bedeutende Rolle in der Heliographie der Zukunft vorbehalten sein. Derselbe ist für Bilder nach der Natur zu ungefügig; und zeigt allerdings für Nachbildung von Stichen und Zeichnungen mehr Festigkeit beim Aetzen als die Chromgelatine, welche dagegen verschiedene subtilere Verfahrungsarten zuläßt, die das Aetzen entbehrlich machen; weshalb auch die nun folgenden Methoden sich alle dieses geschmeidigern Stoffes bedienen.

Im Jahre 1839 wurde von Mungo Ponton in England, die photochemische Wirkung der Chromsäure auf die organischen Kleb- und Schleimstoffe entdeckt und zu photographischen Versuchen benutzt; und zu derselben Zeit — 1853 — als in Frankreich der Asphalt wieder aufge-

----

*) Wir nennen hier nur ein 48 Centimeter hohes Stichelbild nach Raphael von Anderloni, das Urtheil Salomon's, dessen typographische Nachbildung jeder billigen Erwartung entspricht, und erwähnen noch eine bedeutende Anzahl typographischer Verkleinerungen aus Schnorr's Bilderbibel, für französische und englische Verleger, sowie eine interessante Vergrößerung (um's Vierfache der Fläche) von zwei Holzschnitten Doré's.

nommen wurde, versuchte der Engländer Fox Talbot, der eigentliche Urheber der Photographie auf Papier, — die Chromgelatine zu heliographischen Zwecken zu verwenden.

Er bereitete eine Lösung von einem Theil Gelatine, zwanzig Theilen Wasser, vier Gewichtstheilen doppelt chromsauren Kali's, in gesättigter Lösung, und überzog damit seine Metallplatte.

Nach der Belichtung versah er dieselbe mit einem Aquatintagrund von feingepulvertem Kopalgummi und ätzte sie dann mit Eisenchlorid.

Die Säure durchdringt die Gelatine, und zwar die Stellen am schnellsten, die vom Lichte verschont blieben, die anderen langsamer, nach dem Maße ihrer Belichtung; so frißt sie das Metall gradweise im Verhältniß der Schatten an.

Unverkennbar wird auf diese Weise eine größere Feinheit erzielt, als mit dem Asphalt, der an den dunkeln Stellen ganz entfernt, an den hellen ganz bewahrt werden muß und daher Licht und Schatten schroff nebeneinandergestellt; während die neue Substanz die empfindliche und genaue Abstufung der photochemischen Reaktion erkennen ließ.

Diesem Verfahren hat auch Garnier vortreffliche Resultate abgewonnen*). Derselbe bereitet seine empfindliche Schichte mit einer weichen syrupartigen Masse aus vegetabilischen mit Chrom gesäuerten Stoffen, und bestreut sie nach der Belichtung mit einem Harzpulver.

Da die Exposition hinter einem Negativcliché geschieht, auf dem also die Schatten durchsichtig, die Lichter undurchsichtig sind, so werden die dunkeln Stellen unter der Einwirkung des Lichtes hart und nehmen nur sparsames

---

*) Sein „Schloß von Maintenon", eine ziemlich große architektonische Ansicht mit Landschaft, war das heliographische Wunderwerk der Pariser-Ausstellung von 1867 und erhielt den großen Preis. Dieses Bild ist in Beziehung auf den Vortrag von einem Aquatintastich nicht zu unterscheiden, und wird an Feinheit der Schattirung, sowie an Klarheit des Details, von keiner Photographie übertroffen.

Pulver auf, während die hellen, vom Lichte verschonten Stellen hygrometrisch bleiben und das Harz in Masse zurückhalten.

Die Mitteltöne bedecken sich je nach dem Grade ihrer Beschattung.

Nachdem das Harz durch die Erwärmung der Platte fixirt ist, bildet es die Reserve für das Aetzen und zugleich das Korn für den Druck.

Dieses Verfahren ist offenbar rationell, denn indem die Entwicklung des Bildes und die Bereitung des Korns durch eine und dieselbe Operation bewirkt wird, stellt die Tonabstufung von selber die dichtere oder losere Struktur der Schraffirungspunkte her.

Garnier stellte durch dieses Verfahren auch typographische Proben her, die alles leisten was man bei Tonbildern von der Buchdruckerpresse erwarten kann.

Dem in Paris ansässigen Deutschen E. Baldus ist ein eigenthümliches Chromverfahren gelungen, welches durch Sicherheit und Schnelligkeit der Handhabung alle übrigen Aetzmethoden übertrifft.

Derselbe überzieht seine Kupferplatte mit keiner organischen Schichte, sondern bringt seine Säure, deren Basis Chrom und Ammoniak ist, unmittelbar aufs Metall, um dieses — nach Art der Jodirung des Silbers beim Daguerreotyp — direkt empfindlich zu machen.

Die Platte, naß exponirt, wird an den ausgesetzten Stellen vom Lichte getrocknet und in Folge des hiermit verbundenen chemischen Prozesses verändert und angefressen.

Wenn man jetzt die Säure durch Abwaschen entfernt und die präparirte Fläche mit leichtem Firniß überwalzt, so greift die Walze nur an den Orten an, die vom Lichte mehr oder weniger verschont blieben; die Stellen hingegen, wo die photochemische Einwirkung das Kupfer zersetzt hat, weisen die fettartige Substanz zurück.

Der Firnißüberzug dient nun als Reserve für das Aetzen. Da sich hier kein fremder Körper zwischen das Bild und die Metallfläche schiebt, so erzeugt sich das Korn chemisch durch die zerfressende Belichtung selber.

Die Baldus'schen Bilder stehen zwischen der Aquatinta und der Lithographie mitten inne. Von seinen Na-
turaufnahmen sind zart modellirte Abbildungen verschiedener
Skulpturwerke hervorzuheben, und was die Reproduktion
von Stichen betrifft, hat er unter anderen ein hübsches
Sammelwerk von Ornamenten in hundert Blättern nach
den besten Meistern herausgegeben. Auch von Ueberset-
ungen des Kupferstichs ins Typographische hat er gelungene
Proben geliefert.

B. Die Reaktionsmethode der Heliographie.

Während die typische Grundform der obengenannten
Verfahrungs-Arten der Kupferstich ist, beruht dagegen die
zweite heliographische Gruppe auf dem Prinzip der Lithographie.

Schon im Jahre 1852 ließ sich Lemercier, Lere-
bours und Barreswil in Paris, ein Verfahren Lichtbilder auf lithographischem Steine herzustellen, in Frankreich patentiren.

Desgleichen wurden die ersten noch unvollkommenen
Versuche in dieser Richtung von dem, in England ansässigen
Oesterreicher Paul Pretsch, im Jahre 1854 gemacht.

Diese Reaktionsmethode gewann aber erst ein feste
Basis durch die Arbeiten Poitevin's, welcher sein Verfahren, nachdem es zu vollständiger Ausbildung gediehen
war, im Jahre 1857 an Lemercier, den Inhaber der
großen lithographischen Druckerei in Paris, verkaufte.

Der Prozeß ist sicher und einfach: Man überzieht den
Stein mit einer dünnen Schichte bichromatisirten Albumin-
oder Gelatinstoffes und exponirt ihn hinter einem Negativcliché.

Nach der Belichtung schwärzt man die ganze Oberfläche gleichmäßig und rücksichtslos ein. Hierauf behandelt
man den Stein wie eine gewöhnliche Lithographie nach
dem Aetzen, das hier wegfällt; d. h. man wäscht mit Terpentinöl ab, feuchtet mit Wasser an, walzt mit Farbe ein,
und druckt.

Das heliographiſche Bild ſteigt, gerade wie das lithographiſche, unter der Walze aus dem nackten Stein empor.

Der Vorgang iſt hier noch überraſchender, als beim gewöhnlichen Steindruck, wo die Zeichnung wenigſtens vor dem Abwaſchen ſichtbar war; aber es iſt ebenſo begreiflich.

Die chromſaure Gelatine iſt nichts anderes als ein Aetzgummi, der den Stein gegen das Fett ſchützt.

Das Licht zerſetzt jedoch die Chromgelatine dergeſtalt, daß ſie ihre hygroskopiſche fettabweiſende Eigenſchaft verliert, und die belichteten Stellen, vom Druckfirniß durchdrungen, ſpielen nun die Rolle der lithographiſchen Zeichnung.

Was die artiſtiſche Leiſtung des Verfahrens betrifft, ſo iſt dieſelbe höchſt befriedigend.

Der heliographiſche Steindruck hat das Ausſehen einer zart und ſorgfältig ausgeführten Kreidezeichnung mit einiger Annäherung an ein getuſchtes Bild, was von der größern Feinheit des Korns herrührt. Die Mitteltöne ſind voll und die Schatten klar*).

Die Photolithographie iſt ganz beſonders geeignet zu Wiedergabe archäologiſcher Dokumente und zur Her=ſtellung von Facſimiles, ſo wie überhaupt, zu Reprodukion von Zeichnungen und Stichen.

Unter den verſchiedenen Verfahrungsarten, welche auf Ueberdruck beruhen, hat jedenfalls die direkte Belichtung des Steins die beſten Reſultate erzielt.

---

*) Als vorzüglich gelungene Bilder dieſes Verfahrens, welche die Hand des Künſtlers nicht vermiſſen laſſen, ſind zu bezeichnen: zwei große Thorgiebelfelder der Pariſer Notredame=Kirche mit plaſtiſchen Darſtellungen; mehrere figurenreiche Portalwände der Kathedrale von Amiens, die Anſicht der ſchönen romaniſchen Michaelskirche in Dijon ꝛc.

Ein weiblicher antiker Kopf in Lebensgröße nach einem Gypsabguß iſt vortrefflich modellirt, und der vierfach verkleinerte Schild Heinrichs II. — ein Stück von der prachtvollen Rüſtung in getriebener Arbeit aus der Louvreſammlung — iſt in jeder Beziehung ausgezeichnet.

Die vielseitig gemachten Versuche auf lithographischem Steine Lichtbilder für den Druck hervorzubringen, bieten, besonders dem Lithographen, wenn auch nicht immer Brauchbares für seine Praxis., dennoch so manches Interessante, weshalb die wesentlichsten Verfahrungsarten hiervon, schon wegen der geschichtlichen Entwickelung dieser Technik hier nicht vermißt werden können.

Die Theorie und Hauptoperation des allgemeinsten anfänglichen Verfahrens bestand darin: ein negatives Lichtbild auf Papier darzustellen und damit ein positives Lichtbild auf lithographischem Stein zu erzeugen.

Das negative Bild wird nach den bekannten Methoden dargestellt; das positive erhält man durch einen fetten oder harzigen Ueberzug, welcher in irgend einem Auflösungmittel löslich ist, und durch die Einwirkung des Lichts vielleicht mit Beihilfe des Sauerstoffs in irgend einem Auflösungmittel unlöslich wird; den mit diesem Ueberzug imprägnirten lithographischen Stein bedeckt man mit dem positiven Bild einer Glastafel, und setzt ihn dem Sonnenlicht aus; hierauf wird er entblößt, mit dem geeigneten Auflösungmittel gewaschen, und nach den gewöhnlichen Verfahrungsarten der Lithographen behandelt.

Um aber auf Stein mittelst dieses Verfahrens ein Bild zu erhalten, welches dieselben Eigenschaften wie die lithographische Zeichnung darbietet, ist eine Substanz erforderlich, die folgende Bedingungen vereinigt:

1) muß sie auf dem Stein eine gleichförmige und regelmäßige Schichte bilden;

2) muß sie für das Licht empfindlich sein, so daß ein späteres Abwaschen alle weißen Theile der Zeichnung bloßlegen und die Halbtöne entwickeln kann;

3) muß sie auf dem Stein so haftend bleiben, daß sie denselben gegen die Wirkung der Beize schützt;

4) endlich muß sie einen Ueberzug darstellen, welcher die gewöhnliche lithographische Schwärze annehmen kann.

Die einzige Substanz, welche alle diese Bedingungen vereinigt, ist der Asphalt, mittelst welchem man sehr scharfe und kräftige Bilder erhält.

Das Verfahren ist folgendes: Man sucht unter den verschiedenen Asphalt-Sorten, welche im Handel vorkommen, diejenige aus, welche am empfindlichsten für das Licht ist.

Zu dieser Probe genügt es, eine Auflösung des Asphalt in Aether zu machen, sie in dünner Schicht auf irgend einer Fläche, z. B. einem Blatt Papier, zu verbreiten und dann dem Licht auszusetzen. Der geeignetste Asphalt ist jener, welcher nach der Exposition dem Waschen mit Aether am besten widersteht.

Man nimmt von demselben ein gewisses Quantum, welches sich nur durch Erfahrung bestimmen läßt, weil die Auflöslichkeit des Asphaltes verschieden ist.

Man zerreibt ihn zu feinem Pulver und macht davon eine Auflösung in Aether.

Diese ätherische Auflösung muß so bereitet sein, daß sie auf dem Stein, worauf sie verbreitet wurde, eine sehr dünne und regelmäßige Schicht hinterläßt, welche nicht einen Firniß bildet, sondern das was die Graveure das Korn nennen; wenn man den Stein mit einer Loupe betrachtet, so muß diese Schicht auf der ganzen Oberfläche eine Art regelmäßigen Bruchs darbieten und Furchen, wo der Stein entblößt ist.

Die Feinheit dieses Korns, welches man bei einiger Uebung erhält, hängt sehr von dem Trockenheitszustand des Steins ab; ferner von der Temperatur, welche so hoch sein muß, daß sie eine rasche Verflüchtigung des Aethers veranlaßt; endlich von der Koncentration der Flüssigkeit.

Zur Erleichterung der Bildung des Korns, ist es auch gut, dem Aether ein wenig von einem Auflösungsmittel beizusetzen, welches weniger flüchtig, als er selbst ist.

Nachdem die Asphaltauflösung so bereitet ist, nimmt man einen gewöhnlichen lithographischen Stein, legt ihn vollkommen horizontal auf eine Unterlage, überfährt ihn mit einem Pinsel, um den Staub abzuputzen, und gießt soviel (sorgfältig filtrirte) Flüssigkeit darauf, als erforderlich ist, um die ganze Oberfläche zu bedecken; der Ueberschuß geht über den Rand, läuft auf jeder Seite herab, und um zu verhindern, daß die Flüssigkeit von den Rändern zurücktritt, wodurch die doppelte Dicke entstände, fährt man mit einem Glasstab über die Kanten des Steins, was das Abfließen erleichtert.

Während dieser Operation muß man die geringste Bewegung in der Luft vermeiden, welche sowohl durch den Athem, als durch rasche Bewegungen des Körpers veranlaßt werden kann, wodurch Schwingungen auf der Oberfläche der Flüssigkeit hervorgebracht würden; der Asphalt wäre alsdann von ungleicher Dicke und die Operation müßte wiederholt werden.

Nachdem die Schichte vollkommen trocken ist, legt man ein negatives Lichtbild darauf, welches nach irgend einem Verfahren auf Papier oder Glas dargestellt worden ist, und setzt es einem lebhaften Licht aus, während einer mehr oder weniger langen Zeit, welche man nur durch Erfahrung bestimmen kann.

Wenn man die Operation als beendigt erachtet, nimmt man das negative Bild weg, und wäscht den Stein mit Schwefeläther; überall wo das Licht durchdringen konnte, ist der Asphalt unauflöslich geworden und bleibt folglich auf dem Stein haftend; er löst sich hingegen an allen denjenigen Stellen auf, wo er durch die Schatten (das Schwarz) des negativen Bildes geschützt war.

War die Dauer der Exposition zu kurz, so ist das Bild auf dem Stein zu leicht und bietet keine Halbtöne dar; im entgegengesetzten Fall ist das Bild schwer und die Feinheiten sind verloren. Man muß beim Waschen eine reichliche Menge Aether anwenden, weil sich sonst Flecken bilden würden, welche man nicht mehr beseitigen könnte.

Ist das Bild gut gelungen und trocken, so nimmt man mit ihm dieselben lithographischen Präparirungen vor, wie mit einer Kreidezeichnung, man säuert es zuerst mit schwacher Säure, welche mit Gummiwasser versetzt ist, hierauf wäscht man es mit vielem Wasser ab, nöthigenfalls mit Terpentingeist, worauf man den Stein mit der gewöhnlichen lithographischen Druckfarbe einschwärzt.

Ein gut präparirter, gehörig gesäuerter Stein, dessen Asphalt nicht durch eine zu lange Exposition verbrannt wurde, muß beim Ueberfahren mit der Walze unmittelbar die Schwärze annehmen, und eine Zeichnung von dichtem und regelmäßigem Korn geben, ohne daß es nothwendig ist, die geringste Ausbesserung daran zu machen.

Mit diesem Stein werden die Abzüge wie mit jedem andern lithographischen Stein gemacht; die Zeichnung verbessert sich beim Drucken, sie wird durchsichtiger und glänzender.

Man kann ebenso viele Abbrücke, wie von einer gewöhnlichen Lithographie machen. —

Aehnlich ist auch die Operation, welche Robert Macpherson in Rom bei seinen Lichtbildern auf lithographischem Stein anwendet; dieselbe besteht darin, daß man dem in Schwefeläther aufgelösten Asphalt eine kleine Quantität Seife beimischt, und diese Lösung auf einen genau horizontal gelegten Stein gießt.

Nach dem Verdunsten des Aethers wird nun auf diesen Asphaltüberzug ein auf Glas oder Wachspapier dargestelltes negatives Lichtbild gelegt und dem direkten Sonnenlicht ausgesetzt, und zwar je nach der Lichtstärke während einer kürzeren oder längeren Zeit, wodurch man eine schwache Kopie des Lichtbildes auf dem Asphalt erhält.

Der Stein wird nun in ein Bad von Schwefeläther gelegt, das den Asphalt, auf welchen das Licht nicht gewirkt hat, fast augenblicklich auflöst und auf dem Stein ein zartes Bild hinterläßt, bestehend aus dem Asphalt, auf welchen das Bild gewirkt hat.

Nachdem der Stein sorgfältig gewaschen worden ist, kann er sogleich dem Lithographen übergeben werden, der

Weishaupt, Steindruck. 34

ihn, wie oben schon erwähnt, nach dem gewöhnlichen lithographischen Verfahren zu behandeln hat.

Photolithographie von Emil Rousseau und Masson.

Dieses Verfahren beruht auf der Wirkung, welche das Licht bei Gegenwart gewisser organischer Stoffe auf die chromsauren Salze ausübt, von denen vorzugsweise das zweifach-chromsaure Ammoniak benutzt wird. Man wendet dasselbe als gesättigte kalte Lösung in destillirtem Wasser an.

Die organische Substanz, welche als Unterlage für die empfindliche Schicht dient, ist entweder farbloser Leim, in dem zehnfachen Gewicht warmen Wassers aufgelöst, oder arabisches Gummi, wovon 15 Theile in 100 Theilen kalten Wassers aufgelöst werden. Das Verfahren ist folgendes.

Man überzieht den lithographischen Stein mit der Schichte einer schwach koncentrirten Lösung von Leim oder Gummi, und bringt dann nacheinander zwei Schichten der Mischung von zweifach-chromsaurem Ammoniak und Leim darauf an, wozu 2 Raumtheile Ammoniak und 1 Raumtheil Leimlösung genommen werden, welcher man auf je 10 bis 15 Gramme 5 oder 6 Tropfen einer Lösung von 1 Theil Milchzucker in 10 Theilen Wasser zugesetzt hat.

Nachdem diese Schichten gut getrocknet sind, bedeckt man den Stein mit dem negativen Bilde und setzt ihn dem Lichte aus; wenn das Licht hinreichende Zeit eingewirkt hat, wäscht man den Stein rasch, indem man an einer Seite einen Wasserstrahl darauf fließen läßt, bis alles chromsaure Salz, auf welches das Licht nicht gewirkt hat, entfernt ist, was in einigen Minuten erreicht wird.

Man breitet dann auf der Oberfläche des Steines eine Lösung von 2 Gramm Gallussäure und 2 Gramm Pyrogallussäure in 100 Gramm Wasser, welcher man

3 bis 4 Tropfen koncentrirte Essigsäure zugesetzt hat, um keine Kohlensäure zu entwickeln, aus.

Man wäscht wieder zwei oder drei Mal, und breitet dann eine filtrirte Lösung von weißer Seife auf dem Steine aus, welche man 2 bis 3 Minuten mit demselben in Berührung läßt.

Die Seife wird durch die in dem Bilde fixirten Säuren zersetzt und die frei gewordenen Fettsäuren bleiben auf den Strichen des Bildes zurück.

Um diese Wirkung und folglich das Relief zu verstärken, kann man nach dem Waschen eine Lösung von 1 Theil salpetersauerm Kupferoxyd in 100 Theilen Wasser, oder eine derartige Lösung von essigsaurem Blei auf dem Steine ausbreiten; man wäscht dann wieder, behandelt ihn wiederholt mit Seifenwasser, und wäscht ihn zuletzt nochmals gründlich, bis die auf den weißen Stellen abgelagerte Schicht von organischer Substanz gänzlich entfernt ist. Das Bild besteht dann aus einem festen Relief von fettiger Natur; man läßt es trocknen, damit die Feuchtigkeit aus dem Innern des Bildes vertrieben wird, worauf der Stein in gewöhnlicher Behandlung geschwärzt und abgedruckt werden kann.

Das photographische Bild direkt in der Camera obscura auf den Stein zu fixiren; von Hermann Halleur.

Am geeignetsten wählt man hierzu einen nicht zu schweren Stein, paßt ihn in den Expositions-Rahmen ein (durch einen zu schweren Stein würde die Befestigung erschwert werden) und giebt ihm dann durch Schleifen das Korn, wie es für eine feine Kreidezeichnung sein muß.

Sodann tränkt man den Stein wiederholt mit einer schwachen aber möglichst neutralen Lösung von oxalsaurem Eisenoxyd, und achtet darauf, daß die Lösung möglichst tief in den Stein eindringt.

34*

Ein so behandelter Stein läßt sich sehr lange aufbewahren, ohne seine Empfindlichkeit zu verlieren, nur muß er gegen alles Licht geschützt sein.

Die Exposition geschieht am besten mit einem noch feuchten, aber nicht nassen Stein, und richtet sich deren Dauer auch hier nach den bekannten Umständen. Ist der Stein genügende Zeit dem Lichte ausgesetzt gewesen, so sieht man bei der Herausnahme aus der Camera obscura schon das Bild in allen Theilen in bräunlicher Farbe.

Sodann übergießt man den Stein mit einer Lösung von kohlensaurem Ammoniak, wodurch das Bild erst recht kräftig hervortritt und auch gleich fixirt wird.

Durch Waschen mit Wasser spült man alle löslichen Salze hinweg.

Um nun das erhaltene Bild durch die Presse zu vervielfältigen, darf der Stein nur da, wo die Zeichnung ist, die Druckfarbe annehmen, alle andern Theile aber müssen rein bleiben, und dieses erreicht man durch Aetzen mit einer Säure.

Am besten eignet sich hierzu stark verdünnte Oxalsäure, womit man den Stein übergießt, gerade so, wie es bei der Lithographie geschieht. Nach der Aetzung verfährt man ganz so, wie es bei gewöhnlichen lithographischen Zeichnungen üblich ist.

Photolithographie von W. E. Newton in London.

Bei dem gewöhnlichen Verfahren des lithographischen Druckens wird die Oberfläche des Steins, nachdem die Zeichnung fertig ist, mit einer Auflösung von arabischem Gummi in gesäuertem Wasser gewaschen oder überzogen.

Das so aufgetragene Gummi tritt in dichte Vereinigung mit der Oberfläche des Steines, so daß es durch Waschen nicht leicht entfernt werden kann und folglich den Zweck erfüllt, daß jene Oberfläche die beim Drucken angewandte Farbe nicht absorbirt.

Bei der Photolithographie findet man jedoch, daß das arabische Gummi wegen seines festen Anhaftens an dem Stein durch Waschen auch von denjenigen Stellen nicht leicht zu entfernen ist, welche durch das Licht nicht firirt wurden. Man hat daher bisher die Anwendung des arabischen Gummi zur Photolithographie unpraktisch gefunden und dasselbe durch eine Auflösung von Leim ersetzt.

So präparirte Steine liefern jedoch nur wenige Abdrücke und haben einen verhältnißmäßig geringen Kunstwerth.

Dieser Schwierigkeit kann jedoch dadurch abgeholfen werden, wenn dem arabischen Gummi sein Vermögen sich innig mit dem Stein zu vereinigen, mittelst Zucker benommen, wodurch es zugleich fähig gemacht wird, durch das Belichten firirt oder unauflöslich zu werden.

Wenn man auf einen Stein, welcher mit so präparirtem Gummi behandelt wurde, hernach eine Seifenauflösung wirken läßt, so werden die unbelichteten Theile des Gummi leicht und schnell entfernt, während die belichteten Theile desselben unbeschädigt bleiben und zugleich die Seife den bekannten Zweck erfüllt die unauflösliche fettsaure Verbindung auf dem Stein zu erzeugen, welche den Körper oder die Druckfläche bildet.

Nachdem der Stein auf unten näher angegebene Weise präparirt worden ist, trägt man auf seine Oberfläche folgende Lösung auf:

$1\frac{1}{5}$ Kilogrm. Wasser,
120 Gramm arabisches Gummi,
10 „ Zucker,
10 „ zweifach-chromsaures Kali.

Der Zucker verzögert nämlich das unmittelbare Firiren des Gummi auf dem Stein, und das chromsaure Salz veranlaßt, daß es fester firirt wird, oder nach dem Belichten viel weniger löslich ist.

Der so präparirte Stein wird im Dunkeln aufbewahrt, bis man seiner bedarf. Nachdem der Ueberzug getrocknet ist, kann man ihn aber sogleich in der Camera obscura

die erforderliche Zeit lang exponiren, um das Gummi auf
denjenigen Theilen des Bildes zu firiren, wo die Lichter
erscheinen müssen, oder man kann ihn mit dem zu kopirenden
Druck oder Bild bedecken und dem Licht exponiren. Nach=
dem der Stein so belichtet wurde, wäscht man ihn
mit einer Seifenauflösung, welche den Ueberzug entfernt
und sich selbst auf der Oberfläche des Steins anstatt des
beseitigten Ueberzugs firirt, nämlich als unauflösliche Kalk=
seife die durch gegenseitige Zersetzung des Steins und der
angewendeten Seife erzeugt wurde.

Wo die gummirte Oberfläche gänzlich gegen das Licht
geschützt war, wird das Gummi leicht entfernt, und die
Seife, hat freien Zutritt zum Stein, so daß eine vollstän=
dige Vereinigung der Seife mit seiner Oberfläche erfolgt;
wo hingegen die Lichter stark waren, und folglich das
Gummi viel unauflöslicher gemacht worden ist, widersteht
dasselbe der Einwirkung der Seife; und an den andern
Stellen ist die Wirkung der Seife umgekehrt proportional
dem Grade, in welchem das Gummi durch das Licht firirt
wurde.

Auf diese Weise lassen sich die zartesten Abstufungen
von Licht und Schatten der Natur getreu auf dem Stein
herstellen.

Nachdem der Stein dann mit reinem Wasser voll=
ständig gewaschen und trocken wurde, überzieht man ihn
mittelst der Walze mit Schwärze, welche, indem sie sich
mit der auf dem Stein schon abgelagerten Kalkseife ver=
einigt, dazu dient, dem Bild noch mehr Körper zu ver=
leihen, und bald hernach ist der Stein für den Drucker
brauchbar; diejenigen Stellen, welche durch das unaufge=
löste oder belichtete Gummi geschützt waren, nehmen näm=
lich nach der Benetzung keine Schwärze an.

Bevor man das oben beschriebene Verfahren beginnt,
muß der Stein präparirt werden, in einer Weise, welche
der Natur des herzustellenden Bildes oder Gegenstandes
angemessen ist.

Ist letzterer eine Handschrift oder eine gedruckte Schrift,
ein Stich in Linien ohne Tonabstufung oder ineinander

verlaufenden Schatten, so kann man eine polirte Oberfläche anwenden.

Dagegen muß man für Porträte, Landschaften und
zahlreiche andere Bilder, bei denen die Schattenabstufungen
ineinander verfließen, dem Stein eine rauhe Oberfläche ertheilen, ihn nach dem technischen Ausdruck „körnen“.

In eine solche Oberfläche dringt die chromhaltige
Gummilösung tiefer ein, und wird dann, je nach ihrer
Firirung durch das Licht, mehr oder weniger entfernt, wodurch die erforderlichen Ton- und Schattenabstufungen entstehen. Wenn man eine polirte Platte anwendet, liegt das
chromhaltige Gummi auf der Oberfläche, und man findet,
daß die Ton- oder Schattenabstufungen nicht in dem
Grade erzielt werden können, um ein vollkommen schattirtes
Bild, z. B. ein Porträt zu liefern, welches leicht gedruckt
werden kann.

Hinsichtlich der bei dem beschriebenen Verfahren anzuwendenden Seife ist zu bemerken, daß die einen Antheil
Harz enthaltende in der Regel ein besseres Resultat giebt.

Die Stärke der Seifenauflösung ist nicht wesentlich;
gewöhnlich nimmt man $1/4$ Kilogrm. Seife auf $7^1{/2}$ Kilogrm.
Wasser. Wie für den lithographischen Stein, eignet sich
dieses Verfahren auch für Zinkplatten, bei deren Anwendung anstatt der Kalkseife eine unauflösliche Zinkoryd-
seife gebildet wird.

**Photographien durch die lithographische Druck-
manier zu vervielfältigen von Max Gehmoser
in München.**

Ein fein geschliffener Lithographiestein, möglichst dicht
und homogen, wird mit der lichtempfindlichen Substanz
bestrichen und getrocknet, sodann das Negativ behutsam
darauf gelegt und wie beim gewöhnlichen Kopirverfahren
dem Lichte ausgesetzt.

Nach einigen Stunden kann gedruckt werden. „Eine
derartig erzeugte Druckplatte hält bei Gegenständen mit
den feinsten Halbtönen 80—100 gute Abdrücke aus, wo-

gegen bei Stich- und Linienmanier weitaus mehr Abdrücke erzielt werden können.

Es können hiermit von einer einzigen guten Aufnahme viele Tausende von Abdrücken erzeugt werden, da das Negativ stets unversehrt bleibt, und die Herstellung einer neuen Druckplatte nur auf einige Pfennige zu stehen kommt.

Nach dem Urtheile von Sachverständigen dürfte sich diese Vervielfältigungsart von Photographien stets bleibend in der Technik der graphischen Künste erhalten.

Verbesserungen in der Photolithographie von H. Paul.
(Entnommen der Deutschen illustr. Gewerbezeitung.)

Die gewöhnliche Methode, das photographische Bild auf Stein zu übertragen, besteht bekanntlich darin, daß man ein Papier mit einer Mischung von doppelt-chromsaurem Kali und Gelatine überzieht und nach der Belichtung unter einem passenden Negativ das Ganze mit fetter Schwärze bedeckt; dann taucht man das Papier in heißes Wasser, durch welches die nicht veränderte Gelatine aufgelöst wird, und das Bild mit der fetten Schwärze (Uebertragungs-Tinte) zurückbleibt; dieses wird alsdann auf den dazu hergerichteten Stein gelegt und in bekannter Manier übertragen.

Ein Fehler dieser Methode besteht in der Schwierigkeit, ein scharfes zartes Bild zu erhalten, wo feine Linien vorhanden sind. Das heiße Wasser, welches die Gelatine auflößt, veranlaßt eine Anschwellung der unlöslichen Theile des Bildes und wirkt auch erweichend auf die lithographische Tinte, beide Umstände verhindern beim Ueberdruck in Folge der Pressung, die Entstehung einer vollkommenen Haarschärfe und Zartheit.

In Paul's neu gefundenen Methode ist dieser Uebelstand vermieden. Man wendet keine Hitze an, um die löslichen Theile der Bildschicht zu entfernen. Dies ist hauptsächlich erreicht durch Abschaffung der Gelatine und

Einführung von Albumin an dessen Stelle. Albumin ist bekanntlich in heißem Wasser unlöslich, dagegen löslich im kalten Wasser. Die Schwierigkeit, welche die Textur des Papiers darbietet, welches selbst in den feinsten Sorten eine Neigung hat, durch Anfeuchten rauh zu werden, ist überwunden durch Anwendung des Uebertragpapieres der Autotype-Compagnie, welches eine elfenbeinartige Oberfläche besitzt.

Dieses wird präparirt mit einer Mischung von gleichen Theilen geschlagenen Albumins und gesättigter Lösung von doppelt-chromsaurem Kali. Man erhält nach dem Trocknen der Mischung eine gleichartige harte Oberfläche. Wenn es genügend exponirt ist, wird es auf einen lithographischen Stein gelegt, der mit fetter Schwärze eingerollt ist, und durch die Presse gezogen. Dies wird einige Mal mit veränderter Lage des Papiers wiederholt.

Dann bringt man es in eine Schale mit kaltem Wasser und läßt es eine Zeit lang weichen.

Das unveränderte Albumin wird gelöst und durch leichtes Reiben mit einem feinen Schwamme entfernt. Man erhält so ein recht feines und scharfes Bild, welches zum Uebertragen fertig ist. Das kalte Wasser hat keinen nachtheiligen Einfluß auf das Bild und auf die fette Tinte.

Das Uebertragunspapier der Autotype-Compagnie behält in kaltem Wasser seine feine Textur, und die unlösliche Bildschicht wird nicht weiter afficirt, als es eben nöthig ist, um kräftig auf den Stein zu wirken, wenn sie beim Uebertragen mit diesem zusammengepreßt wird.

Sehr überraschende Resultate liefert auch die sogenannte „Phototypie" erfunden von Tessié du Motay und Maréchal in Metz.

Die Erfinder drucken statt von einem Stein- oder Metallgrunde von der Gelatine selbst ab. Sie bereiten zu dem Ende eine Masse, bestehend aus Hausenblase, Gelatine und Gummi, welcher das chromsaure mit Sulfiten oder Posphaten verstärkte, Salz beigemischt ist, und

bringen sie in gleichmäßigen Lagen auf eine ebene Kupfer=
tafel.

Diese Platte wird nach geschehener Belichtung einer
längeren Wässerung unterworfen, ausgetrocknet, und beim
Druck wie ein lithographischer Stein behandelt.

Das abwesende Korn wird hier durch das Wasser
ersetzt, welches beim jedesmaligen Abwaschen in die Poren
der unbelichteten Stellen dringt und das Fett zurückweist,
während die belichteten Theile das Druckschwarz mit um
so größerer Kraft zurückhalten, je mehr das Licht sie un=
durchdringlich für das Wasser gemacht hat.

Unter allen Resultaten der bisherigen Methoden
kommen diese dem Vortrag der Photographie am nächsten
und geben ihr an Fülle der Darstellung nichts nach.

Namentlich sind die Mitteltöne besonders satt und
vollständig. Leider halten — wie leicht einzusehen — die
Gelatineplatten nicht viele Abzüge aus, da das jedesmalige
Anfeuchten sie bald aufweicht, wodurch die feinen Töne
verloren gehen.

Der photographische Glasdruck von Jos. Albert
in München

unterscheidet sich von dem Maréchal'schen Druckverfahren
dadurch, daß die Unterlage aus Glas statt aus Kupfer
besteht, und daß die Gelatineschichte eine dünne statt eine
dicke ist.

Die dünne Schichte erleichtert das Verfahren, aber
auch das Aufweichen. Das Verfahren hierbei besteht im
Wesentlichen darin, daß nach einer Negative ein Abdruck
auf einer polirten Spiegelplatte gemacht, wobei nämlich
das negative Bild auf Glas und die Glasplatte mit Ge=
latineüberzug dem Lichte ausgesetzt, und sodann diese Platte
einer längeren Wässerung unterliegt.

Von dem so erhaltenen Cliché werden in beliebiger
Anzahl Abdrücke in fetter Farbe auf Papier erhalten.

Die Pressung oder der Druck selbst wird auf einer
einfach konstruirten Presse mittelst des sogenannten Reibers

bewirkt. Hierzu bedarf es aber einer weit minder kräftigen Pressung, als wie beim Steindruck. Im Uebrigen ist die Behandlung des Drucks ähnlich wie bei der Lithographie. Die Platte wird zuerst mit Wasser befeuchtet, und mit fester schwarzer Farbe eingewalzt, dann mittelst einer zweiten Walze mit etwas leichterer brauner Farbe übergangen, und der Abzug auf trockenem halbgeleimten Papier gemacht.

Die Schnelligkeit des Abdruckens liegt zwischen Kupfer- und Steindruck. Der Abzug eines kleinen Gegenstandes bedarf etwa 1½ Minuten, während bei sehr großen Formaten 50 Abzüge per Tag möglich sind.

Den interessanten Notizen des Karl Reich über die praktische Behandlung dieses Lichtdruckverfahrens entnehmen wir Folgendes:

„Als Druckplatten sind die Spiegelplatten von belgischem Glase die besten und verbinden sich mit der darauf zu bringenden Schicht am festesten. (Die Mischungsverhältnisse der Materialien zur Glasfabrikation, die in den verschiedenen Fabriken auch verschieden genommen werden, scheinen auf die Haltbarkeit der Schichte Einfluß zu haben.)

Dünnes Glas ist dem dicken vorzuziehen, dickere Glasplatten widerstehen zwar der atmosphärischen Feuchtigkeit mehr, aber müssen auch länger bei den später vorzunehmenden Operationen im Trockenofen verweilen, während dünnere Glasplatten rascher trocknen, was ein schätzenswerther Vortheil ist.

Selbstverständlich müssen die Glasplatten außerordentlich gut gereinigt werden (am besten mit Salpetersäure); die zum Abreiben der Platten nöthigen Tücher müssen, damit alle Spuren von Fett und Schmutz daraus sorgfältig entfernt werden, mit Pottasche oder Soda tüchtig ausgekocht und mit reinem Wasser nachgespült werden.

Die nunmehr folgenden Operationen müssen in einem nur von gelbem Lichte erleuchteten, vollkommen staubfreien Lokale vorgenommen werden. 1 Theil Gelatine, 1 Theil Albumin, 8 Theile destillirtes Wasser, 4 Gramm zweifach chromsaures Kali werden gemischt, filtrit und mit dieser

Lösung die Glasplatten übergossen (von der Lösung bleibt nur sehr wenig auf der Glasplatte zurück), die Glasplatten hierauf in einem Trockenkasten bei 60 Grad Reaumur getrocknet.

Nach dem vollständigen Trocknen wird die Schichtseite mit einem schwarzen Tuche bedeckt und die Glasseite der Platte ungefähr 30 Minuten dem zerstreuten Tageslichte ausgesetzt.

Das zweifach = chromsaure Kali hat die Eigenschaft, organische Substanzen, denen es beigesetzt ist, im Tageslichte zu verändern und unlöslich zu machen.

Obige Manipulation hat also den Zweck, eine sehr feste und innige Verbindung der Glasfläche mit der aufgegossenen Schichte herzustellen, ferner das Durchdringen der Feuchtigkeit (beim Druck) bis auf die Oberfläche des Glases zu verhindern.

Man muß ein zu weit getriebenes Belichten dieser ersten Schichte zu vermeiden suchen. Die Schichte muß einen geringen Grad von Löslichkeit oder Klebrigkeit behalten und darf sich gegen die zweite aufzutragende Schichte nicht abstoßend verhalten.

Die belichtete Glasfläche wird nun in öfter gewechseltes Wasser gelegt, wodurch sich alles nicht reducirte Chromsalz löst und die Platte nun farblos und durchsichtig erscheinen läßt.

Alsdann werden 1 Theil Gelatine, ⅓ Theil Hausenblase, 8 Theile Wasser, 8 Gramm zweifach chromsaures Kali gelöst, filtrirt und neuerdings auf die vorher ausgewaschene, getrocknete und etwas angewärmte Platte gebracht. —

Je dicker dieser Aufguß gemacht wird, je heißer derselbe getrocknet und je mehr Luftzutritt beim Trocknen stattfinden kann, desto grobkörniger wird der Druck. — (Auch kräftiges Licht beim Kopiren, sowie das Alter der Platten, haben Einfluß auf das Korn.) Aeltere Platten geben feineres Korn, Sonnenlicht giebt feineres Korn als zerstreutes.

Die Platte wird nun bei ca. 60 Grad Reaumur getrocknet, was je nach Größe derselben 2—4 Stunden in Anspruch nimmt.

Nach erfolgtem Trocknen wird die Rückseite der Glasplatte mit einem schwarzen Tuche bedeckt, auf die Schichtseite ein gut entwickeltes Negativ gelegt und dem Tageslicht ausgesetzt.

Selbstverständlich muß das Aufgießen und Trocknen der Schicht in nur von gelbem Lichte beleuchteten Raum geschehen. Nach hinreichender Belichtung erscheint das Bild braun auf gelbem Grunde.

Die Platte wird nun in Wasser gelegt, das Wasser so oft gewechselt, bis alles chromsaure Kali aus der Leimschichte entfernt ist.

Man bemerkt jetzt auf der Platte ein ungemein zartes und detaillirtes Relief, die lichten Bildstellen sind am stärksten angeschwollen, diese Stellen waren durch das Negativ vor dem Lichte geschützt, die Gelatine ist also unverändert geblieben und schwillt im Wasser auf, verhält sich auch beim Druck gegen die fette Farbe abstoßend.

Die tiefsten Schatten sind dagegen vollständig unlöslich durch die Lichtwirkung geworden, sie stoßen das Wasser ab und sind nun geneigt fette Farbe anzunehmen. Ist die Platte genug gewaschen und ausgetrocknet, so kann zum Druck geschritten werden.

Zu diesem Zweck wird eine dicke Spiegelplatte, die etwas größer, als die Druckplatte sein muß, auf einen recht eben geschliffenen Stein aufgegypst. (Ist der Stein nicht ganz schön flach geschliffen, so bricht natürlich die Glasplatte beim Druck entzwei.) Der Stein mit der dicken Spiegelplatte wird in die Presse gebracht, auf die Glasplatte einige Tropfen Wasser gespritzt und die Druckplatte aufgelegt, dieselbe hält durch Abhäsion sehr fest.

Mit einem reinen Schwamm wird die Platte etwas angefeuchtet und mit einer sehr feinen, gut gearbeiteten Kreidewalze mit Kreidefarbe eingeschwärzt, bis das ganze Bild klar, rein und deutlich erschienen ist.

Man braucht zwei Farbeplatten zum Auftragen der Druckfarbe. Gewöhnlich wird auf die erste Platte festere schwarze Farbe, auf die zweite dünnere Farbe von röthlichem Ton aufgetragen. Hierbei ist auch die erste Farbwalze rauher, als die zweite.

Wenn das Bild in den kräftigen Zügen mit ersterer Farbwalze gut eingewalzt, nimmt man die zweite, um die feinen Details mit Farbe zu versehen. —

Das Druckpapier (Kupferdruckpapier oder Kreidepapier eignet sich am besten) wird aufgelegt, einige Bogen Makulatur darüber und bei sehr leichter Spannung durchgezogen. Das Papier muß die Farbe bei einer richtig behandelten Platte vollständig abheben; es darf keine sichtbare Spur von Farbe auf der Platte zurückbleiben.

Die Platte wird mit Wasser und etwas Terpentinöl gereinigt, das überflüssige Wasser schnell und sauber abgewischt und neuerdings eingeschwärzt.

Wassertropfen, die, wenn auch nur ganz kurze Zeit, auf der Platte stehen bleiben, zeigen sich auf dem Drucke, verlieren sich aber nach einigen Abzügen; überhaupt ist ein Ruiniren der Lichtdruckplatten beim besten Willen des aller ungeschicktesten Druckers nicht gut möglich; auch nutzen sich die Platten durchaus nicht ab.

Der zwei- oder dreihundertste Abdruck einer Platte zeigt genau dieselbe Schärfe und Deutlichkeit wie der erste.

. Im feuchten Zustande ist jedoch die Schichte sehr empfindlich gegen äußere Verletzungen. — Knoten und Unreinigkeiten im Papier machen Löcher, die unachtsamen und ungeschickten Hände und Fingernägel des Druckers Ritzen und Risse in die Platte.

Wenn die Platte die erforderliche Anzahl von Abdrücken geliefert hat, auch wenn sie die Nacht über nicht benutzt werden soll, muß die Farbe davon entfernt werden; man taucht zu diesem Behufe einen Schwamm in Terpentinöl oder Naphta und wäscht die Schichte damit ab. Die Platte wird alsdann für späteren Gebrauch bei Seite gestellt.

Durch Albert's photographischen Glasdruck wurde gleichsam die Photographie jenem Standpunkte zugeführt, der das Ideal der Reproduktion in vollständigster Weise repräsentirt*).

Mag immerhin die Photographie auf ihrem gegenwärtigen Höhenpunkte angelangt, für die Erzeugung hervorragender Kunstblätter mit vollem Rechte eine bevorzugte Stellung einnehmen, so wird dagegen jenes Reproduktions = Verfahren für manche Kunstgegenstände und industrielle Zweige die vielseitigste Benutzung bieten.

Bekanntlich dient die Reproduktionsmethode der Lithographie und des Kupferstichs größtentheils nur vermittelnd zur Vervielfältigung graphischer Kunsterzeugnisse; wobei schon das Kopiren oder Uebertragen derselben auf Stein oder Kupfer eine vorzüglich künstlerische und technische Virtuosität voraussetzt, wodurch lediglich die gediegene Durchführung der Druckplatte von dem Künstler abhängig ist, welcher stets nach seiner Auffassungsweise und Manier den Geist und Charakter des Originalbildes wiedergiebt.

Anders ist es hier, wo mit Hilfe der Photographie die Druckplatte unmittelbar nach dem Originalbilde, oder auch nach der Natur erzeugt wird, und dieselbe somit in

---

*) Die Erzeugnisse dieses Druckverfahrens zeichnen sich höchst vortheilhaft aus durch die Weichheit der Halbtöne und völlige Abwesenheit von störendem Korn, verbunden mit großer Klarheit der Schattenpartien.

Der Ton der Bilder ist dem Sujet jedesmal angepaßt; so besitzen die Porträts den sogenannten Photographieton in täuschender Nachahmung, die Reproduktionen geben den Ton der Originale genau wieder, so daß man wirklich nicht weiß, ob man es mit Photographien oder Drucken zu thun hat. Die Abdrücke sind zum Theil matt, zum Theil glänzend gedruckt, andere wieder sind mit einem glänzenden Ueberzug von Kollodium versehen, kurz alle möglichen Manieren sind vertreten und zeigen die allgemeine Anwendbarkeit des Verfahrens. Die Abdrücke sind zum Theil auf Kreidepapier mit weißem Rand, zum Theil auf dünnem Papier, zum Theil auf Karton gezogen.

Die Albertotypie bietet Porträts in Visitenkartenformat bis zur ganzen Platte, Reproduktionen bis zur Facsimilegröße (60 × 48 Centim.), Landschaften, Architekturen.

unveränderter Treue und Vollkommenheit den wahren
Ausdruck des Originals darbietet.

Zudem sind auch höchst beachtenswerthe Vorzüge
dieser Reproduktionsweise: die einfache und zuverlässig
sichere Herstellung der Druckplatte, so wie die minder kostspielige und überraschend schnelle Erzeugung derselben, wozu
es nur einiger Stunden bedarf; während bei Lithographie
und Kupferstiche oft Monate und Jahre, und somit Geld-
und Zeitopfer erforderlich sind, welche besonders bei Herstellung größerer Kunstwerke in Kupfer bedeutende Ka-
pitalien erheischen, wogegen durch obige Reproduktion derartige Unternehmungen höchst vortheilhaft begünstigt und
gefördert werden.

Abgesehen von der schnellen und billigen Herstellung
der Druckplatten, eignet sich auch für Umdruck auf
Stein und Zink kein photographisches Verfahren so
gut, als der Umdruck von dieser Lichtdruckplatte; vorzugsweise aber der von Reproduktionen in Strich- und Punktirmanier.

C. Die Abformenmethode der Heliographie.

Nicht minder interessant ist die Methode, welche auf
dem Abformen der belichteten Chromgelatine beruht.

Das Licht verändert nämlich die Gelatineschichte nicht
nur auf der Oberfläche, sondern bringt nach dem Grade
seiner Intensität in eine größere oder geringere Tiefe;
und das Verhältniß von Licht und Schatten kommt mit
solch mathematischer Genauigkeit, als Abwechselung von
Höhe und Tiefe, zum Ausdruck, daß die Zeichnung in ein
Relief von absoluter Richtigkeit sich verwandeln läßt.

Man darf die Schichte nach der Belichtung nur ins
Wasser bringen, um die weniger oder nicht belichteten
Stellen verhältnißmäßig aufschwellen und ein erhöhtes —
oder bei längerem Verweilen in der Flüssigkeit durch
Auflösen verschwinden und ein vertieftes Relief bilden zu
sehen.

Das Auflösen ergiebt eine schärfere Modellirung, nur muß man alsdann den Lösungsprozeß auf der unbelichteten Rückseite der Schichte vornehmen, weil sonst die nur auf der Oberfläche unlöslich gewordenen Mitteltöne vom Wasser unterhöhlt und weggeschwemmt werden.

Das so erhaltene Relief darf man alsdann nur in Metall abformen, um eine Druckplatte zu erhalten.

Der schon genannte Oesterreicher Paul Pretsch ist der Erfinder dieser Methode; die ausgezeichnetsten Resultate hat jedoch Emile Placet derselben abgewonnen.

Er streicht seine Gelatineschichte einfach auf das Kollodium des Clichés, wodurch sich die Belichtung der einen und die Auswaschung der andern Seite von selbst ergiebt.

Bei dieser Operation geht freilich das Cliché verloren. Soll dieses erhalten bleiben, so muß die Schichte auf eine durchsichtige und unlösliche Unterlage gestrichen und durch diese hindurch belichtet werden.

Am besten verwendet man hierzu ein dünnes Gelatineblatt, das man vorher durch Chromalaun unlöslich gemacht hat.

Nach der Belichtung befestigt man die Unterlage, vermittelst eines wasserfesten Klebstoffs, auf eine Metall- oder Glasplatte, und legt das Ganze in warmes Wasser, bis sich keine Gelatine mehr auflöst. Nun hat man ein Reliefbild, das man galvanisch abformen kann.

Für typographische Zwecke giebt man dem Relief etwas mehr Höhe; für den Kupferdruck dagegen muß die vertiefte Zeichnung natürlich ein Korn erhalten. Dieses entsteht bei Placet's Verfahren auf chemischem Wege in der Schichte selber, und hat eine wurmförmige Struktur, welche den Abstufungen der Töne folgt, in den tiefen Schatten eine gewisse Derbheit zeigt, und in den feinen Details fast unmerklich wird.

Diese Abwechslung erinnert an die Handarbeit und ist dem ästhetischen Charakter des Bildes außerordentlich günstig. Placet's Abbildungen nach der Natur gehören zum besten, was die Heliographie bis jetzt hervorgebracht

Weishaupt, Steindruck.   35

hat, und übertreffen sogar häufig den Silberdruck an Feinheit des Details.

Besonders sind architektonische Ansichten von ihm sehr harmonisch und wirkungsvoll, sowie von großer Vollendung.

Dem Engländer Woodbury ist eine nicht minder glückliche Kombinirung der Gelatineeigenschaften zu heliographischen Zwecken gelungen.

Er stellt nämlich zuerst ein Relief nach der Methode von Placet her, preßt dasselbe in Blei ein, und druckt mit der so erhaltenen Platte vermittelst einer besonderen Presse und einer gelatinösen Farbe.

Das Eindrücken des Gelatineblattes in weiches Letternblei wird mit einer hydraulischen Presse vorgenommen, und die Pressung läßt das Relief so unversehrt, daß dasselbe Blatt nöthigenfalls ein Dutzend und mehr solcher Bleieindrücke zu liefern vermag.

Die Druckpresse ist eine höchst einfache Vorrichtung, ein Tiegel, der sich höher und tiefer schrauben läßt und ein Deckel, der darüber klappt.

Die Farbe besteht aus Tusche oder ähnlichen Aquarellpigmenten mit einem Zusatz warmer, dünnflüssiger Gelatine. Davon gießt man das nöthige Quantum mitten auf die Bleiplatte, legt ein Blatt Papier darüber, schließt den Deckel der Presse, welcher, wie ein Waffeleisen, den überflüssigen Stoff hinausquetscht, und läßt die Gelatine anziehen, was, je nach dem Stande der Temperatur, eine halbe bis ganze Minute dauert.

Wenn man jetzt den Deckel aufklappt und das Papier abzieht, so bleibt die ganze koagulirte Farbe an diesem haften, und bildet ein der vertieften Form entsprechendes Relief, das aber, da es weit mehr Wasser als Gelatine enthält, beim Trocknen gänzlich verschwindet und eine vollkommene Zeichnung zurückläßt.

Das getrocknete Bild wird mit Alaun fixirt.

Auf diese Art bedarf die Druckplatte natürlich keines Kornes, und das Problem eines Drucks, der, wie die

Tuschzeichnung, einzig durch dünneren oder dickeren Auftrag des Pigments die Modellirung herstellt, ist gelöst.

Die so gefertigten Abdrücke kommen der Photographie
am nächsten, und sind, wenn man sie absichtlich in entsprechender Weise behandelt, von den besten Silberdrucken
nicht zu unterscheiden.

Die bekannte Pariser Kunsthandlung Goupil u. Co.
hat das Verfahren erworben und zur Ausbeutung desselben
eine großartige Werkstätte errichtet.

Ein Gang durch die Lokalität des Etablissements zu
Asnières beweisen, daß dieses sinnreiche Reliefverfahren,
trotz der mannigfachen technischen Schwierigkeiten praktisch
ausführbar ist.

Auf einer kleinen Anhöhe, deren Steigung zum Exponiren hunderter von Druckrahmen benutzt wird, findet
man einen großen Saal mit einer Galerie, welche zu den
Präparationsräumen im ersten Stock führt. Hier sind die
Dunkelzimmer, in denen die Gelatinetafeln präparirt werden, da ein prachtvoller Apparat zur Erzeugung von elek-
trischem Licht (bei der Belichtung können bekanntlich nur
parallele Lichtstrahlen verwendet werden), dort kolossale
Schalen, in denen die Reliefs entwickelt werden.

Leitungen von kaltem und heißem Wasser befähigen
den Operateur, die Temperatur seiner Bäder augenblicklich
zu verändern.

In dem großen Saale ist eine Reihe von großen,
runden, drehbaren Tischen, deren jeder zwölf Druckpressen
nach Woodbury'schem System trägt.

Jeder Drucker hat neben sich in einem Kessel mit
heißem Wasser eine Flasche schwarzer Gelatine stehen; er
öffnet eine Presse, gießt mitten auf das Blei-Intaglio eine
gewisse Menge dieser Farbe, legt ein Stück Papier darauf
und schließt die Presse. Dann dreht er den Tisch um
ein Zwölftel, verfährt so mit der zweiten, der dritten
Presse 2c. Wenn die erste Presse wieder an ihn kommt,
nimmt er den Abdruck heraus und legt ihn zum Trocknen
auf die neben ihm stehende Bank. Das Drucken geht
auf diese Weise sehr rasch von statten.

35 *

Aus diesem Betriebe läßt sich wohl die industrielle Bedeutung ermessen, welche die Heliographie bereits gewonnen hat, und wenn auch die industrielle Ausbeutung da und dort noch auf Hindernisse stößt, so liegt eben die Ursache nicht in der Unausführbarkeit der Theorie, sondern lediglich in der Neuheit der Praxis.

Unverkennbar erweisen auch im Ganzen all die gelungenen Proben der verschiedenen Verfahrungsarten die vollständige Begründung der heliographischen Theorie.

———

Erwähnenswerth ist noch ein neues Verfahren im Lichtdruck, welches auf der letzten internationalen Ausstellung in London beobachtet werden konnte, wo die Heliotyp-Compagnie eine Presse aufgestellt hatte, in welcher fortwährend Abzüge von einem Leimcliché gemacht wurden.

Das Cliché lag nicht auf Glas wie bei der Albertotypie, sondern auf einer Metallplatte.

Die Sicherheit, mit welcher der Drucker die Abzüge in fetter Farbe erzeugte, war überraschend. Die Drucke fielen höchst gleichmäßig aus und waren in jeder Beziehung als gelungen zu bezeichnen; sie wurden sogleich zum Verbrauch ausgelegt und dokumentirten so gewisse Vorzüge vor den in der Nähe seitens der Photorelief-Compagnie gefertigten Abzügen, welche erst getrocknet, beschnitten und auf Karton geklebt werden mußten, wie gewöhnliche Silberbilder.

Das Verfahren macht so recht den Eindruck, als wenn es sich für große Auflagen eigne.

Im Uebrigen erscheint der Reliefdruck mehr photographieähnlicher, tiefer in den Schatten und feiner in den Uebergängen, der Lichtdruck dagegen reiner in den Lichtern.

———

In sehr sinnreicher Weise wurde auch die Heliographie selbst zu mancherlei technischen Zwecken benutzt. So z. B. zum Kopiren von Plänen und Maschinenzeichnungen. Für Fälle, wo in der Eile eine Anzahl genauer Kopien des

Originals verlangt werden und das Lithographiren sich nicht rentiren würde, ist nach G. Wharton Simpson (Photogr. Mittheilung IV. Jahrgang, Seite 34) kürzlich folgendes Verfahren erfunden worden.

Eine große Glasplatte wird mit einem nicht aktinischen, aber transparenten Lack überzogen, und getrocknet. Nun legt man die Platte über die Zeichnung und zieht die Linien mit einer scharfen Spitze nach, welche den Lack entfernt, dann benutzt man die Platte wie ein Negativ und druckt Abzüge davon in gewöhnlicher Weise.

Eine höchst einfache Nutzanwendung der Lichtdruckmethode, ist auch das Kopiren (Lichtpausverfahren) auf photographischem Wege, ohne Camera und Objektiv (der Leipziger Neuen deutschen Gewerbezeitung entnommen).

Dieses Verfahren gestattet das Kopiren jeder beliebigen auf weißem Papier oder Leinwand ausgeführten Zeichnung, sowie jedes Stein- und Metalldrucks auf überraschend leichte, von jedem Techniker mit geringen Hilfsmitteln ausführbare Weise.

Die Technik dieses Verfahrens ist folgende:

Ein Stück Lichtpauspapier (gewöhnliches haltbares Chlorsilberpapier) wird mit der Zeichnung sorgsam bedeckt, dem Tageslichte (in einem besonders dazu konstruirten Kopirrahmen) ausgesetzt; das Licht scheint durch die weißen Stellen der Zeichnung hindurch und färbt das Papier dunkel.

(Besser gesagt — das Licht reducirt das Chlorsilber, welches nach und nach zu metallischem Silber in Form fein zertheilten dunklen Silbers übergeführt wird.)

Die unter den schwarzen Strichen der Zeichnung liegenden Theile des lichtempfindlichen Papieres aber bleiben weiß.

Auf diese Weise erhält man eine treue Kopie der Zeichnung in Originalgröße, und zwar weiß auf schwarzem Grunde, also eine Umkehrung des Originals, welche nach dem Fixiren, durch Behandlung mit unterschwefligsaurer

Natronlösung, gegen alle ferneren Lichteinbrücke geschützt wird.

Fertigt man von dieser ersten Kopie, dem eigentlichen Negativ (des Originals), eine neue Kopie in derselben Weise und eben so leicht und sicher an, so erhält man eine getreue Kopie die Originals, ein Positiv, also schwarz auf weiß die Zeichnung.

Bei diesem Prozesse leidet das Original gar nicht, und da man von der selbstgefertigten Pause (Negativ) bei hellem Wetter schon in einigen Minuten eine Kopie erhalten kann, so leuchtet die Güte und Vorzüglichkeit dieses Verfahrens ein.

Vergleicht man die absolute Treue und Schnelligkeit dieser Methode mit der Billigkeit gemeinsam gegenüber dem schwierigen, zeitraubenden und kostbaren Kopiren durch die Hand eines Zeichners, so tritt der Vorzug dieses Verfahrens evident hervor.

Der praktische Techniker benöthigt hierzu nichts weiter, als passend große Kopirrahmen, ein oder mehrere, und zweier Schalen zum Fixiren und Wässern, also so geringer Anschaffungen, daß sich der Nutzen schon nach den ersten Arbeiten herausstellt.

Das gesilberte haltbare Pausepapier wird fertig geliefert und kann vorsichtig aufbewahrt, recht gut einige Wochen und Monate alt werden, ohne zu verderben.

Da das Kopiren auf jedem freien Raume geschehen kann und selbst nebenbei zu besorgen ist, so dürfte sich die Einführung dieses lohnenden Verfahrens in allen größeren Etablissements empfehlen.

Ueber die praktische Behandlung dieser einfachen sicheren und billigen Methode giebt G. Meißner in der Lithographia folgende Anleitung:

Bei dem Kopiren von Zeichnungen auf photographischem Wege wird das präparirte Papier so auf das zu kopirende Original gelegt, daß Bildfläche und präparirte Fläche aufeinander liegen, sodann wird eine Glastafel darauf gelegt oder das Ganze in einen

Kopirrahmen eingespannt und dem Sonnenlichte oder dem gewöhnlichen Tageslichte (bei trübem Wetter) ausgesetzt.

In einer Zeit, welche je nach dem zu kopirenden Originale und der Stärke des Lichtes von einer Minute bis zu 4 oder 5 Stunden wechselt, kann die Kopie als fertig herausgenommen werden. Sie muß aber vorläufig noch im Dunkeln aufbewahrt und nachträglich noch einer einfachen Prozedur unterworfen werden, um sie unempfindlich gegen das Licht zu machen, oder dieselbe zu fixiren.

An einem hübschen sonnigen Tage können mit einem Kopirrahmen ganz gut 8 bis 10 Pausen angefertigt werden. Ein Original auf dickem und festem Papiere erfordert bei trübem Wetter eine ziemlich bedeutende Zeit zum Kopiren, aber dennoch ist das Verfahren dabei ein lohnendes, indem man während der ganzen Dauer der Kopirzeit ruhig seiner Arbeit obliegen kann.

Die Expositionszeit ist durchaus nicht in so enge Grenzen eingeschlossen, daß eine Kopie etwa leicht unbrauchbar würde, man kann im Gegentheile je nach Belieben entweder in der kürzesten Zeit eine Kopie von sehr hellem Siena-Tone oder in der längsten Zeit eine solche von dunkel-kastanienbraunem Tone erhalten und zwischen diesen beiden Extremen läßt sich jede beliebige Abstufung hervorbringen.

Das ganze Verfahren zerfällt in 3 Abtheilungen und zwar in das Präpariren, Exponiren und Fixiren der Kopie.

1) Das Papier und seine Präparirung.

Das am besten verwendbare Papier ist das bei jedem Photographen verkäufliche sogenannte Albumin- oder Eiweiß-Papier und zwar von der geringsten Qualität*). Die Bogen sind gewöhnlich 40 bis 45 Centimeter breit und 55 bis 60 Centim. lang; man kann aber auf Bestellung Papier von jedem beliebigen Formate bekommen.

---

*) Sehr billiges Albumin-Papier liefert die Teigwaaren- und Albumin-Papierhandlung von Anschütz in Dresden.

Das Papier ist auf einer Seite mit einer gleichmäßigen Eiweißschicht überzogen, in welcher eine gewisse Menge Kochsalz aufgelöst ist. Das Eiweiß dient nur dazu, dem Papiere eine schöne glatte und wasserdichte Oberfläche zu ertheilen, das Kochsalz aber, um auf dem Papiere eine lichtempfindliche Schicht zu bilden.

Das Kochsalz ist nämlich eine Verbindung von Chlor und Natrium.

Man legt nun das Papier auf eine Lösung von 2 Unzen (60 Gramme) salpetersaurem Silberoxyd (Höllenstein) in 30 bis 40 Unzen (900 — 1200 Grm.) Wasser und läßt es 2 — 3 Minuten darauf schwimmen.

Unmittelbar nach dem Auflegen auf die Flüssigkeit verbindet sich das Chlor der Eiweißschicht mit dem Silber des salpetersauren Silberoxydes zu Chlorsilber, welches die Eigenschaft besitzt, am Lichte schwarz zu werden.

Legt man das Papier nach dem Trocknen auf eine Zeichnung und setzt beides so dem Tageslichte aus, daß dasselbe durch die Zeichnung hindurch, auf die präparirte Fläche scheint, so wird die ganze Fläche schwarz, an denjenigen Stellen aber, wo die schwarzen Linien das Licht abhalten, bleibt die Fläche weiß und so entsteht eine äußerst genaue Zeichnung von weißen Linien auf dunklem Grunde und zwar wird diese Zeichnung umgekehrt, so daß zwar oben und unten wie auf dem Originale ist, die rechte Seite des Originals aber die linke auf der Kopie bildet.

Unmittelbar nach dem Auflegen des Papiers auf die Flüssigkeit hebt man das Papier an einer Ecke bis zur Hälfte in die Höhe und streicht mit einem Holzstäbchen die da und dort daran hängenden Luftblasen weg, so daß das Papier überall von der Flüssigkeit berührt wird. Dieses Aufheben wiederholt man an allen 4 Ecken des Blattes.

Das Albumin-Papier soll an einem trocknen Orte aufbewahrt werden, da es aber in sehr trockenem Zustande die Silberlösung nicht so gern annimmt, so bilden sich leicht Luftblasen zwischen Papier und Flüssigkeit, welche man dann abzustreifen hat. Um dies zu vermeiden, lege man das Papier unmittelbar vor dem Präpariren an einem kühlen Ort, wodurch es dann sehr schön von der Flüssigkeit angezogen wird.

Nachdem das Papier 2 bis 3 Minuten mit der Flüssigkeit in Berührung war, wird es von derselben abgehoben, indem man es, an einer Ecke anfangend, ganz langsam in die Höhe zieht, damit möglichst wenig von der Flüssigkeit daran hängen bleibt. Man hängt es zum Trocknen auf und zwar im Dunkeln. Man thut am besten, das Papier am Abend vor dem Tage zu bereiten, an welchem man dasselbe brauchen will, da das präparirte Papier nur 3 bis 4 Tage aufbewahrt werden kann, indem es nach und nach gelblich wird. —

Je vollständiger die Dunkelheit ist, in welcher man dasselbe aufbewahrt, desto besser ist es; da aber nicht Jedermann einen solchen Raum nahe zur Hand hat, so kann man dasselbe in roth oder gelbrothes Papier eingewickelt in einer Tischschublade oder einem Kasten aufbewahren.

Kerzen- oder Lampenlicht hat keine Einwirkung auf das Papier; unter dem dunkeln Raume ist also immer nur Abwesenheit des Tageslichtes verstanden.

Da das Papier beim Trocknen kraus wird und es in diesem Zustande nicht verwendet werden könnte, so wickelt man dasselbe rückwärts oder mit der präparirten Seite nach außen auf eine steife starke Papierrolle von 3 Centim. Durchmesser auf. Läßt man die Bogen nur eine ganz kurze Zeit so liegen, so erhalten dieselben ein sehr hübsches gleichmäßiges Ansehen und legen sich ganz gut an das Original an.

Für Bogen von der oben angegebenen Größe gießt man die Silberlösung in ein flaches Gefäß von 3 bis 6 Centim. Höhe. Die Tiefe der Flüssigkeitsschicht braucht nicht über 4 bis 5 Millim. zu betragen, so daß der Boden des Gefäßes nur überall von der Flüssigkeit bedeckt ist.

Da die Lösung von salpetersaurem Silberoxyd die meisten organischen Stoffe angreift und da Glas- oder Guttaperchagefäße von dieser Größe nicht leicht zu bekommen und außerdem sehr theuer sind, so verwendet man am besten einfache hölzerne Gefäße von 5 Centim. Tiefe, welche mit gutem Wachstuche aus einem Stücke ausgefüttert sind. Diese Gefäße halten sich ganz dicht und zerbrechen nicht.

Im Anfange wird zwar nach und nach die Farbe des Wachstuches von der Flüssigkeit aufgelöst und die letztere dadurch braun gefärbt, was aber nichts schadet, indem man die Flüssigkeit einfach filtrirt, wenn die Färbung zu stark geworden ist.

Ist einmal die Farbe aus dem Wachse herausgefressen, so tritt der Uebelstand nicht mehr ein und ein solches Gefäß ist weit mehr werth, als ein solches von Glas. Gläserne Schalen haben gewöhnlich schon neu kleine unsichtbare Sprünge, welche bei jeder geringfügigen Temperatur-Veränderung etwas größer werden.

Enthält die Silberlösung zu wenig Silber (sie wird nach und nach durch den Gebrauch schwächer), so bilden sich leicht Blasen zwischen Papier und Flüssigkeit und zuletzt wird die Albumin-Schicht des Papiers aufgelöst und schwimmt in schleimigen Fäden in der Flüssigkeit herum.

Durch Filtriren wird das Bad wieder rein und durch Zufügen von frischem salpetersauren Silberoxyd wird es wieder brauchbar.

Im Uebrigen braucht das zum Kopiren auf diese Weise verwendete salpetersaure Silberoxyd durchaus nicht so rein zu sein, wie dies sonst in der Photographie nothwendig ist.

2 Unzen (60 Grm.) salpetersaures Silberoxyd in 30 bis 40 Unzen (450 — 600 Grm.) Wasser aufgelöst, reichen zum Präpariren von 35—40 Bogen aus.

Eine Unze (30 Grm.) Silber kostet 4 Mark 50 Pfge.; ein Bogen 20 Pfge. Ein Kopie kommt also auf etwa 40 Pfge. zu stehen.

Statt des filtrirten und destillirten Wassers ist zum Auflösen des Silbers, selbst gewöhnliches Brunnenwasser zu gebrauchen; es wird zwar dadurch etwas Silber niedergeschlagen und die Flüssigkeit trübt sich etwas; allein es ist dies ohne weitere nachtheilige Wirkung.

Hat man zu dem flachen Gefäße, das die Silberlösung während des Präparirens aufzunehmen hat, einen gut schließenden Deckel, so kann man die Flüssigkeit beständig darin lassen, im andern Falle hat man dieselbe in eine Flasche zurückzugießen.

2) Das Exponiren oder Kopiren.

Dasselbe geschieht am besten mittelst eines gewöhnlichen Kopirrahmens. Derselbe besteht aus einem hölzernen Rahmen, über welchen zwei an guten Gelenkbändern befestigte Schließen gehen, welche durch hölzerne oder metallene Riegel gehalten werden; letztere drehen sich um Holzschrauben und werden auch mit ihrem Ausschnitte unter die Köpfe von Holzschrauben geschoben, sind also dadurch verhindert in die Höhe zu gehen.

Jede der beiden Schließen hat zwei leichtgehende hölzerne Schrauben. In diesem Rahmen ist ein starkes Spiegelglas (geschliffenes Glas von 5 — 6 Millim. Dicke) gut passend eingeschnitten und außerdem ein Brettchen, welches aus zwei durch Gelenkbänder vereinigten Theilen besteht, deren jeder, um das Werfen zu verhüten, mit zwei Leisten versehen ist.

Es besteht dieser Deckel darum aus zwei Theilen, um beim Einlegen stets das Verrücken der übereinanderliegenden Theile zu verhüten, indem man immer auf einer Seite halten kann, bis die eine Hälfte des Deckels eingelegt ist; außerdem muß man die eine Hälfte aufklappen können, um nachzusehen, ob die Kopie genügend entwickelt ist.

Beim Kopiren legt man auf die Glasplatte des Kopirrahmens das Original mit der hinteren Seite, also die Bildseite vom Glase abgekehrt. Auf die Bildseite kommt das präparirte Papier und zwar so, daß Bildfläche und präparirte Fläche einander berühren; darauf kommen einige Bogen Fließpapier und zuletzt der hölzerne Deckel, wonach die Schließen vorgelegt, befestigt und die Schrauben angezogen werden.

Jetzt bringt man den Rahmen an das Tageslicht und stellt ihn senkrecht gegen das einfallende (am besten Sonnen=) Licht und läßt ihn so lange draußen bis die hervorragenden Theile des präparirten Papiers gehörig dunkel geworden sind, oder bis man entweder durch Nachsehen oder durch Erfahrung überzeugt ist, daß die Kopie sich gehörig entwickelt hat.

Es ist beim Kopiren aber Rücksicht darauf zu nehmen, daß die Kopien beim nachherigen Fixiren ziemlich stark gebleicht werden; man muß sie daher etwas stärker kopiren, als man sie in fertigem Zustande haben möchte.

Diese Kopien müssen, wenn sie aus dem Kopirrahmen kommen, noch im Dunkeln aufbewahrt werden, wenn man sie nicht sogleich fixiren will.

Das Einlegen und Herausnehmen aus dem Kopirrahmen darf ganz gut an der Tageshelle im Zimmer geschehen, nur hat man sich so einzurichten, daß das präparirte Papier nur auf kurze Zeit ans Tageslicht kommt. Auch das Fixiren darf am Tageslichte geschehen. Der obige Kopirrahmen ist bis zu einer Bogengröße von 30 bis 40 Centim. noch gut verwendbar.

Für größere Bogen wäre es sehr schwierig den Deckel so herzustellen, daß er überall gut am Glase aufliegt, ohne daß man die Schrauben zu stark anziehen muß.

Als Deckel für gößere Bogen ist daher eine zweite Spiegelglasscheibe von 5—6 Millim. Dicke sehr geeignet, welche man dann mittelst hölzerner, unter die Schließen geschobener Keile sanft auf die untere Glasscheibe preßt.

Man erreicht auf diese einfache Weise ein sehr gutes dichtes Aufeinanderliegen des präparirten Papiers und Originals, von welchem das Gelingen einer Kopie nach dieser Methode einzig abhängt, weil sonst weiter kein schwieriger Punkt an der Sache ist.

Steht das Original und die Kopie nur um eine Haardicke von einander ab, so beeinträchtigt dies schon die Lebhaftigkeit der Kopie.

Hat man irgend eine Zeichnung oder irgend einen Holzschnitt aus einem Atlas oder Buch zu kopiren, welche man nicht in den Kopirrahmen spannen kann, so legt man dieselbe auf irgend eine ebene Unterlage, legt das präparirte Papier darunter und auf die Rückseite des Originals eine ebene Spiegelplatte, welche man an ihren Ecken etwas beschwert und setzt das Ganze an die Sonne oder ans Tagelicht.

Was die Zeit anbelangt, während welcher eine Zeichnung ans Licht gesetzt werden muß, um eine Kopie zu erhalten, so kann man sich Folgendes merken: Da das Licht durch die Papiermasse hindurchscheinen muß, so braucht ein Zeichnung um so längere Zeit, je dicker und undurchsichtiger das Papier ist. Die Schärfe der Kopie ist von dieser Dicke aber durchaus unabhängig, so daß sich jede Zeichnung kopiren läßt.

Eine Zeichnung auf gewöhnlichem, festem, weißen Zeichen-Papiere erfordert zum Kopiren in hellem Siena-Tone eine halbe Stunde direktes Sonnenlicht und 5 bis 8 Stunden gewöhnliches Tageslicht.

Eine Kopie von einer Pause erfordert 2—4 Minuten Sonnenlicht (im Sommer nicht eine Minute) und $1/4$ bis $3/4$ Stunden Tageslicht. Um die Mittagszeit von 11 bis 3 Uhr geht das Kopiren am raschesten. Je koncentrirter man die Silberlösung nimmt, um so rascher geht das Kopiren. Im Sommer geht es rascher als im Winter. — Kräftig und mit schwarzer Tusche ausgezogene Originale können dunkler kopirt werden; feine Zeichnungen muß man heller lassen, sonst werden dieselben undeutlich. —

Durch Uebung bringt man es bald dazu, die Expositionszeit so voraus zu bestimmen, daß man nicht nachzusehen braucht, ob eine Kopie sich gehörig entwickelt habe.

3) Das Fixiren der Kopien.

Da die aus dem Kopirrahmen genommenen Kopien noch leicht empfindlich sind, so müssen dieselben etwa 5 bis 10 Minuten in eine Auflösung von 8 Unzen (240 Gramm) unterschwefligsaurem Natron in 160 Unzen (4800 Gramm) Wasser eingetaucht werden, welche Lösung man beständig in einer mit Wachstuch ausgefütterten hölzernen Schale, ähnlich wie das Silberbad aufbewahrt.

Schließlich werden die Kopien in Wasser etwa 10 Minuten gespült, zwischen Fließpapier ausgepreßt und an der Luft oder am Ofen getrocknet.

Bevor sie ganz steif geworden sind, wickelt man dieselben, mit der präparirten Seite nach außen, auf eine glatte Papierrolle auf, wonach dieselben ein hübsches glattes Ansehen erhalten.

Bekanntlich wird auch bei verschiedenen Industriegegenständen die Uebertragung der Photographien, resp. der photographischen Membrane, auf Glas-, Thon- und Holzwaaren in Anwendung gebracht.

Eine spezielle Mittheilung hierüber von Dr. J. Schnauß in Jena, ist in den Dr. Hager und Dr. Jacobsen's „Industrie=Blättern“, und in der „Lithographia“ enthalten, auf die wir daher hinweisen.

— ·· —

Unverkennbar ist auch für die Kartographie, deren wir schließlich noch erwähnen, die Verbindung der Photographie mit der Lithographie und die Galvanoplastik von größter Tragweite, indem hierdurch photolithographische und heliographische Reproduktionen entstehen, die in vielen Fällen den Reducenten und Kupferstecher entbehrlich machen und durch die Schnelligkeit und Billigkeit der Erzeugnisse, der Kartographie eine ungeahnte Verbreitung sichern.

Durch den photographischen Apparat kann man Pläne und Zeichnungen entweder in gleicher Größe, oder wie bekannt, in jedem beliebigen Maße verkleinert reproduciren.

Poitevin überzog den Stein mit einer Gelatinchromat=Lösung, belichtete ihn unter einem Glasnegativ, schwärzte und wusch den Stein, wodurch die Schwärze nur an den vom Lichte getroffenen Stellen haften blieb.

Osborn setzte ein in Stärke und chromsaurem Kali präparirtes Papier dem Negativ aus, fixirte das Bild durch Abspülen mit Wasser und erhielt ziemlich gute photolithographische Abdrücke. In England wurde dieses Verfahren auch auf Zink versucht und durchgeführt. —

Der neuesten Zeit gehört die Heliogravüre an, bei welcher nach dem Prinzipe des italienischen Obersten Croet, durch Einwirkung des Lichtes auf eine mit dem Negativ versehene Glasplatte und durch eine aufgetragene Komposition von Gelatin an jenen Stellen, die von den Lichtstrahlen getroffen werden, ein unlösliches Reliefbild erzeugt wurde, welches sodann mit lauem Wasser abgespült und mit einem Graphit- oder metallischen Ueberzug versehen, zur galvanoplastischen Erzeugung der Tiefplatte geeignet gemacht wurde.

Das erzielte Resultat war bedeutend genug um zu umfassenden Versuchen anzuspornen. Unbezweifelt vermag die Heliogravüre wohl Karten in größerer Vollendung zu liefern, sie bedarf aber auch eines etwas größeren Zeitaufwandes, wodurch diese Herstellungsweise kostspieliger wird.

Uebersicht

der im Atlas enthaltenen Abbildungen.

Tafel I. Fig. 1 bis 30.

Fig. 1 Seitenansicht des obern Theiles eines Zeichentisches.

Fig. 2 einen Zeichenrahmen.

Fig. 3 und 4 Einschwärztische.

Fig. 5 eiserne Spatel zum Reinigen der Schwärzplatte.

Fig. 6 Einschwärzwalze nebst Kapsel.

Fig. 7 Walze ohne Naht von Tudot.

Fig. 8 und 8a bis d Tampon und Schwärzbrett.

Fig. 9 Aetztisch.

Fig. 10 System der Schleifmaschine von François und Benoist.

Fig. 11 excentrische Schleifscheibe.

Fig. 12 und 13 Hammer und Zackenmeißel zum Zurichten der Steinplatten.

Fig. 14 Einsatzsiebe, mit einem Tambour zum Körnen des Steins.

Fig. 15 Büchse von Sturzblech zum Brennen des Rußes.

Fig. 16 Form zum Gießen der Kreide.

Fig. 17 bis 26 Erläuterungen über das Rundiren und Schneiden der Stahlfeder mittelst der Schere und der hierzu nöthigen Halter.

Fig. 27 und 28 Lineale zum Anschließen an den Stein von Krauß.

Fig. 29 und 30 Seiten- und Vorderansicht des koncentrischen Zirkels von Jobard.

Tafel II. Fig. 31 bis 53.

Fig. 31 und 32 Seiten- und obere Ansicht des Ellipsograph von Cousens in London.

Fig. 33 und 34 verschiedene Schaber für den Gebrauch des Lithographen.

Fig. 35 bis 38 die Reibahle als Gravirnadel und deren Hefte.

Fig. 39 Schraubenkluppe für ungefaßte Diamanten.

Fig. 40 und 41 Seiten- und obere Ansicht einer Schraffirmaschine.

Fig. 42 bis 48 Schraffirmaschine mit ihren Details.

Fig. 49 bis 51 zur Erläuterung des Princips der Reliefmaschine.

Fig. 52 und 53 Seiten- und obere Ansicht einer Reliefmaschine von Karmarsch.

Tafel III. Fig. 54 bis 73.

Fig. 54 bis 59 Kopirmaschine nebst Erläuterung ihres Princips.

Fig. 60 Ballen zum Tamponiren.

Fig. 61 und 62 Grundirpinsel zum Auftragen des Gravir- und Aetzgrundes.

Fig. 63 Erwärmungsapparat zum autographischen Umdruck.

Fig. 64 bis 66 Einpaßvorrichtung zum Farbendruck.

Fig. 67 zur Erläuterung der Farbenharmonie.

Fig. 68 zur Erläuterung der Punkturen an den Farbedruckplatten.

Weishaupt, Steindruck.   36

Fig. 69 bis 73 erste Reiberpresse, sogenannte Galgen- oder Stangenpresse von Senefelder.

Tafel IV. Fig. 74, 76 bis 83.

Fig. 74 bis 83 Reiberpresse von de la Morinière.

Tafel V. Fig. 75, 84 bis 95.

Fig. 84 Walzenpresse von Trentsensky in Wien.
Fig. 85 Roll- oder Hebelpresse von Mitterer.
Fig. 86 bis 93 Schnellbalkenpresse.
Fig. 94 und 95 vereinfachte Presse nach dem Princip von Schlicht.

Tafel VI. Fig. 96, 97, 101, 102, 104 bis 106.

Fig. 96 bis 100 Presse von Grimpé und Engelmann in Paris.
Fig. 101 bis 106 Kunstpresse für Kreide und feinere Feder- und Gravirarbeiten und Schnellpresse für gewöhnliche Schriftarbeiten von Ignaz Wiedermann.

Tafel VII. Fig. 98 bis 100, 103, 107, 109, 112 bis 114.

Fig. 107 bis 114 Smart's Schnellpresse.

Tafel VIII. Fig 108, 110, 111, 117 bis 120.

Fig. 117 bis 120 eine Sternpresse für's Kunstfach.

Tafel IX. Fig. 121 bis 124, 129 bis 131 und 134.

Fig. 121 und 122 verbesserte Sternpresse von Manhardt.
Fig. 123 und 124 Presse für kleine Formate von Ferd. Weishaupt.
Fig. 129 bis 131 Papierpressen.
Fig. 134 zur Erläuterung der Behandlung zersprungener Steine.

Druck von B. F. Voigt in Weimar.

Vom gleichen Verfasser sind bereits erschienen:

1) Musterblätter für praktische Künstler und Gewerbsleute, sowie zum Gebrauche beim Unterrichte im Ornamenten- und Linearzeichnen für technische Schulen. 31 lithograph. Blätter in gr. Querfolio. München 1836. (Ist vergriffen.)

2) Theoretisch-praktische Anleitung zur Chromolithographie. 6 Bogen Text mit 3 Tafeln Abbildungen. Leipzig 1848. 1 Mark 80 Pfge.

3) Elementarunterricht im Linearzeichnen für höhere Feiertagsschulen, Gewerbsschulen und zum Unterrichte im gewerblichen Berufe. Zweite Auflage. München, Karl Merhoff's Verlag 1873—1875.

I. Abtheilung I. Theil. Geometrische Zeichnungslehre (Konstruktion in der Ebene). 6 Bogen Text mit Holzschnitten und einem Atlas mit 16 lithographirten Tafeln. 4 M.

I. Abtheilung II. Theil. Fortsetzung des ersten Theils. 6 Bogen Text mit Holzschnitten und einem Atlas mit 16 lithographirten Tafeln. 4 Mark.

II. Abtheilung I. Theil. Geometrische Projektionslehre. 6 Bogen Text mit Holzschnitten und einem Atlas mit 30 Tafeln. 7 Mark.

II. Abtheilung II. Theil. Fortsetzung des ersten Theils. 6 Bogen Text mit Holzschnitten und einem Atlas mit 26 Tafeln. 7 Mark.

III. Abtheilung. Schattenkonstruktion. 7 Bogen Text mit Holzschnitten und einem Atlas mit 14 Tafeln. 4 Mark.

IV. Abtheilung I. und II. Theil. (Schluß des Werkes.) Axonometrie und Perspektive. 16 Bogen Text mit Holzschnitten und einem Atlas in Querfolio mit 30 Tafeln. 10 Mark.

4) Vorlagen zum Elementarunterricht im Freihandzeichnen für Schulen, sowie zur Selbstübung nebst erläuterndem Texte. Zweite Auflage 1874. München, Karl Merhoff's Verlag. 13 Hefte in Querfolio à 12 lithograph. Blättern. Jedes Heft 1 Mark 50 Pfge.

5) Sammlung von Vorlagen für technische Zeichnungsschulen und Gewerbtreibende. München, im Verlag der lithographischen Kunstanstalt an der Handwerks-Feiertagsschule 1860. Erstes und zweites Heft, zusammen 16 Blätter in gr. Folio à Heft 4 Mark. (Zu beziehen durch Karl Merhoff's Verlag in München.

6) Bayerns erste technische Schule oder ausführliche Geschichte der Entstehung und organischen Entwickelung der Feiertagsschulen zu München. 15 Bogen Text mit einem Titelbilde. München, Karl Merhoff's Verlag 1864. 2 Mark.

————————

Check Out More Titles From HardPress Classics Series In this collection we are offering thousands of classic and hard to find books. This series spans a vast array of subjects — so you are bound to find something of interest to enjoy reading and learning about.

Subjects:
Architecture
Art
Biography & Autobiography
Body, Mind &Spirit
Children & Young Adult
Dramas
Education
Fiction
History
Language Arts & Disciplines
Law
Literary Collections
Music
Poetry
Psychology
Science
…and many more.

Visit us at www.hardpress.net

Im The Story
personalised classic books

JANE
IN
WONDERLAND

LEWIS
CARROLL

"Beautiful gift.. lovely finish.
My Niece loves it, so precious!"

Helen R Brumfieldon

⭐⭐⭐⭐⭐

UNIQUE
GIFT

FOR KIDS, PARTNERS
AND FRIENDS

Timeless books such as:

Kids

Alice in Wonderland • The Jungle Book • The Wonderful Wizard of Oz
Peter and Wendy • Robin Hood • The Prince and The Pauper
The Railway Children • Treasure Island • A Christmas Carol

Adults

Romeo and Juliet • Dracula

Highly
Customizable

Change
Books Title

Replace
Characters Names
with yours

Upload
Photo (for
inside page)

Add
Inscriptions

Visit
Im The Story .com
and order yours today!

CPSIA information can be obtained
at www.ICGtesting.com
Printed in the USA
BVHW081029130819
555775BV00019B/1224/P